LA TRAICIÓN DE BOURNE

Robert Ludlum

La traición de Bourne

por

Eric Van Lustbader

Traducción de Victoria E. Horrillo

Umbriel Editores

Argentina • Chile • Colombia • España •
Estados Unidos • México • Perú • Uruguay • Venezuela

Título original: *The Bourne Betrayal*
Editor original: Orion Books, Londres
Traducción: Victoria E. Horrillo Ledezma

1.ª edición Marzo 2011

Todos los personajes de esta novela son ficticios.
Cualquier parecido con personas vivas o fallecidas es mera coincidencia.

Copyright © 2007 *by* Myn Pyn, LLC
    Published in agreement with the author c/o Baror International, Inc.,
    New York, NY, USA
    All Rights Reserved
© de la traducción 2011 *by* Victoria E. Horrillo Ledezma
© 2011 *by* Ediciones Urano, S.A.
    Aribau, 142, pral. – 08036 Barcelona
    www.umbrieleditores.com

ISBN: 978-84-89367-84-4
E-ISBN: 978-84-9944-006-4
Depósito legal: B-5533-2011

Fotocomposición: Angela Bailen
Impreso por Romanyà Valls, S.A. – Verdaguer, 1 – 08786 Capellades (Barcelona)

Impreso en España – *Printed in Spain*

A la memoria de Adam Hall (Elleston Trevor),
mentor literario: las rosas también son para ti.

Gracias a Ken Dorph, mi arabista particular,
a Jeff Arbital, y especialmente a Victoria, por el título

Prólogo

El Chinook batía un cielo rojo sangre. Se estremecía entre peligrosas turbulencias, inclinándose al virar en el aire diáfano. Una telaraña de nubes, iluminada de fondo por un sol desfallecido, pasaba flotando como el humo de un avión en llamas.

Martin Lindros miraba atentamente desde el helicóptero militar que le llevaba hacia las cotas más altas de los montes Simien. Aunque no participaba en misiones sobre el terreno desde que cuatro años atrás el Viejo le nombrara subdirector de la Agencia Central de Inteligencia, había procurado no perder su lado animal. Entrenaba tres días por semana en el campo de obstáculos que la CIA tenía a las afueras de Quantico, y todos los jueves por la noche, a eso de las diez, se sacudía el tedio que le producía revisar informes de inteligencia electrónicos y firmar órdenes de actuación pasando una hora y media en la sala de tiro para retomar el contacto con toda clase de armas de fuego, pasadas, presentes y futuras. Fantasear con la acción le servía para aliviar su frustración por sentirse tan poco útil. Todo eso cambió, sin embargo, cuando el Viejo aprobó su propuesta de operaciones para Tifón.

Un fino cuchillo de aire cruzó el interior del Chinook adaptado por la CIA. Anders, el jefe de Escorpión Uno, el comando de cinco ases de las fuerzas especiales, le tocó con el codo y Lindros se volvió. Al mirar por la ventanilla las nubes deshilachadas, vio la ladera norte del Ras Dashén sacudida por el viento. Había algo siniestro en aquel monte de 4.500 metros de altitud, el más alto del macizo de Simien. Quizá fuera porque Lindros recordaba la tradición local: leyendas de ancestrales espíritus malignos que, según se decía, habitaban en sus cumbres.

El sonido del viento creció hasta convertirse en un alarido, como si el monte intentara arrancarse de sus raíces.

Había llegado la hora.

Lindros asintió y se acercó al piloto, bien sujeto en su asiento por el cinturón de seguridad. El subdirector rozaba la cuarentena, era alto y de cabello rojizo. Se había graduado en Brown y la CIA lo reclutó cuando cursaba en Georgetown el doctorado en relaciones internacionales. Era listo como un lince y tan entregado a su trabajo como podía desear el director de la agencia. Inclinándose para hacerse oír, Lindros dio al piloto las últimas coordenadas, que, por motivos de seguridad, debía reservarse hasta el último momento.

Llevaba poco más de tres semanas en operaciones sobre el terreno. En ese tiempo, había perdido a dos hombres. Un terrible precio que pagar. Bajas aceptables, diría el Viejo, y él tendría que volver a mentalizarse para creerlo si no quería fracasar. Pero ¿qué precio poner a la vida humana? Jason Bourne y él habían debatido a menudo la cuestión sin llegar a una respuesta aceptable. En el fondo, Lindros pensaba que para ciertas cuestiones no la había.

Sin embargo, cuando los agentes estaban asignados a una operación, las cosas eran muy distintas. Había que asumir las «bajas aceptables». No quedaba otro remedio. Por lo tanto, la muerte de aquellos dos hombres era aceptable, porque en el curso de su misión Lindros se había asegurado de la veracidad del informe según el cual una organización terrorista se había apoderado de una caja de TSG en algún lugar del Cuerno de África. Los TSG eran pequeños conmutadores de alto voltaje usados para activar y desactivar altísimos niveles de potencia voltaica: válvulas de alta tecnología para proteger componentes electrónicos tales como tubos de microondas y aparatos de diagnóstico médico. Se usaban también como detonadores de armas nucleares.

Desde Ciudad del Cabo, Lindros había seguido un rastro serpenteante que conducía de Botsuana a Zambia, y de allí, pasando por Uganda, a Ambikua, una minúscula aldea de agricultores (apenas un puñado de edificaciones, entre ellas una iglesia y un bar) en los pastos montañosos de la falda del Ras Dashén. Allí había conseguido uno de los TSG, que acto seguido había enviado al Viejo a través de un correo seguro.

Pero entonces había ocurrido algo, algo inaudito y espeluznante: en aquel destartalado bar de suelo de estiércol y sangre seca Lindros había oído decir que no eran sólo detonadores lo que el grupo terrorista estaba sacando de Etiopía. Si aquel rumor era cierto, podía tener consecuencias terribles no sólo para Estados Unidos, sino para el mundo entero, porque significaba que los terroristas tenían en su poder un instrumento capaz de sumir en el caos todo el planeta.

Siete minutos después, el Chinook se posó en el ojo de una tormenta de arena. La plataforma rocosa estaba completamente desierta. Justo delante había un muro de piedra antiguo: una entrada, decían las leyendas locales, a la temible morada de los demonios que habitaban en aquellos montes. Lindros sabía que, al otro lado de una abertura en el muro ruinoso, se hallaba el sendero casi vertical que conducía a los gigantescos espolones rocosos que custodiaban la cima del Ras Dashén.

Lindros y los hombres de Escorpión Uno saltaron a tierra agazapados. El piloto siguió en su puesto, con el motor al ralentí y las aspas en movimiento. Los hombres llevaban gafas para protegerse del torbellino de polvo y guijarros que levantaba el aparato, y pequeños micrófonos y auriculares inalámbricos enroscados en las orejas para poder comunicarse a pesar del rugido de los rotores. Iban armados con fusiles de asalto XM8 ultraligeros, capaces de disparar 750 balas por minuto.

Lindros dirigió la marcha. Frente al muro de piedra se alzaba un imponente precipicio en el que se abría la negra boca de una cueva. Todo lo demás era de color pardo, ocre, rojo apagado: el paisaje desolado de otro planeta, el camino hacia el infierno.

Anders desplegó a sus hombres en formación convencional: los mandó primero a inspeccionar los escondrijos más obvios y a continuación les ordenó formar un perímetro de seguridad. Dos de ellos se acercaron al muro de piedra para echar un vistazo a su extremo. Los otros dos recibieron orden de acercarse a la cueva; uno debía quedarse a la entrada mientras el otro se cercioraba de que el interior estaba despejado.

El aire se agitó por encima del enorme risco que se alzaba sobre ellos y azotó el suelo desnudo, traspasando sus uniformes. Allí donde no caía en picado, la pared de roca se cernía sobre ellos fornida y amenazadora, su cráneo pelado realzado por el aire trasparente.

A su lado, Anders, como un buen comandante, escuchaba los informes de sus hombres desde el perímetro de la zona. Nadie acechaba tras el muro de piedra. Anders escuchó atentamente el informe del segundo equipo.

—Hay un cuerpo en la cueva —informó el comandante—. Tiene un balazo en la cabeza. Está muerto y bien muerto. Aparte de eso, todo despejado.

Lindros escuchaba la voz de Anders por los auriculares.

—Empezamos por ahí —dijo, señalando con el dedo—. El único rastro de vida en este sitio dejado de la mano de Dios.

Se agacharon. Anders removió el carbón con sus dedos enguantados.

—Aquí hay un hoyo poco profundo. —El comandante cogió un puñado de ceniza—. ¿Ve? El fondo está endurecido por el fuego. O sea que alguien ha hecho fuego aquí no una, sino muchas veces estos últimos meses, puede incluso que un año entero.

Lindros manifestó su asentimiento y levantó el pulgar.

—Parece que hemos acertado con el sitio. —Los nervios se habían apoderado de él. Cada vez parecía más probable que el rumor que había oído fuera cierto. Había esperado contra toda esperanza que no fuera más que eso, un rumor; que al subir allí no encontraran nada. Porque cualquier otro resultado era inconcebible.

Desenganchó dos aparatos de su cinturón, los encendió y los pasó por encima del foso del fuego. Uno era un detector de radiaciones alfa; el otro, un contador Geiger. Lo que estaba buscando, lo que confiaba en no encontrar, era una combinación de rayos alfa y gamma.

Los aparatos no detectaron nada en el hoyo.

Lindros siguió adelante. Usando el hoyo del fuego como punto de referencia, fue moviéndose en círculos concéntricos con los ojos pegados a los medidores. Había dado tres vueltas y se hallaba a unos cien metros del foso cuando se activó el detector alfa.

—Mierda —dijo en voz baja.

—¿Ha encontrado algo? —preguntó Anders.

Lindros se apartó de donde estaba y el detector se desactivó. El Geiger seguía inactivo. Menos mal. A aquella altura, la lectura del detector alfa podía proceder de cualquier cosa, incluso de la montaña misma.

Regresó al lugar donde el medidor había detectado rayos alfa. Al levantar la vista se dio cuenta de que estaba frente a la cueva. Echó a andar lentamente hacia ella. La lectura del detector de radiación no varió. Luego, a unos veinte metros de la entrada de la cueva, aumentó de pronto. Lindros se detuvo un momento para limpiarse el sudor del labio superior. Santo cielo, iba a verse obligado a constatar que alguien había clavado otro clavo en el ataúd del mundo. Pero aún no había señales de rayos gamma, se dijo. Algo es algo. Se aferró a esa esperanza doce metros más. Entonces se activó el Geiger.

Dios, rayos gamma combinados con rayos alfa. Justo la rúbrica que esperaba no encontrar. Notó que un hilillo de sudor le corría por la espalda. Sudor frío. No había sentido nada parecido desde que tuvo que matar por primera vez en el transcurso de una misión. En su cara y en la cara del hombre que intentaba matarle, la desesperación y el empeño iban de la mano. El instinto de conservación.

—Luces. —Lindros tuvo que esforzarse por articular; un terror mortal llenaba su boca—. Necesito ver ese cadáver.

Anders asintió con un gesto y dio órdenes a Brick, el hombre que había inspeccionado la cueva. Éste encendió una linterna de gas xenón. Penetraron los tres en la penumbra.

No había hojas muertas ni otros materiales orgánicos que actuaran como fermento del intenso hedor mineral. Notaban sobre ellos el peso muerto del macizo rocoso. Lindros recordó la sensación de asfixia que experimentó al entrar por vez primera en las tumbas de los faraones, en las entrañas de las pirámides de El Cairo.

El potente rayo de la linterna barrió las paredes de roca. En aquel tétrico escenario, el muerto no parecía fuera de lugar. Las sombras que lo cubrían se escabulleron cuando Brick movió la linterna. El haz de luz absorbió el poco color que le quedaba, y pareció infrahumano: un zombi sacado de una película de terror. Su postura era de reposo, de quietud total, desmentida únicamente por el orificio de bala abierto en el centro de su frente. Tenía la cara vuelta hacia un lado, como si deseara permanecer en la oscuridad.

—No fue un suicidio, eso seguro —dijo Anders; eso era lo que había empezado a pensar Lindros—. Los suicidas prefieren lo fácil. La boca, por ejemplo. A este hombre le mató un profesional.

—Pero ¿por qué? —preguntó Lindros. El comandante se encogió de hombros.

—Con esa gente podrían ser mil...

—¡Apártese, joder!

Lindros gritó tan fuerte que Brick, que se había acercado al cuerpo, retrocedió de un salto.

—Perdone, señor —dijo Brick—. Sólo quería enseñarles una cosa rara.

—Use la linterna —le ordenó Lindros. Pero ya sabía lo que iba a suceder. Nada más entrar en la cueva, el detector de radiación y el contador Geiger habían comenzado a desgranar un aterrador ra-ta-tá ante sus ojos.

Dios mío, pensó. *Dios mío.*

El muerto era extremadamente delgado y era muy joven; un adolescente, casi con toda seguridad. ¿Tenía los rasgos semíticos de un árabe? A Lindros le pareció que no, pero era casi imposible saberlo porque...

—¡Dios mío!

Anders también lo vio. El cadáver no tenía nariz. El centro de su cara estaba carcomido. En aquel feo agujero negro, la sangre coagulada espumeaba lentamente, como si el cuerpo aún estuviera vivo. Como si algo lo estuviera devorando de dentro afuera.

Que es justo lo que está pasando, se dijo Lindros con una oleada de náuseas.

—¿Qué coño puede causar eso? —preguntó Anders con voz pastosa—. ¿Una toxina? ¿Un virus?

Lindros se volvió hacia Brick.

—¿Lo ha tocado? Dígame, ¿ha tocado el cuerpo?

—No, yo... —Brick estaba perplejo—. ¿Me he contaminado?

—Perdone, señor subdirector, pero ¿dónde coño nos ha metido? Estoy acostumbrado a participar a ciegas en misiones encubiertas, pero esta vez se han pasado de la raya.

Con una rodilla apoyada en el suelo, Lindros destapó un botecito de metal y con un dedo enguantado recogió un poco del polvo que había cerca del cadáver. Cerró bien el bote y se levantó.

—Tenemos que salir de aquí. —Miró directamente a Anders a la cara.

—Subdirector...

—No se preocupe, Brick. No le pasará nada —dijo en tono autoritario—. Se acabó la charla. Nos vamos.

Cuando llegaron a la entrada de la cueva y vieron resplandecer el maldito paisaje rojo sangre, Lindros dijo dirigiéndose al micrófono:

—Anders, a partir de este momento tienen prohibido entrar en esa cueva. Ni siquiera para ir a mear. ¿Entendido?

El comandante vaciló un momento; se le notaban en la cara la rabia y la preocupación por sus hombres. Luego pareció resignarse.

—Sí, señor.

Lindros pasó diez minutos recorriendo la plataforma con su detector de radiación y su contador Geiger. Quería saber cómo había llegado hasta allí la contaminación. ¿Qué ruta habían seguido los hombres que la llevaban consigo? No tenía sentido buscar por dónde se habían marchado. El hecho del que el hombre sin nariz hubiera sido asesinado de un disparo dejaba claro que los miembros del grupo habían descubierto de la forma más espantosa que tenían una fuga radiactiva. Sin duda la habrían sellado antes de seguir su camino. Pero Lindros no tuvo suerte. Lejos de la cueva, la radiación se disipaba por completo. No quedaba ni rastro del que deducir su itinerario.

Por fin se apartó del perímetro.

—Ordene la evacuación, comandante.

—¡Ya lo habéis oído! —gritó Anders mientras corría hacia el helicóptero—. ¡Larguémonos de aquí, chicos!

—*Wa'i* —dijo Fadi. «Lo sabe.»

—Seguro que no. —Abbub ibn Aziz cambió de postura al lado de Fadi. Agachados detrás del risco, trescientos metros por encima de la plataforma, servían de avanzadilla a la veintena de hombres armados que esperaban tumbados sobre el suelo rocoso.

—Con esto lo veo todo. Había una fuga.

—¿Por qué no nos informaron?

No hubo respuesta. No hacía falta. No les habían informado por puro miedo. De haberlo sabido, Fadi los habría matado a todos: hasta al último porteador etíope. La intimidación absoluta tenía esos riesgos.

Fadi dirigió hacia la derecha sus potentes prismáticos militares rusos de 12 × 50 para no perder de vista a Martin Lindros. Los prismáticos cubrían un campo de visión asombrosamente pequeño, pero su precisión compensaba de sobra esa limitación. Había visto que el jefe del grupo (el subdirector de la CIA) estaba usando un detector de radiación y un contador Geiger. Aquel norteamericano sabía lo que hacía.

Fadi, un hombre alto y de anchas espaldas, poseía un porte decididamente carismático. Cuando hablaba, todo el que se hallaba presente guardaba silencio. Tenía un rostro hermoso y enérgico, atezado por el sol y el viento de las montañas. Su barba y su pelo eran largos y rizados, del color negro de una noche sin estrellas, y sus labios anchos y carnosos. Cuando sonreía, el sol parecía haber bajado del cielo para brillar directamente sobre sus discípulos. Porque la misión que profesaba Fadi era de naturaleza mesiánica: llevar esperanza donde no la había, asesinar a los miles de miembros de la familia real saudí, borrar esa abominación de la faz de la tierra, liberar a su pueblo, repartir la obscena riqueza de los déspotas, restablecer el orden en su amada Arabia. Sabía que, para empezar, debía cercenar la relación simbiótica entre la familia real saudí y el Gobierno de los Estados Unidos de América. Y para conseguirlo tenía que atacar América: dejar claras sus intenciones de forma tan contundente como duradera.

No debía, en cambio, subestimar la capacidad de los norteamericanos para soportar el dolor. Era ése un error común entre sus correligionarios fanatizados: lo que los metía en líos con su propio pueblo, el origen, más que cualquier otra cosa, de una vida vivida sin esperanza.

Fadi no era tonto. Había estudiado la historia del mundo. Es más, había aprendido de ella. Cuando Nikita Kruschev les dijo a los norteamericanos «¡Os enterraremos!», lo decía de corazón, con toda el alma. Pero ¿quién había acabado enterrada? La URSS.

Cuando sus camaradas extremistas le decían «Tenemos muchas vidas para enterrar a Estados Unidos», se referían a la inagotable cantera de jóvenes que alcanzaban la mayoría de edad cada año y entre los cuales podían escoger a los mártires que morirían en la batalla. Pero no pensaban ni por un momento en la muerte de esos jóvenes. ¿Para qué? El paraíso esperaba a los mártires con los brazos abiertos. Y, sin embargo, ¿qué se había conseguido? ¿Vivía Estados Unidos sin esperanza? No. ¿Lo empujaban aquellos actos hacia una vida sin esperanza? Otra vez la respuesta era no. Así pues, ¿cuál era la solución?

Fadi creía con todo su corazón y su alma (y más concretamente con su formidable intelecto) que había dado con ella.

Mientras no perdía de vista al subdirector a través de los prismáticos, notó que parecía reacio a marcharse. Se sentía como un ave de presa cuando miraba el blanco desde aquella altura. Los arrogantes soldados norteamericanos habían subido al helicóptero, pero el comandante (los informes de los espías de Fadi no incluían su nombre) no permitiría que su jefe se quedara en la plataforma sin escolta. Era un hombre astuto. Tal vez su nariz olía algo que sus ojos no veían; o quizá sólo se estaba ciñendo a una disciplina bien aprendida. En todo caso, mientras los dos hombres hablaban codo con codo, Fadi comprendió que no tendría mejor oportunidad que aquélla.

—Empieza —le dijo suavemente a Abbud ibn Aziz sin apartar los ojos de las lentes.

A su lado, Abbud ibn Aziz levantó el lanzagranadas RPG-7 de fabricación soviética. Era un hombre recio, con la cara redonda y un defecto de nacimiento en el ojo izquierdo. Introdujo el proyectil puntiagudo y con aletas en el cañón del lanzagranadas. Las aletas dotaban de estabilidad a la granada rotatoria para que diera en el blanco con un alto grado de precisión. Cuando apretara el gatillo, el mecanismo principal lanzaría la granada a una velocidad de 117 metros por segundo. Aquel feroz estallido de energía activaría, a su vez, el sistema de propulsión del proyectil en el interior del cañón, aumentando la velocidad de la granada hasta los 292 metros por segundo.

Abbud ibn Aziz acercó el ojo derecho a la mira telescópica montada justo detrás del gatillo. Al enfocar el Chinook, pensó fugazmente que era una lástima perder aquella magnífica máquina de guerra. Pero aquel objeto de deseo no era para él. En cualquier caso, el hermano de Fadi lo había planeado todo con suma meticulosidad, incluido el rastro de pistas que había sacado al subdirector de la CIA de su despacho para embarcarlo en una misión sobre el terreno y que le había conducido, siguiendo una ruta tortuosa, hasta el noroeste de Etiopía y desde allí a las cumbres del Ras Dashén.

Abbud ibn Aziz colocó el RPG-7 apuntando al rotor delantero del helicóptero. Se había fundido con el arma, había asimilado por completo el objetivo de su misión. Sentía fluir a través de su cuerpo la absoluta determinación de sus compañeros, como una marea, o como una ola a punto de romper en la playa enemiga.

—Recuerda —dijo Fadi.

Pero Abbud ibn Aziz, un tirador consumado, entrenado por el brillante hermano de Fadi en la moderna maquinaria de guerra, no necesitaba recordatorio alguno. El único defecto de los RPG-7 era que, al disparar, despedían un hilillo de humo que los delataba. Se volverían inmediatamente visibles para el enemigo. Pero eso también se había tenido en cuenta.

Sintió que Fadi tocaba su hombro con el dedo índice, lo que significaba que el blanco estaba en posición. Su dedo se enroscó en torno al gatillo. Respiró hondo, exhaló lentamente.

Se produjo el culatazo, un huracán de aire ardiente. Luego, el destello y el estampido de la explosión, el hilo de humo, las aspas retorcidas de los rotores alzándose al unísono en el campo enemigo. Un eco estruendoso resonaba aún, como el dolor sordo del hombro de Abbud ibn Aziz, cuando los hombres de Fadi se levantaron y corrieron hacia el risco, cien metros al este de donde Abbud ibn Aziz y él se hallaban encaramados y de donde ahora se alejaban a gatas mientras ascendía el humo delator. Tal y como les habían enseñado, el escuadrón disparó una andanada masiva, expresión de la ira de los fieles.

Al Hamdu lil Allah! ¡Alabado fuera Alá! El ataque había comenzado.

Lindros le estaba diciendo a Anders por qué quería quedarse dos minutos más en aquel lugar; un segundo después, sintió como si le aplastaran el cráneo con un mazo. Tardó un momento en darse cuenta de que estaba tumbado en el suelo, con la boca llena de tierra. Levantó la cabeza. Cascotes en llamas se movían sin orden ni concierto por el aire cargado de humo, pero no se oía nada, ni un solo sonido, salvo la extraña presión de sus tímpanos, un silbido interior, como si dentro de su cabeza se hubiera levantado un viento perezoso. La sangre le corría por la cara, caliente como lágrimas. Un olor intenso y asfixiante a goma y plástico quemados saturaba sus fosas nasales, pero había algo más: un olor denso pero soterrado a carne abrasada.

Al intentar darse la vuelta, descubrió que Anders estaba tumbado a medias sobre él. En su afán por protegerle, el comandante se había llevado la peor parte de la explosión. Su cara y sus hombros, achicharrados y desnudos por haberse consumido enteramente el uniforme, echaban humo. Tenía quemado todo el pelo de la cabeza, de la que quedaba poco más que el cráneo. Lindros sintió náuseas y apartó el cadáver con un estremecimiento convulsivo. Las náuseas volvieron a apoderarse de él cuando se puso de rodillas.

Oyó entonces una especie de chirrido extrañamente amortiguado, como si lo oyera desde muy lejos. Al darse la vuelta, vio que los miembros del Escorpión Uno salían como podían del Chinook destrozado disparando sus semiautomáticas.

Uno de ellos cayó fulminado por el fuego de las ametralladoras. Lindros actuó por instinto. Tumbado boca abajo, se arrastró hasta el muerto, cogió su XM8 y empezó a disparar.

Los hombres del Escorpión Uno, curtidos por la batalla, eran valientes y estaban bien entrenados. Sabían cuándo disparar y cuándo buscar refugio. Aun así, estaban tan concentrados en el enemigo que tenían delante que, cuando empezó el fuego cruzado, les pilló desprevenidos. Los disparos fueron alcanzándoles uno a uno, repetidas veces en la mayoría de los casos.

Lindros siguió defendiéndose incluso cuando ya sólo quedaba él en pie. Curiosamente, nadie le disparaba; no le rozó ni una sola bala. Había empezado a preguntarse por qué cuando su XM8 se quedó sin munición. Se quedó de pie, con el fusil de asalto humeante en la mano, viendo cómo bajaba del risco el enemigo.

Avanzaban en silencio, flacos como el despojo de la cueva, con los ojos cavernosos de quienes han visto mucha sangre derramada. Dos de ellos se apartaron del grupo y se introdujeron en la carcasa abrasada del Chinook.

Lindros se sobresaltó al oír disparos. Uno de los hombres saltó por la puerta abierta del helicóptero ennegrecido, pero un momento después el otro sacó a rastras al piloto cubierto de sangre, agarrándole por el cuello.

¿Estaba muerto o sólo inconsciente? Lindros ansiaba saberlo, pero los otros habían formado un círculo a su alrededor. Veía en sus rostros el lustre peculiar del fanático, un amarillo morboso, una llama que sólo se extinguía con la propia muerte.

Tiró al suelo su arma inutilizada y se apoderaron de ella; luego le sujetaron con fuerza las manos a la espalda. Algunos hombres recogieron los cadáveres del suelo y los arrojaron al interior del Chinook. Otros dos avanzaron con lanzallamas. Con inquietante precisión procedieron a incinerar el helicóptero y a los muertos y heridos que había dentro.

Aturdido y sangrando por algunos cortes superficiales, Lindros observaba la minuciosa coordinación de sus movimientos. Estaba sorprendido e impresionado. Y también asustado. El que había planeado aquella ingeniosa emboscada y entrenado a aquella célula no era un terrorista corriente. Sin que sus captores le vieran, Lindros se quitó el anillo que llevaba en el dedo, lo dejó caer entre las piedras del suelo y dio un paso para taparlo con el zapato. Quien fuera en su busca necesitaría saber que había estado allí, que no había muerto con el resto.

En ese momento, el grupo de hombres que le rodeaba se abrió y Lindros vio avanzar hacia él a un árabe alto y de porte majestuoso, con el rostro insolente esculpido por el desierto y ojos grandes y penetrantes. A diferencia de otros terroristas a los que Lindros había interrogado, aquél llevaba en sí el marchamo de la civilización. El Primer Mundo le había tocado, y él había bebido de su cáliz tecnológico.

Lindros miró los ojos oscuros del árabe cuando se encontraron de frente.

—Buenas tardes, señor Lindros —dijo en árabe el líder terrorista.

Lindros siguió mirándole sin pestañear.

—¿Dónde está ahora tu jactancia, norteamericano taciturno? —Sonriendo, añadió—: Es absurdo fingir. Sé que habla árabe.

—Le despojó del detector de radiación y el contador Geiger—. He de suponer que encontró usted lo que andaba buscando. —Le palpó los bolsillos y sacó el bote metálico—. Ah, sí. —Lo abrió y vertió su contenido entre las botas de Lindros—. Es una lástima que las verdaderas pruebas hayan desaparecido hace tiempo. Le gustaría saber adónde han ido a parar. —Dijo esto último en tono de burlona afirmación, no de pregunta.

—Tiene usted un excelente servicio de inteligencia —dijo Lindros en impecable árabe, lo que causó cierto revuelo entre el grupo, a excepción de dos de sus miembros: el líder y un hombre corpulento al que supuso el segundo en el mando.

La sonrisa del líder volvió a aparecer.

—Lo mismo digo.

Silencio.

Sin previo aviso, el árabe asestó a Lindros una bofetada tan fuerte que le castañetearon los dientes.

—Mi nombre es Fadi, el redentor, Martin. ¿Te importa que te llame Martin? Más vale así, porque durante las próximas semanas vamos a conocernos íntimamente.

—No pienso decirte nada —contestó Lindros, pasando bruscamente al inglés.

—Lo que pienses y lo que vayas a hacer son dos cosas distintas —dijo Fadi con un inglés igual de preciso. Inclinó la cabeza. Lindros dio un respingo al sentir que le retorcían los brazos tan brutalmente que sus hombros parecieron a punto de dislocarse—. En esta mano de la partida, has decidido pasar. —La decepción de Fadi parecía sincera—. Qué arrogancia por tu parte, qué insensatez. Claro que, a fin de cuentas, eres norteamericano. Y los norteamericanos son ante todo arrogantes, ¿eh, Martin? E insensatos.

Lindros pensó de nuevo que aquél no era un terrorista corriente: Fadi conocía su nombre. A pesar del dolor cada vez más intenso que le subía por los brazos, se esforzó por mantener una expresión impasible. ¿Por qué no llevaba una cápsula de cianuro escondida en la boca, en forma de diente, como los agentes en las novelas de espías? Sospechaba que tarde o temprano la echaría de menos. Pero aun así mantendría aquella fachada todo el tiempo que le fuera posible.

—Sí, escóndete detrás de tus estereotipos —dijo—. Nos acusáis de no comprenderos, pero vosotros nos comprendéis aún menos. Tú no sabes nada de mí.

—Ah, en eso, como en casi todo, te equivocas, Martin. De hecho, os conozco muy bien. Durante un tiempo, como un buen estudiante norteamericano, os he convertido en la asignatura principal de mi carrera. ¿Estudios antropológicos o *Realpolitik*? —Se encogió de hombros como si fueran dos compañeros tomando algo—. Simple cuestión de semántica.

Su sonrisa se hizo más amplia cuando besó a Lindros en las mejillas.

—Así pues, ahora empieza la segunda mano. —Al apartarse, tenía sangre en los labios—. Me has buscado durante tres semanas y, al final, he sido yo quien te ha encontrado.

No se limpió la sangre de Lindros. Se la lamió.

LIBRO PRIMERO

1

—¿Cuándo empezaron a asaltarle esos recuerdos, señor Bourne? —preguntó el doctor Sunderland.

Incapaz de estarse quieto, Jason Bourne se paseaba por la cómoda y acogedora habitación, más parecida al despacho de una casa que a la consulta de un médico. Paredes pintadas de color crema, revestimiento de caoba, un rancio escritorio de madera oscura con las patas rematadas por garras, dos sillas y un pequeño sofá. Detrás del escritorio del doctor Sunderland, cubrían la pared sus muchos diplomas y una impresionante hilera de premios internacionales por la creación de protocolos terapéuticos tanto en el campo de la psicología como en el de la psicofarmacología, relacionados todos ellos con su especialidad: la memoria. Bourne los observó atentamente, y luego vio la foto en un marco de madera, sobre la mesa del doctor.

—¿Cómo se llama? —dijo Bourne—. Su esposa.

—Katya —dijo el doctor Sunderland tras un leve titubeo.

Los psiquiatras siempre se resistían a dar cualquier información personal sobre sí mismos o sus familias. *Pero en este caso...*, pensó Bourne.

Katya estaba enfundada en un traje de esquí. Llevaba en la cabeza un gorro de lana de rayas, con un pompón en la coronilla. Era rubia y muy guapa. Había algo en ella que daba la impresión de que se sentía a gusto delante de la cámara. Sonreía al objetivo, con el sol en los ojos. Las arrugas de las comisuras de sus ojos la hacían parecer singularmente vulnerable.

Bourne sintió aflorar las lágrimas. En otro tiempo habría pensado que eran las lágrimas de David Webb. Pero aquellas dos personalidades en conflicto (David Webb y Jason Bourne, el día

y la noche de su espíritu) se habían fundido por fin. Si bien David
Webb, antaño profesor de lingüística de la Universidad de Georgetown, se sumía cada vez más en las sombras, también era cierto
que había logrado suavizar las tendencias más paranoicas y antiso-
ciales de Bourne, quien no podía vivir en la normalidad del mundo de Webb, del mismo modo que Webb no podía sobrevivir en
el feroz y opaco mundo de Bourne.

La voz del doctor Sunderland se introdujo en sus pensamientos.

—Siéntese, por favor, señor Bourne.

El interpelado así lo hizo. Era en cierto modo un alivio olvidarse de la foto.

El rostro del doctor adoptó una expresión de compasión sincera.

—Esos recuerdos, señor Bourne, empezaron, imagino, tras la
muerte de su esposa. Un trauma de ese calibre habrá...

—No, no fue entonces —se apresuró a decir Bourne. Pero era
mentira. Las esquirlas de aquellos recuerdos habían aflorado la noche en que vio a Marie. Le despertaron bruscamente: pesadillas pal-
pables, incluso al resplandor de las luces que encendió entonces.

Sangre. Sangre en las manos, sangre cubriéndole el pecho. San-
gre en la cara de la mujer que lleva en brazos. ¡Marie! No, no es
Marie. Es otra, la suave línea de su cuello blanco entre los regueros
de sangre. Su vida se derrama sobre él, gotea sobre el empedrado de
la calle mientras corre. Atraviesa jadeando la noche helada. ¿Dónde
está? ¿Por qué corre? Santo cielo, ¿quién es ella?

Se levantó y, aunque era de madrugada, se vistió y salió a correr con todas sus fuerzas por la campiña canadiense, hasta que
empezó a dolerle el costado. La luna blanca como un hueso le seguía, lo mismo que las astillas ensangrentadas de aquellos recuerdos. No pudo dejarlas atrás.

Ahora estaba mintiendo a aquel médico. ¿Y por qué no? No
se fiaba de él, a pesar de que se lo había recomendado su amigo
Martin Lindros, el subdirector de la CIA. Lindros había sacado el
nombre de Sunderland de una lista que le había proporcionado la
oficina del director. No hizo falta que Bourne se lo preguntara:

para verificar su hipótesis, le bastó con ver el nombre de Anne Held en el margen inferior de cada página. Anne Held era la ayudante del director, su férrea mano derecha.

—¿Señor Bourne? —insistió el doctor Sunderland.

No sirvió de nada. Veía la cara de Marie, pálida y sin vida, sentía la presencia de Lindros a su lado mientras escuchaba el inglés con acento francófono del forense canadiense:

—*La neumonía vírica se había extendido demasiado, no pudimos salvarla. Consuélese pensando que no sufrió. Se quedó dormida y no se despertó.* —*El forense apartó la mirada de la muerta para fijarla en su desolado marido y en el amigo de éste*—. *Si hubiera vuelto antes de esquiar...*

Bourne se mordió el labio.

—*Estaba cuidando de nuestros hijos. Jamie se había torcido un tobillo en el último descenso. Alison estaba muy asustada.*

—*¿No buscó un médico? Suponga que el tobillo hubiera estado dislocado... o roto.*

—*Usted no lo entiende. Mi mujer... toda su familia es de campo, son rancheros, gente recia. Marie estaba acostumbrada a valerse sola en el monte desde muy pequeña. No le daba ningún miedo.*

—*A veces* —*dijo el forense*—, *es bueno tener un poco de miedo.*

—*¡Usted no tiene derecho a juzgarla!* —*gritó Bourne, dolorido y rabioso.*

—*Pasa usted demasiado tiempo con los muertos* —*le dijo Lindros al forense en tono de reproche*—. *Tiene que mejorar sus habilidades sociales.*

—*Les pido disculpas.*

Bourne contuvo el aliento y, volviéndose hacia Lindros, dijo:

—*Me llamó por teléfono, pensaba que sólo era un resfriado.*

—*Una conclusión muy natural* —*dijo su amigo*—. *En todo caso, es evidente que estaba pensando en sus hijos.*

—Entonces, señor Bourne, ¿cuándo empezaron esos fogonazos de recuerdos?

Había una clara nota de acento rumano en el inglés del doctor Sunderland. Con su frente ancha y despejada, su robusta mandíbula y su nariz prominente, Sunderland era un hombre en el que uno podía confiar fácilmente, un hombre al que confesarse. Llevaba gafas de montura metálica y el pelo engominado y peinado hacia atrás con un estilo extrañamente anticuado. No tenía PDA, ni enviaba mensajes de texto. Sobre todo, no hacía varias cosas a la vez. Vestía un terno de grueso *tweed* escocés y pajarita de lunares blanca y roja.

—Vamos, vamos. —El doctor Sunderland inclinó su gran cabeza, que le daba el aspecto de un búho—. Perdone, pero tengo la impresión de que está... ¿Cómo lo diría...?, ocultando la verdad.

Bourne se puso alerta de inmediato.

—¿Ocultando...?

El doctor Sunderland sacó una bonita cartera de piel de cocodrilo y extrajo de ella un billete de cien dólares. Mostrándoselo, dijo:

—Le apuesto algo a que esos recuerdos comenzaron justo después de que enterrara a su esposa. Claro que la apuesta quedará invalidada si decide usted no decir la verdad.

—¿Qué es usted, un detector de mentiras humano?

El doctor Sunderland guardó silencio prudentemente.

—Guárdese su dinero —dijo Bourne por fin. Suspiró—. Tiene razón, claro. Los recuerdos comenzaron el día en que vi a Marie por última vez.

—¿Qué forma tomaron?

Bourne titubeó.

—La estaba mirando... en el tanatorio. Su hermana y su padre ya la habían identificado y habían ordenado que la trasladaran desde el depósito. La miré y... no la vi...

—¿Qué vio, señor Bourne? —La voz del doctor Sunderland sonaba suave, distante.

—Sangre. Vi sangre.

—¿Y?

—Pues que no había sangre. No había nada de sangre. Eran recuerdos que afloraban... sin avisar..., sin...

—Así es como sucede siempre, ¿verdad?

Bourne asintió.

—La sangre... era fresca, brillaba, parecía azulada por la luz de las farolas. Cubría aquella cara...

—¿Qué cara?

—No sé... La de una mujer..., pero no era Marie. Era... otra.

—¿Puede describirla? —preguntó el doctor Sunderland.

—Eso es lo curioso. Que no puedo. No sé quién... Y, sin embargo, la conozco. Sé que la conozco.

Se hizo un breve silencio, en el que el doctor Sunderland intercaló otra pregunta aparentemente incoherente.

—Dígame, señor Bourne, ¿qué día es hoy?

—Mis problemas de memoria no son de ese tipo.

El doctor Sunderland inclinó la cabeza.

—Conteste, hágame ese favor.

—Martes, tres de febrero.

—Han pasado cuatro meses desde el funeral, desde que comenzaron sus problemas de memoria. ¿Por qué ha esperado tanto tiempo para buscar ayuda?

Se hizo otra vez el silencio durante un rato.

—La semana pasada ocurrió una cosa —dijo Bourne por fin—. Vi... vi a un viejo amigo mío. —Alex Conklin, paseando por el casco viejo de Alexandria, donde había llevado a Jamie y Alison de excursión, la última que haría con ellos en mucho tiempo. Acababan de salir de una heladería, los niños cargados de helados de cucurucho, y allí estaba Conklin en persona. Alex Conklin: su mentor, el cerebro que se ocultaba tras la identidad de Jason Bourne. Sin Conklin, era imposible imaginar dónde estaría hoy.

El doctor Sunderland ladeó la cabeza.

—No entiendo.

—Ese amigo murió hace tres años.

—Pero usted le vio.

Bourne asintió con un gesto.

—Le llamé por su nombre y, cuando se volvió, llevaba algo en los brazos. O, mejor dicho, a alguien. A una mujer. A una mujer cubierta de sangre.

—A la suya.

—Sí. En ese momento pensé que estaba perdiendo la cabeza.

Fue entonces cuando decidió mandar fuera a los niños. Alison y Jamie estaban con la hermana y el padre de Marie en Canadá, donde la familia tenía su enorme rancho. Era lo mejor para ellos, aunque Bourne los echara terriblemente de menos. No les haría ningún bien verle así.

¿Cuántas veces, desde entonces, había soñado con los instantes que más temía: ver la cara pálida de Marie, recoger sus efectos personales en el hospital, hallarse en la sala en penumbra del tanatorio con el director a su lado, mirando el cuerpo de Marie, su cara inmóvil, como de cera, maquillada como ella jamás se habría maquillado. Se había inclinado sobre ella, había alargado la mano y el director le había ofrecido un pañuelo que Bourne había usado para quitarle el carmín y el colorete de la cara. Luego la había besado, y el frío de sus labios le había atravesado como una corriente eléctrica. *Está muerta, está muerta. Ya está, mi vida con ella ha acabado.* Dejando escapar un suave gemido, había bajado la tapa del ataúd. Después se había vuelto hacia el director de la funeraria y le había dicho:

—He cambiado de idea. No quiero que el ataúd esté abierto. No quiero que nadie la vea así, y menos los niños.

—Aun así, siguió a su amigo —insistió el doctor Sunderland—. Es realmente fascinante. Teniendo en cuenta su historial, su amnesia, el trauma de la muerte de su esposa tuvo que desencadenar un recuerdo concreto. ¿Se le ocurre qué relación puede haber entre su difunto amigo y la mujer cubierta de sangre?

—No. —Pero era mentira, claro. Bourne sospechaba que estaba reviviendo una antigua misión: una a la que le mandó Alex Conklin años atrás.

El facultativo juntó las puntas de los dedos de ambas manos.

—Esos recuerdos fragmentarios puede desencadenarlos cualquier cosa, siempre y cuando sea lo bastante vívida: algo que vea, que huela o toque, como si aflorara un sueño. Sólo que para usted esos sueños son reales. Son sus recuerdos; ocurrieron de verdad. —Cogió una pluma estilográfica de oro—. No hay duda de que un trauma como el que ha sufrido ocuparía el primer lugar de esa lista. Y luego creer que ha visto a alguien a quien sabe muerto... No es de extrañar que esos recuerdos repentinos se hayan vuelto más numerosos.

Cierto, pero el aumento de esos episodios hacía mucho más insoportable su estado mental. Esa tarde, en Georgetown, había dejado solos a sus hijos. Fue solamente un momento, pero... Había quedado horrorizado. Todavía lo estaba.

Marie había muerto en un momento absurdo y terrible. Y ahora no era sólo su recuerdo el que le atormentaba, sino también el de esas calles antiguas y silenciosas que le miraban con malicia, calles conocedoras de cosas que él ignoraba, que sabían algo de él, algo que él ni siquiera podía adivinar. Sus pesadillas eran así: los recuerdos llegaban como fogonazos y él acababa bañado en sudor frío. Se quedaba tumbado en la oscuridad, convencido de que no volvería a dormirse. Inevitablemente, se dormía: caía en un sueño pesado, casi narcótico. Y cuando salía de aquel abismo se daba la vuelta, todavía entre las garras del sueño, y buscaba, como siempre, el cuerpo cálido y delicioso de Marie. Entonces todo volvía a golpearle como un mazazo, como si un tren de carga le diera de lleno en el pecho.

Marie está muerta. Muerta, se ha ido para siempre...

El ruido seco y rítmico que hacía el doctor Sunderland al escribir en su cuaderno sacó a Bourne de su oscuro trance.

—Esos recuerdos fragmentarios me están volviendo literalmente loco.

—No me sorprende. Su deseo de descubrir su pasado se ha vuelto agobiante. Algunos lo tildarían incluso de obsesivo. Yo lo haría, ciertamente. A menudo, las obsesiones privan a quienes las sufren de la capacidad de llevar lo que podríamos llamar una vida normal, aunque detesto esa expresión y la uso muy raramente. En todo caso, creo que puedo ayudarle.

El doctor Sunderland extendió sus manos, que eran largas y callosas.

—Permítame empezar por explicarle de qué índole es ese

trastorno suyo. Los recuerdos se crean cuando los impulsos eléctricos hacen que las sinapsis del cerebro liberen neurotransmisores, de modo que es, digamos, como si las sinapsis dispararan. Esto crea una memoria temporal. Para que se haga permanente, debe darse un proceso llamado consolidación. No le aburriré explicándoselo con detalle. Baste decir que la consolidación requiere la síntesis de nuevas proteínas, de ahí que tarde varias horas en producirse. El proceso puede quedar bloqueado por el camino, o verse alterado por diversos motivos: un trauma grave, por ejemplo, o la pérdida de la conciencia. Eso fue lo que le pasó a usted. Mientras estaba inconsciente, su actividad cerebral anormal convirtió sus recuerdos permanentes en recuerdos temporales. Las proteínas que crean los recuerdos temporales se degradan muy rápidamente. Pasadas unas horas, o incluso unos minutos, esos recuerdos temporales desaparecen.

—Pero mis recuerdos afloran de vez en cuando.

—Eso es porque un trauma físico o emocional, o una mezcla de ambos, puede inundar muy rápidamente ciertas sinapsis con neurotransmisores, resucitando así, digamos, recuerdos previamente perdidos.

El doctor Sunderland sonrió.

—Todo esto es para ponerle sobre aviso. La idea del borrado total de los recuerdos sigue siendo cosa de ciencia ficción, aunque se esté más cerca que nunca de lograrlo. Sin embargo, tengo a mi disposición los procedimientos más novedosos y le aseguro que puedo conseguir que sus recuerdos vuelvan a aflorar por completo. Pero debe concederme dos semanas.

—Le estoy concediendo el día de hoy, doctor.

—Le recomiendo encarecidamente que...

—Hoy —dijo Bourne con más firmeza.

El doctor Sunderland estuvo observándole un rato pensativamente mientras se daba golpecitos con la pluma de oro en el labio inferior.

—Dadas las circunstancias..., creo que puedo suprimir ese recuerdo. Que no es lo mismo que borrarlo.

—Entiendo.

—Muy bien. —El doctor Sunderland se dio unas palmadas en los muslos—. Pase a la sala de reconocimiento y haré lo que pueda por ayudarle. —Levantó un largo dedo con aire de advertencia—. Supongo que no es necesario que le recuerde que la memoria es un animalillo terriblemente escurridizo.

—No, no es necesario en absoluto —dijo Bourne al tiempo que otro pálpito apenas vislumbrado se abría paso serpeando dentro de él.

—Entonces, comprende usted que no hay garantías. Existen grandes probabilidades de que mi método funcione, pero por cuánto tiempo... —Se encogió de hombros.

Bourne asintió al levantarse y siguió al doctor Sunderland a la habitación contigua. Era algo más grande que la sala de consulta. El suelo era de linóleo moteado, como solía serlo en las consultas médicas, y junto a las paredes se alineaban, además de una encimera, diversos armarios e instrumentos de acero inoxidable. En un rincón había un pequeño lavabo bajo el cual se veía un recipiente de plástico rojo con la etiqueta «Residuos tóxicos» pegada en un lugar bien visible. El centro de la habitación estaba ocupado por lo que parecía ser un sillón de dentista singularmente mullido y futurista. Varios brazos articulados colgaban del techo, formando un estrecho círculo a su alrededor. Había también dos aparatos médicos de origen desconocido colocados sobre sendos carritos con ruedas de plástico. En conjunto, la sala tenía la apariencia eficiente y aséptica de un quirófano.

Bourne se sentó y esperó mientras el doctor Sunderland ajustaba a su gusto la altura y la inclinación del asiento. Luego adhirió las terminales de ocho sondas de uno de los carritos con ruedas en distintas zonas de la cabeza de Bourne.

—Voy a hacer dos lecturas de sus ondas cerebrales, una estando usted consciente y otra estando inconsciente. Es de suma importancia que pueda evaluar su actividad neuronal en ambos estados.

—¿Y luego qué?

—Eso depende de lo que encuentre —contestó el doctor Sunderland—. Pero el tratamiento incluirá la estimulación de ciertas sinapsis cerebrales con proteínas complejas específicas. —Bajó la mirada hacia Bourne—. Verá, la clave es la miniaturización. Ésa es una de mis especialidades. No se puede trabajar con proteínas, a ese nivel tan minúsculo, si no se es un experto en miniaturización. ¿Ha oído hablar de la nanotecnología?

Bourne le dio a entender con un gesto que sí.

—Instrumentos electrónicos fabricados a tamaño microscópico. Ordenadores diminutos, en realidad.

—Exacto. —Al doctor Sunderland le brillaron los ojos. Parecía muy satisfecho con la amplitud de conocimientos de su paciente—. Esas proteínas complejas, esos neurotransmisores, actúan igual que nanocircuitos, uniendo sinapsis y fortaleciéndolas en las zonas del cerebro a las que yo las dirija, con el fin de bloquear recuerdos o de crearlos.

De pronto, Bourne se arrancó los cables, se levantó y salió del despacho sin decir palabra. Cuando cruzó el vestíbulo a medio correr, sus zapatos repicaron suavemente sobre el suelo de mármol, como si le persiguiera un animal de múltiples patas. ¿Qué estaba haciendo, cómo se le ocurría permitir que alguien jugara con su cerebro?

Las puertas de los dos aseos estaban contiguas. Abrió de golpe la puerta en la que decía «CABALLEROS», entró apresuradamente y apoyó los brazos rígidos a ambos lados del lavabo de gres blanco. Allí, en el espejo, estaba su cara pálida y fantasmal. Vio reflejados tras él los azulejos, tan parecidos a los del tanatorio. Vio a Marie tendida, inmóvil, con las manos cruzadas sobre su plano vientre de atleta. Parecía flotar en una balsa, en un río cuyas aguas la alejaban velozmente de él.

Pegó la frente al espejo. Se abrieron las compuertas, los ojos se le inundaron y las lágrimas corrieron libremente por sus mejillas. Se acordaba de Marie tal y como era, con el pelo flotando al viento y la piel de la nuca como satén; hundiendo los brazos fuertes y morenos en el agua turbulenta cuando descendieron en canoa por

el río Snake, mientras el ancho cielo del oeste se reflejaba en sus
ojos; con su vestido de tirantes negros bajo un abrigo de vellón
canadiense, el día en que le pidió que se casara con él, mientras
cruzaban cogidos de la mano los impávidos patios de granito de
la Universidad de Georgetown, camino de una fiesta navideña; el
día de su boda, el sol deslizándose tras los picos aserrados y cubiertos de nieve de las Rocosas canadienses, las manos entrelaza-
das con sus flamantes anillos, los labios unidos, el corazón de ambos latiendo al unísono. Se acordó de cuando dio a luz a Alison.
Estaba sentada ante la máquina de coser, dos días antes de Ha-
lloween, haciendo un disfraz de pirata para Jamie, cuando rompió
aguas. El parto fue largo y difícil. Al final, empezó a sangrar. Estuvo a punto de perderla entonces, y se aferró a ella con todas sus
fuerzas, angustiado porque fuera a dejarle. Ahora la había perdido para siempre.

Se descubrió sollozando, incapaz de parar.

Y entonces, como una aparición llegada para atormentarle, la
cara ensangrentada de aquella desconocida volvió a surgir del
abismo de su memoria para tapar el recuerdo de su amada Marie.
La sangre goteaba. Sus ojos le miraban sin ver. ¿Qué era lo que
quería? ¿Por qué le perseguía? Se apretó las sienes con desesperación y gimió. Deseaba con toda su alma salir de aquel piso, de
aquel edificio, pero sabía que no podía hacerlo. Así no, no mientras su propio cerebro siguiera atacándole.

El doctor Sunderland le estaba esperando en su despacho con los
labios fruncidos, paciente como una roca.

—¿Ya?

Bourne respiró hondo y asintió inclinando la cabeza. Aquella
cara ensangrentada obstruía aún sus sentidos.

—Adelante.

Se sentó en el sillón y el doctor volvió a pegarle los cables.
Pulsó un interruptor del carrito móvil y empezó a manipular diales, algunos rápidamente, otros despacio, casi con cautela.

—No se ponga nervioso —le dijo suavemente—. No va a notar nada.

Bourne no notó nada, en efecto.

Cuando se dio por satisfecho, el doctor Sunderland pulsó otro interruptor y una hoja de papel continuo, muy parecida a la de un electroencefalograma, comenzó a salir por la ranura. El doctor observó el gráfico de las ondas cerebrales de Bourne.

No tomó notas, pero asintió para sí mismo, el ceño fruncido como un nubarrón que auguraba tormenta. Bourne no sabía si aquello era buena o mala señal.

—Muy bien —dijo el doctor Sunderland al fin. Apagó la máquina, apartó el carrito y lo sustituyó por el otro.

Cogió una jeringuilla de una bandeja colocada sobre su reluciente superficie metálica. Bourne vio que ya estaba cargada con un líquido transparente.

El doctor Sunderland se volvió hacia él.

—El pinchazo no va a dejarle por completo inconsciente, sólo le sumirá en un sueño profundo. Ondas delta, las más lentas del cerebro. —Respondiendo a un diestro movimiento de su pulgar, del extremo de la aguja salió un poco de líquido—. Tengo que ver si hay alguna interrupción anormal en el patrón de sus ondas delta.

Bourne asintió, y se despertó como si no hubiera pasado el tiempo.

—¿Cómo se siente? —preguntó el doctor Sunderland.

—Mejor, creo —dijo Bourne.

—Bien. —El doctor le mostró una hoja impresa—. Como sospechaba, el gráfico de sus ondas delta muestra una anomalía. —Señaló con el dedo—. Aquí, ¿lo ve? Y también aquí. —Le pasó otra hoja—. Aquí tiene el gráfico de sus ondas delta después del tratamiento. La anomalía ha disminuido notablemente. Basándonos en el resultado de las pruebas, es razonable pensar que esos recuerdos repentinos habrán desaparecido por completo dentro de unos diez días, más o menos. Aunque he de advertirle que cabe la posibilidad de que empeoren durante las próximas cuarenta y ocho horas, el tiempo que tardarán sus sinapsis en acostumbrarse al tratamiento.

El corto atardecer invernal se precipitaba hacia la noche cuando Bourne salió de la consulta del doctor en un enorme edificio de piedra caliza y estilo neogriego de la calle K. El viento helado del Potomac, con olor a fósforo y podredumbre, azotaba los faldones del abrigo alrededor de sus piernas.

Al volverse para esquivar un áspero torbellino de polvo y tierra, se vio reflejado en el escaparate de una floristería, detrás de cuyo cristal se exhibía un colorido ramo de flores, muy parecidas a las del funeral de Marie.

Luego, justo a su derecha, la puerta de la floristería se abrió y salió una mujer que llevaba en brazos un ramo envuelto en papel de regalo. Bourne notó un olor a... ¿Qué era aquel perfume que desprendía el ramo? Gardenias, eso eran. Un ramo de gardenias cuidadosamente envuelto contra el frío invernal.

De pronto, en su imaginación, llevaba en brazos a aquella mujer de su pasado ignoto y sentía su sangre cálida y palpitante en los brazos. Era más joven de lo que había creído, tenía poco más de veinte años. Sus labios se movieron, y un escalofrío recorrió la espalda de Bourne. ¡Todavía estaba viva! Sus ojos buscaron los suyos. La sangre escapaba de su boca entreabierta. Y las palabras, anegadas, se distorsionaban. Bourne se esforzaba por oírla. ¿Qué estaba diciendo? ¿Intentaba decirle algo? ¿Quién era?

Con otra ráfaga de viento arenoso regresó al frío atardecer de Washington. Aquella horrible imagen se había desvanecido. ¿Era el olor de las gardenias lo que la había hecho aflorar de su interior? ¿Había alguna relación?

Dio media vuelta, dispuesto a regresar a la consulta, a pesar de que el doctor Sunderland le había advertido que quizás aquellas visiones siguieran atormentándole a corto plazo. Sonó su teléfono móvil. Pensó un momento en ignorar la llamada. Luego abrió el teléfono y se lo acercó al oído.

Le sorprendió descubrir que era Anne Held, la ayudante del director de la CIA. Se formó una imagen mental de una morena alta y delgada, de unos veinticinco años, facciones clásicas, labios de pitiminí y gélidos ojos grises.

—Hola, señor Bourne. El director desea verle. —Tenía acento centroatlántico: a medio camino entre Gran Bretaña, donde había nacido, y Estados Unidos, su país de adopción.

—No me apetece verle —respondió Bourne con frialdad.

Anne Held suspiró, armándose claramente de valor.

—Señor Bourne, aparte del propio Martin Lindros, nadie conoce mejor que yo su hostilidad hacia el Viejo y hacia la CIA en general. Y bien sabe Dios que tiene motivos de sobra: le han utilizado incontables veces como tapadera, y luego se aseguraron de que cortara todo vínculo con ellos. Pero esta vez tiene que venir.

—Es usted muy elocuente. Pero ni toda la elocuencia del mundo conseguiría hacerme cambiar de opinión. Si el director de la CIA tiene algo que decirme, que lo haga a través de Martin.

—Es de Martin Lindros de quien necesita hablarle el director.

Bourne se dio cuenta de que apretaba el teléfono con todas sus fuerzas. Su voz sonó fría como el hielo cuando preguntó:

—¿Qué pasa con Martin?

—Ésa es la cuestión. No lo sé. Nadie lo sabe, excepto el Viejo. Lleva encerrado en Comunicaciones desde antes de comer. Ni siquiera yo le he visto. Me llamó hace tres minutos para ordenarme que le hiciera venir.

—¿Eso dijo?

—Sus palabras exactas fueron: «Sé lo unidos que están Bourne y Lindros. Por eso le necesito». Señor Bourne, se lo ruego, venga. Tenemos un Código Mesa.

«Código Mesa» era como llamaban en la CIA a una emergencia de Nivel Uno.

Mientras esperaba el taxi que había pedido, Bourne tuvo tiempo de pensar en Martin Lindros.

¿Cuántas veces, a lo largo de los tres años anteriores, había hablado con Martin del doloroso asunto de su amnesia? Con Lindros, el subdirector de la CIA, el confidente más improbable. ¿Quién habría imaginado que acabarían siendo amigos? Bourne no, desde luego: hacía casi tres años, cuando Lindros se presentó en el despacho que Webb tenía en la facultad, sus sospechas y su paranoia volvieron a primer plano. Se convenció de que Lindros estaba allí para intentar reclutarle de nuevo como agente de la CIA. No era una idea tan descabellada. A fin de cuentas, Lindros estaba utilizando su poder recién adquirido para remodelar la CIA y convertirla en una organización más ligera y transparente, con la experiencia necesaria para afrontar el peligro planetario que suponía el fundamentalismo islámico radical.

Un cambio semejante habría sido impensable cinco años antes, cuando el Viejo gobernaba la agencia con mano de hierro. Pero ahora el director era un viejo de verdad: de facto, no sólo de nombre. Se decía que estaba perdiendo facultades; que había llegado el momento de que se retirara honorablemente, antes de que le despidieran. Bourne deseaba que así fuera, pero era probable que aquel rumor lo hubiera puesto en circulación el propio Viejo para hacer salir a los enemigos que sabía escondidos entre la maleza del cinturón de carreteras que rodeaba Washington. Aquel viejo cabrón era muy astuto, y estaba mejor relacionado con la red de amiguismos que formaba los cimientos de Washington que cualquier otra persona que Bourne hubiera conocido.

El taxi rojo y blanco se detuvo junto a la acera; Bourne subió y dio la dirección al conductor. Cuando se hubo acomodado en el asiento trasero, volvió a sumirse en sus pensamientos.

Para su sorpresa, el asunto del reclutamiento no se mencionó. Durante la cena, Bourne empezó a ver a Lindros de un modo totalmente distinto a como le había conocido durante el tiempo que estuvieron juntos en activo. El mismo hecho de querer cambiar la CIA desde dentro le había convertido en un solitario dentro de la organización. Contaba con la confianza absoluta e inamovible del Viejo, que veía en él una especie de versión rejuvenecida de sí mismo, pero el jefe de los siete directorios también le temía porque Lindros tenía el futuro de la organización en la palma de su mano.

Lindros tenía una novia llamada Moira. Aparte de eso, no se le conocía ninguna otra relación. Y sentía especial empatía por la situación de Bourne.

—Tú no recuerdas tu vida —le dijo la primera de las muchas veces que hablaron—. Yo no tengo vida que recordar.

Quizá lo que los atraía inconscientemente fuera el daño profundo y permanente que habían sufrido ambos. De sus carencias compartidas surgieron la amistad y la confianza.

Por fin, hacía una semana, Bourne pidió la baja médica en Georgetown. Llamó a Lindros, pero su amigo no estaba disponible. Nadie quiso decirle dónde estaba. Echaba de menos el análisis lógico y cuidadoso que Lindros hacía de su estado mental, cada vez menos racional. Y ahora su amigo se hallaba en el centro de un misterio que había hecho que la CIA, en estado de emergencia, se cerrara a cal y canto.

Nada más recibir confirmación de que, en efecto, Jason Bourne había salido del edificio, Costin Veintrop (el hombre que se hacía llamar doctor Sunderland) recogió rápidamente su equipo y lo guardó con esmero en el bolsillo exterior acolchado de un maletín de cuero negro. Sacó a continuación un ordenador portátil de uno de los dos compartimentos principales del maletín y lo encendió. No era un ordenador corriente; lo había adaptado el propio Veintrop, que, aparte de estudiar la memoria humana, era un experto en miniaturización. Enchufó una cámara digital de alta definición al puerto Firewire y abrió cuatro fotografías ampliadas de la sala del laboratorio tomadas desde distintos ángulos. Comparándolas con el escenario que tenía delante, se aseguró de que todo estuviera tal y como lo había encontrado al entrar en el despacho quince minutos antes de que llegara Bourne. Hecho esto, apagó las luces y entró en la sala de consulta.

Recogió las fotografías que había colocado allí, deteniéndose un momento a mirar a la mujer a la que había identificado como su esposa. Era, en efecto, Katya, su Katya, su esposa báltica. Su candorosa sinceridad le había ayudado a venderse ante Bourne. Veintrop era hombre que creía en la verosimilitud. Por eso había usado la fotografía de su mujer y no la de una desconocida. Cuando hacía suya una leyenda (cuando asumía una nueva identidad), le parecía de vital importancia mezclar en ella fragmentos de cosas en las que creía. Sobre todo tratándose de un hombre con la experiencia de Jason Bourne. En todo caso, la foto de Katya había surtido el efecto deseado sobre Bourne. Pero, por desgracia, también había servido para recordarle a Veintrop dónde estaba Katya y por qué no podía verla. Sus dedos se cerraron un momento, con tanta fuerza que se le transparentaron los nudillos.

Se espabiló bruscamente. Ya estaba bien de mórbida autocompasión; tenía cosas que hacer. Colocó el ordenador en una esquina de la mesa del verdadero doctor Sunderland y abrió las fotografías ampliadas que había hecho de la habitación. Al igual que un momento antes, las estudió con sumo cuidado para asegurarse de que todo estuviera tal y como lo había encontrado. Era esencial que no quedara ni rastro de su paso por allí.

Sonó su teléfono móvil GSM cuatribanda y se lo acercó al oído.

—Ya está —dijo en rumano. Podría haber empleado el árabe, la lengua materna de su jefe, pero ambos habían decidido que sería menos molesto usar el rumano.

—¿Satisfecho? —Era una voz distinta, algo más grave y áspera que la voz atractiva e imperiosa del hombre que le había contratado, una voz perteneciente a alguien acostumbrado a exhortar a seguidores rabiosos.

—Sí, desde luego. He afinado y perfeccionado el procedimiento con los sujetos de estudio que me proporcionaron. Todo lo que contrataron está colocado en su sitio.

—Pronto lo comprobaremos. —Un leve y soterrado tono de ansiedad agriaba la nota de impaciencia dominante.

—Tenga fe, amigo mío —dijo Veintrop, y cortó la comunicación.

Volviendo a su tarea, recogió el ordenador, la cámara digital y el conector Firewire y acto seguido se puso el abrigo de *tweed* y el sombrero de fieltro. Con el maletín en una mano, miró a su alrededor por última vez con rigurosa minuciosidad. En el trabajo altamente especializado que hacía no había sitio para el error.

Satisfecho, pulsó el interruptor de la luz y salió de la oficina en perfecta oscuridad. En el pasillo miró su reloj: eran las 16:46. Llevaba tres minutos de retraso, pero seguía dentro del marco temporal que le había concedido su jefe. Era martes, 3 de febrero, tal y como había dicho Bourne. Los martes, el doctor Sunderland no tenía consulta.

2

El cuartel general de la CIA, situado en la calle 23 Noroeste, aparecía señalado en los planos de la ciudad como perteneciente al Departamento de Agricultura. Para reforzar esta ilusión, se hallaba rodeado por impecables praderas de césped salpicadas aquí y allá por árboles ornamentales y divididas por sinuosos senderos de gravilla. El edificio era, en sí mismo, tan anodino como podía serlo en una ciudad consagrada a la grandeza de la arquitectura monumental norteamericana. Lindaba por el norte con el enorme complejo que albergaba el Departamento de Estado y la Oficina de Medicina y Cirugía Navales, y por el este con la Academia Nacional de Ciencias. El despacho del director tenía vistas al sombrío monumento a los veteranos de Vietnam y a un pedazo del blanco y resplandeciente monumento a Lincoln.

Anne Held no había exagerado. Bourne tuvo que pasar por no menos de tres controles de seguridad antes de que le franquearan las puertas del vestíbulo interior. Dichos controles tuvieron lugar en el vestíbulo público, acorazado a prueba de bombas y balas, el cual era, de hecho, un búnker. Escondidas detrás de las columnas y las planchas de mármol decorativo, había paredes de hormigón armado de medio metro de grosor, reforzadas por una malla de varillas de acero y cinchas trenzadas. No había cristales que pudieran romperse, y el alumbrado y los circuitos eléctricos se hallaban bien protegidos. En el primer control le pidieron que repitiera una contraseña que cambiaba tres veces al día; en el segundo, tuvo que someterse a un escáner dactilar. En el tercero, acercó el ojo derecho a la lente de una máquina de color negro mate y aire siniestro que tomó una fotografía de su retina y la comparó digitalmente con la que tenía en su archivo. Aquella nueva barrera de seguridad tecnológica era crucial, porque ya era posible falsificar huellas dactilares con parches de silicona que se adherían a las yemas de los dedos. Bourne lo sabía por experiencia: él mismo lo había hecho varias veces.

Había otro control justo antes de llegar a los ascensores, y otro (aleatorio, conforme a las normas del Código Mesa) a la entrada de las oficinas de dirección, en la quinta planta.

Cuando por fin consiguió cruzar la gruesa puerta blindada y revestida de madera de palisandro, Bourne vio enseguida a Anne Held. La acompañaba (cosa poco frecuente) un hombre de cara lechosa cuya musculatura se adivinaba bajo la chaqueta del traje.

Anne esbozó una sonrisilla tensa.

—He visto al director hace un momento. Parece diez años más viejo.

—No he venido por él —contestó Bourne—. Martin Lindros es la única persona de la CIA que me preocupa y en la que confío. ¿Dónde está?

—Lleva tres semanas en servicio activo, haciendo sólo Dios sabe qué. —Anne iba tan impecablemente vestida como siempre, con un traje de Armani gris oscuro, una blusa de seda rojo fuego y unos Manolo Blahnik con tacones de siete centímetros y medio—. Pero me apostaría cualquier cosa a que todo este jaleo se debe a los informes que ha recibido hoy el director.

El hombre de cara lechosa los acompañó sin decir palabra pasillo tras pasillo (un laberinto deliberadamente confuso a través del cual se guiaba a los visitantes por una ruta distinta cada vez), hasta que llegaron a la puerta del sanctasanctórum del director. Allí el escolta se hizo a un lado, pero no se marchó. Otro indicio del Código Mesa, pensó Bourne mientras sonreía levemente al ojo minúsculo de la cámara de seguridad.

Un momento después oyó el chasquido de la cerradura electrónica al abrirse por control remoto.

El director estaba al fondo de un despacho tan ancho como un campo de fútbol. Llevaba en una mano una carpetilla y en la otra un cigarrillo encendido con el que desafiaba la prohibición de fumar que las leyes federales imponían sobre el edificio. *¿Cuándo había vuelto a fumar?,* se preguntó Bourne. A su lado había otro hombre: alto, fornido, de cara larga y ceñuda, cabello claro cortado a cepillo y aire de peligrosa quietud.

—Ah, por fin ha llegado. —El Viejo avanzó hacia Bourne y los tacones de sus zapatos hechos a mano repiquetearon suavemente sobre el suelo de madera bruñida. Iba encorvado, con los hombros levantados al nivel de las orejas, como si intentara defenderse del mal tiempo. Los focos del exterior le iluminaron al acercarse; llevaba impresas en la cara, como blancos fogonazos, imágenes fugaces de sus pasadas hazañas.

Parecía viejo y cansado, las mejillas agrietadas como la ladera de un monte, los ojos hundidos en las cuencas y, bajo ellos, la carne tumefacta y amarillenta: el cabo de una vela consumida en exceso. Se llevó el cigarrillo a los labios hepáticos para dejar claro que no pensaba estrecharle la mano.

El otro le había seguido sin apretar el paso, con evidente premeditación.

—Bourne, éste es Matthew Lerner, mi nuevo subdirector. Lerner, Bourne.

Se estrecharon las manos brevemente.

—Pensaba que el subdirector de la CIA era Martin —le dijo Bourne a Lerner, desconcertado.

—Es complicado. Hemos...

—Lerner le informará de todo en cuanto acabe esta reunión —les interrumpió el Viejo.

—Puede que no sea necesario. —Bourne frunció el ceño, inquieto de pronto—. ¿Qué pasa con Martin?

El director titubeó. La antigua antipatía seguía allí: nunca desaparecería. Bourne lo sabía y lo aceptaba como algo irremediable. Estaba claro que la situación era lo bastante grave como para empujar al Viejo a hacer algo que había jurado no hacer jamás: pedir ayuda a Jason Bourne. El director de la CIA era, por otro lado, un pragmático de pura cepa. Había que serlo para mantenerse tanto tiempo en el puesto de director. Se había vuelto inmune a las situaciones espinosas y a menudo moralmente ambiguas. Aquél era, sencillamente, el mundo en el que se movía. Ahora necesitaba a Bourne, y eso le enfurecía.

—Martin Lindros desapareció hace casi siete días. —De pronto parecía más menudo, como si el traje estuviera a punto de caérsele.

Bourne se quedó paralizado. Con razón no había tenido noticias de Martin.

—¿Qué ha pasado?

El Viejo encendió otro cigarrillo con la llama del anterior y aplastó la colilla en un cenicero de cristal esmerilado. Le temblaba ligeramente la mano.

—Martin estaba cumpliendo una misión en Etiopía.

—¿Qué hacía operando sobre el terreno? —preguntó Bourne.

—Lo mismo pregunté yo —dijo Lerner—. Pero esta misión era la niña de sus ojos.

—Su gente había captado un aumento repentino de conversaciones en ciertas frecuencias terroristas. —El director introdujo humo en sus pulmones y lo expelió con un leve siseo—. Sus analistas son expertos a la hora de diferenciar lo que es auténtico de la desinformación que vuelve locas a las divisiones contraterroristas de otras agencias, que se pasan la vida gritando que viene el lobo.

Sus ojos se clavaron en los de Bourne.

—Nos proporcionó pruebas creíbles de que esas conversaciones eran auténticas; de que se está preparando un ataque inminente contra una de las tres principales ciudades de Estados Unidos: Washington, Nueva York o Los Ángeles. Y lo que es peor aún: ese ataque implica una bomba atómica.

El director cogió un paquete de un aparador cercano y se lo pasó a Bourne.

Bourne lo abrió. Dentro había un objeto metálico, pequeño y de forma oblonga.

—¿Sabe qué es? —preguntó Lerner como si le retara.

—Un TSG, un interruptor de alto voltaje. Se usa en la industria para encender motores de enorme potencia. —Bourne levantó la vista—. Y también para detonar armas nucleares.

—Exacto. Sobre todo, éste. —El director tenía una expresión agria cuando le pasó una carpeta con la etiqueta «SPD» («Sólo para el director»). Contenía una hoja de especificaciones extremadamente detallada sobre aquel dispositivo en particular—. Los interruptores de alto voltaje suelen usar gases, aire, argón, oxígeno, SF6, o una combinación de ellos, para transmitir la corriente. Éste utiliza un material sólido.

—Está diseñado para ser empleado una sola vez.

—Exacto. Lo cual descarta su uso industrial.

Bourne deslizó el TSG entre sus dedos.

—Entonces sólo puede usarse en un artefacto nuclear.

—Un artefacto nuclear en manos de terroristas —dijo Lerner con una mirada sombría.

El director recuperó el TSG y lo tocó con un dedo nudoso y retorcido.

—Martin estaba siguiendo la pista de un cargamento ilegal de estos TSG que le condujo a las montañas del noroeste de Etiopía, desde donde creía que una célula terrorista los estaba transfiriendo a otro lugar.

—¿Con destino?

—Desconocido —contestó el director.

Bourne estaba profundamente alterado, pero prefirió guardarse aquella sensación.

—Está bien. Oigamos los detalles.

—Hace seis días, a las diecisiete treinta y dos hora local, Martin y el equipo Escorpión Uno, formado por cinco hombres, aterrizaron en un helicóptero cerca de la cumbre de la ladera norte del Ras Dashén. —Lerner pasó una hoja de papel cebolla—. Aquí están las coordenadas exactas.

—El Ras Dashén es el pico más alto de la cordillera de Simien —terció el director dirigiéndose a Bourne—. Usted ha estado allí. Y además habla el idioma de las tribus locales.

Lerner continuó:

—A las dieciocho cero cuatro hora local, perdimos contacto por radio con Escorpión Uno. A las diez cero seis, hora estándar de la costa este, ordené a Escorpión Dos dirigirse a esas coordenadas. —Recogió la hoja de papel cebolla que había dado a Bourne—. A las diez cuarenta y seis de esta mañana recibimos un mensaje de Ken Jeffries, el comandante de Escorpión Dos. La unidad encontró los restos calcinados del Chinook en una pequeña plataforma, en las coordenadas correctas.

—Ése fue el último informe que recibimos de Escorpión Dos —dijo el director—. Desde entonces, no hemos sabido nada de Lindros ni de los demás.

—Escorpión Tres se encuentra en Yibuti y está listo para actuar —dijo Lerner, pasando limpiamente por alto la cara de fastidio del Viejo.

Pero Bourne no le prestaba atención: estaba barajando posibilidades mentalmente, lo cual le ayudaba a dejar de lado su preocupación por la suerte que podía haber corrido su amigo.

—Pueden haber pasado dos cosas —dijo con firmeza—. O Martin está muerto, o le han capturado y está siendo sometido a interrogatorio intensivo. Está claro que no procede enviar un equipo.

—Las unidades Escorpión están formadas por algunos de nuestros mejores y más brillantes agentes de campo, hombres curtidos en Somalia, Irak y Afganistán —puntualizó Lerner—. Necesitará su potencia de fuego, créame.

—La potencia de fuego de dos unidades Escorpión no ha servido para solventar la situación en el Ras Dashén. O voy solo, o no voy.

Había hablado con toda claridad, pero el nuevo subdirector no estaba dispuesto a aceptar sus condiciones.

—Lo que para usted es flexibilidad, Bourne, para la organización es una irresponsabilidad y un riesgo inaceptable para quienes le rodean.

—Oiga, son ustedes los que me han llamado. Ustedes quienes me están pidiendo un favor.

—Está bien, olvídese de Escorpión Tres —dijo el Viejo—. Sé que usted trabaja solo.

Lerner cerró la carpeta.

—A cambio, tendrá a su disposición todos los informes de inteligencia, toda la logística y el apoyo que necesite.

El director dio un paso hacia Bourne.

—Sé que no dejará pasar la oportunidad de ir en busca de su amigo.

—En eso tiene razón. —Bourne caminó con calma hacia la puerta—. Haga lo que se le antoje con sus subordinados. Yo iré a buscar a Martin sin su ayuda.

—Espere. —La voz del Viejo resonó en el enorme despacho. Había en ella una nota parecida al silbato de un tren al pasar por un paisaje lúgubre y desierto. Una mezcla venenosa de tristeza y cinismo—. Espere, cabrón.

Bourne tardó en volverse.

El director le miraba con agria hostilidad.

—No entiendo por qué le aguanta Martin Lindros. —Se acercó con aire marcial a la ventana, las manos unidas a la espalda, y se quedó mirando el césped inmaculado y, más allá, el monumento a los veteranos de Vietnam. Al volverse clavó en Bourne una mirada implacable—. Su arrogancia me pone enfermo.

Bourne le sostuvo la mirada en silencio.

—Está bien, nada de ataduras —dijo hoscamente el director. La rabia apenas contenida le hacía temblar—. Lerner se encargará de que tenga todo lo que necesite. Pero se lo advierto: más le vale traer de vuelta a Martin Lindros.

3

Lerner condujo a Bourne fuera de la suite del director, por el pasillo, hasta su despacho. Se sentó detrás de su mesa. Al darse cuenta de que Bourne prefería quedarse de pie, se recostó en el asiento.

—Lo que me dispongo a decirle no puede salir de esta habitación bajo ningún concepto. El Viejo ha nombrado a Martin director de una agencia de operaciones secretas cuyo nombre en clave es Tifón, encargada exclusivamente de la lucha contra grupos terroristas del integrismo islámico.

Bourne recordaba que Tifón era un nombre sacado de la mitología griega: el de las cien cabezas, el temible padre de la mortífera Hidra.

—Ya tenemos un Centro Contraterrorista.

—En CCT no saben nada de Tifón —dijo Lerner—. De hecho, dentro de la propia CIA sólo lo saben los absolutamente imprescindibles.

—Entonces Tifón es una operación doblemente secreta.

Lerner asintió.

—Sé lo que está pensando: que no había algo así desde la operación Treadstone. Pero hay razones de peso. Ciertos aspectos de Tifón son, digamos, extremadamente polémicos en lo que respecta a poderosos elementos reaccionarios dentro de la administración y el Congreso.

Frunció los labios.

—Iré al grano. Lindros ha levantado Tifón desde los cimientos. No es una división, es una agencia en sí misma. Él se empeñó en prescindir de ataduras burocráticas. Es, además, de ámbito mundial por necesidad: Lindros ya tiene gente en Londres, París, Estambul, Dubái, Arabia Saudí, y en tres lugares del Cuerno de

África. Y tiene intención de infiltrar a sus agentes en células terroristas a fin de destruir sus redes desde el interior.

—Infiltración —dijo Bourne. Así pues, a eso se refería Martin al decirle que, a excepción del director, estaba completamente solo dentro de la CIA—. Es el santo grial del contraterrorismo, pero de momento nadie ha sido capaz de acercarse a ese objetivo.

—Porque tienen muy pocos musulmanes y todavía menos arabistas trabajando para ellos. Sólo treinta y tres de los doce mil agentes del FBI tienen conocimientos limitados de árabe, y ninguno de ellos trabaja en los departamentos que investigan el terrorismo dentro de nuestras fronteras. Y por un buen motivo. Todavía hay miembros importantes de la administración reacios a utilizar a musulmanes y arabistas occidentales; sencillamente, no se fían de ellos.

—Lo cual demuestra su estupidez y su cortedad de miras —dijo Bourne.

—Esa gente existe, sin embargo, y Lindros ha estado reclutándola en secreto. —Lerner se levantó—. Pero basta de orientaciones generales. Su siguiente parada, creo, es la propia operación Tifón.

Por ser una agencia contraterrorista doblemente secreta, Tifón tenía su sede en los abismos. El subsótano del edificio de la CIA había sido remodelado por una empresa de construcción a cuyos trabajadores se había investigado minuciosamente antes de hacerles firmar un acuerdo de confidencialidad que les aseguraba una condena de veinte años en una prisión federal de máxima seguridad si cometían el error de romper su silencio, ya fuera por avaricia o por simple estupidez. Los suministros que antes ocupaban el subsótano habían sido trasladados a un edificio contiguo.

Al salir de las oficinas de dirección, Bourne se pasó un momento por el despacho de Anne Held. Pertrechado con los nombres de los dos agentes que habían escuchado la conversación que había impulsado a Martin Lindros a cruzar medio mundo siguiendo la pista de un cargamento de TSG, Bourne tomó el ascensor privado que unía directamente el piso de dirección con el subsótano.

Cuando el ascensor se detuvo suspirando, una pantalla de cristal líquido situada a la izquierda de la puerta se activó y un ojo electrónico escudriñó el pequeño octógono negro que Anne Held le había prendido en la solapa de la chaqueta. Llevaba grabado un número visible únicamente para el escáner. Sólo entonces se abrieron las puertas de acero.

Martin Lindros había ideado el subsótano fundamentalmente como una sala de proporciones gigantescas llena de puestos de trabajo móviles, cada uno de ellos provisto de una gruesa trenza de cables electrónicos que ascendía en espiral hasta el techo. Las trenzas estaban insertas en raíles para que pudieran desplazarse junto con las mesas cuando el personal fuera reubicado al pasar de una misión a otra. Bourne vio al fondo una serie de salas de reuniones separadas de la sala principal por paneles alternos de cristal esmerilado y acero.

Como correspondía a un organismo bautizado en honor de un monstruo de doscientos ojos, la oficina de Tifón estaba repleta de monitores. Las paredes eran, de hecho, un mosaico de pantallas de plasma extraplanas sobre las que se desplegaba una mareante panoplia de imágenes digitales: gráficos tomado por satélite, panorámicas grabadas por circuitos cerrados de televisión en espacios públicos y lugares de tránsito como aeropuertos, terminales de autobuses, estaciones de tren, esquinas entre dos calles, cruces de carreteras serpenteantes, líneas de ferrocarril suburbano y andenes subterráneos de todo el mundo (Bourne reconoció los metros de Nueva York, Londres, París y Moscú). Gentes de todo pelaje, etnia y religión caminaban de un lado a otro o vagaban sin rumbo fijo, se paraban indecisas, remoloneaban, fumaban, subían y bajaban de vagones, hablaban entre sí, se ignoraban, enchufaban sus iPod, compraban, comían a la carrera, se besaban, se abrazaban, cambiaban improperios, se ensimismaban con los móviles pegados a la oreja o accedían a su correo electrónico o miraban porno, caminaban con los hombros caídos, se encorvaban, borrachas o drogadas, se azoraban con su primera cita, se escondían, refunfuñaban para sus adentros... Un caos de vídeos sin editar entre los que los analistas debían encontrar patrones concretos, indicios digitales, señales de advertencia electrónicas.

Lerner debía de haber alertado a los agentes de su llegada, porque Bourne vio que una joven de físico impresionante, cuya edad calculó en unos treinta y cinco años, se apartaba de una pantalla y se dirigía hacia él. Enseguida comprendió que aquella mujer era o había sido una agente de campo. Sus pasos no eran ni muy largos ni muy cortos, ni demasiado rápidos ni demasiado lentos. Eran, por resumirlo en una palabra, anónimos. Los andares de un individuo eran tan distintivos como sus huellas dactilares, de ahí que fueran también uno de los mejores modos de distinguir a un adversario entre una multitud de viandantes, incluso aunque su disfraz fuera de primerísima clase.

Tenía una cara al mismo tiempo fuerte y orgullosa, el mascarón de proa de un hermoso barco que surcaba mares en cuyas aguas habrían zozobrado navíos de inferior calidad. Sus ojos grandes, de un azul profundo, parecían incrustados como gemas en su tez de color cancla y facciones árabes.

—Usted debe de ser Soraya Moore —dijo Bourne—, la agente encargada del caso.

Ella mostró un momento su sonrisa y la ocultó rápidamente tras una nube de desconcierto y abrupta frialdad.

—Así es, señor Bourne. Por aquí.

Le condujo a través del enorme hervidero de la estancia principal, hasta la segunda sala de reuniones empezando por la izquierda. Abrió la puerta de cristal esmerilado y le miró pasar con aquella misma extraña curiosidad. Claro que teniendo en cuenta su relación a menudo hostil con la CIA tal vez no fuera tan extraña, a fin de cuentas.

Dentro había un hombre más joven que Soraya. Era de estatura media y complexión atlética, cabello rubicundo y piel clara. Estaba sentado ante una mesa ovalada de cristal, trabajando con un ordenador portátil en cuya pantalla se desplegaba lo que parecía ser un crucigrama de extraordinaria dificultad.

Sólo levantó la vista cuando Soraya carraspeó.

—Tim Hytner —dijo sin levantarse.

Al tomar asiento entre los dos agentes, Bourne descubrió que el crucigrama que Hytner intentaba resolver era en realidad un código cifrado, y muy sofisticado.

—Dispongo de algo más de cinco horas antes de que salga mi vuelo a Londres —anunció Bourne—. Díganme lo que necesito saber sobre los TSG.

—Junto con los materiales fisibles, los TSG se encuentran entre los artículos más restringidos del mundo —comenzó a explicar Hytner—. Para ser precisos, hay dos mil seiscientos cuarenta y uno, según el censo oficial del Gobierno.

—Entonces la información que impulsó a Lindros a embarcarse en una misión sobre el terreno se refería a una transferencia de TSG.

Hytner se había puesto de nuevo a intentar descifrar el código, y fue Soraya quien tomó la palabra.

—Todo empezó en Sudáfrica. En Ciudad del Cabo, en concreto.

—¿Por qué allí? —preguntó Bourne.

—Durante la época del *apartheid*, el país se convirtió en un nido de contrabandistas, en buena medida por necesidad. —Soraya hablaba rápidamente, con eficacia, pero con inconfundible objetividad—. Ahora que Sudáfrica figura en nuestra «lista blanca», los fabricantes estadounidenses no tienen problemas para exportar allí sus TSG.

—Que luego se pierden —terció Hytner sin levantar la vista de las letras de la pantalla.

—Eso es. —Soraya expresó su acuerdo—. Los contrabandistas son más difíciles de erradicar que las cucarachas. Como podrá imaginar, sigue habiendo toda una red que opera desde Ciudad del Cabo, y últimamente con medios muy sofisticados.

—¿De dónde procedía la información? —preguntó Bourne.

Soraya hojeó unos papeles impresos por ordenador, sin mirarle.

—Los contrabandistas se comunican por teléfono móvil. Usan «tostadoras», teléfonos baratos con tarjeta de prepago que pueden comprarse en cualquier superficie comercial. Los utilizan desde un solo día a una semana, quizá, si consiguen hacerse con otra tarjeta SIM. Luego los tiran y usan otro.

—Es prácticamente imposible seguirles la pista, aunque cueste creerlo. —Hytner estaba tenso. Estaba haciendo un ímprobo esfuerzo por descifrar el código—. Pero hay una forma.

—Siempre la hay —dijo Bourne.

—Sobre todo si tu tío trabaja en la compañía telefónica. —Hytner lanzó una rápida sonrisa a Soraya.

Ella mantuvo su actitud glacial.

—El tío Kingsley emigró a Ciudad del Cabo hace treinta años. Decía que Londres era demasiado sombrío para su gusto. Necesitaba un sitio que todavía ofreciera grandes oportunidades. —Se encogió de hombros—. El caso es que tuvimos suerte. Captamos una conversación relativa a ese cargamento en particular. La transcripción está en la segunda página. El jefe de los contrabandistas le dice a uno de sus hombres que el cargamento no puede seguir los canales habituales.

Bourne notó que Hytner le miraba con curiosidad.

—Y lo que tenía de especial ese cargamento «perdido» —dijo Bourne— es que coincidía con una amenaza concreta para Estados Unidos.

—Eso y el hecho de que teníamos al contrabandista en nuestro poder —dijo Hytner.

Bourne pasó el dedo por la segunda hoja de la trascripción.

—¿Convenía detenerle? Cabe la posibilidad de que hayan puesto sobre aviso a su cliente.

Soraya negó con la cabeza.

—No, eso es improbable. Esa gente usa un contacto una sola vez; luego pasa a otro.

—Entonces saben quién había comprado los TSG.

—Digamos que tenemos fundadas sospechas. Por eso Lindros quiso ir personalmente.

—¿Ha oído hablar de Duyya? —preguntó Hytner.

Bourne recapacitó.

—A Duyya se le atribuyen no menos de doce atentados en Jordania y Arabia Saudí, el más reciente el mes pasado, cuando una bomba mató a noventa y cinco personas en la gran mezquita de Khanaqin, ciento cuarenta y cuatro kilómetros al noreste de Bagdad. Si no recuerdo mal, también se le atribuye el asesinato de dos miembros de la familia real saudí, del ministro de Asuntos Exteriores jordano y del jefe de Seguridad Nacional iraquí.

Soraya volvió a coger la trascripción.

—Parece mentira, ¿verdad?, que un solo grupo pueda atribuirse tantos ataques. Pero es cierto. Todos los atentados tienen un nexo en común: los saudíes. En esa mezquita se estaba celebrando una reunión de negocios secreta a la que asistieron emisarios saudíes de alto nivel. El ministro de Asuntos Exteriores jordano era amigo personal de la familia real, y el jefe de Seguridad iraquí apoyaba públicamente a Estados Unidos.

—Estoy al tanto de la información desclasificada —dijo Bourne—. Fueron todos atentados muy sofisticados y extremadamente bien organizados. La mayoría no incluyó terroristas suicidas y no se ha detenido a ninguno de los autores materiales. ¿Quién es el líder de Duyya?

Soraya volvió a guardar la trascripción en su carpeta.

—Se hace llamar Fadi.

—Fadi. El redentor, en árabe —dijo Bourne—. Sin duda un seudónimo.

—Lo cierto es que no sabemos nada de él, ni siquiera su verdadero nombre —dijo Hytner amargamente.

—Sabemos algunas cosas —dijo Bourne—. Para empezar, los ataques de Duyya están tan bien coordinados y son tan sofisticados que podemos suponer sin temor a equivocarnos que Fadi se educó en el mundo occidental, o bien que tiene mucho contacto con él. En segundo lugar, el grupo dispone habitualmente de armamento moderno que no suele asociarse con grupos terroristas árabes o fundamentalistas islámicos.

Soraya suscribió el comentario.

—En eso estamos todos de acuerdo. Duyya forma parte de esa nueva generación de organizaciones terroristas que ha unido fuerzas con el crimen organizado y los narcotraficantes del sur de Asia y Latinoamérica.

—En mi opinión —intervino Hytner—, si el subdirector Lindros consiguió que el Viejo aprobara Tifón tan rápidamente, fue porque le dijo que nuestro primer cometido sería averiguar quién es Fadi, hacerle salir de su escondite y acabar con él de una vez por todas. —Levantó la vista—. Duyya se vuelve cada año más fuerte y más influyente entre los extremistas islámicos. Nuestros informes señalan que acuden a Fadi en número sin precedentes.

—Aun así, hoy por hoy ninguna agencia ha sido capaz de descubrir dónde tiene su base, ni siquiera nosotros —dijo Soraya.

—Claro que nos hemos organizado hace muy poco tiempo —añadió Hytner.

—¿Se han puesto en contacto con los servicios secretos saudíes? —preguntó Bourne.

Soraya rió con amargura.

—Uno de nuestros informadores jura que los servicios secretos saudíes están siguiendo una pista sobre Duyya. Éstos lo niegan.

Hytner levantó la mirada.

—También niegan que se les están agotando las reservas de petróleo.

Soraya cerró sus carpetas y las amontonó cuidadosamente.

—Sé que hay compañeros que le llaman el Camaleón por su habilidad legendaria para disfrazarse —dijo dirigiéndose a Bourne—. Pero Fadi, sea quien sea, es un verdadero camaleón. Aunque tenemos datos que corroboran que no sólo planea los atentados, sino que también participa activamente en muchos de ellos, no tenemos ni una sola foto suya.

—Ni siquiera un retrato robot —dijo Hytner con evidente fastidio.

Bourne arrugó el ceño.

—¿Qué les hace pensar que fue Duyya quien le compró los TSG a ese proveedor?

—Sabemos que nos está ocultando información vital. —Hytner señaló la pantalla de su ordenador—. Encontramos este código en uno de los botones de su camisa. Duyya es la única organización terrorista que conocemos que utiliza códigos con este nivel de sofisticación.

—Quiero interrogarle.

—Soraya es la agente al mando —dijo Hytner—. Tendrá que pedírselo a ella.

Bourne se volvió hacia la agente.

Ella vaciló sólo un momento. Luego se levantó y señaló hacia la puerta.

—¿Vamos?

Bourne se levantó.

—Tim, sáqueme una copia impresa del código, denos quince minutos y luego reúnase con nosotros.

Hytner levantó la cabeza y entornó los ojos como si Bourne le deslumbrara.

—Dentro de quince minutos no habré acabado ni de lejos.

—Sí, claro que sí. —Bourne abrió la puerta—. O eso aparentará, al menos.

A las celdas de detención se llegaba a través de un corto y empinado tramo de escaleras de acero perforado. En contraste con la sala de mandos de la operación Tifón, inundada de luz, el espacio allí era escaso, oscuro y agobiante, como si los cimientos de Washington se resistieran a ceder más terreno.

Bourne detuvo a Soraya al final de la escalera.

—¿La he ofendido en algo?

Soraya le miró un momento como si no pudiera creer lo que estaba viendo.

—Se llama Hiram Cevik —dijo, ignorando manifiestamente la pregunta de Bourne—. Cincuenta y un años, casado, tres hijos. Es de ascendencia turca, pero se trasladó a Ucrania a los dieciocho años. Lleva veintitrés años en Ciudad del Cabo. Es dueño de una empresa de importación y exportación. El negocio es legal en su mayor parte, pero al parecer, de vez en cuando, el señor Cevik se dedica a otras actividades. —Se encogió de hombros—. Puede que su querida tenga debilidad por los diamantes, o quizá sea que a él le gusta apostar por Internet.

—Es tan difícil llegar a fin de mes hoy en día —dijo Bourne.

Soraya pareció tener ganas de echarse a reír, pero no lo hizo.

—Yo rara vez actúo conforme al reglamento —dijo él—. Pero, haga lo que haga, diga lo que diga, sígame la corriente. ¿Está claro?

Ella le miró un momento a los ojos. ¿Qué estaba buscando?, se preguntó Bourne. ¿Qué le pasaba?

—Estoy al corriente de sus métodos —dijo en tono gélido.

Cevik estaba apoyado en una pared de su celda, fumando un cigarrillo. Al ver acercarse a Bourne con Soraya, exhaló una nube de humo y dijo:

—¿Es la caballería o el inquisidor?

Bourne le observó mientras Soraya abría la puerta de la celda.

—El inquisidor, entonces. —Cevik tiró la colilla y la pisó con el talón—. Debo advertirle que mi esposa sabe que juego... y que tengo una amante.

—No estoy aquí para chantajearle. —Bourne entró en la celda. Sentía a Soraya a su espalda como si formara parte de él. Empezó a cosquillearle el cuero cabelludo. Soraya tenía un arma y estaba dispuesta a utilizarla contra el prisionero antes de que la situación se les escapara de las manos. Era una perfeccionista: Bourne tenía esa sensación.

Cevik se apartó de la pared y se quedó parado con las manos junto a los costados y los dedos ligeramente curvados. Era alto, tenía los hombros anchos de un ex jugador de rugby y ojos amarillos de gato.

—Así pues, a juzgar por su excelente forma física, finalmente va a ser coacción física.

Bourne paseó la mirada por la celda para hacerse una idea de lo que era estar encerrado allí. Un destello de algo recordado sólo a medias, una sensación de mareo en la boca del estómago.

—Con eso no conseguiría nada. —Habló para sustraerse de aquella sensación.

—Cierto.

No era un farol. Aquella sencilla afirmación le dijo más sobre Cevik que una hora de vigoroso interrogatorio. Bourne volvió a fijar la mirada en el surafricano.

—¿Cómo resolver este dilema? —Estiró las manos—. Usted necesita salir de aquí. Y yo necesito información. Es así de sencillo.

Cevik dejó que una risa suave escapara de sus labios.

—Si fuera así de sencillo, hace tiempo no estaría aquí, amigo mío.

—Me llamo Jason Bourne. Ahora está hablando conmigo. No soy ni su carcelero, ni su adversario. —Hizo una pausa—. A menos que usted quiera que lo sea.

—Dudo que me gustara —respondió Cevik—. He oído hablar de usted.

Bourne señaló con la cabeza.

—Acompáñeme a dar un paseo.

—No es buena idea. —Soraya se interpuso entre ellos y el mundo exterior.

Bourne le hizo un gesto cortante con la mano.

Ella le ignoró de forma deliberada.

—Esto infringe gravemente las normas de seguridad.

—Se lo advertí antes —dijo él—. Apártese.

Soraya se acercó el teléfono móvil al oído cuando Cevik y él pasaron por su lado. Pero no era al Viejo a quien llamaba, sino a Tim Hytner.

Aunque era de noche, los focos convertían el césped y sus senderos en plateados oasis entre las sombras de múltiples brazos de los árboles desnudos. Bourne caminaba junto a Cevik. Soraya Moore los seguía a cinco pasos de distancia, como un aya sumisa, con expresión de reproche y la mano apoyada sobre la funda de la pistola.

Allá abajo, en las profundidades del edificio, Bourne se había sentido asaltado por un impulso repentino, desencadenado por el vislumbre de un recuerdo: una técnica de interrogatorio utilizada con sujetos particularmente resistentes a los métodos habituales de tortura y privación sensorial. De pronto se convenció de que si Cevik saboreaba el aire libre, si salía a la intemperie tras pasar días encerrado en aquel agujero, comprendería lo mucho que tenía que ganar si respondía con franqueza a sus preguntas. Y cuánto tenía que perder.

—¿A quién le vendió los TSG? —preguntó.

—Ya se lo he dicho a la de ahí atrás. No lo sé. Sólo era una voz por teléfono.

Bourne se mostró escéptico.

—¿Suele vender este tipo de mercancia por teléfono?

—Por cinco millones, sí.

Verosímil, pero ¿cierto?

—¿Hombre o mujer? —preguntó Bourne.

—Hombre.

—¿Acento?

—Británico, ya se lo dije a ellos.

—Esfuércese un poco más.

—¿Qué pasa, es que no me cree?

—Le estoy pidiendo que vuelva a pensar, que se esfuerce un poco más. Tómese un momento y luego dígame lo que recuerde.

—Nada, yo... —Cevik se detuvo entre las sombras entrecruzadas de un manzano silvestre en flor—. Espere. Quizá, sólo quizá, la voz tenía un dejo, algo más exótico, de Europa del Este, tal vez.

—Usted vivió varios años en Ucrania, ¿no?

—Me ha pillado. —Cevik torció el gesto—. Quiero decir que posiblemente era eslavo. Tenía un dejo de... Puede que fuera del sur de Ucrania. En Odesa, en la costa norte del mar Negro, donde he pasado algún tiempo, el dialecto es un poco distinto, ¿sabe?

Bourne lo sabía, naturalmente, pero no dijo nada. Contaba para sus adentros los minutos que faltaban para que Tim Hytner llegara con el código «descifrado».

—Sigue usted mintiéndome —dijo—. Tuvo que ver al comprador cuando fue a recoger los TSG.

—Pues no le vi. La transacción se hizo sin que hubiera nadie presente.

—¿Por una llamada telefónica? Vamos, Cevik.

—Es la verdad. Ese tipo me dijo una hora concreta y un lugar concreto. Dejé la mitad del cargamento y regresé una hora después para recoger la mitad del dinero. Al día siguiente completamos la transacción. No vi a nadie, y créame si le digo que malditas las ganas que tenía de verlos.

Plausible, de nuevo. Y un plan muy astuto, pensó Bourne. Si era cierto.

—Los seres humanos son curiosos por naturaleza.

—Puede que sí —reconoció Cevik con una inclinación de cabeza—. Pero yo no tengo ganas de morir. Ese hombre... su gente estaba vigilando el lugar de la transacción. Me habrían pegado un tiro. Usted lo sabe, Bourne. Sabe cómo son esas cosas.

Cevik sacó un cigarrillo sacudiendo la cajetilla, se lo ofreció a Bourne y luego se lo puso entre los labios. Lo encendió con un librillo de cerillas casi vacío. Al ver hacia dónde miraba Bourne, dijo:

—No hay nada que quemar en el agujero, así que dejaron que me lo quedara.

Bourne oyó un eco en su cabeza, como si una voz le hablara desde muy lejos.

—Eso era antes, y esto es ahora —dijo, quitándole las cerillas.

Cevik, que no intentó resistirse, introdujo el humo en sus pulmones y lo dejó escapar con un leve siseo mientras más allá del foso de hierba se oía el ruido de los coches al pasar.

Nada que quemar en el agujero. Aquellas palabras rebotaban en la cabeza de Bourne como si su cerebro fuera una máquina de *pinball.*

—Dígame, señor Bourne, ¿alguna vez ha estado en prisión?

Nada que quemar en el agujero. La frase, una vez evocada, siguió repitiéndose incansablemente, impidiéndole pensar.

Con un gruñido casi de dolor, empujó suavemente a Cevik y siguieron andando. Bourne quería verle a la luz. Con el rabillo del ojo, vio que Tim Hytner se acercaba hacia ellos con paso rápido.

—¿Sabe lo que es que te priven de la libertad? —Cevik se quitó una hebra de tabaco del labio—. Vivir toda la vida en la pobreza. Ser pobre es como ver pornografía: cuando empiezas, no hay forma de dejarlo. Es adictiva, ¿comprende usted?, esa vida sin esperanza. ¿No está de acuerdo?

A Bourne le dolía la cabeza, cada palabra que se repetía caía como un mazazo sobre su cerebro. Haciendo un ímprobo esfuerzo, se dio cuenta de que Cevik sólo intentaba recuperar hasta cierto punto el control. Era una norma básica que el interrogador jamás contestara a una pregunta. En cuanto lo hacía, perdía su poder absoluto.

Bourne frunció el ceño. Quería decir algo. Pero ¿qué era?

—No se confunda. Le tenemos donde queremos.

—¿A mí? —Cevik arqueó las cejas—. Yo no soy nada, un emisario, nada más. Es al comprador al que tienen que encontrar. ¿Para qué me quieren a mí?

—Sabemos que puede conducirnos al comprador.

—No, no puedo. Ya se lo he dicho...

Hytner se acercaba entre sombras negras y luz vidriosa. ¿Qué hacía allí? A Bourne le dolía tanto la cabeza que apenas se acordaba. Cuando creía tenerlo, se le escapaba como un pez, y luego reaparecía.

—El código, Cevik. Lo hemos descifrado.

Justo a tiempo, Hytner se acercó y le entregó el papel, pero Bourne estaba tan concentrado en los pitidos de su cabeza que casi lo dejó caer.

—Me ha costado —dijo Hytner, un poco jadeante—. Pero por fin he dado con ello. El decimoquinto algoritmo que he probado ha resultado ser...

Lo que estaba diciendo se convirtió en un alarido de sorpresa y dolor cuando Cevik incrustó la llama de su cigarrillo en el ojo izquierdo de Hytner. Al mismo tiempo giró al agente y, colocándole delante de sí, le sujetó con el brazo izquierdo por el cuello.

—Den un solo paso —dijo con voz baja y gutural—, y le parto el cuello.

—De ésta no se escapa, Cevik. —Soraya lanzó una rápida mirada a Bourne y avanzó con el brazo del arma extendido y la otra mano bajo la culata. Apuntaba a Cevik sin quitarle ojo. Esperando el momento preciso—. Usted no quiere morir. Piense en su mujer y en sus tres hijos.

Bourne parecía aturdido, como si hubiera recibido un mazazo. Al verlo, Cevik enseñó los dientes.

—Piense en los cinco millones.

Los ojos dorados de Cevik volaron un momento hacia ella. Pero ya había empezado a alejarse, con su escudo humano pegado al pecho, sangrando.

—No tiene dónde ir —dijo Soraya en tono extremadamente razonable—. Hay muchos agentes a nuestro alrededor. Y tiene que cargar con Hytner.

—Estoy pensando en los cinco millones. —Seguía apartándose de ellos, alejándose del resplandor de las luces de sodio. Se dirigía hacia la calle Veintitrés, más allá de la cual se alzaba la Academia Nacional de Ciencias.

Allí había más gente (turistas, sobre todo) para obstaculizar la persecución de los agentes.

—Se acabaron las cárceles para mí. Ni un día más.

Nada que quemar en el agujero. Bourne tenía ganas de gritar. Y entonces una súbita explosión de recuerdos borró incluso aquellas palabras de Cevik: corría por viejas calles adoquinadas y un viento áspero y mineral se introducía en sus fosas nasales. De pronto, el peso que llevaba en brazos le parecía insoportable. Miraba hacia abajo y veía a Marie... ¡No, era la desconocida de la cara ensangrentada! Había sangre por todas partes, manaba de ella a raudales, a pesar de que se esforzaba por detener la hemorragia...

—No sea idiota —le estaba diciendo Soraya a Cevik—. ¿Ciudad del Cabo? No podrá esconderse de nosotros. Ni allí, ni en ninguna otra parte.

Cevik ladeó la cabeza.

—Pero mire lo que le he hecho.

—Está herido, no muerto —dijo ella entre dientes—. Suéltelo.

—Cuando me entregue su pistola. —replicó Cevik con una sonrisa irónica—. ¿No? ¿Lo ve? Para usted ya estoy muerto, ¿no es cierto, Bourne?

Éste parecía estar saliendo muy lentamente de su pesadilla. Vio que Cevik salía a la calle Veintitrés y que Hytner intentaba no apartarse de la acera y resbalaba por el bordillo como un niño recalcitrante.

Justo cuando Bourne se abalanzaba hacia él, Cevik les arrojó a Hytner.

Entonces ocurrió todo al mismo tiempo. Hytner se tambaleó penosamente. Un Hummer negro que se acercaba hizo chirriar sus frenos. Justo detrás, un tráiler cargado con motos Harley-Davidson nuevas dio un bandazo para evitar la colisión. Mientras hacía resonar su claxon, estuvo a punto de golpear a un Lexus rojo cuyo conductor, aterrorizado, dio un volantazo y chocó con otros dos coches. Durante la primera fracción de un segundo, pareció que Hytner había tropezado con el bordillo y se caía, pero luego un hilillo de sangre brotó de su pecho y se volvió, empujado por el impacto de la bala.

—¡Dios mío! —gimió Soraya.

El Hummer se había detenido y oscilaba sobre sus amortiguadores. Su ventanilla delantera estaba entreabierta, y por un instante se vislumbró el feo brillo de un silenciador. Soraya consiguió disparar dos veces antes de que los balazos les obligaran a echarse al suelo buscando refugio. La puerta trasera del Hummer se abrió de pronto y Cevik se metió dentro. El vehículo arrancó a toda velocidad antes de que le diera tiempo a cerrar la puerta.

Soraya levantó su arma, corrió hacia su compañero y apoyó la cabeza de Hytner en su regazo.

Mientras oía en el recuerdo el eco del disparo, Bourne se sintió liberado de una prisión de terciopelo en la que todo era tenue y mullido. Saltó sobre Soraya y el cuerpo acurrucado de Hytner y corrió por la calle Veintitrés con un ojo en el Hummer y otro en el tráiler. El conductor del camión se había recuperado y cambió de marcha con un estruendo metálico. Bourne corrió hacia la parte trasera del camión, se agarró a la cadena que cruzaba la rampa levantada y se encaramó al tráiler.

Su mente funcionaba a mil por hora cuando se subió a la plataforma en la que las motocicletas iban fijas al suelo con tensores. La llama mortecina en la oscuridad, el resplandor de la cerilla: Cevik había encendido un cigarrillo con un doble propósito. Primero, procurarse un arma, desde luego. Y segundo hacer una señal. El Hummer negro les estaba esperando, preparado. La huida de Cevik había sido cuidadosamente preparada.

Pero ¿por quién? ¿Y cómo podían saber dónde iba a estar y cuándo?

Aquél no era momento de obtener respuestas. Bourne vio el Hummer justo delante. No circulaba a toda velocidad, ni avanzaba zigzagueando entre el tráfico: su conductor creía haber escapado limpiamente con sus pasajeros a bordo.

Bourne desató la motocicleta más cerca del extremo trasero de la rampa del remolque y montó en ella. ¿Dónde estaban las llaves? Se inclinó hacia delante y, haciendo pantalla para defenderla del viento, encendió una cerilla del librillo que le había dado Cevik. La llama duró sólo un momento, pero Bourne tuvo tiempo de ver las llaves pegadas con cinta adhesiva a un lado del reluciente carenado negro.

Metió la llave en el contacto y encendió la Twin Cam 88B. Revolucionando el motor, desplazó el peso del cuerpo hacia atrás. La parte delantera de la moto se levantó al arrancar, despegándose del borde trasero del remolque.

Mientras volaba aún en caída libre, los coches de detrás frenaron de golpe y sus morros cambiaron bruscamente de dirección. Bourne tocó el pavimento y se inclinó hacia delante al rebotar la

Harley, que se puso en movimiento nada más tocar ambas ruedas el asfalto. En medio del alboroto de los chirridos de las llantas, Bourne viró en redondo y salió a toda velocidad en persecución del Hummer.

Pasados unos instantes interminables y angustiosos, lo vio avanzar por la plaza atestada de tráfico en la que la Veintitrés se cruzaba con la avenida Constitution, en dirección sur, hacia el monumento a Lincoln. Su silueta resultaba inconfundible. Bourne aceleró, se metió en la intersección con el semáforo en ámbar y cruzó la calle zigzagueando entre una nueva andanada de chirridos y pitidos furiosos.

Pisaba los talones al Hummer cuando éste siguió la calle hacia la derecha, describiendo un cuarto de círculo en torno al monumento iluminado, tan lentamente que Bourne consiguió acortar casi por completo la distancia que los separaba. Mientras el Hummer enfilaba la rampa que llevaba al puente Arlington, Bourne aceleró y tocó el parachoques trasero por el lado derecho. El Hummer se sacudió la maniobra de la moto como un elefante que espantara una mosca. Antes de que Bourne pudiera rezagarse, el conductor pisó el freno. La moto chocó con el enorme parachoques del Hummer y viró con brusquedad hacia el quitamiedos y el negro Potomac, allá abajo. Un Volkswagen que se acercaba pitó estrepitosamente y estuvo a punto de rematar lo que había empezado el Hummer, pero en el último instante Bourne logró recuperar el control de la moto. Dando un bandazo, se apartó del Volkswagen y volvió a introducirse serpeando entre el tráfico mientras el Hummer aceleraba.

Oyó por encima de él un zumbido característico y al mirar hacia arriba vio un negro insecto de ojos brillantes: un helicóptero de la CIA. Soraya había vuelto a echar mano del teléfono móvil.

Como si le hubiera leído el pensamiento, su móvil sonó en ese momento. Al contestar oyó el tono grave de su voz.

—Estoy justo encima de usted. Hay una rotonda en medio de Columbia Island, justo delante. Más vale que se asegure de que el Hummer llega hasta allí.

Bourne adelantó a un monovolumen.

—¿Hytner va a sobrevivir?

—Tim está muerto por su culpa, hijo de puta.

El helicóptero aterrizó en la rotonda de la isla y el ruido infernal disminuyó bruscamente cuando el piloto apagó el motor. El Hummer negro siguió avanzando como si nada. Bourne, que se había abierto paso entre los últimos coches que lo separaban de su presa, se acercó de nuevo al vehículo.

Vio que Soraya y otros dos agentes de la CIA salían de la cabina del helicóptero con cascos antidisturbios en la cabeza y fusiles en las manos. Viró súbitamente y se colocó junto al Hummer. Levantó el codo y golpeó la ventanilla del conductor.

—¡Pare! —gritó—. ¡Pare en la rotonda o le matarán!

Sobre el Potomac apareció otro helicóptero que viró velozmente hacia ellos. Refuerzos de la CIA.

El Hummer no daba muestras de aminorar la velocidad. Sin apartar los ojos de la carretera, Bourne echó al brazo hacia atrás y abrió la maleta de la moto. Hurgó en ella y encontró una llave inglesa. Sabía que sólo tendría una oportunidad. Calculó trayectoria y velocidad y arrojó la llave. Cayó delante de la rueda trasera izquierda. La rueda pasó por encima girando a toda velocidad y proyectó la llave, incrustándola violentamente en el mecanismo de tracción trasero.

El Hummer empezó a sacudirse de inmediato, lo que sólo consiguió introducir más aún la llave en los engranajes de la rueda. Entonces algo, posiblemente un eje, se rompió, y el Hummer perdió velocidad y comenzó a girar sobre sí mismo sin apenas control. Impulsado por su propia inercia, pasó por encima del bordillo de la rotonda y se detuvo. Su motor hacía tictac como un reloj.

Soraya y los demás agentes se desplegaron y avanzaron hacia el Hummer con las armas en alto, apuntando hacia el conductor. Cuando estuvo lo bastante cerca, Soraya disparó a las ruedas delanteras. Otro agente hizo lo mismo con las de atrás. El Hummer no iría a ninguna parte hasta que una grúa de la CIA se lo llevara al cuartel general para someterlo a pruebas forenses.

—¡Venga! —gritó Soraya—. ¡Salgan todos del vehículo! ¡Salgan inmediatamente!

Mientras los agentes cerraban el círculo en torno al Hummer, Bourne vio que llevaban chalecos antibalas. Después de la muerte de Hytner, Soraya no pensaba correr ningún riesgo.

Estaban a diez metros del Hummer cuando Bourne sintió que empezaba a cosquillearle el cuero cabelludo. Había algo raro en aquella escena, pero no sabía decir qué era. Volvió a mirar; todo parecía en orden: el objetivo estaba rodeado, los agentes se acercaban, el segundo helicóptero permanecía suspendido en el aire y el nivel de ruido aumentaba exponencialmente.

Entonces se dio cuenta.

Dios mío, pensó, y giró con brusquedad el acelerador del manillar. Gritó, pero con el estruendo de los helicópteros y de la moto los agentes no le oyeron. Soraya se había adelantado; iba acercándose a la puerta del conductor mientras los otros se quedaban atrás, desplegados para cubrirla con fuego cruzado si era necesario.

La puesta en escena parecía correcta, perfecta incluso, pero no lo era.

Bourne se inclinó hacia delante cuando la motocicleta comenzó a cruzar la rotonda a toda velocidad. Tenía que recorrer cien metros para quedar justo a la izquierda del reluciente flanco del Hummer. Apartó la mano derecha del manillar y comenzó a hacer gestos frenéticos a los agentes, pero estaban concentrados en su objetivo.

Aceleró el motor, cuyo rugido profundo y gutural se oyó por fin sobre la densa vibración del helicóptero suspendido en el aire. Uno de los agentes le vio acercarse, le vio gesticular. Llamó al otro, que vio pasar a Bourne rugiendo junto al Hummer.

La puesta en escena parecía sacada directamente de un manual de la CIA, pero algo fallaba, porque el motor del Hummer hacía tictac como si se estuviera enfriando, cuando en realidad estaba en marcha. Imposible.

Soraya estaba a menos de cinco metros del objetivo, tensa y semiencorvada. Abrió mucho los ojos al ver a Bourne. Luego él se abalanzó sobre ella.

Estirando el brazo derecho, la cogió en vilo y la montó tras él mientras se alejaba a toda velocidad. Otro de los agentes se había arrojado al suelo y alertó al segundo helicóptero, que se elevó bruscamente hacia el cielo estrellado y se alejó bamboleándose.

El tictac que había oído Bourne no procedía del motor. Era el ruido de un detonador.

La explosión destrozó el Hummer, convirtiendo sus piezas en metralla humeante cuyos chirridos se oían tras ellos. Con la motocicleta acelerada al máximo, Bourne sintió que Soraya se abrazaba a él. Al inclinarse sobre el manillar, la sintió amoldarse a su espalda y notó la suave presión de sus pechos. El viento aullaba incandescente; el cielo anaranjado se cubrió de pronto de un humo negro y grasiento. A su alrededor, por todas partes, caían chirriando fragmentos metálicos que se clavaban en el suelo, chocaban contra el asfalto y se hundían en el río apagándose con un chisporroteo.

Con Soraya Moore aferrada a él, Jason Bourne penetró a toda velocidad en el resplandor de la ciudad cargada de monumentos.

4

Jakob Silver y su hermano volvieron de cenar a esa hora en la que cierta melancolía despoja de vida las calles e incluso ciudades como Washington parecen desiertas, o solitarias, al menos. Al entrar en la silenciosa opulencia del hotel Constitution, en la esquina noreste de la Veinte con F, Thomas, el recepcionista de guardia, pasó a toda prisa entre las columnas de mármol acanalado y cruzó la enorme y lujosa alfombra para salir a su encuentro.

Tenía buenos motivos para apresurarse. Al registrarse en el hotel, Lev Silver, el hermano de Jakob, le había hecho entrega de un flamante billete de cien dólares, lo mismo que a los demás recepcionistas. Thomas dedujo de ello que aquellos judíos de Ámsterdam, dedicados al comercio de diamantes, eran ricos. Había que tratarlos con esmero y respeto extremos, como convenía a su elevada posición.

Thomas, un hombre menudo y apocado, de manos siempre sudorosas, notó que Jakob tenía la cara colorada por la euforia. Su trabajo consistía en anticiparse a los deseos de los clientes VIP.

—Señor Silver, me llamo Thomas. Es un placer conocerle, señor —dijo—. ¿Quiere que le traiga algo?

—Pues sí, Thomas —contestó Jakob Silver—. Una botella de su mejor champán.

—Y dígale a ese pakistaní —añadió Lev Silver—, ¿cómo se llama...?

—Omar, señor Silver.

—Ah, sí, Omar. Me cae simpático. Dígale que suba el champán.

—Muy bien. —Thomas hizo prácticamente una reverencia doblándose por la cintura—. Enseguida, señor Silver.

Se alejó con prisa mientras los hermanos Silver entraban en el ascensor, un cubículo acolchado que los condujo en silencio hasta la quinta planta, reservada a los clientes de mayor rango.

—¿Qué tal ha ido? —preguntó Lev Silver.

Y Jakob Silver respondió:

—Ha funcionado a la perfección.

Al llegar a su suite, se quitó el abrigo y la chaqueta, entró directamente en el cuarto de baño y encendió la luz. Oyó que a su espalda, en el cuarto de estar, se encendía el televisor. Se despojó de la camisa manchada de sudor.

En el cuarto de baño de mármol rosa todo estaba preparado.

Desnudo hasta la cintura, Jakob Silver se inclinó sobre el lavabo de mármol y se sacó los ojos dorados. Era alto, poseía la complexión de un ex jugador de rugby y estaba tan en forma como un deportista olímpico: el vientre plano como una tabla de lavar, los hombros musculosos, los miembros fornidos. Mientras cerraba la funda de plástico en la que había depositado con todo cuidado las lentes de contacto doradas, se miró al espejo. Reflejada en éste alcanzó a ver parte de la suite decorada en tonos plata y crema. Oyó el zumbido atenuado de la CNN. Después otro canal, primero Fox News y luego MSNBC.

—Nada. —La vibrante voz de tenor de Muta ibn Aziz surgió de la otra habitación. El propio Muta ibn Aziz había elegido su seudónimo: Lev—. En ningún canal de noticias.

—Ni lo habrá —dijo Jakob Silver—. La CIA es extremadamente eficaz a la hora de manipular a la prensa.

Muta ibn Aziz apareció en el espejo; apoyó una mano en el marco de la puerta del cuarto de baño; la otra, en cambio, la dejó a su espalda, fuera de la vista de Jakob. De cabello y ojos oscuros, facciones semíticas clásicas y dueño de una determinación feroz e inextinguible, era el hermano menor de Abbud ibn Aziz.

Arrastró una silla y la dejó frente al váter. Tras mirarse en el espejo, dijo:

—Parecemos desnudos sin la barba.

—Estamos en América. —Hizo un gesto cortante con la cabeza—. Vuelve dentro.

Solo de nuevo, Jakob Silver se permitió pensar como Fadi. Se había deshecho de la identidad de Hiram Cevik en cuanto Muta y él salieron del Hummer negro. Al saltar a la acera, Muta había dejado en el asiento delantero la Beretta semiautomática, con su siniestro silenciador M9SD, tal como le habían ordenado. Había dado en el blanco. Pero Fadi nunca había puesto en duda su puntería.

Se habían perdido de vista mientras el Hummer aceleraba de nuevo, habían doblado una esquina y subido rápidamente por la calle Veinte, hasta la F, donde habían desaparecido como espectros en la fachada cálidamente iluminada del hotel.

Entre tanto, a menos de dos kilómetros de allí, Ahmad, con su cargamento de explosivos C-4 embutido en el hueco delantero inferior del habitáculo del Hummer, se convertía en un mártir, se hallaba ya en el paraíso. Un héroe para su familia, para su pueblo.

—Tu objetivo es liquidar a tantos como puedas —le había dicho Fadi cuando Ahmad se ofreció voluntario para el martirio. En realidad, habían sido muchos los voluntarios, con muy pocas diferencias entre sí. Todos eran absolutamente fiables. Fadi había elegido a Ahmad porque era su primo. Uno entre muchos, sí, pero Fadi le debía a su tío un pequeño favor, que con aquella decisión quedaba saldado.

Fadi se metió los dedos en la boca y extrajo de ella las fundas de porcelana que había usado para ensanchar la mandíbula de Hiram Cevik. Lavó las fundas con agua y jabón y las guardó en un maletín duro de los que usaban los comerciantes para transportar joyas y piedras preciosas. Muta había tenido la delicadeza de colocarlo en el ancho borde de la bañera, para que todo estuviera al alcance de la mano: un laberinto de pequeñas bandejas y compartimentos llenos de todo tipo de útiles de maquillaje teatral, cremas desmaquilladoras, pegamento para postizos, pelucas, lentes de contacto de colores y diversas prótesis para nariz, barbilla, dientes y orejas.

Impregnó con crema un trozo grande de algodón y se quitó metódicamente el maquillaje de la cara, el cuello y las manos. Su piel natural, oscurecida por el sol, fue apareciendo por franjas, una década más joven, hasta que el Fadi al que conocía estuvo otra vez de una pieza. Un breve rato sin disfraz, precioso como una joya, en medio del campo enemigo. Luego Muta ibn Aziz y él se irían, elevándose entre las nubes hacia su siguiente destino.

Se secó la cara y las manos con una toalla y salió al cuarto de estar de la suite, donde Muta estaba viendo *Los Soprano* en la HBO.

—Me repugna esa tal Carmela, la mujer del jefe —dijo.

—Es natural. ¡Mira sus brazos desnudos!

Carmela estaba de pie ante la puerta abierta de su enorme y obscena casa, viendo cómo su enorme y obsceno marido montaba en su enorme y obsceno Cadillac Escalade.

—Y su hija practica el sexo antes de casarse. ¿Por qué no la mata Tony, como dicta la ley? Una muerte por honor, para que su honra y la de su familia no se vean arrastradas por el fango. —Muta ibn Aziz se acercó al televisor y lo apagó, asqueado.

—Nosotros nos esforzamos por inculcar a nuestras mujeres las enseñanzas de Mahoma y el Corán, para que la verdadera fe sea su guía —dijo Fadi—. Esa norteamericana es una infiel. No tiene nada, no es nada.

Llamaron discretamente a la puerta.

—Omar —dijo Muta—. Déjame a mí.

Fadi asintió en silencio antes de volver al cuarto de baño.

Muta cruzó la mullida moqueta y abrió la puerta para que entrara Omar. Era un hombre alto, de espaldas anchas y no más de cuarenta años, con la cabeza afeitada, una sonrisa pronta y tendencia a contar chistes absurdos. Llevaba al hombro una bandeja de plata cargada con una botella metida en una enorme cubitera, dos copas y un plato de fruta recién cortada. Muta se dijo que Omar llenaba el vano de la puerta igual que Fadi: ambos eran de la misma altura y pesaban aproximadamente lo mismo.

—Su champán —dijo Omar innecesariamente. Cruzó la habitación y dejó su carga sobre la superficie de cristal de la mesa de cóctel. El hielo emitió un trémulo siseo cuando sacó la botella.

—Ya la abro yo —dijo Muta, quitándole la pesada botella de champán.

Cuando Omar sacó la carpetilla forrada de cuero con la cuenta para que la firmara, Muta gritó:

—¡Jakob, el champán está aquí! ¡Tienes que firmar!

—Dile a Omar que pase al cuarto de baño.

Omar miró al otro, extrañado.

—Adelante. —Muta ibn Aziz sonrió, encantador—. Te aseguro que no muerde.

Sosteniendo la carpetilla de cuero delante de sí como una ofrenda, Omar se dirigió hacia el sonido de la voz de Fadi.

Muta volvió a dejar la botella en su lecho de hielo picado. Desconocía el sabor del champán y no tenía el menor interés en probarlo. Cuando oyó un golpe repentino procedente del cuarto de baño, volvió a encender el televisor con el mando a distancia y subió el volumen. Fue cambiando de canal porque *Los Soprano* habían acabado, y se detuvo al reconocer la cara de Jack Nicholson. La voz del actor llenó la habitación.

«¡Aquí está Johnny!» —gritó Nicholson a través de la grieta que había abierto a hachazos en la puerta del cuarto de baño.

Omar estaba atado a una silla en el interior de la bañera, con las manos sujetas a la espalda. Miraba a Fadi con los grandes ojos castaños empañados. Tenía en la mandíbula un feo hematoma que empezaba a inflamarse.

—Usted no es judío —dijo en urdu—. Es musulmán.

Fadi no le hizo caso; siguió a lo suyo, que en ese momento era la muerte.

—Es musulmán, como yo —repitió Omar. Para su absoluta sorpresa, no estaba asustado. Parecía hallarse en una especie de estado onírico, como si estuviera predestinado a aquel encuentro desde el momento de su nacimiento—. ¿Cómo puede hacer algo así?

—Dentro de un momento serás un mártir de la causa —contestó Fadi en urdu, una lengua que su padre le había hecho aprender de niño—. ¿De qué te quejas?

—Esa causa —dijo Omar con calma— es suya. No mía. El islam es una religión pacífica, y sin embargo aquí están, librando una guerra terrible y sangrienta que destroza familias y generaciones enteras.

—Los terroristas norteamericanos no nos dejan elección. Chupan de la teta de nuestro petróleo, pero no se conforman con eso. Quieren poseerla. Así que inventan mentiras y se sirven de ellas para invadir nuestra tierra. El presidente norteamericano asegura, falsamente, desde luego, que su dios le ha hablado. Los norteamericanos han resucitado la era de las Cruzadas. Lideran a los infieles del mundo entero: Europa les sigue allá donde vayan, de buena gana o a regañadientes. Estados Unidos es como un motor colosal que rueda por el mundo; sus ciudadanos machacan todo lo que encuentran hasta reducirlo a mierda que siempre parece la misma. Si no los detenemos, acabarán con nosotros. Eso es lo que se proponen. Estamos acorralados. Nos han empujado contra nuestra voluntad a esta guerra de supervivencia. Nos han despojado sistemáticamente de nuestro poder, de nuestra dignidad. Y ahora quieren ocupar todo Oriente Próximo.

—Habla con un odio espantoso.

—Obsequio de los norteamericanos. Lo limpia a uno de toda la corrupción de Occidente.

—Y yo le digo que, mientras sigan centrándose en el odio, están sentenciados. Su odio les ha vuelto ciegos a cualquier posibilidad que no sea la que ustedes mismos han creado.

Un estremecimiento de rabia apenas contenida atravesó a Fadi.

—¡Yo no he creado nada! Yo defiendo lo que hay que defender. ¿Es que no ves que nuestro modo de vida está en juego?

—Son ustedes quienes no lo ven. Hay otra salida.

Fadi echó la cabeza hacia atrás; su voz sonó corrosiva.

—Ah, sí, me has abierto los ojos, Omar. Voy a renunciar a mi gente, a mi tradición. Me volveré como tú, un criado al servicio de los decadentes caprichos de norteamericanos malcriados, siempre a merced de las migajas que dejan sobre la mesa.

—Usted sólo ve lo que quiere ver. —Omar tenía una expresión triste—. Sólo tiene que fijarse en el ejemplo israelí para darse cuenta de lo que puede hacerse con esfuerzo y...

—Los israelíes tienen tras ellos el dinero y el poder militar de Estados Unidos —le siseó Omar a la cara—. Y también tienen la bomba atómica.

—Claro, eso es lo que usted ve. Pero hay israelíes que tienen el Nobel de física, de economía, de química, de literatura; galardonados por sus descubrimientos en computación cuántica, termodinámica de los agujeros negros, teoría de cuerdas... Y había israelíes entre los fundadores de Packard Bell, de Oracle, de San-Disk, de Akamai, de Mercury Interactive, de Check Point, de Amdocs, de ICQ...

—Estás diciendo estupideces —le interrumpió Fadi desdeñosamente.

—Para usted, sí. Porque lo único que sabe hacer es destruir. Esas personas han creado una vida para sí mismos, para sus hijos y para los hijos de sus hijos. Ése es el modelo que hay que seguir. Mire en su interior, ayude a su pueblo, edúquelo, permítale que llegue a ser algo.

—Estás loco —replicó Fadi con furia—. Nunca. Se acabó. Punto y final. —Su mano hendió el aire. Sostenía un cuchillo reluciente.

Echando un último vistazo a la sonrisa maníaca de Nicholson, Muta ibn Aziz siguió a Omar al cuarto de baño, cuyo grotesco mármol rosa le recordaba el color de la carne desollada. Allí estaba el pakistaní, sentado en la silla que había colocado en la bañera. Y allí estaba también Fadi, inclinado, observando su cara como si quisiera memorizarla. En sus últimos estertores, Omar había volcado de una patada el maletín del maquillaje. Por todas partes había frasquitos, postizos y botes rotos. Aunque ya poco importaba.

—Qué triste parece, arrellanado ahí, en la silla —comentó Muta.

—La tristeza ya no puede alcanzarlo —dijo Fadi—. Está más allá del placer y del dolor.

Muta miró los ojos vidriosos de Omar, las pupilas fijas y dilatadas por la muerte.

—Le has roto el cuello. Qué precisión.

Fadi se sentó en el borde de la bañera. Tras vacilar un momento, Muta recogió del suelo una cortadora de pelo eléctrica. Fadi había fijado un espejo a la pared del fondo de la bañera mediante ventosas. Clavó la mirada en él, atento a cada movimiento, cuando Muta comenzó a cortarle el pelo.

Una vez acabada la tarea, Fadi se levantó. Se miró al espejo de encima del lavabo y volvió a mirar a Omar. Se puso de perfil y Muta movió la cabeza de Omar para que viera aquel mismo lado. Luego la volvió hacia el otro.

—Un poco más por aquí —Fadi señaló un punto en lo alto de su cuero cabelludo—, donde Omar ya estaba calvo.

Cuando se dio por satisfecho, comenzó a fabricarse la nariz de Omar, sus dientes ligeramente salidos, los lóbulos alargados de sus orejas.

Juntos despojaron a Omar del uniforme, los calcetines y los zapatos. Fadi no se olvidó de la ropa interior; fue lo que primero se puso. La idea era conseguir una autenticidad total.

—*La ilaha ill allah*. —Muta sonrió—. Pareces un criado pakistaní de la cabeza a los pies.

Fadi asintió.

—Entonces ha llegado la hora.

Al cruzar la suite, recogió la bandeja que había llevado Omar. Fuera, en el pasillo, tomó el ascensor de servicio hasta el sótano. Sacó un pequeño monitor portátil y abrió los planos del hotel. Tardó menos de tres minutos en localizar el cuarto que albergaba los paneles electrónicos que controlaban la calefacción y el aire acondicionado, la electricidad y el sistema de aspersores. Entró, quitó la tapa al panel de los aspersores y cambió de posición los cables de la quinta planta. El código de color parecería el correcto si alguien lo comprobaba, pero los cables estaban ahora cortocircuitados: los aspersores de la quinta planta habían quedado inoperativos.

Regresó a la quinta planta siguiendo el mismo camino. Al encontrarse con una camarera que entró en el ascensor de servicio en la segunda planta, probó a imitar la voz de Omar. La camarera se bajó en el cuarto piso sin sospechar nada.

Al volver a la suite de los Silver, entró en el cuarto de baño. Sacó del cajón de abajo del maletín un pequeño pulverizador y dos recipientes metálicos de bisulfuro de carbono. Vació uno de ellos en el amplio regazo de Omar. El olor a huevos podridos impregnó enseguida el aire. De vuelta en el cuarto de estar, vació el otro recipiente justo debajo de la ventana, junto al bajo de las gruesas cortinas. Acto seguido, roció las cortinas con una sustancia que convertiría la tela ignífuga en inflamable.

En el saloncito, preguntó:

—¿Tienes todo lo necesario?

—No he olvidado nada, Fadi.

Éste volvió a entrar en el cuarto de baño y encendió la sustancia inflamable que había derramado en el regazo de Omar. El intenso calor del fuego que generaría la sustancia no dejaría prácticamente ni rastro de él: ni un solo hueso reconocible, ni un pedacito de carne. Mientras Muta le observaba, prendió fuego al bajo de las cortinas del cuarto de estar; luego salieron juntos de la suite. Se separaron casi inmediatamente: Muta ibn Aziz se dirigió a la escalera y Fadi de nuevo al ascensor de servicio. Dos minutos después salía por la entrada lateral: Omar se había tomado un descanso para fumar un cigarrillo. Cuarenta y tres segundos más tarde Muta se reunió con él.

Acababan de dejar la calle Veinte y habían tomado la H, protegidos por la mole de uno de los edificios de la Universidad George Washington, cuando, con un rugido atronador, el fuego reventó una ventana de la quinta planta y empezó a calcinar por completo las tres habitaciones de la suite de los hermanos Silver.

Bajaron tranquilamente por la calle entre gritos, llantos y el gemido creciente de las sirenas. Una llamarada roja y parpadeante se elevaba en medio de la noche: la luz sobrecogedora de la calamidad y la muerte.

Fadi y Muta ibn Aziz la conocían bien.

A años luz del lujo y el terrorismo internacional, el distrito noreste abundaba en calamidades de cosecha propia, surgidas de la pobreza, el sometimiento y el rencor de los desposeídos: ingredientes de la existencia cuya toxicidad Fadi y Muta ibn Aziz conocían de primera mano.

Las bandas controlaban gran parte del territorio; los fuertes, los faltos de escrúpulos, se nutrían del tráfico de drogas y las apuestas ilegales. Las feroces escaramuzas entre pandillas, los tiroteos desde coches, los incendios provocados eran cosa de cada noche. No había ni un solo agente de a pie en la policía metropolitana que se aventurara en aquellas calles sin refuerzos armados. Y lo mismo podía decirse de los coches patrulla, ocupados sin excepción por dos agentes; a veces, en noches particularmente sangrientas, o cuando había luna llena, por tres o cuatro.

Bourne y Soraya atravesaban velozmente la noche por aquellas calles de mala muerte cuando él se fijó por segunda vez en un Camaro negro que iba tras ellos.

—Nos vienen siguiendo —dijo por encima del hombro.

Soraya no se molestó en mirar atrás.

—Son de Tifón.

—¿Cómo lo sabe?

Por encima del suspiro del viento, Bourne oyó claramente el chasquido metálico de una navaja automática. Luego sintió el filo de la hoja en su garganta.

—Pare —le dijo ella al oído.

—Está loca. Aparte ese cuchillo.

Ella le clavó la hoja en la piel.

—Haga lo que le digo.

—No haga esto, Soraya.

—Es usted quien tiene que pensar en lo que ha hecho.

—No sé a qué...

Ella le dio un golpe en la espalda con el arranque de la mano.

—¡Pare ya, maldita sea!

Él aminoró la marcha, obediente. El Camaro negro se acercó rugiendo por la izquierda con intención de cerrarle el paso contra la acera. Soraya se dio cuenta, satisfecha, y en ese mismo instante Bourne clavó el pulgar en el nervio de la cara interna de su muñeca. Ella abrió la mano involuntariamente, la navaja automática cayó y él la cogió por el mango, la cerró y se la guardó en la chaqueta.

Siguiendo el procedimiento al pie de la letra, el Camaro se había desviado hacia la acera y estaba justo delante de él. La puerta del copiloto se abrió mientras el coche oscilaba aún sobre sus amortiguadores y un agente armado salió de un salto. Bourne torció el manillar y el motor de la motocicleta chilló cuando giró a la derecha y, cruzando un trozo de césped quemado, se metió por un estrecho callejón entre dos casas.

Oyó gritos tras él, una puerta se cerró de golpe y el Camaro rugió enfurecido, pero no sirvió de nada. El callejón era tan estrecho que el coche no podía seguirles. Tal vez intentaran cortarle el paso por el otro lado, pero Bourne también tenía respuesta para eso. Conocía bien aquella parte de Washington, y habría apostado algo a que ellos no.

Tenía que ocuparse de Soraya, por otro lado. Le había quitado la navaja, pero ella podía usar todavía diversas partes de su cuerpo como arma. Lo hizo con economía de movimientos y eficiencia de ejecución. Le hundió las rodillas en los riñones, le dio repetidos codazos en las costillas y hasta intentó sacarle un ojo con el pulgar, en revancha por lo que le había pasado al pobre Tim Hytner.

Bourne aguantó todos sus ataques con adusto estoicismo, apartándola como podía mientras la moto cruzaba velozmente la callejuela entre las sucias paredes de los edificios. Cubos de basura y borrachos comatosos eran los obstáculos más frecuentes que tenía que esquivar, pero no los únicos.

Entonces aparecieron tres chicos al fondo del callejón. Dos de ellos llevaban bates de béisbol que blandían con amenazadora delectación. El tercero, situado justo detrás de ellos, levantó una pistola mientras la moto se acercaba.

—¡Agárrese! —le gritó Bourne a Soraya. Sintió que le rodeaba con fuerza la cintura y se echó hacia atrás, cambiando bruscamente su centro de gravedad al tiempo que revolucionaba el motor. El morro de la moto se levantó del suelo. Se abalanzaron hacia los matones como un león rampante. Bourne oyó un disparo, pero el costado de la moto les resguardaba. Luego se encontraron en medio de ellos. Le quitó el bate al chico de su izquierda, golpeó con él la muñeca del tercero y la pistola salió volando.

Escaparon a toda velocidad por la boca del callejón. Inclinado hacia delante, Bourne controló la moto justo a tiempo de virar bruscamente hacia la derecha y enfilar una calle repleta de basura y perros callejeros, que aullaron al paso estruendoso de la Harley.

—Ya podemos enderezarnos... —dijo Bourne.

Pero no acabó. Soraya había cruzado el brazo sobre su tráquea y empezaba a ejercer sobre ella una presión letal.

5

—¡Maldito sea, maldito sea, maldito sea! —mascullaba Soraya como si fuera la salmodia de un exorcista.

Bourne apenas la oía. Estaba muy ocupado intentando mantenerse con vida. La moto circulaba por la calle a cien kilómetros por hora y en sentido contrario. Logró esquivar de un bandazo a un viejo Ford que hizo sonar su claxon mientras una voz ronca les gritaba obscenidades. Pero al hacerlo rozó a un Lincoln Continental parado al ralentí junto a la acera, al otro lado de la calle. La moto golpeó el parachoques delantero del Lincoln y rebotó, dejando en él una larga abolladura. La tráquea de Bourne, bloqueada casi por completo por la llave de Soraya, apenas dejaba entrar aire en sus pulmones. En la periferia de su visión comenzaron a brillar estrellas; iba a desmayarse en fracciones de segundo.

Aun así, alcanzó a ver que el Lincoln se ponía en marcha y que, cambiando con brusquedad de sentido, salía en persecución de la moto que había abollado su parachoques. Delante, un camión avanzaba pesadamente hacia él, ocupando casi toda la calle.

El Lincoln dio un acelerón y se puso a su lado, su ventanilla tintada de negro se abrió y un negro de cara redonda les miró con furia mientras soltaba una sarta de exabruptos. Luego asomó por la ventanilla el morro voraz de una escopeta de cañones recortados.

—¡Para que aprendas, hijoputa!

Antes de que el negro con cara de luna tuviera tiempo de apretar el gatillo, Soraya alzó la pierna izquierda y golpeó con la punta de la bota el cañón de la escopeta, levantándola bruscamente hacia arriba. La explosión restalló en las copas de los árboles que bordeaban la calle. Bourne aprovechó la ocasión: aceleró al máximo y enfiló la calle a toda velocidad, derecho hacia el enorme camión. El conductor se asustó al ver su maniobra suicida y dio un volantazo al tiempo que cambiaba de marcha y pisaba el freno. El camión profirió un alarido de protesta y viró de manera brusca, cruzándose en medio de la calle.

Al ver acercarse la muerte a velocidad de vértigo, Soraya gritó en árabe. Soltó el cuello de Bourne y volvió a abrazarse a su cintura. Él tosió, se llenó los pulmones doloridos de un aire dulce e, inclinándose del todo hacia su derecha, apagó el motor un segundo antes de que se estrellaran contra el camión.

El grito de Soraya se cortó en seco. La moto volcó entre una lluvia de chispas y sangre: la pierna derecha de Bourne se desolló contra el asfalto cuando se deslizaron entre los ejes del camión.

Al salir al otro lado, Bourne encendió de nuevo el motor y aprovechó la inercia y el peso de sus cuerpos para enderezar la motocicleta.

Demasiado aturdida para reanudar de inmediato sus ataques, Soraya dijo:

—Pare, por favor, pare.

Bourne no le hizo caso. Sabía adónde se dirigía.

El director de la CIA se había reunido con Matthew Lerner para que le explicara con detalle la huida de Hiram Cevik y sus espectaculares consecuencias.

—Dejando a Hytner aparte —dijo Lerner—, los daños han sido leves. Dos agentes con cortes y abrasiones, uno de ellos con una conmoción cerebral causada por la explosión. Y otra agente desaparecida. El pájaro posado —añadió refiriéndose al helicóptero— sufrió desperfectos de poca importancia y el que estaba en el aire salió intacto.

—Era una zona pública —dijo el Viejo—. Fue una auténtica chapuza, joder.

—¿Cómo coño se le ocurrió a Bourne sacar a Cevik al aire libre?

El director levantó la mirada hacia el retrato del presidente que colgaba en una de las paredes de la sala de reuniones. En la otra pared había un retrato del anterior director. *Sólo cuelgan tu retrato cuando ya te han dejado en la estacada*, pensó con amargura. Los años se habían amontonado sobre él, y algunos días (como ése) sentía que el reloj de arena iba enterrándole grano a grano, despacio, pero sin pausa. Un Atlas con la espalda encorvada.

Revolvió unos papeles y acercó uno a la luz.

—Ha llamado el jefe de la policía metropolitana, y también el puto FBI. —Clavó los ojos en los de Lerner—. ¿Sabe qué querían, Matthew? Querían saber si podían ayudar. ¿Qué le parece? ¿Tiene algo mejor? Pues yo sí.

»Me ha llamado el presidente para preguntar qué coño está pasando, si nos estaban atacando los terroristas y tenía que largarse a Oz. —Otro nombre para la Sede Oculta del Poder, el escondite desde el que el presidente y su equipo gobernarían el país en caso de desatarse una emergencia en toda regla—. Le dije que estaba todo bajo control. Ahora yo le hago la misma pregunta, y más vale que me responda lo que quiero oír.

—Al final, volvemos a Bourne —dijo Lerner mientras leía el informe redactado a toda prisa que el jefe de su equipo le había puesto en las manos momentos antes de empezar la reunión—. Claro que desde hace algún tiempo la historia de la CIA está repleta de desastres y cagadas que siempre tienen su origen en Jason Bourne.

—Lamento tener que decírselo, pero todo este embrollo habría podido evitarse si hubiera dejado a Lindros aquí, en el cuartel general. Sé que anteriormente fue agente en activo, pero de eso hace ya bastante tiempo. Las preocupaciones burocráticas embotan muy pronto el instinto animal. Lindros ya tenía un chiringuito del que ocuparse. ¿Quién va a llevarlo ahora si está muerto? Si se ha armado este lío, es porque Tifón carece de dirección.

—Todo eso es cierto, maldita sea. No debí dejarme convencer por Martin. Y luego un desastre tras otro en el Ras Dashén. En fin, al menos esta vez Bourne no se esfumará sin dejar rastro.

Lerner sacudió la cabeza.

—Me pregunto si bastará con eso.

—¿Qué quiere decir?

—Es más que probable que Bourne tuviera algo que ver con la fuga de Cevik.

El Viejo frunció las cejas.

—¿Puede probarlo?

—Estoy en ello —contestó Lerner—. Pero es lo más lógico. La huida estaba planeada de antemano. Lo único que necesitaba la gente de Cevik era sacarlo de la jaula, y Bourne se encargó de ello con toda eficacia. No hay nadie más eficiente que él, eso ya lo sabemos.

El Viejo dio una palmada en la mesa.

—Si está detrás de la fuga de Cevik, juro que le arranco la piel a tiras.

—Yo me ocuparé de Bourne.

—Paciencia, Matthew. De momento, le necesitamos. Tenemos que recuperar a Martin Lindros, y Bourne es nuestra única esperanza. Después de las debidas deliberaciones, el Departamento de Operaciones mandó al equipo Escorpión Dos en busca de Escorpión Uno, y los perdimos a ambos.

—Ya se lo he dicho, con mis contactos podría reunir una pequeña unidad...

—De mercenarios, ex agentes de la Agencia Nacional de Seguridad que se han pasado al sector privado. —El director sacudió la cabeza—. Eso está descartado. No puedo dar el visto bueno a un grupo de mercenarios, hombres a los que no conozco y que no están bajo mi mando, para una misión tan delicada.

—Pero Bourne... Maldita sea, usted conoce sus antecedentes, y ahora la historia se está repitiendo. Hace lo que se le antoja cuando le conviene, y a los demás que les jodan.

—Todo lo que dice es cierto. Personalmente, desprecio a ese individuo. Representa todo lo que me enseñaron a temer como una amenaza para un organismo como la CIA. Pero si de algo estoy seguro es de su lealtad hacia los hombres con los que crea un vínculo. Martin es uno de ellos. Si alguien puede encontrarle y sacarle de donde esté, es Bourne.

En ese momento se abrió la puerta y Anne Held asomó la cabeza.

—Señor, tenemos un problema interno. Mi autorización ha sido desactivada. He llamado a Seguridad Electrónica y me han dicho que no es un error.

—Es cierto, Anne. Forma parte del plan de reorganización de Matthew. A su modo de ver, no necesita usted una autorización de máxima seguridad para hacer el trabajo que le doy.

—Pero, señor...

—El personal administrativo tiene unas prioridades de acceso —dijo Lerner—. Y el personal de operaciones, otras. Lisa y llanamente, sin ambigüedades. —La miró—. ¿Algún otro problema, señorita Held?

Anne estaba furiosa. Miró al Viejo, pero enseguida se dio cuenta de que no podía esperar ninguna ayuda por ese lado. Vio su silencio, su complicidad, como una traición al vínculo que tanto se había esforzado por forjar con él. Se sentía impelida a defenderse, pero sabía que aquél no era el momento ni el lugar.

Se disponía a cerrar la puerta cuando tras ella apareció un mensajero del Departamento de Operaciones. Se giró, cogió la hoja de papel que le ofrecía y se volvió de nuevo hacia ellos.

—Acabamos de recibir noticias de la agente desaparecida —dijo.

El humor del director se había ensombrecido notablemente durante los minutos anteriores.

—¿Quién es? —preguntó con aspereza.

—Soraya Moore —le dijo Anne.

—Ya lo ve —dijo Lerner secamente—. Otra agente sustraída a mi jurisdicción. ¿Cómo voy a hacer mi trabajo si gente a la que no controlo se esfuma sin dejar rastro? Esto es responsabilidad directa de Lindros, señor. Si me concediera el control sobre Tifón, al menos hasta que encontremos a Lindros o se confirme su muerte...

—Soraya está con Bourne —le dijo Anne Held a su jefe antes de que Lerner pudiera continuar.

—¡Maldita sea! —estalló el director—. ¿Cómo coño es posible?

—Por lo visto, nadie lo sabe —dijo Anne.

El director se había levantado y tenía la cara enrojecida de rabia.

—Matthew, creo que Tifón necesita un director en funciones. A partir de este momento, es usted. Adelante, acabe con esto de una puta vez.

—Pare la moto —le dijo Soraya al oído.

Bourne sacudió la cabeza.

—Todavía estamos muy cerca del...

—Ahora. —Le puso en la garganta la hoja de un cuchillo—. Hablo en serio.

Bourne tomó una calle lateral, acercó la moto a la acera y la apoyó en la pata de cabra. Se bajaron ambos y entonces él se volvió hacia ella.

—¿De qué coño va todo esto?

Los ojos de Soraya brillaban, llenos de furia apenas reprimida.

—Hijo de puta, ha matado a Tim.

—¿Qué? ¿Cómo puede pensar siquiera que...?

—Le dijo a la gente de Cevik dónde iba a estar.

—Está loca.

—¿Sí? Fue idea suya sacarle del pabellón de las celdas. Intenté detenerle, pero...

—Yo no mandé matar a Hytner.

—Entonces, ¿por qué se quedó parado mientras le disparaban?

Bourne no respondió, porque no tenía respuesta. Recordaba que en aquel momento había sentido un pitido y que (se rascó la frente) un intenso dolor de cabeza se había apoderado de él, debilitándole. Soraya tenía razón. La huida de Cevik, la muerte de Hytner... ¿Cómo había permitido que ocurriera todo aquello?

—La huida de Cevik estaba meticulosamente planeada y cronometrada. Pero ¿cómo? —decía Soraya—. ¿Cómo sabía su gente dónde estaba? ¿Cómo podían saberlo si no se lo dijo usted? —Sacudió la cabeza—. Debería haber hecho caso a las historias que se cuentan sobre usted. Sólo había dos hombres en toda la CIA a los que podía embaucar: uno está muerto y el otro desaparecido. Está claro que no es de fiar.

Haciendo un esfuerzo, Bourne logró concentrarse.

—Hay otra posibilidad.

—No me venga con ésas.

—No llamé a nadie mientras estábamos en las celdas, o fuera...

—Pudo hacer señas con las manos, o cualquier otra cosa.

—Acierta con el método, pero se equivoca con el mensajero. ¿Se acuerda de que Cevik encendió una cerilla?

—¿Cómo voy a olvidarlo? —replicó ella agriamente.

—Ésa fue la señal para el Hummer que esperaba.

—Ésa es la cuestión: que el Hummer ya estaba esperando. Y usted lo sabía porque lo había preparado todo.

—Si lo hubiera preparado yo, ¿cree que le estaría contando todo esto? ¡Piense, Soraya! Usted llamó a Hytner para decirle que íbamos a salir. Fue Hytner quien llamó a la gente de Cevik.

Ella soltó una risa áspera y burlona.

—¿Y por eso la gente de Cevik le pegó un tiro? ¿Por qué demonios iban a hacer eso?

—Para cubrirse las espaldas. Muerto Hytner, no habría peligro de que le cogieran y les delatara.

Ella meneó la cabeza tercamente.

—Conocía a Tim desde hacía mucho tiempo. No era un traidor.

—Ésos suelen ser los culpables, Soraya.

—¡Cállese!

—Puede que no lo fuera voluntariamente. Puede que le tuvieran pillado de alguna manera.

—No diga ni una sola cosa más en contra de Tim. —Blandió la navaja—. Sólo intenta salvar el pellejo.

—Mire, tiene toda la razón en que la huida de Cevik estaba planeada de antemano. Pero yo no sabía dónde le tenían encerrado. Ni siquiera sabía que habían detenido a alguien hasta que usted misma me lo dijo diez minutos antes de llevarme a ver a Cevik.

Soraya se quedó inmóvil. Le lanzó una mirada extraña. La misma que le había lanzado al verle por primera vez en el centro de operaciones de Tifón.

—Si fuera su enemigo, ¿para qué iba a salvarla de la explosión?

Un leve escalofrío recorrió a Soraya.

—No pretendo tener todas las respuestas...

Bourne se encogió de hombros.

—Si tan claro lo tiene, tal vez no debería confundirla diciéndole la verdad.

Ella respiró hondo, las aletas de su nariz se hincharon.

—No sé qué creer. Desde que llegó a Tifón...

Bourne alargó el brazo y la desarmó sin que la chica pudiera reaccionar. Soraya le miró con los ojos muy abiertos mientras él daba la vuelta a la navaja y se la ofrecía por la empuñadura.

—Si fuera su enemigo...

Ella se quedó mirando la navaja un rato; luego miró a Bourne, la cogió y volvió a guardarla en la riñonera de neopreno.

—Bien, así que no es el enemigo. Pero tampoco lo era Tim. Tiene que haber otra explicación.

—Entonces la encontraremos juntos —dijo él—. Yo tengo que limpiar mi nombre y usted el de Hytner.

—Deme su mano derecha —le dijo ella.

Agarró la muñeca de Bourne y le hizo volver la palma hacia arriba. Con la otra mano, puso la hoja de la navaja sobre la yema de su dedo índice.

—No se mueva.

Deslizó hábilmente la hoja hacia delante, pasándola por la piel. En lugar de hacer brotar la sangre, extrajo un minúsculo óvalo de tejido traslúcido, tan fino que Bourne no sintió nada.

—Aquí está. —Lo levantó al resplandor parpadeante de una

farola para que Bourne lo viera—. Lo llamamos «retícula». Una nanoetiqueta electrónica, según los chicos de la DARPA. —Se refería a la Agencia de Investigación de Proyectos Avanzados de Defensa, una rama del Departamento de Defensa—. Utiliza nanotecnología: servidores microscópicos. Por eso le localicé tan rápidamente con el helicóptero.

Bourne se había preguntado fugazmente cómo le había encontrado tan pronto el helicóptero, pero había supuesto que era la inconfundible silueta del Hummer lo que habían divisado. Se quedó pensando un momento. De pronto recordaba con nitidez la mirada curiosa que le había lanzado Tim Hytner al pasarle la trascripción de la conversación telefónica de Cevik: así era como le habían puesto el transmisor.

—¡Cabrones! —Miró a Soraya mientras ella metía el nanotransmisor en un pequeño estuche de plástico ovalado y cerraba la tapa—. Iban a seguirme hasta el Ras Dashén, ¿verdad?

Ella se lo confirmó.

—Órdenes del director.

—Y eso que prometió dejarme a mi aire —dijo Bourne amargamente.

—Ahora está libre.

Él asintió.

—Gracias.

—¿Y si me devuelve el favor?

—¿Cómo?

—Déjeme ayudarle.

Bourne sacudió la cabeza.

—Si me conociera mejor, sabría que trabajo solo.

Soraya le miró como si fuera a decir algo; luego cambió de idea.

—Mire, está con el agua al cuello y usted lo sabe. Va a necesitar a alguien dentro de la CIA. Alguien en quien pueda confiar completamente. —Dio un paso hacia la motocicleta—. Porque sabe tan bien como yo que el Viejo se las arreglará para joderle la vida de mil formas distintas.

6

Kim Lovett estaba cansada. Quería irse a casa y estar con el que era su marido desde hacía seis meses. Él era nuevo en la ciudad y hacía tan poco tiempo que habían estrenado vida en común que aún no se había resignado a la aplastante separación que les imponía el trabajo de su esposa.

Kim siempre estaba cansada. La Unidad de Investigación de Incendios de Washington no sabía de días laborables, ni de horarios normales. De ahí que los agentes como Kim (los listos, los que tenían experiencia y sabían lo que hacían) tuvieran guardias comparables a las de un cirujano de urgencias en una zona de guerra.

Kim había recibido la llamada del Departamento de Bomberos mientras se tomaba un breve respiro en el penoso trabajo de cumplimentar el papeleo de un puñado de investigaciones sobre siniestros provocados, uno de los escasos momentos desde hacía semanas en que se había permitido el lujo de pensar en su marido: en sus anchos hombros, sus brazos fornidos, o el olor de su cuerpo desnudo. Su ensoñación no duró mucho. Había recogido su equipo e iba camino del hotel Constitution.

Puso la sirena al salir. No tardó más de siete minutos en llegar de la avenida Vermont con la calle Once a la esquina noreste de la Veinte con F. El hotel estaba rodeado de coches de policía y camiones de bomberos, pero el fuego estaba ya controlado. El agua chorreaba por la fachada desde la herida abierta en un extremo de la quinta planta. Las ambulancias se habían ido ya, y la escena tenía ese aire crispado y quebradizo, secuela de los rescoldos y del refluir de la adrenalina, que con tanta precisión le había descrito su padre.

El jefe O'Grady estaba esperándola. Kim salió del coche, mostrando su identificación, cruzó la barrera policial.

—Lovett —masculló O'Grady. Era un hombre grande y robusto, de pelo cano, corto pero rebelde, y orejas del tamaño y la forma de una gruesa loncha de lomo de cerdo. Sus ojos tristes y acuosos la observaban con cautela. Pensaba, como la mayoría, que en el Departamento de Bomberos de Washington sobraban las mujeres.

—¿Qué tenemos?

—Explosión e incendio. —O'Grady levantó la barbilla hacia el boquete abierto en la fachada.

—¿Algún muerto o herido entre los nuestros?

—No, pero gracias por preguntar. —O'Grady se limpió la frente con una toalla de papel sucia—. Pero hay un muerto. Probablemente el ocupante de la suite, aunque por los pedacitos que he encontrado puedo decirte ya que será imposible identificarlo. La policía dice además que falta un empleado del hotel. Para semejante despliegue de fuegos artificiales, hemos tenido suerte.

—Has dicho que el muerto es probablemente el huésped.

—Exacto. El fuego ha sido demasiado intenso para ser natural, y nos ha costado un huevo apagarlo. Por eso te ha llamado la UII.

—¿Alguna idea de qué causó la explosión? —preguntó ella.

—Bueno, la puta caldera no ha sido, desde luego —respondió secamente el jefe de bomberos. Se acercó a ella. Desprendía en oleadas un olor a goma quemada y cenizas. Cuando volvió a hablar, su voz sonó baja, acuciante—. Tienes más o menos una hora antes de que la policía se lo entregue todo a Seguridad Nacional. Y ya sabes lo que pasa cuando esos chicos empiezan a revolver el lugar de un incendio.

—Entendido. —Kim asintió.

—De acuerdo. Anda, sube. El detective Overton te está esperando.

Se alejó con su paso bamboleante, ligeramente patizambo.

El vestíbulo estaba lleno de policías y bomberos que iban de un lado para otro. Los policías hacían preguntas al personal y a los huéspedes, apiñados en rincones distintos como facciones enemigas. Los bomberos se atareaban arrastrando su equipo por la alfombra ennegrecida y el suelo de mármol. Olía a angustia y a frustración, como un vagón de metro parado en hora punta.

Kim tomó el ascensor y al bajarse en la quinta planta vio un pasillo achicharrado y ruinoso, completamente desierto, salvo por ella. A la entrada de la suite se encontró con Overton, un detective de espalda encorvada y cara larga y afligida que miraba sus notas entornando los ojos.

—¿Qué ha pasado? —dijo después de presentarse—. ¿Alguna idea?

—Posiblemente. —El detective Overton abrió una libreta—. Los ocupantes de la suite eran Jakob y Lev Silver. Hermanos. Comerciantes de diamantes de Ámsterdam. Llegaron a eso de las siete cuarenta y cinco. Lo sabemos porque hablaron un momento con un conserje... —Pasó una hoja—. Un tal Thomas. Uno de ellos pidió una botella de champán para celebrar no sé qué. Después de eso, Thomas no volvió a verlos. Asegura que no salieron del hotel.

Entraron en la suite.

—¿Puede decirme qué causó la explosión?

—Para eso estoy aquí. —Kim se puso unos guantes de látex y empezó a trabajar. Pasó veinte minutos buscando el epicentro de la deflagración y siguiendo las pistas a partir de ese punto. Normalmente tomaba muestras de la moqueta: si se había usado un acelerante, era muy probable que fuera un líquido con base de hidrocarburo y altamente inflamable, como aguarrás, acetona, nafta o algo parecido. Dos indicios reveladores: el líquido habría calado en la moqueta, e incluso en la lámina que se ponía debajo. Hacía, además, lo que se conocía comúnmente como «espacio de cabeza» (abreviatura de «técnica de cromatografía de gases por espacio de cabeza»), que detectaba los rastros de gases liberados al incendiarse el acelerante. Dado que cada compuesto gaseoso dejaba una huella única, el espacio de cabeza determinaría no sólo si se había empleado un acelerante, sino también cuál de ellos en concreto.

Allí, sin embargo, el fuego había sido de tal intensidad que había desintegrado la moqueta y la lámina del suelo. No era de extrañar que a O'Grady y a sus hombres les hubiera costado apagarlo.

Examinó cada fragmento de metal, cada astilla de madera, cada fibra de tejido y cada montón de cenizas. Abrió su maletín y sometió a diversos análisis muestras de todos los desechos. Guardó cuidadosamente el resto de las muestras en recipientes de cristal, los selló con tapas herméticas y los colocó en el interior del maletín forrado de goma espuma.

—Puedo decirle ya que no hay duda de que se usó un acelerante —dijo mientras seguía recogiendo pruebas—. No sabré cuál con exactitud hasta que llegue al laboratorio, pero una cosa está clara: no fue un acelerante de los de andar por casa. Este calor, este nivel de destrucción...

El detective Overton la interrumpió.

—Pero la explosión...

—No hay residuos de explosivos —contestó ella—. Los acelerantes tienen puntos álgidos de ignición que a menudo causan explosiones por sí mismos. Pero no estaré segura hasta que haga pruebas en el laboratorio.

Para entonces, había ido ampliando progresivamente el radio de sus pesquisas en torno al punto de deflagración. De pronto se puso en cuclillas y dijo:

—¿Se sabe ya por qué no funcionaron los aspersores?

Overton hojeó sus notas.

—Se da la casualidad de que funcionaron en todos los pisos del hotel, menos en éste. Cuando bajamos al sótano, descubrimos que habían trucado el sistema. Tuve que llamar a un electricista para averiguar cómo, pero el caso es que los aspersores de esta planta estaban desconectados.

—Así que fue todo premeditado.

—Jakob y Lev Silver eran judíos. El camarero que les trajo la botella de champán, el empleado que ha desaparecido, es pakistaní. Así que me veo obligado a dejar esto en manos de Seguridad Nacional.

Ella levantó la mirada de su tarea.

—¿Cree que ese camarero es un terrorista?

Overton se encogió de hombros.

—Yo diría que se trata de un ajuste de cuentas contra los Silver, pero preferiría tenerlo claro antes de que lleguen los de Seguridad Nacional.

Ella sacudió la cabeza.

—Es un montaje demasiado sofisticado para ser un atentado terrorista.

—Los diamantes son para siempre.

Kim se levantó.

—Vamos a ver el cuerpo.

—Lo que queda no se parece mucho a un cuerpo.

Llevó a Kim al cuarto de baño y ambos miraron los trozos de hueso carbonizado dispersos por la bañera de porcelana.

—Ni siquiera un esqueleto. —Lovett asintió para sí misma. Giró en redondo—. O Jakob o Lev Silver, eso está claro. Pero ¿dónde está el otro hermano?

—Podría haber quedado reducido a cenizas, ¿no?

—Con esta temperatura, es muy posible —dijo Kim—. Tardaré días, o quizá semanas en revisar los restos en busca de cenizas humanas. Y puede que no encuentre nada.

Sabía que Overton había registrado por completo la suite, pero aun así echó un vistazo a todos los rincones y recovecos.

Overton miró su reloj con nerviosismo cuando volvieron al cuarto de baño.

—¿Va a tardar mucho? Se me está agotando el tiempo.

Kim se metió en la bañera, con los trozos de hueso carbonizado.

—¿Qué tiene contra Seguridad Nacional?

—Nada, es sólo que... —Se encogió de hombros—. He intentado ingresar en el cuerpo cinco veces. Y me han rechazado las cinco. Así que ésta es la mía. Si les demuestro lo que soy capaz de hacer, la próxima vez tendrán que aceptarme.

Ella se movía muy lentamente con su equipo.

—Aquí hay acelerante —dijo—, igual que en la otra habitación. Verá, la porcelana, que se fabrica a temperaturas muy elevadas, lo tolera mejor que cualquier otro material, incluso que algunos metales. —Se agachó—. Los acelerantes son muy densos, así que suelen calar. Por eso los buscamos en la lámina de debajo de la moqueta o entre las grietas de la tarima. Aquí, el acelerante habrá calado hasta la parte de abajo de la bañera. Y en el desagüe.

Sondeó el desagüe, penetrando cada vez más abajo con cada bastoncillo que sacaba del maletín. De pronto se detuvo. Sacó el bastoncillo, lo metió en una bolsa y lo guardó. Después alumbró el agujero con una pequeña linterna de mano.

—Vaya, ¿qué tenemos aquí?

Metió unas pinzas de punta afilada en el desagüe. Las sacó un momento después. Entre sus puntas de acero había algo que a ambos les resultaba familiar.

El detective Overton se inclinó sobre la bañera.

—Un par de dientes de uno de los hermanos Silver.

Kim los observaba dándoles vueltas a la luz fría y penetrante de la linterna.

—Quizá —comentó con el ceño fruncido. *O quizá no*, pensó.

La casa de color verde oliva situada junto a la calle Siete Noreste se parecía mucho a sus vecinas: era sucia, desvencijada y le urgía un porche nuevo. El esqueleto de la casa de su derecha estaba todavía más o menos en pie, pero el resto se había consumido hacía tiempo en un incendio. La ruinosa grada de la derecha estaba ocupada por una pandilla de adolescentes electrizados por el *hip-hop* que un destartalado radiocasete portátil emitía a volumen atronador. Los alumbraba la luz zumbona de una farola necesitada de reparación urgente.

Los adolescentes se levantaron al unísono de la grada cuando la moto se detuvo junto a la acera, frente a la casa verde oliva, pero Bourne los alejó con un gesto mientras Soraya y él se apeaban lentamente.

Haciendo caso omiso de la pernera rajada de su pantalón y de la sangre que la empapaba, saludó al más alto de los chicos haciendo entrechocar los nudillos de sus puños.

—¿Cómo va eso, Tyrone?

—Vamos tirando —dijo el muchacho—. Ya sabes.

—Ésta es Soraya Moore.

Tyrone la miró detenidamente de arriba abajo con sus grandes ojos negros.

—Deron se va a cabrear. Tendrías que haber venido solo.

—Eso déjamelo a mí —dijo Bourne—. Yo me las arreglaré con Deron.

En ese momento se abrió la puerta de la casa verde oliva y un hombre alto, delgado y guapo, con la piel de un suave color cacao salió al porche.

—Jason, ¿qué coño...? —Deron frunció el ceño al bajar del porche y avanzar hacia ellos. Vestía vaqueros y camisa de loneta azul con las mangas enrolladas para dejar al aire los antebrazos. Parecía inmune al frío—. Ya conoces las normas. Tú mismo las hiciste, con mi padre. Aquí sólo vienes tú.

Bourne se interpuso entre Soraya y Deron.

—Dispongo de algo más de dos horas para tomar un vuelo a Londres —dijo en voz baja—. Estoy con el agua al cuello. Necesito su ayuda tanto como la tuya.

Deron se acercó con paso largo y lánguido. Soraya vio que llevaba un revólver en la mano. Y no uno corriente, sino un Magnum 357.

Mientras Soraya daba involuntariamente un paso atrás, Deron dijo con finísimo acento británico:

—«Ah, ¿hay alguien cerca? Venid a mí, amigo o enemigo, y decidme quién ha vencido, si York o Warwick. ¿Por qué lo pregunto? Mi cuerpo destrozado responde a esta pregunta. Mi sangre, mi flaqueza, mi corazón doliente lo demuestran: he de entregar mi cuerpo a la tierra y, con mi muerte, la victoria a mi enemigo.»

Soraya contestó:

—«Ved quién es. Y acabada ahora la batalla, tratadlo bien, sea amigo o enemigo.»

—Veo que conoces a Shakespeare —comentó Deron.

—*Enrique VI*, tercera parte, una de mis preferidas en la escuela.

—Pero ¿de veras ha acabado la batalla?

—Enséñale el nanotransmisor —dijo Bourne.

Ella le entregó el pequeño estuche ovalado.

Deron se guardó la Magnum en la cinturilla de los vaqueros, estiró sus largos y delicados dedos de cirujano, o de carterista, y abrió el estuche.

—Ah. —Sus ojos se iluminaron al levantar el dispositivo de seguimiento para estudiarlo.

—La nueva correa de la CIA —le informó Bourne—. Me la ha quitado ella.

—Diseñada por la DARPA —corroboró Deron. Casi parecía relamerse de gusto. Nada le gustaba más que la tecnología punta.

Deron no era ni cirujano ni carterista, le explicó Bourne a Soraya mientras le seguían al interior de la casa verde oliva. Era uno de los mejores falsificadores del mundo. Los Vermeer eran su especialidad (tenía especial talento para la luz), pero en realidad podía reproducir prácticamente cualquier cosa, y a menudo lo hacía a cambio de estipendios astronómicos. Sus clientes aseguraban que valía la pena pagar tanto por su trabajo. Y Deron se preciaba de tener siempre contenta a su clientela.

Los condujo al interior de la casa y cerró tras ellos. El estruendo inesperado de la puerta sorprendió a Soraya. Aquélla no era una puerta corriente, aunque desde fuera lo pareciera. Desde aquel lado, el revestimiento metálico reflejaba la cálida luz de una lámpara.

Soraya miró asombrada a su alrededor. Justo delante tenía una escalera curva de roble macizo, y a su izquierda un pasillo. A su derecha había un amplio cuarto de estar. Los suelos de tarima bruñida estaban cubiertos con lujosas alfombras persas, y en las paredes colgaban obras de los grandes maestros de la pintura: Rembrandt, Vermeer, Van Gogh, Monet, Degas, y muchos más. Eran todas falsas, claro. ¿O no? Soraya las miró atentamente, y aunque no era una experta, le parecieron magníficas. Estaba segura de que, de haberlas visto en un museo o una sala de subastas, no habría dudado de su autenticidad. Aguzó un poco más la vista. Claro que quizás algunas fueran originales.

Al darse la vuelta, vio que Deron había estrechado a Bourne en un cálido abrazo.

—No había tenido ocasión de darte las gracias por venir al entierro —dijo Bourne—. Significó mucho para mí. Sé lo ocupado que estás.

—Mi querido amigo, hay cosas en la vida más importantes que el comercio —dijo Deron con una sonrisa triste—, por urgente o lucrativo que sea. —Apartó a Bourne—. Pero primero hay que ocuparse de esa pierna. Arriba, la primera puerta a la derecha. Ya conoces la rutina. Aséate un poco. También hay ropa nueva arriba. —Sonrió—. En Deron's tenemos siempre lo más selecto.

Soraya siguió a Deron por un pasillo pintado de esmalte amarillo y a través de una enorme cocina, hasta un cuarto que antaño debía de haber sido el lavadero o la despensa de la casa. Había allí una serie de armarios altos hasta la cintura, rematados por una encimera revestida de zinc sobre la cual se veían varios ordenadores y montones de aparatos electrónicos desconocidos para ella.

—Sé lo que anda buscando Jason —dijo Deron como si Soraya hubiera dejado de existir. Y comenzó a abrir metódicamente armarios y cajones, sacando un objeto aquí y un puñado de cosas allá.

Soraya, que miraba por encima de su hombro, se sorprendió al ver narices, orejas y dientes. Alargó el brazo, cogió una nariz y le dio la vuelta.

—No te preocupes —dijo Deron—. Están hechas de látex y porcelana. —Cogió lo que parecía un trozo de puente dental—. Pero parecen auténticas, ¿no crees?. —Le enseñó un borde de la dentadura—. Hay pocas diferencias entre esta prótesis y una real, salvo aquí, en el interior. Las auténticas tienen una pequeña hendidura para encajar en los dientes tallados. Ésta, como ves, es sólo una funda de porcelana diseñada para encajar en dientes normales.

Soraya no pudo refrenarse: se puso la nariz de látex, y Deron se echó a reír. Luego rebuscó en otro cajón y le pasó un modelo mucho más pequeño. Le quedaba mejor. Para hacerle una demostración, se la pegó con pegamento para postizos.

—Naturalmente, en la vida real se usaría otro tipo de adhesivo, y maquillaje para ocultar los bordes de la prótesis.

—¿Y no hay problema si sudas o..., no sé, si nadas, quizá?

—Esto no es maquillaje Chanel —dijo Deron, riendo—. Una vez aplicado, se necesita un disolvente especial para quitarlo.

Bourne volvió cuando Soraya se estaba quitando la nariz postiza. Se había limpiado y vendado la herida de la pierna, y llevaba camisa y pantalones nuevos.

—Soraya, tenemos que hablar —dijo.

Ella le siguió a la cocina, donde se detuvieron junto a un inmenso frigorífico de acero inoxidable, en la pared más alejada del laboratorio de Deron.

Bourne se volvió hacia ella.

—¿Ha pasado un rato agradable con Deron en mi ausencia?

—¿Se refiere a si ha intentando sonsacarme?

—Supongo que quiere saber si yo le he pedido que lo hiciera.

—Exacto.

—La verdad es que no.

Ella manifestó su asentimiento.

—No lo ha hecho. —Se quedó esperando.

—No hay forma buena de abordar este asunto. —Bourne escudriñó su cara—. ¿Tim y usted estaban muy unidos?

Ella volvió un momento la cabeza, se mordió el labio.

—¿Qué le importa eso? Para usted, es un traidor.

—Escúcheme, Soraya, o soy yo, o es Tim Hytner. Y yo sé que no soy yo.

La expresión de la cara de Soraya era premeditadamente hostil.

—Entonces dígame por qué sacó a Cevik a la calle.

—Quería que saboreara un rato la libertad que ya no tenía.

—¿Ah, sí? No le creo.

Bourne arrugó el ceño. No era la primera vez desde la muerte de Marie que se preguntaba si aquel último trauma había dañado de algún modo su capacidad de juicio.

—Me temo que es la verdad.

—Qué más da que yo le crea o no —replicó ella—. ¿Cómo cree que va a sentarle al Viejo?

—¿Y eso qué importa? El Viejo odia a quienes no se someten a las normas.

Ella se miró las botas, meneó la cabeza. Respiró hondo y exhaló.

—Yo propuse a Tim para Tifón, y ahora está muerto.

Bourne guardó silencio. Era un luchador, ¿qué esperaba ella? ¿Lágrimas y arrepentimiento? No, pero ¿acaso iba a morirse si mostraba una pizca de emoción? Entonces se acordó de la reciente muerte de su esposa, y enseguida se avergonzó.

Se aclaró la garganta, pero no logró disipar sus emociones.

—Estudiamos juntos. Era uno de esos chicos de los que se ríen las chicas.

—¿Usted no?

—Yo no era como las otras. Sabía que era dulce y vulnerable. Intuía algo. —Se encogió de hombros—. Le gustaba hablar de su infancia. Había nacido en el campo, en Nebraska. Para mí, era como oír hablar de otro país.

—No estaba hecho para Tifón —dijo Bourne sin rodeos.

—No estaba hecho para este oficio, eso es verdad —dijo ella con la misma franqueza.

Él se metió las manos en los bolsillos.

—Bueno, ¿y ahora qué hacemos?

Ella se sobresaltó, como si la hubiera pinchado con la punta de su navaja automática.

—¿Qué?

—Nos hemos salvado mutuamente la vida y usted ha tratado de matarme dos veces. El caso es que no nos fiamos el uno del otro.

Los grandes ojos de Soraya, humedecidos por lágrimas incipientes, se clavaron en los suyos.

—Yo le he dicho lo del nanotransmisor y usted me ha traído a casa de Deron. ¿Cómo define usted la confianza?

Bourne dijo:

—Le hicieron fotos a Cevik cuando le detuvieron.

Ella asintió, esperando a que cayera el hacha. ¿Qué iba a pedirle Bourne ahora? ¿Qué quería ella de él exactamente? Lo sabía, desde luego, pero era demasiado penoso reconocérselo a sí misma, cuanto más a él.

—Está bien, llame a Tifón. Dígales que manden las fotos a su móvil. —Bourne echó a andar por el pasillo, y ella le siguió paso por paso—. Luego dígales que manden también el código que Hytner descifró.

—Olvida usted que la CIA sigue cerrada a cal y canto. Y eso incluye la transmisión de datos.

—Puede conseguirme lo que quiero, Soraya. Tengo fe en usted.

Aquella mirada curiosa apareció de nuevo en sus ojos un momento y se desvaneció luego como si nunca hubiera existido. Ya tenía a Tifón al teléfono cuando entraron en el taller de Deron, una habitación en forma de ele hecha a partir de la antigua cocina y la despensa. Su estudio estaba arriba, en la habitación más luminosa de la casa. En cuanto al propio Deron, estaba inclinado sobre una mesa, estudiando el nanotransmisor.

Nadie en Tifón, salvo el director, tenía autorización para enviar datos sensibles durante el estado de alerta. Soraya comprendió que tendría que buscar en otra parte lo que necesitaba Bourne.

Oyó la voz de Anne Held y se identificó.

—Oye, Anne, necesito tu ayuda.

—¿De veras? Ni siquiera vas a decirme dónde estás.

—Eso no importa. No estoy en peligro.

—Bueno, menos mal. ¿Por qué ha dejado de transmitir la retícula?

—No lo sé. —Soraya procuró que no se le quebrara la voz—. Puede que esté defectuosa.

—Puesto que sigues con Bourne, no creo que sea muy difícil averiguarlo.

—¿Estás loca? No puedo acercarme tanto a él.

—Y sin embargo necesitas un favor. Dime.

Soraya se lo explicó.

Silencio.

—Por qué será que nunca pides nada fácil.

—Lo fácil puedo pedírselo a otras personas.

—Tienes razón. —Y luego—: Si me pillan...

—Anne, creo que tenemos una pista sobre Cevik, pero necesitamos esa información.

—Está bien —dijo Anne—. Pero a cambio tienes que averiguar qué le ha pasado a ese nanotransmisor. Tengo que decirle al Viejo algo que le satisfaga. Quiere sangre y prefiero asegurarme de que no sea la mía.

Soraya se quedó pensando un momento, pero no se le ocurrió otra alternativa. Tendría que volver a llamar a Anne para contarle algo más concreto, más plausible.

—Muy bien. Ya se me ocurrirá algo.

—De acuerdo. Por cierto, yo que tú me andaría con ojo con el nuevo subdirector. No le gusta mucho Lindros, ni Tifón.

—Gracias, Anne. Muchísimas gracias.

—Ya está —dijo Soraya—. Me han cargado los datos.

Bourne cogió su móvil y se lo pasó a Deron, que se apartó de su nuevo juguete para enchufar el teléfono a su red informática y descargar los archivos.

La cara de Cevik apareció en uno de los muchos monitores.

—Todo tuyo. —Deron volvió a estudiar el nanotransmisor.

Bourne se sentó en una silla de oficina y estuvo largo rato observando las fotografías. Sentía a Soraya inclinada sobre su hombro izquierdo. Notaba... ¿qué? El espectro de un recuerdo. Se frotó las sienes, intentando obligarse a recordar, pero aquel hilillo de luz se disipó en las tinieblas. Volvió a escudriñar la cara de Cevik con cierto desasosiego.

Había algo en ella (no un rasgo concreto, sino una impresión general) que flotaba en su memoria como la sombra de un pez bajo la superficie de un lago. Aumentó cada zona de su rostro por separado, una tras otra: la boca, la nariz, la frente, las sienes, las orejas. Pero sólo consiguió hundir más aún aquel recuerdo sensorial en los recovecos más recónditos de su mente. Luego llegó a los ojos: aquellos ojos dorados. Había algo en el izquierdo. Al aumentarlo, vio un pequeño arco de luz en el borde exterior del iris. Volvió a aumentarlo, pero falló la resolución y la imagen comenzó a emborronarse. Disminuyó la imagen hasta que aquel arco de luz volvió a verse con nitidez. Era minúsculo. Podía no ser nada: un reflejo de las luces de la celda. Pero ¿por qué estaba en el borde del iris? Si fuera un reflejo del iris, la luz estaría un poco más cerca del centro, donde el glóbulo ocular sobresalía más y donde, por tanto, era más probable que captara la luz. Aquello estaba al borde, donde...

Bourne se rió en silencio.

En ese momento sonó el teléfono de Soraya. Bourne la oyó hablar un momento. Luego ella dijo:

—Los informes preliminares indican que el Hummer estaba repleto de C-4.

Bourne se volvió hacia ella.

—Por eso no respondían.

—Cevik y sus amigos eran terroristas suicidas.

—Puede que no. —Bourne se volvió hacia la foto y señaló el minúsculo arco de luz—. ¿Ve eso? Es el reflejo del borde de una lente de contacto, porque sobresale ligeramente de la superficie del iris y capta la luz. Ahora mire esto. ¿Ve esa motita dorada que se mete en el borde izquierdo de la pupila? La única respuesta es que Cevik llevara lentillas de colores.

Miró la cara de Soraya.

—¿Para qué iba a disfrazarse Cevik? ¿O no era Cevik? —Esperó su respuesta—. ¿Soraya?

—Estoy pensando.

—El disfraz, la meticulosa preparación, el atentado premeditado...

—En la selva —dijo ella—, sólo un camaleón distingue a otro camaleón.

—Sí —dijo Bourne, mirando la fotografía—. Creo que tenemos a Fadi delante de nuestras narices.

Otro silencio, éste más corto. Bourne casi podía oír el cerebro de Soraya funcionando a marchas forzadas.

—Entonces, cabe la posibilidad de que Cevik no muriera en la explosión —dijo ella por fin.

—Yo diría que no. —Bourne pensó un momento—. No tuvo mucho tiempo para salir del Hummer. Sólo lo perdí de vista cuando estaba arrancando la moto. O sea, antes del cruce de la Veintitrés con Constitution.

—Puede que hubiera otro coche esperándole.

—Compruébelo, pero, francamente, lo dudo —dijo Bourne. Ahora entendía por qué había usado Fadi un coche tan llamativo como el Hummer. Quería que el personal de la CIA lo siguiera y que, al final, acabara rodeándolo. Quería hacer el mayor daño posible—. Es imposible que pudiera saber de antemano dónde iba a poder saltar.

Soraya estuvo de acuerdo.

—Haré que lo comprueben desde el punto en que el Hummer recogió a Fadi. —Ya había empezado a llamar a Tifón—. Voy a ordenar que un par de equipos empiecen a peinar la zona inmediatamente. —Dio instrucciones, se quedó escuchando un momento, muy seria, y luego colgó—. Jason, debo decirle que se ha armado un buen lío. El director se ha puesto furioso por lo de Cevik. Le culpa a usted.

—Naturalmente. —Bourne sacudió la cabeza—. Si no fuera por Martin, no querría saber nada de la CIA, ni de Tifón. Pero

Martin es amigo mío. Creyó en mí, luchó por mí cuando la agencia quiso eliminarme. No pienso darle la espalda. Pero juro que ésta es mi última misión para la CIA.

Para Martin Lindros, las sombras cobraron la forma de nubes que reflejaban las aguas quietas del lago. Notaba una vaga sensación de dolor: como si un dentista estuviera taladrando una muela sólo anestesiada en parte. El dolor, en el confín del horizonte, no lograba perturbarle. Estaba demasiado concentrado en la trucha del extremo del sedal. Recogió sedal, levantó la caña hasta que se combó como un arco y volvió a recoger sedal. Tal y como le había enseñado su padre. Ése era el modo de sacar a un pez del agua, por vigorosa que fuera su lucha. Con paciencia y disciplina, podía pescarse cualquier pez que hubiera picado el anzuelo.

Las sombras parecían amontonarse justo encima de él, tapando el sol. El frío creciente le obligó a concentrarse aún más en la trucha.

Su padre le había enseñado muchas otras cosas, además de a pescar. Hombre de singular talento, Oscar Lindros había fundado Vaultline y la había convertido en una de las mayores empresas de seguridad privada del mundo. Sus clientes eran las multinacionales cuyo personal se veía obligado a frecuentar por negocios zonas peligrosas del mundo. Y Oscar Lindros o alguno de los agentes a los que entrenaba personalmente estaban allí para protegerles.

Cuando se inclinaba sobre la borda del barco, Lindros veía relucir como plata el lomo irisado de la trucha. Era grande, sí. Más grande que cualquier otra que hubiera pescado. A pesar de lo mucho que se movía, veía su cabeza triangular, el abrir y cerrar de su boca huesuda. Levantó la caña y la trucha salió a medias del agua, salpicándole de gotas de agua.

Martin Lindros había aspirado muy tempranamente a ser un espía. Ni que decir tiene que este deseo hizo las delicias de su padre. Y así fue como Oscar Lindros se propuso enseñar a su hijo todo lo que sabía sobre el oficio de la clandestinidad. Entre esas enseñanzas despuntaba por encima de las demás el cómo sobrevivir a cualquier forma de encarcelamiento o tortura. Todo estaba en la mente, le decía Oscar a su hijo. Había que entrenar la mente para que se retirara del mundo exterior. Y luego había que entrenarla para que se alejara de esas partes del cerebro que transmitían el dolor. Para ello era preciso evocar un momento y un lugar y hacerlos reales: tan reales como podía percibirse con los cinco sentidos. Había que ir a aquel lugar, y había que quedarse allí mientras fuera necesario. Si no, o tu voluntad se quebraba o te volvías loco.

Allí era donde estaba Martin Lindros, donde había estado desde que fue apresado por Duyya y conducido al lugar donde su cuerpo yacía y sangraba entre espasmos.

Allá en el lago, Lindros sacó por fin la trucha. El pez brincaba y boqueaba en el suelo del barco, sus ojos fijos en él mientras se agrisaban. Inclinándose, extrajo el anzuelo de púas del duro cartílago que rodeaba la boca de la trucha. ¿Cuántos peces había pescado desde que estaba en el lago? Era imposible saberlo, porque después no se quedaban mucho tiempo por allí: una vez desenganchados del anzuelo, no le servían de nada.

Cebó el anzuelo y arrojó el sedal. Tenía que seguir adelante, tenía que continuar pescando. Si no, el dolor, un difuso cúmulo de nubes en el horizonte, se precipitaría sobre él con la furia de un huracán.

Sentado en la sección *business-class* del vuelo nocturno a Londres, Bourne encendió la señal de «NO MOLESTEN» y sacó la Sony PS3 con memoria ampliada y pantalla de alta definición que le había dado Deron. Tenía el disco duro cargado con un puñado de nuevos juguetes ideados por el propio Deron, cuya verdadera pasión no era la falsificación de cuadros (con la que pagaba las facturas), sino inventar chismes miniaturizados. De ahí su interés por la retícula, que Bourne llevaba guardada a buen recaudo en su estuche.

Deron le había procurado tres pasaportes, a los que había que sumar el pasaporte diplomático de la CIA. Bourne tenía un aspecto completamente distinto en cada una de las fotos que Deron tenía en sus archivos. Bourne llevaba maquillaje, lentillas de colores y otras cosas semejantes, junto con una de las pistolas de última generación de Deron, hecha de plástico envuelto en goma. Según Deron, las balas de goma forradas de *kevlar* podían tumbar a un elefante furioso si se disparaban al lugar preciso.

Bourne abrió la foto de Hiram Cevik. Fadi. ¿Qué otras identidades había asumido aquel conspirador a lo largo de los años? Parecía probable que las cámaras de vigilancia y los circuitos cerrados de televisión hubieran grabado su imagen en lugares públicos, sin duda con un aspecto distinto cada vez. Bourne había aconsejado a Soraya que revisara todas las cintas y fotografías fijas que tuvieran disponibles de los lugares donde Duyya había perpetrado atentados, justo antes y después de los ataques, y que comparara las caras que encontrara con aquella fotografía de Cevik, a pesar de que tenía pocas esperanzas de que fuera a encontrar algo. A él también le habían grabado muchas veces a lo largo de los años, y no le preocupaba porque en cada una de esas ocasiones el Camaleón había asumido una apariencia distinta. Nadie podría haber encontrado similitudes: él mismo se había encargado de ello. Y también Fadi, el otro camaleón.

Estuvo largo rato mirando la foto. Y aunque intentó resistirse, el cansancio se apoderó de él y se quedó dormido.

Marie se acerca a él en un lugar con viejas acacias y calles empedradas. El aire está impregnado de un intenso olor mineral, como el del mar embravecido. Una brisa húmeda le levanta el pelo de alrededor de las orejas y lo agita a su espalda como una bandera.

Él le habla.

—Puedes conseguir lo que quiero. Tengo fe en ti.

Hay miedo en los ojos de Marie, pero también valor y determinación. Hará lo que le pide, aunque corra peligro, y él lo sabe. Él se despide inclinando la cabeza y ella se desvanece...

Se encuentra en la misma calle de altísimas acacias que ha evo-

cado antes. Tiene delante de sí el agua negra. Y entonces desciende,
flota por el aire como si se lanzara en paracaídas. Corre con todas sus
fuerzas por una playa, de noche. A su izquierda hay una oscura hile-
ra de quioscos. Lleva... lleva algo en los brazos. No, algo no. Una
persona. Hay sangre por todas partes, y sus venas palpitan. Una cara
pálida, unos ojos cerrados, una mejilla apoyada sobre su brazo iz-
quierdo. Corre por la playa, sintiéndose horriblemente expuesto. Ha
quebrantado el pacto que tiene consigo mismo, y van a morir todos
por ello: él y la persona que llevaba en los brazos..., la joven cubierta
de sangre. Ella le dice algo, pero él no la oye. Alguien corre detrás de
él, y entonces surge la idea, clara como la luna colgada del cielo:
«Nos han traicionado...»

Cuando Matthew Lerner entró en el despacho exterior de las oficinas de dirección de la CIA, Anne Held tardó un momento en
levantar la vista. No estaba trabajando en nada especial. En nada,
de hecho, que exigiera su atención, y sin embargo era importante
que Lerner pensara lo contrario. En su fuero interno, Anne comparaba el despacho exterior del Viejo con un foso alrededor de un
castillo, y a sí misma con el carnívoro de enormes dientes que na-
daba en él.

Cuando consideró que Lerner había esperado suficiente, miró
hacia arriba y sonrió con calma.

—Ha dicho que el director quiere verme.

—En realidad, soy yo quien quería verle. —Anne se levantó y
se pasó las manos por los muslos para alisar las arrugas que pudieran haberse hecho en su falda mientras estaba sentada. Sus uñas
perfectamente arregladas despedían una luz nacarada—. ¿Le apetece un café? —añadió mientras cruzaba el despacho.

Lerner enarcó las cejas.

—Creía que los ingleses preferían el té.

Ella le abrió la puerta para que pasara.

—Una de las muchas ideas equivocadas que tiene sobre mí.

En el ascensor metalizado que llevaba a la cafetería de la CIA se hizo el silencio. Anne miraba fijamente hacia delante mientras Lerner intentaba sin duda deducir de qué iba todo aquello.

La cafetería era muy distinta a las de las demás agencias gubernamentales. Reinaba en ella una atmósfera sigilosa, y sus suelos estaban cubiertos de una gruesa capa de moqueta en tono azul presidencial. Las paredes eran blancas; los bancos y las sillas, de cuero rojo. El techo estaba formado por una serie de paneles acústicos que amortiguaban cualquier sonido, y especialmente las voces. Los camareros, provistos de chaleco, se deslizaban con destreza y sigilo por los amplios pasillos abiertos entre las mesas. En resumidas cuentas el comedor de la CIA parecía, más que una cafetería institucional, un club masculino.

El encargado reconoció enseguida a Anne y les condujo a la mesa redonda del director, situada en un rincón y rodeada casi por completo por un banco de respaldo alto. Lerner y ella tomaron asiento, se sirvió el café y les dejaron discretamente a solas.

Lerner removió el azúcar de su taza un momento.

—Bueno, ¿de qué se trata?

Ella bebió un sorbo de café solo, retuvo el líquido dentro de la boca como si fuera un buen vino y luego, satisfecha, tragó y dejó la taza sobre la mesa.

—Bebe, Matthew. Es café etíope de primera calidad. Fuerte y delicioso.

—Otra nueva norma que he instituido, señorita Held. Se acabaron los tuteos.

—El problema de algunos cafés fuertes —dijo ella, haciendo oídos sordos— es que pueden ser muy ácidos. Y demasiada acidez es contraproducente, altera todo el aparato digestivo. Puede incluso abrirte un agujero en el estómago. Cuando eso ocurre, hay que expulsar el café.

Lerner se recostó en el asiento.

—¿A qué viene todo esto? —Sabía que no estaba hablando del café.

Ella dejó que sus ojos se posaran un momento en la cara de Lerner.

—¿Le nombraron subdirector de la CIA hace cuánto, seis meses? Los cambios son difíciles para todo el mundo. Pero hay ciertos protocolos que no pueden...

—Vaya al grano.

Ella bebió otro sorbo de café.

—Desprestigiar a Martin Lindros no es buena idea, Matthew.

—¿Ah, no? ¿Y qué le hace tan especial?

—Si llevara más tiempo a este nivel, no tendría que preguntarlo.

—¿Por qué estamos hablando de Lindros? Lo más probable es que esté muerto.

—Eso no lo sabemos —contestó Anne secamente.

—En cualquier caso, no estamos hablando de las competencias de Lindros, ¿verdad, señorita Held?

Ella se sonrojó, a su pesar.

—No tenía motivos para reducir mi nivel de autorización.

—No sé a qué se cree que le da derecho su puesto, pero se equivoca. Sigue siendo personal de apoyo.

—Soy la mano derecha del director. Si él necesita información, yo se la consigo.

—Voy a trasladar a Reilly, del Departamento de Operaciones. A partir de ahora, él se encargará de recabar la información que necesite el director. —Lerner suspiró—. Veo que pone mala cara. No se tome estos cambios como algo personal. Es el procedimiento operativo habitual. Además, si recibe trato de favor, el resto del personal de apoyo empezará a resentirse. El resentimiento engendra desconfianza, y eso no podemos tolerarlo. —Apartó su taza de café—. Lo crea o no, señorita Held, la CIA está agonizando. Agoniza desde hace años. Necesita urgentemente un purgante. Y eso soy yo.

—Martin Lindros recibió el encargo de remodelar la agencia —contestó ella en tono glacial.

—Lindros es la debilidad del Viejo. Sus métodos no son los adecuados. Los míos, sí. —Sonrió al levantarse—. Ah, otra cosa. No vuelva a engañarme. El personal de apoyo no es quién para hacer perder el tiempo al subdirector con cafés y opiniones propias.

En su laboratorio de la sede de la UII en la avenida Vermont, Kim Lovett se hallaba en el punto decisivo de sus análisis. Tenía que extraer de sus frascos herméticos el material que había recogido en la suite de la quinta planta del hotel Constitution y someterlo a una cromatografía de gases por espacio de cabeza. La teoría era ésta: dado que todos los acelerantes de la combustión conocidos eran hidrocarburos líquidos altamente volátiles, los gases que desprendían estos compuestos químicos permanecían en el lugar del siniestro a menudo durante horas. La idea era captar los gases en el «espacio de cabeza» situado justo encima del material sólido impregnado de acelerante: trozos de madera carbonizada, fibras de moqueta o filamentos de yeso que había extraído sirviéndose de una pinza de dentista. Hacía luego un cromatograma de cada uno de los gases conforme a su punto de ebullición característico. De este modo obtenía una huella del acelerante que podía identificarse.

Kim insertó una larga aguja en las tapas de los recipientes, extrajo el gas que se había formado por encima del material sólido y lo inyectó en el cilindro del cromatógrafo gaseoso sin exponerlo al aire. Se aseguró de que los parámetros eran los adecuados y pulsó a continuación el interruptor que daría comienzo al proceso de disgregación y análisis del gas.

Estaba anotando la fecha, la hora y el número de muestra cuando oyó que la puerta del laboratorio se abría y, al volverse, vio entrar al detective Overton. Llevaba puesto un abrigo gris niebla e iba con dos tazas de café en las manos. Dejó una delante de ella. Kim le dio las gracias.

Parecía más taciturno que antes.

—¿Algo nuevo?

Ella saboreó la dulce quemazón del café al pasar por su boca y su garganta.

—Dentro de un momento sabremos qué acelerante usaron.

—¿De qué va a servirme eso?

—Creía que iba a dejar el caso en manos de Seguridad Nacional.

—Valientes cabrones. Esta mañana se presentaron dos agentes en el despacho de mi capitán y le exigieron mis notas —dijo Overton—. No es que no me lo esperara. Por eso hice dos copias, porque pienso resolver este caso y restregárselo por la cara.

Sonó un pitido.

—Vamos allá. —Kim se volvió—. Los resultados están listos. —Miró el registro del cromatógrafo—. Bisulfuro de carbono. —Hizo un gesto afirmativo—. Qué interesante. Este tipo de acelerante no suele verse en un incendio provocado.

—Entonces, ¿por qué lo eligieron?

—Buena pregunta. Supongo que porque alcanza mayor temperatura y tiene un límite de explosividad del cincuenta por ciento, mucho más alto que otros acelerantes. —Volvió a girarse—. Recuerde que encontré acelerante en dos sitios: en el cuarto de baño y debajo de las ventanas. Eso me llamó la atención, y ahora sé por qué. El cromatógrafo ha arrojado dos resultados distintos. En el cuarto de baño, sólo se usó bisulfuro de carbono. Pero en el otro sitio, cerca de las ventanas del cuarto de estar, encontré también otra sustancia mucho más compleja e infrecuente.

—¿Cuál?

—No se trata de un explosivo. Es algo mucho más raro. Tuve que hacer algunas comprobaciones, pero descubrí que es un compuesto de hidrocarburos que neutraliza la acción de los materiales ignífugos. Eso explica por qué se incendiaron las cortinas y por qué la explosión reventó las ventanas. Si el oxígeno alimentaba las llamas y los aspersores estaban desactivados, era prácticamente seguro que lograrían hacer al mayor daño posible en un tiempo mínimo.

—Por eso no quedó nada, ni siquiera un esqueleto intacto o unos dientes con los que identificar el cuerpo. —Overton se rascó la barbilla azulada por un despunte de barba—. Lo tenían todo pensado, ¿eh?

—Puede que no todo. —Kim levantó los dos dientes de porcelana que había extraído del desagüe de la bañera. Les había quitado la capa de ceniza y ahora relucían en un tono marfil.

—Tiene razón —dijo Overton—. Estamos tratando de averiguar a través de Ámsterdam si Jakob o Lev Silver llevaban un puente dental. Al menos así tendríamos una identificación clara.

—Bueno, el caso es —dijo Kim— que no estoy nada segura de que esto sea un puente dental.

Overton se lo quitó de la mano y lo observó bajo el fluorescente. No vio nada fuera de lo normal.

—¿Qué va a ser, si no?

—Tengo que ir a ver a una amiga mía. Puede que ella pueda decírnoslo.

—¿Ah, sí? ¿A qué se dedica?

Kim le miró.

—Es espía.

Bourne viajó de Londres a Addis Abeba y desde allí a Yibuti. Descansó muy poco; durmió aún menos. Estaba demasiado ocupado estudiando los informes que le había proporcionado Soraya acerca de los movimientos conocidos de Lindros. Desgraciadamente, faltaban los detalles. Lo cual no era de extrañar. Lindros estaba siguiendo el rastro de la red terrorista más sanguinaria del mundo. Cualquier tipo de comunicación habría resultado extremadamente difícil y habría puesto en peligro la seguridad.

Cuando no estaba memorizando datos, Bourne revisaba las imágenes que Anne Held había enviado al móvil de Soraya y que ahora estaban en la memoria de la PS3, y especialmente el intento de Tim Hytner de descifrar el código que Tifón había confiscado a Hiram Cevik. Tenía dudas respecto al código: ¿era auténtico, o un falso mensaje que Duyya había puesto allí por el motivo que fuese para que Tifón lo encontrara y lo descodificara? Un pasmoso laberinto de duplicidades se abría ante él. A partir de allí, cualquier paso que diera entrañaría peligro. Una sola conjetura falsa podía sepultarle como un pozo de arenas movedizas.

Fue entonces cuando Bourne comprendió que se enfrentaba a un enemigo de inteligencia y voluntad fuera de lo corriente: una mente criminal capaz de rivalizar con Carlos, su antigua bestia negra.

Cerró los ojos un momento y el recuerdo de Marie le asaltó de inmediato. Ella había sido siempre su roca; ella había sido siempre quien le había ayudado a superar los tormentos del pasado. Pero Marie había muerto. La sentía desvanecerse cada día que pasaba. Intentaba aferrarse a ella, pero la personalidad de Bourne era implacable: no le permitía pararse en sentimentalismos, demorarse en la tristeza y la desesperación. Todas esas emociones habitaban en él, pero sólo eran sombras mantenidas a raya por la extraordinaria concentración de Bourne y su inapelable impulso de resolver mortíferos rompecabezas que nadie más podía abordar. Sabía, naturalmente, de dónde procedía aquella singular capacidad; lo sabía ya antes de que el doctor Sunderland se lo resumiera de forma tan sucinta: lo que le movía era el ardiente deseo de desentrañar el enigma de su identidad.

En Yibuti le esperaba un helicóptero de la CIA con el depósito lleno y listo para despegar. Cruzó corriendo la pista mojada bajo un cielo furioso, lleno de nubes amoratadas, y subió al helicóptero entre un viento húmedo y turbulento. Era por la mañana, tres días después de salir de Washington. Notaba los miembros agarrotados y los músculos tensos. Tenía ganas de acción y le desagradaba la idea de pasar una hora en vuelo hasta el Ras Dashén.

Le sirvieron el desayuno en una bandeja metálica y lo engulló mientras despegaba el helicóptero. Pero estaba tan absorto que no saboreaba ni veía nada. Repasaba por enésima vez el código de Fadi viéndolo como un todo, porque siguiendo la vía algorítmica elegida por Tim Hytner no había llegado a ninguna parte. Si, en efecto, Fadi había persuadido a Hytner (y no se le ocurría ninguna otra explicación lógica), Hytner no tenía incentivos para descifrar el código. Por eso había querido ver el código y el trabajo del agente muerto. Si el trabajo de Hytner le parecía una estafa, podría demostrar su culpabilidad. Pero, naturalmente, eso no resolvía la cuestión de si el código contenía datos reales o desinformación destinada a confundir y apartar de su rastro a Tifón.

Por desgracia, no se hallaba más cerca de resolver el algoritmo del código, ni de saber si Hytner iba por buen camino. Había pasado, sin embargo, dos noches de agitación, llenas no de sueños, sino de recuerdos fragmentarios. Le decepcionaba que el tratamiento del doctor Sunderland hubiera tenido efectos tan poco duraderos, pero no podía decir que no se lo hubieran advertido. Mucho peor era, aun así, aquella sensación de catástrofe inminente. Todos aquellos recuerdos descabalados giraban en torno a los altos árboles, el olor mineral del agua y su huida desesperada a través de la arena. Desesperada no sólo para él, sino también para otra persona. Había quebrantado una de sus reglas elementales y ahora iba a pagar por ello. Algo había desencadenado aquella serie de visiones inconexas, y tenía la clara sospecha de que el detonante era la clave para comprender todo lo que le había sucedido anteriormente. Era enloquecedor no tener acceso a su pasado (o tenerlo limitado, en el mejor de los casos). Su vida era una pizarra en blanco: cada día era como el de su nacimiento. Se le negaba el saber, un saber esencial. ¿Cómo iba a empezar a conocerse a sí mismo si le habían arrebatado su pasado?

El helicóptero, que volaba por debajo de la gruesa capa de nubes, viró hacia el noroeste camino de la cordillera de Simien. Cuando acabó de desayunar, Bourne se puso el mono de frío extremo y las botas de nieve especiales, provistas de suelas extragruesas tachonadas con puntas metálicas para agarrarse al hielo y el terreno rocoso.

Mientras miraba por la ventanilla curva volvió a ensimismarse, esta vez pensando en su amigo Martin Lindros. Lo había conocido después del asesinato de su antiguo mentor, Alex Conklin. Lindros era el único que le había respaldado, el único que había creído en él cuando el Viejo lanzó en su contra una sanción de alcance mundial. Desde entonces, había sido su único apoyo leal en la CIA. Bourne se armó de valor. Fuera lo que fuese lo que le hubiera ocurrido a Lindros (estuviera vivo o muerto), estaba decidido a llevarle a casa.

Poco más de una hora después llegó a la ladera norte del Ras Dashén. El brillo del sol afilaba las sombras como cuchillas en la falda de la montaña, que parecía elevarse en un caracoleante mar de nubes entre las cuales, de cuando en cuando, se veía planear a los buitres llevados por las corrientes térmicas.

Bourne estaba justo detrás del hombro derecho de Davis, el joven piloto, cuando éste señaló hacia abajo. Allí estaban los restos de los dos Chinooks, sepultados en nieve recién caída, manchados de negro y con la chapa retorcida y echada hacia atrás como por efecto de un gigantesco abrelatas manejado por un demonio enloquecido.

—Parece obra de misiles tierra-aire —dijo Davis.

Así pues, Soraya tenía razón. Aquel tipo de material bélico era tan costoso que sólo podía sufragarse mediante una alianza con el crimen organizado. Bourne aguzó la vista mientras se acercaban.

—Pero hay una diferencia. El de la izquierda...

—Por las marcas que quedan, el que llevaba a Escorpión Uno.

—Mira los rotores. A ése le dispararon cuando estaba a punto de despegar. El segundo se estrelló contra el suelo con mucha más fuerza. Debieron de atacarlo cuando se disponía a aterrizar.

Davis asintió.

—Exacto. Nuestros contrincantes están bien armados, desde luego. Cosa rara por estos lares.

Bourne no podía estar más de acuerdo.

Tomó unos prismáticos y le dijo a Davis que rodeara la zona. En cuanto enfocó el lugar de los hechos, se apoderó de él una intensa sensación de haber vivido ya aquel instante. Había estado antes en aquella parte del Ras Dashén, estaba seguro de ello. Pero ¿cuándo? ¿Y por qué? Sabía, por ejemplo, dónde buscar enemigos ocultos. Mientras daba instrucciones al piloto, escudriñó cada rincón y cada grieta, cada sombra de los alrededores del punto de aterrizaje.

Sabía también que el Ras Dashén, el pico más alto de la cordillera de Simien, pertenecía a Amhara, una de las nueve divisiones étnicas que formaban Etiopía. Sus pobladores sumaban el treinta por ciento de la población del país. El amárico era el idioma oficial de Etiopía. Era, de hecho, la segunda lengua semítica más hablada del mundo, después del árabe.

Bourne estaba familiarizado con las tribus de las montañas de Amhara. Ninguna de ellas tenía medios (ni económicos ni técnicos) para causar daños de tal sofisticación.

—Quien fuera ya no está aquí. Aterriza.

Davis posó el helicóptero justo al norte de los helicópteros siniestrados. El aparato patinó un poco de lado sobre el hielo que se extendía bajo la capa de nieve reciente, pero Davis consiguió controlarlo. En cuanto estuvieron en tierra firme, le pasó a Bourne el teléfono satélite Thuraya. Algo más grande que un móvil corriente, era el único que funcionaba en aquel terreno montañoso, adonde no llegaba la señal GSM.

—Quédate aquí —dijo Bourne cuando el piloto comenzó a desabrocharse el cinturón de seguridad—. Espérame, pase lo que pase. Te llamaré cada dos horas. Si pasan seis horas sin que dé señales de vida, márchate.

—No puedo hacer eso, señor. Nunca he dejado a un hombre en tierra.

—Esta vez es distinto. —Bourne le agarró del hombro—. No vayas en mi busca bajo ninguna circunstancia, ¿entendido?

Davis parecía descontento.

—Sí, señor. —Cogió un fusil de asalto y abrió la puerta del helicóptero. El aire helado se abrió paso a empujones.

—¿Quieres tener algo que hacer? Cubre la entrada de esa cueva. Si ves moverse o salir algo raro, dispara primero. Las preguntas las haremos después.

Bourne saltó del helicóptero. Hacía un frío polar. Las cumbres del Ras Dashén no eran lugar para estar en invierno. La capa de nieve era bastante gruesa, pero tan seca que el viento constante la empujaba formando altas dunas de proporciones saharianas. En otras zonas había barrido por completo la meseta, dejando al descubierto calveros de hierba quemada y rocas dispersas a intervalos irregulares, como los dientes podridos de un viejo.

A pesar de que había hecho un reconocimiento visual de 360 grados desde el aire, Bourne avanzó con cautela hacia los restos de los dos Chinooks. Le inquietaba especialmente la cueva. Podía depararle buenas noticias (supervivientes heridos de alguno de los ataques) o malas noticias; es decir, miembros de la célula terrorista que había eliminado a las dos unidades Escorpión.

Al llegar junto a los helicópteros vio cuerpos en su interior: únicamente esqueletos carbonizados y trozos de cabello chamuscado. Se resistió al impulso de inspeccionar las carcasas en busca de algún indicio de Lindros. Lo primero era asegurar la zona.

Llegó a la cueva sin contratiempos. El viento, que se deslizaba sinuoso entre los nudillos de las rocas, lanzó un alarido penetrante y fantasmal que sonó como si estuvieran torturando a alguien. La boca de la cueva le miraba con sorna, desafiándole a entrar. Se apoyó un momento en la gélida pared de roca y respiró hondo varias veces, metódicamente. Luego saltó rodando hacia la oscuridad.

Encendió una potente linterna y dirigió su rayo hacia los nichos y los rincones donde podía esconderse alguien al acecho. No vio a nadie. Se puso en pie, dio un paso y se detuvo de repente con las aletas de la nariz hinchadas.

Una vez, en Egipto, un contacto local le había llevado por un laberinto subterráneo. Allí le había asaltado un olor extraño, al mismo tiempo dulce y picante, completamente desconocido para él. Al preguntar por aquel olor, su guía había encendido una linterna a pilas durante unos diez segundos y Bourne había visto los cuerpos que se secaban a la espera de sepultura, con la piel ennegrecida y tensa como cuero.

«Ese olor —le había dicho su contacto al apagar la linterna— es el de la carne humana cuando todos los fluidos se han evaporado.»

Así olía la cueva excavada en la cara norte del Ras Dashén. A carne humana desecada y a algo más: un hedor nauseabundo a descomposición, estancado en el fondo de la cueva como los gases de un cenagal.

Avanzó moviendo a un lado y a otro la potente luz de la linterna. Oyó un fuerte crujido bajo sus pies. Movió la linterna y descubrió que el suelo estaba cubierto de huesos de pájaros, de animales y de humanos por igual. Siguió adelante, hasta que vio que algo sobresalía del lecho de roca. Había un cadáver sentado al fondo, con la espalda pegada a la pared.

Se agachó hasta que sus ojos quedaron al nivel de la cabeza. O de lo que quedaba de ella. En el centro de la cara se había abierto un boquete que había ido vertiendo hacia fuera su veneno como un volcán que escupiera lava, borrando primero la nariz y luego los ojos y las mejillas, arrancando la piel y carcomiendo la carne de debajo. Incluso había ya partes del cráneo (el hueso mismo) agujereadas y hendidas por la misma fuerza que había devorado los tejidos más blandos.

Con el corazón golpeándole violentamente las costillas, Bourne se dio cuenta de que estaba conteniendo la respiración. Había visto antes aquel tipo de necrosis. Sólo había una cosa que pudiera causarla: la radiactividad.

Aquello resolvía muchos interrogantes: ¿qué había impulsado a Martin Lindros a volver a la acción de forma tan repentina, y por qué aquella zona era lo bastante importante como para estar defendida con misiles tierra-aire y sabía Dios qué otro armamento? Se le cayó el alma a los pies. Para proteger aquel secreto alucinante, habría sido preciso matar a todos los miembros de Escorpión Uno y Dos, incluido Martin. Por aquella ruta no sólo se traficaba con detonadores de alto voltaje: alguien tenía en su poder mineral de uranio. Eso era lo que había matado a aquella persona: el veneno radiactivo de una fuga en el contenedor de uranio que transportaba. Por sí mismo, el mineral de óxido de uranio o torta amarilla no significaba gran cosa: era barato, bastante fácil de obtener e imposible de refinar en uranio altamente enriquecido a no ser que se dispusiera de instalaciones de más de un kilómetro cuadrado y cuatro plantas de altura, por no hablar de un capital prácticamente ilimitado.

Además, la torta amarilla no habría dejado aquel rastro radiactivo. No, no cabía duda de que lo que había conseguido Duyya era polvo de dióxido de uranio, sólo a un paso del uranio enriquecido empleado en la fabricación de armas nucleares. La pregunta que se hacía Bourne era la misma que debía de haber empujado a Lindros a ponerse en peligro de forma tan precipitada: ¿para qué quería una organización terrorista dióxido de uranio y detonadores de alto voltaje, a no ser que tuviera en alguna parte una planta con personal y medios suficientes para fabricar bombas atómicas?

Lo cual sólo podía significar una cosa: Duyya era mucho más potente de lo que sospechaba Tifón. Se hallaba en el centro de una red nuclear clandestina de alcance internacional. Una red parecida se había desmantelado en 2004, cuando el científico pakistaní Abdul Qadir Jan reconoció haber vendido tecnología nuclear a Irán, Libia y Corea del Norte. Ahora, aquel fantasma aterrador había sido devuelto a la vida.

Aturdido por aquella revelación, Bourne se levantó y salió de la cueva caminando hacia atrás. Se volvió, respiró hondo varias veces a pesar de que el viento se clavaba en sus pulmones como un cuchillo y se estremeció. Indicó a Davis con una seña que todo estaba despejado y se dirigió al lugar donde estaban los helicópteros siniestrados. Su mente no dejaba de zumbar. La amenaza para Estados Unidos que había detectado Tifón no sólo era auténtica, sino de un alcance y unas consecuencias absolutamente devastadoras.

Se acordó del detonador de un solo uso: la prueba fehaciente de la última investigación de Martin Lindros. Si no lograba detener a Fadi, una gran ciudad estadounidense sería atacada con armas nucleares.

7

Anne Held acorraló a Soraya en cuanto ésta regresó al cuartel general de la CIA.

—Al aseo de señoras —dijo en voz baja—, enseguida.

Una vez dentro del aseo del vestíbulo, Anne recorrió los servicios uno por uno para asegurarse de que estaban solas.

—Mi parte del trato —comenzó Soraya—. El nanotransmisor entró en contacto con fuego, lo que destruyó la mitad de los circuitos.

—Bueno, eso puedo decírselo al Viejo —dijo Anne—. Quiere la cabeza de Bourne... y lo mismo Lerner.

—Por lo que pasó con Cevik. —Soraya arrugó el entrecejo—. Pero ¿qué pinta Lerner en todo esto?

—Por eso te he traído aquí —contestó Anne enérgicamente—. Mientras estabas con Bourne, Lerner dio un golpe de Estado.

—¿Qué?

—Convenció al Viejo para que le nombrara director en funciones de Tifón.

—Ay, Dios —dijo Soraya—. Por si no lo teníamos ya suficientemente jodido.

—Me da la sensación de que todavía no has visto nada. Está empeñado en reorganizar la CIA por completo, y ahora que ha echado el guante a Tifón, lo pondrá todo patas arriba.

Alguien intentó entrar, pero Anne le disuadió.

—Esto está todo inundado —dijo con autoridad—. Pruebe arriba.

Cuando volvieron a quedarse solas, añadió:

—Lerner irá detrás de todo aquel de quien no se fíe. Y dada tu relación con Bourne, me apuesto lo que sea a que estás la primera de su lista. —Se acercó a la puerta—. Arriba ese ánimo, muñeca.

Sentado con la cabeza entre las manos, Bourne intentaba aclarar aquella descomunal pesadilla. El problema era que no tenía suficiente información. No podía hacer nada, salvo seguir adelante, intentar hallar a Lindros o, si ello no era posible (si su amigo ya estaba muerto), proseguir en aquella misión hasta encontrar y detener a Fadi y a Duyya antes de que llevaran a cabo su amenaza.

Por fin se levantó. Tras inspeccionar los restos de los Chinooks, rodeó el más cercano a la cueva y subió al que había llevado a Lindros hasta allí.

El interior parecía surrealista, como un cuadro de Dalí: charcos de plástico derretido, metales fundidos unos con otros. Todo abrasado hasta límites inimaginables. Aquello le interesó. A aquella altitud, no había suficiente oxígeno para sustentar un fuego de tal intensidad durante mucho tiempo, y menos aún para causar daños como aquéllos. El fuego debía tener otro origen: un lanzallamas.

Bourne rememoró el rostro de Hiram Cevik. Fadi se hallaba detrás de la emboscada. Lo moderno del armamento, la minuciosa coordinación de los ataques, el elevado nivel táctico necesario para eliminar a dos equipos punteros de la CIA: todas las pruebas apuntaban a él.

Pero otra duda le corroía. ¿Por qué se había dejado atrapar Fadi por la CIA? Se le ocurrían varias respuestas. La más probable era que quisiera hacerles llegar un mensaje: «Creéis que me tenéis en el punto de mira y no sabéis con quién estáis tratando». Bourne sabía que, hasta cierto punto, Fadi tenía razón: prácticamente no sabían nada de él. Pero era precisamente aquella bravuconada lo que podía proporcionarle el asidero que necesitaba. Su éxito procedía de su capacidad para meterse en la cabeza de sus adversarios. La experiencia le había enseñado que era imposible hacerlo con alguien que se mantenía entre las sombras. Pero ahora Fadi había salido a la luz de su campo de visión. Había mostrado la cara. Por primera vez, Bourne tenía una plantilla (por tosca e imprecisa que fuera) a partir de la cual comenzar su búsqueda.

Fijó toda su atención en el interior del Chinook. Contó cuatro esqueletos. Toda una revelación. Faltaban dos hombres. ¿Podían estar vivos? ¿Era Martin uno de ellos?

Las unidades Escorpión de la CIA tenían carácter militar. Todos los hombres llevaban placas que los identificaban como efectivos de una brigada del ejército que no existía en realidad. Recogió las cuatro placas lo más rápidamente que pudo. Les quitó la nieve, la ceniza y el hollín para leer los nombres, que figuraban en el paquete de datos que le había proporcionado Tifón y que, por tanto, había memorizado. Martin no estaba allí. El piloto (Jaime Cowell) tampoco se contaba entre los muertos.

Se acercó al lugar que había servido de sepultura a Escorpión Dos y descubrió los cincos esqueletos del equipo. A juzgar por el número de huesos dispersos, podía afirmarse que ninguno de ellos estaba en condiciones operativas cuando se estrelló el Chinook. Habían sido un blanco perfecto. Bourne hurgó en busca de sus placas.

De pronto detectó un leve movimiento entre las sombras del interior y el fugaz destello de unos ojos antes de que una cabeza se volviera. Metió la mano en el hueco que había bajo el panel de mandos. Sintió un dolor agudo en la mano y luego algo que se precipitaba sobre él borrosamente, tirándole hacia atrás.

Se puso en pie, siguió a aquella sombra fuera del fuselaje del Chinook y echó a correr tras ella mientras hacía señas a Davis de que no abriera fuego. Vislumbró la marca sangrante dejada por unos dientes en el dorso de su mano en el instante en que la sombra saltaba el murete de piedra del lado noreste de la meseta.

Se lanzó al aire, aterrizó de pie en lo alto del muro, se orientó y se abalanzó sobre la espalda de aquella figura.

Cayeron los dos rodando, pero Bourne le agarró con fuerza del pelo y tiró hacia atrás para verle la cara. Era un niño de no más de once años.

—¿Quién eres? —le preguntó Bourne en el dialecto amárico de la zona—. ¿Qué haces aquí?

El chico le escupió a la cara y comenzó a arañarle, intentando escapar. Bourne le sujetó las muñecas cruzadas a la espalda y le sentó al socaire del muro, donde no le diera el viento ululante. Estaba flaco como una pica; se le notaban los huesos de los pómulos, de los hombros y las caderas.

—¿Cuándo comiste por última vez?

No hubo respuesta. Al menos el zagal no volvió a escupirle, aunque posiblemente se debía a que estaba tan seco por dentro como la nieve que aplastaban sus pies. Bourne desenganchó su cantimplora con la mano libre y la abrió con los dientes.

—Voy a dejarte marchar. No quiero hacerte daño. ¿Quieres un poco de agua?

El chico abrió la boca de par en par, como un polluelo en el nido.

—Entonces tienes que prometerme que contestarás a mis preguntas. ¿Trato hecho?

El niño le miró un momento con sus ojos negros; luego asintió. Bourne le soltó las muñecas y el chico echó mano de la cantimplora, la inclinó y bebió el agua a grandes tragos, convulsivamente.

Mientras bebía, Bourne levantó paredes de nieve a ambos lados para conservar el calor de sus cuerpos. Recuperó la cantimplora.

—Primera pregunta: ¿sabes qué pasó aquí?

El chico negó con la cabeza.

—Tuviste que ver los fogonazos de las armas, las bolas de humo levantándose por encima de la montaña.

Una leve vacilación.

—Las vi, sí. —Tenía la voz aguda de una niña.

—Y te entró curiosidad, claro. Subiste aquí, ¿no?

El chico apartó la mirada, se mordió el labio.

Aquello no estaba funcionando. Bourne sabía que tenía que encontrar otro modo de ganarse la confianza del zagal.

—Me llamo Jason —dijo—. ¿Y tú?

Otro titubeo.

—Alem.

—Alem, ¿has perdido a alguien alguna vez? ¿Alguien a quien quisieras mucho?

—¿Por qué? —preguntó receloso.

—Porque yo sí. A mi mejor amigo. Por eso estoy aquí. Iba en uno de esos pájaros achicharrados. Necesito saber si le viste o si sabes qué le ocurrió.

Alem ya había empezado a negar con la cabeza.

—Se llama Martin Lindros. ¿Has oído a alguien mencionar su nombre?

Alem volvió a morderse el labio, que había empezado a temblarle ligeramente, y no de frío, pensó Bourne. Sacudió la cabeza.

Bajó los brazos y se puso nieve sobre el dorso de la mano, donde le había mordido Alem. Vio que el chico seguía con los ojos todos sus movimientos.

—Mi hermano mayor murió hace seis meses —dijo Alem un momento después.

Bourne siguió apelmazando la nieve sobre su mano. *Mejor actuar con naturalidad*, se dijo.

—¿Qué le pasó?

Alem acercó las rodillas al pecho y cruzó los brazos sobre ellas.

—Le sepultó un desprendimiento de rocas, el mismo que dejó tullido a mi padre.

—Lo siento —dijo Bourne sinceramente—. Oye, sobre ese amigo mío... ¿Y si está vivo? ¿Querrías que muriera?

Alem pasaba los dedos por entre los cascotes helados de la base del muro.

—Vas a pegarme —masculló.

—¿Por qué iba a hacerlo?

—Me he llevado algo. —Movió la cabeza hacia los helicópteros—. De allí.

—Lo único que me preocupa es encontrar a mi amigo. Te lo prometo, Alem.

Sin mirar a Bourne, el chico sacó un anillo. Él lo cogió y lo levantó a la luz del sol. Reconoció el escudo con un libro abierto en cada cuadrante: la insignia de la Universidad de Brown.

—Es el anillo de mi amigo. —Se lo devolvió con cuidado al chico—. ¿Puedes enseñarme dónde lo encontraste?

Alem le llevó al otro lado del muro y avanzó por entre la nieve a trompicones, hasta un lugar a unos doscientos metros de los helicópteros. Se arrodillaron ambos.

—¿Aquí?

Alem se lo confirmó.

—Estaba debajo de la nieve, medio enterrado.

—Como si lo hubieran pisado para meterlo en la tierra —concluyó Bourne en su lugar—. Pero tú lo encontraste.

—Vine con mi padre. —Alem apoyó las muñecas sobre las rodillas huesudas—. Para rebuscar.

—¿Qué encontró tu padre?

El chaval se encogió de hombros.

—¿Puedes llevarme con él?

El chaval miró el anillo que sostenía en su palma mugrienta. Cerró los dedos sobre él, volvió a guardárselo en el bolsillo. Luego miró a Bourne.

—No le diré nada —susurró—. Te lo prometo.

Alem asintió con un gesto y se levantaron. Bourne pidió a Davis antiséptico y una venda para su mano. Luego abandonó el pequeño y sombrío prado de alta montaña y siguió al chico por una senda de pendiente vertiginosa que serpeaba por la ladera helada del Ras Dashén.

Anne no bromeaba al decir que Lerner estaba furioso. Había dos agentes con cara de pocos amigos esperando a Soraya cuando salió del ascensor en el piso de Tifón. Soraya sabía que para estar allí necesitaban autorizaciones emitidas por Tifón. Lo cual significaba que las cosas iban de mal en peor.

—El director en funciones, el señor Lerner, desea hablar con usted —dijo el de la izquierda.

—Debe acompañarnos —añadió el de la derecha.

Ella se dirigió a ellos en su tono más ligero y seductor.

—¿Creéis que puedo arreglarme un poco primero, chicos?

El de la izquierda, el más alto, respondió:

—El director en funciones ha ordenado que suba sin pérdida de tiempo.

Idiotas, eunucos, o ambas cosas. Soraya se encogió de hombros y fue con ellos. En realidad, no podía hacer otra cosa. Mientras avanzaba por el pasillo entre aquellas dos columnas andantes, procuró tranquilizarse. Lo mejor que podía hacer era conservar la cabeza mientras a su alrededor todo el mundo la perdía. No cabía duda de que Lerner iba a pincharla, de que haría todo lo posible por acorralarla. Había oído contar cosas sobre él, y Lerner llevaba, ¿cuánto?, ¿seis meses en la CIA? Sabía que le despreciaba y se ensañaría con ella como un dentista sádico extrayéndole una muela.

Al fondo del pasillo se encontró con el despacho de la esquina. El más alto de los dos agentes tocó a la puerta con los nudillos encallecidos, con un breve redoble militar. Luego abrió y se apartó para dejarla entrar. Pero su doble y él no se marcharon. Entraron en el despacho tras ella, cerraron la puerta y dieron un paso atrás, como si sostuvieran la pared con sus hombros musculosos.

A Soraya se le cayó el alma a los pies. En un abrir y cerrar de ojos, Lerner se había apropiado del despacho de Lindros y había guardado Dios sabía dónde todos sus efectos personales. Las fotos estaban vueltas del revés, de cara a la pared, como si se hallaran ya en el exilio.

El director en funciones estaba sentado ante el escritorio de Lindros, con el robusto culo en la silla de su predecesor, hojeando una carpeta verde pálido (un DOA: dosier de operación en activo) mientras atendía las llamadas de Lindros como si fueran suyas. Eran suyas, se recordó Soraya, y enseguida se deprimió. Deseaba que regresara, rezaba para que Bourne le encontrara y le trajera de vuelta, vivo. ¿Qué, si no, iba a esperar?

—Ah, señorita Moore. —Lerner colgó el teléfono—. Me alegro de que haya vuelto con nosotros. —Sonrió, pero no le ofreció asiento. Estaba claro que quería que siguiera de pie, como una alumna llevada ante el subdirector para recibir un castigo—. ¿Se puede saber dónde ha estado?

Soraya había llamado desde el móvil para informar; sabía que Lerner estaba al corriente de sus movimientos. Por lo visto, el subdirector quería que confesara personalmente. Pensó que era uno de esos hombres para los que el mundo estaba constituido por una serie de cajas del mismo tamaño en las que podían meterlo todo pulcramente, cada cosa en su cubículo. De ese modo se convencía de forma errónea de que podía controlar la caótica realidad.

—He estado acompañando a la madre y a las hermanas de Tim Hytner en Maryland.

—Hay ciertos procedimientos —dijo Lerner secamente—. Y si existen, es por algo. ¿O no se le había ocurrido?

—Tim y yo éramos amigos.

—Es una presunción por su parte creer que la CIA no podía encargarse de eso a su modo.

—Conozco a su familia. Era preferible que se enteraran por mí. Les facilité las cosas.

—¿Cómo? ¿Mintiéndoles? ¿Diciéndoles que Hytner era un héroe, en vez de un inepto que se dejó usar por el enemigo?

Soraya se esforzaba por conservar la calma. Se odiaba a sí misma por dejarse intimidar por aquel hombre.

—Tim no estaba hecho para la acción. —Enseguida comprendió que había cometido un error táctico.

Lerner cogió la carpeta verde.

—Y pese a ello afirma usted por escrito en su informe que fue el propio Jason Bourne quien le hizo meterse en este embrollo.

—Tim estaba intentando descifrar el código que encontramos al registrar a Cevik, el hombre al que ahora conocemos como Fadi. Bourne quería utilizarlo para hacerle hablar.

El semblante de Lerner se tensó como un tambor. A Soraya, sus ojos le parecían orificios de bala: negros, letales, a punto de entrar en erupción. Aparte de eso, parecía un hombre bastante corriente.

Podría haber sido el dependiente de una zapatería, o un oficinista de mediana edad. Pero de eso se trataba, suponía. Un buen agente operativo debía quedar relegado al olvido nada más visto.

—A ver si me aclaro, señorita Moore. ¿Está defendiendo a Jason Bourne?

—Fue Bourne quien identificó a Fadi. Nos ha dado el punto de partida para...

—Es curioso que hiciera esa presunta identificación después de que mataran a Hytner y de dejar escapar a Cevik.

Soraya no daba crédito a lo que estaba oyendo.

—¿Está diciendo que no cree que Cevik sea Fadi?

—Estoy diciendo que lo único que tiene es la afirmación de un delincuente cuya palabra vale tan poco como quepa imaginar. Es extremadamente peligroso permitir que los sentimientos personales alteren nuestro criterio profesional.

—Estoy segura de que ése no es el...

—¿A quién informó de su excursión a casa de los Hytner?

Soraya intentó que sus bruscos cambios de tema no le hicieran perder el equilibrio.

—No tenía a quién informar.

—Pues ahora sí lo tiene. —Cerró enfáticamente la carpeta—. Permítame un consejo, señorita Moore: no vuelva a descarriarse. ¿Entendido?

—Entendido —contestó ella escuetamente.

—Lo dudo. Verá, ha estado usted ausente varios días, así que se ha perdido una importante reunión de personal. ¿Quiere que se la resuma?

—Desde luego —contestó ella entre dientes.

—Pues dicho en dos palabras —añadió Lerner afablemente—, voy a cambiar la misión de Tifón.

—¿Qué?

—Verá, señorita Moore, lo que esta agencia necesita es más acción y menos mirarse el ombligo. Lo que los extremistas islámicos piensen o sientan nos debe traer sin cuidado. Nos quieren muertos. Así que vamos a ir al mar Rojo a patearles el culo. Es así de sencillo.

—Con su permiso, señor, esta guerra no tiene nada de sencillo. No es como otras...

—Dese por enterada, señorita Moore —le espetó Lerner tajantemente.

A Soraya empezaban a revolvérsele las tripas. Aquello no podía estar pasando. Todos los planes de Lindros, todo su arduo
trabajo, se irían por el desagüe. ¿Dónde estaba Lindros cuando le
necesitaban? ¿Aún vivía? Soraya tenía que creer que sí. Pero de
momento era aquel monstruo quien tenía la sartén por el mango.
Por suerte, al menos, el interrogatorio había terminado.

Lerner puso los codos sobre la mesa y juntó las yemas de los
dedos.

—Me pregunto —dijo, cambiando de tema otra vez— si podría aclararme una cosa. —Movió la carpeta arriba y abajo como
si fuera un dedo amonestador—. ¿Cómo se las han arreglado para
cagarla de esa manera?

Ella se quedó muy quieta, a pesar de la rabia que recorría su
cuerpo. Lerner la había inducido a creer que la entrevista había
concluido. Y, de hecho, estaba empezando. Soraya comprendió
que estaba dando rodeos en torno al verdadero motivo por el que
la había mandado llamar.

—Permitió usted que Bourne sacara a Hiram Cevik de la celda. Estaba allí cuando se escapó Cevik. Ordenó la intervención de
los helicópteros. —Dejó caer el dosier sobre la mesa—. ¿Me equivoco en algo?

Soraya pensó un momento en quedarse callada, pero no quería darle esa satisfacción.

—No, en nada —dijo en tono apagado.

—Era usted la agente encargada de custodiar a Cevik. La responsable.

No había nada que alegar. Soraya cuadró los hombros.

—En efecto.

—Hay motivos sobrados para despedirla, ¿no le parece, señorita Moore?

—No lo sé.

—Ése es el problema. Que debería saberlo. Igual que debía saber que Cevik no podía salir de su jaula.

Dijera lo que dijera ella, Lerner encontraba un modo de volverlo en su contra.

—Le ruego me disculpe, pero tenía órdenes de la oficina del director de facilitarle las cosas a Bourne todo lo posible.

Lerner se quedó mirándola un momento. Luego hizo un gesto casi paternal.

—¿Qué coño hace de pie? —preguntó.

Soraya se sentó en una silla, delante de él.

—Respecto al tema de Bourne. —Sus ojos se clavaron en ella—. Parece usted una experta.

—Yo no diría tanto.

—Su historial dice que trabajó con él en Odesa.

—Supongo que puede decirse que conozco a Jason Bourne mejor que muchos agentes.

Lerner se arrellanó en su silla.

—Imagino que no creerá conocer su oficio al dedillo, señorita Moore.

—No. No.

—Entonces confío plenamente en que nos llevaremos bien y en que acabará por tenerme la misma lealtad que a Martin Lindros.

—¿Por qué habla de Lindros como si estuviera muerto?

Lerner no le prestó atención.

—De momento, debo hacer frente a la situación que tenemos entre manos. Como agente al mando, la huida de Cevik es responsabilidad suya. Así pues, no me queda más remedio que pedirle su dimisión.

A Soraya se le puso el corazón en la garganta.

—¿Mi dimisión? —logró decir a duras penas.

Lerner la taladró con la mirada al contestar:

—Una dimisión quedará mejor en su expediente. Eso hasta usted debe comprenderlo.

Soraya se levantó de un salto. Lerner había jugado con ella

hábilmente y con toda crueldad, lo cual la enfurecía aún más. Odiaba a aquel hombre y quería que se enterara. Si no, no le quedaría ni una pizca de autoestima.

—¿Quién coño se ha creído que es, viniendo aquí y avasallando a todo el mundo de esa manera?

—Se acabó, señorita Moore, hemos terminado. Recoja sus cosas. Está despedida.

8

La estrecha y traicionera senda cubierta de hielo por la que le llevaba Alem era tan larga que Bourne pensó que no acabaría nunca. Acabó de pronto, sin embargo, retorciéndose hacia dentro y apartándose del vertiginoso farallón de la montaña para desembocar en un prado alpino mucho más grande que la meseta en la que habían sido derribados los dos Chinooks.

La aldea era poco más que una aglomeración de casuchas destartaladas, ninguna de ellas muy grande. Las calles dispuestas en cuadrícula parecían hechas de estiércol pisoteado. Unas cuantas cabras marrones levantaron la cabeza triangular cuando Bourne y el chico se acercaron, pero parecieron reconocer a Alem y un momento después siguieron mordisqueando matojos de hierba parda y quebradiza. Más allá, unos caballos relincharon y menearon la cabeza al sentir el olor de los hombres.

—¿Dónde está tu padre? —preguntó Bourne.

—En el bar, como siempre. —Alem le miró—. Pero no voy a llevarte con él. Tienes que ir solo. No le digas que te he contado que estuvo rebuscando por allí.

Bourne le hizo una seña de entendimiento.

—Te he dado mi palabra, Alem.

—Ni que me conoces.

—¿Cómo voy a reconocerle?

—Por la pierna. Tiene la pierna izquierda muy delgada, y se nota que es más corta que la derecha. Se llama Zaim.

Bourne estaba a punto de alejarse cuando el chico le puso el anillo de Lindros en la mano.

—Esto lo encontraste tú, Alem...

—Es de tu amigo —dijo el chico—. Si te lo devuelvo, puede que no esté muerto.

Era hora de comer. Otra vez. No importa cómo resistas lo demás, solía decirle Oscar Lindros a su hijo, pero no puedes negarte a comer. Había que conservar las fuerzas. Tus carceleros podían dejarte morir de hambre, claro, pero sólo si te querían muerto, y estaba claro que no era el caso de Duyya. Podían drogar tu comida, desde luego, y cuando la tortura resultó infructuosa, eso fue lo que hicieron los secuestradores de Martin Lindros. Sin resultado. Lo mismo podía decirse de la privación sensorial. Martin Lindros tenía la mente acorazada. Su padre se había encargado de ello. El pentotal sódico, por ejemplo, le había hecho parlotear como un niño, pero de nada útil. Todo lo que querían saber estaba dentro de la cámara acorazada, inaccesible a ellos.

Seguían un horario, de modo que ahora le dejarían más o menos en paz. Le alimentaban con regularidad, aunque a veces sus carceleros escupían en la comida. Uno de ellos se había negado a limpiarle cuando defecó en sus pantalones. Cuando el hedor se hizo insoportable, sacaron una manguera. El gélido chorro a presión le tumbó, estrellándole contra la pared de roca. Se quedó allí tendido durante horas, mientras la sangre y el agua se mezclaban en rosados riachuelos y él iba sacando truchas del apacible lago, una tras otra.

Pero de eso hacía semanas, o al menos eso le parecía. Ahora estaba mejor. Incluso habían llevado un médico que le cosió los peores cortes, le vendó y le atiborró de antibióticos para controlar la fiebre que se había apoderado de él.

Ahora podía salir del lago durante periodos de tiempo cada vez más largos. Podía fijarse en su entorno, consciente de que estaba en una cueva. A juzgar por el frío y por el aullido del viento que se arremolinaba en la boca de la cueva, se hallaba a gran altitud, seguramente en alguna parte del Ras Dashén. No veía a Fadi, pero de vez en cuando veía a su lugarteniente, un tal Abbud ibn Aziz. Aquel hombre había sido el encargado de interrogarle cuando Fadi no logró quebrantarle en los primeros días de su cautiverio.

Lindros conocía bien a los hombres del tipo de Abbud ibn Aziz. Era esencialmente un salvaje: es decir, la civilización le era ajena. Siempre lo sería. Sólo se sentía a gusto en el desierto sin sendas, donde había nacido y crecido. Lindros lo dedujo del árabe que hablaba: Abbud ibn Aziz era un beduino. Su comprensión del bien y el mal era absolutamente maniquea; estaba grabada en piedra. En ese sentido, era igual que Oscar Lindros.

Abbud ibn Aziz parecía disfrutar hablando con Lindros. Tal vez se regodeaba en la impotencia del prisionero. O quizá sentía que, si hablaban lo suficiente, Lindros caería víctima del síndrome de Estocolmo y acabaría viéndole como un amigo e identificándose con su captor. O tal vez estaba haciendo sencillamente el papel de poli bueno, porque siempre era él quien le secaba con una toalla después de los chapuzones con la manguera y quien le cambiaba de ropa cuando Lindros estaba demasiado débil o enajenado para hacerlo por sí mismo.

Lindros no era persona a la que pudiera tentar el deseo de salir de su aislamiento, de hacer amigos. Siempre le había costado trabar amistades; le parecía mucho más fácil estar solo. De hecho, su padre había dado pábulo a aquella tendencia suya. Ser un solitario era una virtud si uno aspiraba a ser un espía, le decía Oscar. Aquella inclinación también había quedado consignada en su expediente personal durante el mes que duraron las pruebas extenuantes ideadas por los sádicos psicólogos de la CIA, justo antes de que le aceptaran en la agencia.

A esas alturas, sabía muy bien lo que Abbud ibn Aziz quería de él. Al principio, le había parecido un misterio que el terrorista buscara información sobre una misión contra Hamid ibn Ashef que la CIA había montado años antes. ¿Qué tenía que ver Hamid ibn Ashef con Abbud ibn Aziz?

Querían también más cosas de él, claro está. Muchas más. Y a pesar de la aparente obsesión de Abbud ibn Aziz, Lindros había notado con interés que únicamente le interrogaba sobre la misión contra Ibn Ashef cuando estaban a solas.

De ello había deducido que aquellas preguntas obedecían a un interés personal que nada tenía ver con los motivos que Duyya tenía para secuestrarle.

—¿Cómo te sientes hoy?

Abbud ibn Aziz estaba delante de él. Había llevado dos platos de comida idénticos. Puso uno en las manos de Lindros. En lo tocante a comidas, Lindros conocía bien los preceptos coránicos. Todo alimento pertenecía a una de dos categorías: o era *haram* o era *halal*: o estaba prohibido, o estaba permitido. Allí, por descontado, toda la comida era estrictamente *halal*.

—Lo siento, hoy no hay café —dijo Abbud—. Pero los dátiles y el requesón están buenos.

Los dátiles estaban un poco secos y el requesón tenía un sabor extraño. Aquellas cosas eran pequeñas pero significativas en el mundo que habitaba Lindros. Los dátiles se estaban secando, el requesón empezaba a agriarse y no había café. Las provisiones habían dejado de llegar. ¿Por qué razón?

Comieron ambos con la mano derecha, enseñando los dientes al morder la carne oscura de los dátiles. La mente de Lindros funcionaba a toda prisa.

—¿Qué tiempo hace? —preguntó pasado un rato.

—Frío, y con este viento constante parece que hace más frío aún. —Abbud se estremeció—. Se acerca otra borrasca.

Lindros sabía que estaba acostumbrado a temperaturas de más de treinta y siete grados, a que hubiera arena en la comida, al blanco resplandor del sol y al bendito frescor de una noche estrellada. Aquel frío profundo e infinito le resultaba insoportable, y eso por no hablar de la altitud. Sus huesos y sus pulmones debían de protestar como viejos en una marcha forzada. Lindros le vio apoyar su Ruger semiautomático en el hueco del brazo izquierdo.

—Estar aquí debe de ser muy penoso para ti. —Su comentario no era un simple intento de conversar.

Abbud se encogió de hombros y acabó tiritando de nuevo.

—El desierto no es lo único que echas de menos. —Lindros dejó su plato a un lado. Recibir palizas casi constantes día tras día le dejaba a uno sin apetito—. Añoras el mundo de tus padres, ¿verdad?

—La civilización occidental es una abominación —dijo Abbud—. Su influencia en nuestra sociedad es como una enfermedad infecciosa que hay que erradicar.

—Os da miedo la civilización occidental porque no la entendéis.

Abbud escupió un hueso de dátil, blanco como el culo de un bebé.

—Lo mismo podría decir yo de los americanos.

Lindros asintió.

—Y tendrías razón. Pero ¿dónde nos deja eso?

—En bandos enemigos.

Bourne recorrió con la mirada el interior del bar. Se parecía mucho al exterior: las paredes eran de madera y piedra desnuda y estaban cubiertas de una capa de zarzo. El suelo era de estiércol prensado. Olía a fermentación humana y alcohólica. El fuego de boñigas que rugía en la chimenea de piedra caldeaba el ambiente y le daba un olor peculiar. Dentro había un puñado de amharas, todos ellos en diversos grados de embriaguez. De otro modo, la aparición de Bourne habría levantado más revuelo. En realidad, apenas despertó interés.

Se acercó a la barra dejando un rastro de nieve. Pidió una cerveza, que por fortuna le sirvieron embotellada. Calibró el lugar mientras se bebía el líquido fino y extrañamente salobre. No había mucho que ver, en realidad: sólo una habitación rectangular con algunas mesas dispersas de tosca fabricación y sillas sin respaldo parecidas a taburetes. Aun así, lo consignó todo en su memoria, componiendo de cabeza una especie de plano del local, por si el peligro asomaba la cara o se veía obligado a escapar a toda prisa. Poco después vio al hombre de la pierna tullida. Zaim estaba sentado solo en un rincón, con una botella de algún brebaje alcohólico en una mano y un vaso sucio en la otra. Tenía una mirada hosca y la tez reseca y cuarteada de un nativo de la montaña. Miró vagamente a Bourne cuando se acercó a su mesa.

Éste enganchó la pata de un taburete con el pie, lo apartó de la mesa y se sentó frente al padre de Alem.

—Déjame en paz, maldito turista—masculló Zaim.

—No soy un turista —respondió Bourne en el mismo dialecto.

El padre de Alem abrió los ojos de par en par, volvió la cabeza y escupió en el suelo.

—Aun así, algo querrás. Nadie se atreve a subir a lo alto del Ras Dashén en invierno.

Bourne dio un largo trago a su cerveza.

—Tienes razón, claro. —Notó que la botella de Zaim estaba casi vacía y le preguntó—: ¿Qué estás bebiendo?

—Polvo —contestó el padre de Alem—. Aquí no hay otra cosa que beber. Polvo y ceniza.

Bourne fue a pedir otra botella y la dejó sobre la mesa. Cuando se disponía a llenarle el vaso, Zaim le agarró la mano.

—No hay tiempo —masculló en voz baja—. Has traído contigo a tu enemigo.

—No sabía que tuviera un enemigo. —No tenía sentido decirle la verdad a aquel hombre.

—Vienes del Solar de los Muertos, ¿verdad? —Zaim le miraba fijamente con sus ojos acuosos—. Te has metido en el cascarón metálico de esos pájaros de guerra, has removido los huesos de los guerreros sepultados allí. No te molestes en negarlo. Todo el que lo hace atrae enemigos como un cadáver podrido atrae a las moscas. —Movió la mano libre. Sus manos y sus dedos callosos estaban recubiertos por una capa de polvo tan incrustada en la piel que era imposible lavarla—. Te lo huelo.

—No conozco a ese enemigo, de momento —respondió Bourne.

Zaim sonrió, dejando a la vista los pocos dientes que le quedaban en la boca. El aliento le olía a podrido, como una tumba.

—Entonces me he vuelto valioso para ti. Más valioso que una botella de licor.

—¿Mis enemigos estaban escondidos, vigilando el Solar de los Muertos?

—¿Cuánto estás dispuesto a pagar por ver el rostro de tu enemigo? —preguntó Zaim.

Bourne deslizó dinero sobre la mesa.

El hombre lo cogió con una mano semejante a una garra.

—Tu enemigo vigila el Solar, sí, de día y de noche. Es como una telaraña, ¿comprendes? Quiere ver qué insectos atrae.

—¿Qué más le da a él?

Zaim se encogió de hombros.

—A él, muy poco.

—Entonces, hay alguien más.

El padre de Alem se inclinó hacia él.

—Somos peones, ¿comprendes? Nacimos para ser peones. ¿Para qué otra cosa valemos? ¿Cómo vamos a ganarnos la vida, si no? —Volvió a encogerse de hombros—. Aun así, no siempre puede mantenerse a raya la desgracia. Las penas llegan tarde o temprano, siempre de la manera más dolorosa.

Bourne pensó en el hijo de Zaim, enterrado vivo por un corrimiento de tierras. No podía decir nada, sin embargo: se lo había prometido a Alem.

—Estoy buscando a un amigo mío —dijo con voz suave—. Llegó al Ras Dashén en el primer pájaro. Su cuerpo no está en el Solar de los Muertos. Así que creo que está vivo. ¿Sabes algo de eso?

—¿Yo? Yo no sé nada. Cosas que oigo de pasada, aquí y allá. —Se rascó la barba con uñas negras y retorcidas—. Pero hay una persona que quizá pueda ayudarte.

—¿Puedes llevarme hasta esa persona?

Zaim sonrió.

—Eso depende completamente de ti.

Bourne empujó otro fajo de billetes por la mesa manchada. El hombre lo cogió, gruñó y lo guardó, doblándolo.

—De todos modos —añadió—, no podemos hacer nada mientras tu enemigo vigila. —Frunció los labios pensativamente—. El ojo de tu enemigo está sentado con las piernas abiertas detrás de ti, a tu izquierda. Un soldado de a pie, podría decirse, no un mando.

—Ahora tú también estás implicado —dijo Bourne, señalando con la cabeza el lugar donde Zaim se había guardado el dinero.

El padre de Alem se encogió de hombros.

—No me preocupa. Conozco a ese hombre; conozco a su gente. No me pasará nada por hablar contigo, te lo aseguro.

—Quiero quitármelo de encima —dijo Bourne—. Quiero que el ojo duerma.

—Claro, claro. —Zaim se frotó la barbilla—. Todo puede arreglarse, hasta algo tan difícil como eso.

Bourne le pasó más dinero y el padre de Alem se mostró aparentemente satisfecho, al menos de momento. Bourne pensó que parecía una máquina tragaperras de Las Vegas: no pararía de sacarle dinero hasta que se marchara de allí.

—Espera exactamente tres minutos, ni más, ni menos, y luego sígueme. —Zaim se levantó—. Camina cien pasos por la calle principal, luego tuerce a la izquierda, hacia el callejón, y coge la primera a la derecha. No puedo arriesgarme a que me vean ayudarte, claro. En todo caso, confío en que sepas qué hacer. Después aléjate sin volver sobre tus pasos. Yo te encontraré.

—Tienes un mensaje —dijo Peter Marks cuando Soraya volvió a Tifón a vaciar su mesa.

—Cógelo tú, Pete —contestó ella en tono apagado—. A mí me han despedido.

—¿Qué coño...?

—El director en funciones ha hablado.

—Se va a cargar todo lo que Lindros quería hacer con Tifón.

—Eso parece.

Cuando se disponía a volverse, Peter la agarró del brazo y la hizo girarse. Era un joven de complexión recia y ojos hundidos, con el pelo de color maíz y un leve y seco acento de Nebraska.

—Soraya, quería decirte que, por mi parte, o por la de todos, en realidad, nadie te culpa por lo que le pasó a Tim. A veces las cosas se tuercen. Y por desgracia, en este oficio, cuando eso pasa se tuercen de verdad.

Ella respiró hondo y dejó escapar el aire lentamente.

—Gracias, Pete. Te lo agradezco.

—Imagino que te estás fustigando por dejar que Bourne os metiera en este lío.

Ella se quedó callada un momento, sin saber qué sentía.

—No fue culpa de Bourne —dijo por fin—, ni tampoco mía. Sencillamente, ocurrió, Pete. Eso es todo.

—Sí, ya, claro. Lo que quería decir es que, bueno, ya sabes, que Bourne es otro tío de fuera que nos impuso el Viejo. Como ese cabrón de Lerner. Si quieres que te diga la verdad, creo que el Viejo está perdiendo la cabeza.

—Eso ya no es de mi incumbencia —contestó Soraya mientras echaba a andar hacia su despacho.

—Pero el mensaje...

—Ocúpate tú, anda, Pete.

—Pero aquí pone que es urgente. —Le tendió la nota—. Es de Kim Lovett.

Cuando Zaim se marchó, Bourne entró en el aseo, que olía como las jaulas de un zoo, y llamó a Davis por el teléfono Thuraya.

—Acaban de informarme de que la zona está vigilada —dijo—. Así que mantén los ojos bien abiertos.

—Lo mismo digo —contestó Davis—. Se aproxima una borrasca.

—Lo sé. ¿Nuestra estrategia de salida se verá comprometida?

—No te preocupes. De eso ya me encargo yo.

Bourne salió de la mugrienta letrina y pagó la cuenta en la barra. Mientras efectuaba la transacción miró de soslayo al «ojo de su enemigo», como le había llamado Zaim, y enseguida notó que era un amhara. El hombre no se molestó en bajar la mirada; por el contrario, observaba a Bourne con patente hostilidad. A fin de cuentas, estaba en su terreno. Se sentía seguro en su casa y, en circunstancias normales, era lógico que así fuera.

Bourne, que había empezado a contar mentalmente los tres minutos en cuanto Zaim salió del bar, se dio cuenta de que era hora de irse. Decidió pasar junto al Ojo de camino a la puerta, y le satisfizo ver que el amhara se ponía tenso al verle acercarse. Se llevó la mano a la cadera derecha, donde llevaba escondida el arma. Bourne supo entonces lo que tenía que hacer.

Salió del bar. Mientras contaba los pasos en silencio, notó que el Ojo había salido a la calle detrás de él. Apretó el paso para que tuviera que correr para alcanzarle y, al llegar a la esquina que le había descrito Zaim, dobló a la izquierda y tomó un estrecho callejón abarrotado de nieve. Casi enseguida vio la bocacalle de la derecha y dobló rápidamente la esquina.

Había dado sólo dos pasos cuando se volvió y, pegándose a la pared helada, esperó a que apareciera el Ojo. Le agarró y le empujó contra la esquina del edificio con tal fuerza que le castañetearon ruidosamente los dientes. Con un golpe a un lado de la cabeza, le dejó inconsciente.

Un momento después, Zaim entró renqueando en el callejón.

—¡Deprisa! —dijo en voz baja—. Hay dos más con los que no contaba.

Condujo a Bourne al siguiente cruce de callejones y torció a la izquierda. De pronto se encontraron a las afueras de la aldea. La densa costra de nieve crujía. A Zaim le costaba avanzar, sobre todo al ritmo que él mismo había marcado. Poco después, sin embargo, llegaron a un cobertizo desvencijado detrás del cual pastaban tres caballos.

—¿Qué tal se te da montar a pelo? —preguntó.

—Puedo arreglármelas.

Bourne puso la mano sobre el morro de un caballo gris, lo miró a los ojos y montó. Inclinándose hacia delante, agarró a Zaim por encima del codo para ayudarle a subir a un alazán. Juntos volvieron grupas de cara al viento y partieron a medio galope.

El padre de Alem iba derecho hacia una hilera de árboles, pero al mirar hacia atrás Bourne vio que era demasiado tarde. Dos hombres a caballo (sin duda los amharas que preocupaban a Zaim) se acercaban a ellos velozmente.

Hizo un cálculo rápido y descubrió que los amharas les alcanzarían unos doscientos metros antes de que pudieran perderse en el bosque. Acercó la cabeza a la crin del caballo y clavó con fuerza los talones en sus costados. Dando un salto, el animal se precipitó hacia los árboles. Zaim se quedó pasmado un momento; luego aguijó a su montura y salió detrás de él.

Cuando estaban a medio camino, Bourne comprendió que no lo lograrían. Sin pensarlo dos veces, apretó los flancos del caballo con las rodillas y tiró de su crin hacia la derecha. El animal dio media vuelta sin perder el paso y, antes de que sus perseguidores tuvieran tiempo de reaccionar, Bourne se lanzó hacia ellos a galope tendido.

Se separaron, tal y como había previsto. Inclinándose a su derecha, echó la pierna izquierda hacia atrás y lanzó una patada desde la cadera. Su bota de suela extragruesa impactó con el pecho de uno de los amharas, derribándole del caballo. Al otro le dio tiempo a dar la vuelta. Había sacado una pistola (una Makarov de nueve milímetros, vieja pero mortal) y le apuntaba con ella.

Sonó un disparo y el amhara salió despedido de la manta que le servía de silla. Al volverse, Bourne vio a Zaim erguido y con un arma en la mano. Le hizo señas con la otra mano y juntos se dirigieron a toda velocidad hacia el lindero de abetos.

Cuando entraban en el bosque, otro disparo arrancó algunas ramas por encima de sus cabezas. El amhara al que había descabalgado Bourne había vuelto a montar e iba tras ellos.

Zaim les llevó serpeando entre los árboles. El aire era mucho más frío y húmedo. Incluso allí, al abrigo del bosque, el viento helado atravesaba sus cuerpos y sacudía las ramas más altas, desprendiendo de cuando en cuando cúmulos de nieve. Bourne, que pensaba en su perseguidor, no conseguía sacudirse el hormigueo que le recorría la espalda, pero aun así seguía avanzando detrás del alazán.

El terreno comenzó a descender, al principio poco a poco, luego bruscamente. Los caballos agacharon la cabeza y comenzaron a bufar como si de ese modo barruntaran mejor las piedras enterradas, cuya superficie curva, que el hielo volvía resbaladiza, convertía el camino en un despeñadero.

Bourne oyó un chasquido tras él y espoleó al caballo. Quería preguntarle a Zaim adónde se dirigían y si estaban muy lejos, pero alzando la voz sólo conseguiría descubrir su posición en el laberinto del bosque. Mientras pensaba en esto, divisó un claro entre los árboles y, un instante después, el brillo denso de una capa de hielo. Estaban llegando a un río que serpenteaba en pendiente desde el borde de un prado alpino al de más abajo.

En ese momento oyó un disparo. Un instante después, el caballo de Zaim se desplomó. El hombre cayó al suelo. Bourne aguijó a su montura, estiró el brazo y le ayudó a montar detrás de él.

Estaban casi en la orilla del río helado. Otro disparo quebró unas ramas allí cerca.

—¡Tu pistola! —dijo Bourne.

—La perdí cuando me caí del caballo —contestó angustiado Zaim.

—Aquí somos como dianas.

Bourne le bajó al suelo cubierto de nieve y desmontó. Dio una fuerte palmada al caballo en la grupa y el animal echó a galopar por el bosque, más o menos en paralelo al curso del río.

—¿Y ahora qué? —Zaim se dio una palmada en la pierna herida—. Con esto, estamos perdidos.

—Vamos. —Bourne le agarró por la gruesa chaqueta de lana y comenzó a correr por la ribera del río.

—¿Qué haces? —Tenía los ojos dilatados por el miedo.

Bourne le levantó en vilo un instante antes de pisar el hielo. Intentó equilibrar el peso de Zaim y comenzó a mover las piernas en largas zancadas, como un patinador. Utilizando como patines las puntas metálicas incrustadas en las suelas de sus botas, fue ganando velocidad a medida que el río descendía por la ladera.

Tomaba con destreza los meandros del río, pero apenas controlaba su velocidad; se movía cada vez más aprisa conforme el curso del río se hacía más abrupto.

Al doblar otro recodo, Zaim soltó un grito inarticulado. Un momento después Bourne comprendió por qué. A menos de mil metros de allí, el río se interrumpía bruscamente y caía formando una cascada, helada ahora como una foto fija.

—¿Qué altura tiene? —gritó Bourne para hacerse oír por encima del aullido del viento que le daba en la cara.

—Demasiada —gimió Zaim, aterrorizado—. ¡Demasiada, demasiada!

9

Bourne intentó virar a derecha o izquierda, pero no pudo. Volaba por un pliegue del hielo que no le permitía cambiar de dirección. De todos modos, ya era demasiado tarde. Tenían encima el borde erizado de la cascada, de modo que hizo lo único que se le ocurrió: se dirigió hacia el centro exacto, donde el agua era más honda y el hielo más fino.

Alcanzaron el borde a toda velocidad, lo que, unido a su peso, logró romper la fina costra de hielo que se había formado sobre la corriente. Se zambulleron en la cascada y cayeron dando volteretas mientras el agua helada los dejaba sin aliento y helaba sus miembros.

Mientras caía, Bourne procuró no desorientarse. Era lo que más le preocupaba. Si perdía el sentido de la orientación, moriría ahogado o congelado antes de lograr romper el hielo de la base de la cascada. Temía, además, otra cosa: si se alejaba demasiado de la base, la capa de hielo se volvería tan gruesa que probablemente no podría romperla.

La luz y la sombra, el negro azulado y el gris ópalo desfilaban ante sus ojos mientras caía dando tumbos entre el agua revuelta. En cierto momento se golpeó el hombro con un saliente de roca. El dolor le atravesó como una sacudida eléctrica y, al cesar bruscamente su caída, buscó la luz en medio de la maraña de la oscuridad. Pero no había ninguna luz. La cabeza le daba vueltas. Tenía las manos entumecidas casi por completo. La falta de oxígeno y el esfuerzo físico lastraban los latidos de su corazón.

Comenzó a bracear. Entonces se dio cuenta de que tenía casi encima el cuerpo de Zaim. Al apartarlo, vio brillar tras él una luz nacarada y supo dónde estaba la superficie. El padre de Alem parecía estar inconsciente. De un lado de la cabeza le salía un hilillo de sangre, y dedujo que también se había golpeado con una roca.

Rodeando con un brazo su cuerpo inerme, Bourne empezó a impulsarse hacia arriba pataleando con fuerza. Pero su cabeza golpeó la capa de hielo antes de lo que esperaba. Y el hielo no cedió.

Le estallaba la cabeza y las cintas de sangre que manaban de la herida de Zaim le impedían ver con claridad. Arañó el hielo, pero no encontró dónde agarrarse. Se deslizó bajo la costra helada buscando una grieta, una imperfección de la que valerse. Pero el hielo era más grueso de lo que imaginaba incluso allí, en la base de la cascada. Le ardían los pulmones y el dolor de cabeza motivado por la falta de oxígeno pronto sería insoportable. Tal vez Zaim ya estuviera muerto. Él lo estaría, desde luego, si no conseguía salir a la superficie.

Un fuerte remolino amenazó con mandarlos hacia la oscuridad, donde la capa de hielo era más gruesa y hallarían una muerte segura. Mientras luchaba por salir del remolino, Bourne rozó algo con las uñas: no una grieta, sino una depresión en el hielo. Vio que un lado dejaba entrar más luz y concentró en él sus esfuerzos. Pero sus puños, convertidos en burdas pesas por el entumecimiento, no le sirvieron de nada.

Sólo le quedaba una oportunidad. Soltó a Zaim y nadó hacia abajo, a oscuras, hasta tocar el fondo del río. Dándose la vuelta, encogió las piernas y se lanzó hacia arriba en línea recta. Golpeó la capa de hielo con la coronilla y la oyó crujir y romperse cuando sacó la cabeza y los hombros al dulce aire. Aspiró una, dos, tres veces. Luego volvió a zambullirse. No encontraba al padre de Alem. El potente remolino se había apoderado de él y le había lanzado hacia la oscuridad.

Bourne comenzó a mover las piernas a contracorriente y, estirándose por completo, consiguió agarrar a Zaim por el tobillo. Le arrastró despacio pero con firmeza hacia la luz, le introdujo a través del agujero de bordes desiguales practicado en el hielo y le dejó tendido sobre el lecho helado del río antes de salir del agua.

Habían emergido justo al este de la cascada, junto a una densa franja del bosque de abetos que se extendía uniformemente hacia el norte y el este.

Se quedó un momento agachado a la sombra de los árboles, recobrando el aliento. Pero no había tiempo que perder. Comprobó las constantes vitales de Zaim: el pulso, la respiración, las pupilas. Estaba vivo. Examinó la herida y constató que era superficial. El duro cráneo de ese hombre había cumplido su función, protegiéndole de una lesión grave.

El problema ahora, aparte de detener la hemorragia, era secarle para que no muriera congelado. A Bourne le había protegido en parte su mono isotérmico, aunque vio que en algunas partes estaba muy erosionado por la violenta caída por la cascada. El agua comenzaba a helarse sobre su piel. Se bajó la cremallera un momento, arrancó una manga de su camisa, la rellenó de nieve y rodeó con ella la herida de Zaim. Luego lo cargo, todavía inconsciente, sobre el hombro intacto y subió por la traicionera orilla para adentrarse en el bosque. Sentía cómo el frío iba calando lentamente en sus codos y sus hombros, donde la capa externa del traje estaba hecha jirones.

Zaim pesaba cada vez más, pero siguió adelante, alejándose del río en dirección noreste. Afloró entonces un vago recuerdo: una visión semejante a la que había tenido al aterrizar en el Ras Dashén, pero más precisa. Si no se equivocaba, unos kilómetros más allá había otra aldea, más grande que la del padre de Alem.

Un ruido familiar, el relincho de un caballo, le hizo detenerse de pronto. Apoyó cuidadosamente a Zaim contra el tronco de un árbol y avanzó con cautela en dirección a aquel ruido. A unos quinientos metros encontró un pequeño calvero. El caballo gris estaba allí, hozando entre la nieve en busca de hierba que comer. El animal parecía haber seguido el curso del río hasta llegar a aquel espacio abierto. Era justo lo que Bourne necesitaba para ponerse a salvo con Zaim.

Estaba a punto de salir al claro cuando el caballo levantó la cabeza y dilató las aletas de la nariz. ¿Qué había olido? El viento giraba en remolinos, arrastrando consigo el olor del peligro.

Bourne creyó comprender y dio las gracias en silencio al animal. Volvió a meterse entre los árboles y comenzó a avanzar hacia su izquierda en círculo, sin perder de vista el claro y con el viento de cara. Cuando había rodeado aproximadamente una cuarta parte del claro, distinguió una mancha de color y un leve movimiento. Mientras se dirigía en diagonal hacia aquel punto, vio que era el amhara al que había tirado de su montura de una patada. Tal vez hubiera llevado el caballo hasta allí como señuelo, para atraerlos al calvero del bosque si uno de los dos o ambos sobrevivían a la cascada.

Manteniéndose agazapado, se abalanzó por sorpresa sobre el etíope. Cayó con un gruñido y, mientras le golpeaba, el hombre logró desasir la mano izquierda y sacar un cuchillo curvo. Descargó un golpe, derecho hacia el costado expuesto de Bourne, justo por encima del riñón. Éste rodó de lado para quitarse del alcance del amhara, cerró al mismo tiempo los tobillos en torno a su cuello y los movió de atrás adelante. Con un giro veloz y violento, le rompió el cuello.

Se levantó y le quitó el cuchillo, la funda y la Makarov de nueve milímetros. Después salió al claro y llevó el caballo al lugar donde yacía Zaim. Terció a éste sobre la recia espalda del animal, montó y echó a galopar entre los abetos, ladera abajo, dirigiéndose de memoria hacia la aldea.

Cuando Soraya Moore entró en el laboratorio de la Unidad de Investigación de Incendios, Kim Lovett seguía debatiendo las pruebas con el detective Overton.

Tras presentarles, puso a Soraya al corriente del caso sin perder un instante. Después le pasó los dos dientes de porcelana.

—Encontré esto en el desagüe de la bañera de la suite —dijo—. A simple vista, podría pasar por un puente dental, pero creo que no lo es.

Soraya miró los huecos interiores y se acordó de que había visto algo muy parecido en casa de Deron. Al examinar los dientes con detenimiento comprendió que eran de excelente factura.

No había duda de que formaban parte del arsenal de un camaleón de primera clase. Estaba segura de qué era lo que tenía en las manos y de a quién pertenecía. Creía que había terminado con todo aquello cuando Lerner la echó de Tifón, pero ahora sabía que no era así. Quizá lo había sabido desde el principio. No había acabado con Fadi, ni mucho menos.

—Tienes razón, Kim —dijo—. Es una prótesis.

—¿Una prótesis? —repitió Overton—. No entiendo.

—Es una funda —explicó Soraya—. Encaja perfectamente sobre dientes sanos, pero no se utiliza para sustituir dientes dañados, sino para alterar la forma de la boca y la mandíbula. —Se puso la prótesis. Aunque le quedaba grande, Kim y Overton se quedaron perplejos al ver cuánto cambiaba la forma de su boca y sus labios—. Lo que significa que ese tal Jakob Silver y su hermano usaban nombres falsos —dijo al sacarse los dientes, y añadió mirando a Kim—: ¿Te importa que me lleve esto?

—No, llévatelo. Pero tendré que registrarlo.

Overton sacudió la cabeza.

—Nada de esto tiene sentido.

—Tiene mucho sentido, si se conocen bien los hechos. —Soraya les explicó lo ocurrido en la sede de la CIA—. El hombre que simulaba ser Hiram Cevik, un empresario de Ciudad del Cabo, es en realidad un saudí que se hace llamar Fadi, un líder terrorista cuyos contactos en las altas esferas parecen proporcionarle inmensas cantidades de dinero. Desapareció a unas pocas calles del lugar donde le recogió el Hummer. —Levantó la prótesis—. Ahora sabemos adónde fue.

Kim pensó en todo lo que les había contado Soraya.

—Entonces los restos que encontramos no pertenecen a ninguno de los dos hermanos.

—Lo dudo mucho. El fuego parece una maniobra de distracción para escapar de Washington. Y del país, por tanto. —Soraya se acercó a la bandeja metálica, poco profunda, en la que Kim había colocado los huesos hallados en la bañera—. Creo que éstos son los restos de Omar, el camarero pakistaní.

—¡Dios santo! —*Por fin llegamos a alguna parte*, pensó Overton—. Entonces, ¿cuál de los hermanos era Fadi?

Soraya se volvió hacia él.

—Jakob, indudablemente. Fue Lev quien se registró en la suite. Fadi estaba en Ciudad del Cabo, y luego en nuestro poder.

Overton estaba eufórico. Al fin iba a cambiar su suerte. Había encontrado un filón con aquellas dos. Pronto tendría información suficiente para pasársela a Seguridad Nacional. Y de un plumazo se convertiría en el nuevo recluta y flamante héroe de la agencia.

Soraya se volvió hacia Kim.

—¿Qué más encontraste?

—Muy poco, aparte de la sustancia inflamable. —Cogió una hoja de papel impreso—. Era bisulfuro de carbono. No recuerdo cuándo fue la última vez que me lo encontré. En los incendios provocados suele usarse acetona o keroseno, o alguna sustancia parecida, fácil de conseguir. —Se encogió de hombros—. Claro que en este caso es hasta cierto punto lógico que usaran bisulfuro de carbono. Es más peligroso que el resto de sustancias inflamables debido a su bajo punto de deflagración y a la posibilidad de que explosione una vez prendido. Fadi quería que reventaran las ventanas para que el oxígeno añadido alimentara las llamas. Pero hay que ser un verdadero profesional para utilizarlo sin saltar por los aires.

Soraya echó un vistazo a la hoja que le había pasado Kim.

—Es Fadi, no hay duda. ¿Dónde se consigue esa sustancia?

—Hay que tener acceso a una fábrica o a alguno de sus proveedores —contestó la experta en incendios—. Se usa para fabricar celulosa, tetracloruro de carbono y otros compuestos orgánicos de azufre.

—¿Me prestas tu ordenador?

—Estás en tu casa.

Soraya se sentó a la mesa de Kim y abrió el buscador de Internet. Tecleó «bisulfuro de carbono» en la página de Google.

—La celulosa se emplea en la fabricación de celofán y rayón —dijo mientras leía el texto que aparecía en pantalla—. El tetracloruro de carbono era antes un componente esencial de los extintores de incendios y los sistemas de refrigeración, pero se ha abandonado por su toxicidad. El ditiocarbamato, el dmit y el xantato son agentes de flotación en el procesamiento de minerales. También se usan para hacer metam sodio, un pesticida agrícola.

—Lo que está claro —dijo Kim— es que no se puede comprar en la ferretería del barrio. Es difícil encontrarlo.

Soraya asintió.

—Y eso presupone un conocimiento previo de la sustancia y de sus características específicas. —Anotó algo en su PDA y se levantó—. Bueno, me marcho.

—¿Puedo acompañarla? —dijo Overton—. Hasta que apareció usted, me estaba dando de cabezazos contra este caso.

—Creo que no. —Soraya miró a Kim—. Iba a decírtelo al llegar. Me han despedido.

—¿Qué? —Kim parecía atónita—. ¿Por qué?

—Al nuevo director en funciones no le agrada mi vena rebelde. Supongo que está empeñado en imponer su autoridad. Y hoy ha decidido fastidiarme a mí.

Kim se acercó y la abrazó, comprensiva.

—Si puedo hacer algo...

Soraya sonrió.

—Sé a quién llamar. Gracias.

Estaba tan ensimismada que no vio que un gesto de contrariedad ensombrecía el semblante del detective Overton. Nadie iba a frustrar sus planes, estando tan cerca de la meta.

Había empezado a nevar cuando Bourne y Zaim alcanzaron la aldea. Estaba allí, alojada en un valle estrecho como una pelota en el cuenco de la mano, tal y como recordaba. Las nubes, bajas y opresivas, hacían que las montañas parecieran pequeñas e insignificantes, como si estuvieran a punto de quedar aplastadas por un choque de titanes. Bourne se encaminó hacia el campanario de la iglesia, el edificio que más destacaba.

Zaim se removió y dejó escapar un gemido. Se había despertado hacía un rato y Bourne le había bajado del caballo a tiempo de que vomitara copiosamente entre los abetos sibilantes. Le hizo comer un poco de nieve para hidratarle. Estaba débil y mareado, pero cuando le explicó lo sucedido pareció entenderlo todo. Se dirigían, le dijo, a un campamento situado justo a las afueras de la población, si no le fallaba la memoria.

Ahora habían llegado a la aldea. Aunque estaba deseando encontrarse con la persona que, según Zaim, podía conducirle hasta Lindros, la ropa del amhara ya se había helado; si no se calentaba pronto, la tela le arrancaría la piel cuando se la quitara.

El caballo, al que Bourne había hecho avanzar a galope tendido por los profundos bancos de nieve, estaba casi agotado cuando llegaron a las inmediaciones del campamento. Tres amharas aparecieron como salidos de la nada, blandiendo cuchillos curvos parecidos al que él le había quitado al hombre al que había partido el cuello.

Bourne los estaba esperando. Ningún campamento se dejaba sin vigilancia. Se quedó muy quieto sobre el caballo jadeante mientras los amharas bajaban a Zaim. Al ver quién era, uno de ellos corrió a la tienda que ocupaba el centro del campamento. Volvió unos minutos después con otro que parecía ser el *nagus*, el jefe tribal.

—Zaim —dijo el amhara—, ¿qué te ha pasado?

—Me ha salvado la vida —masculló el hombre.

—Y él a mí. —Bourne se bajó del caballo—. Nos atacaron de camino aquí.

Si al jefe le sorprendió que un norteamericano hablara amárico, no dio muestras de ello.

—Como todos los occidentales, has traído a tus enemigos contigo.

Bourne se estremeció.

—Eso sólo es verdad a medias. Los que nos atacaron eran tres soldados amharas.

—Tú sabes quién les paga —dijo Zaim con voz débil.

El *nagus* lo reconoció.

—Llevadlos a mi choza, allí estarán calientes.

Abbud ibn Aziz escudriñaba el lúgubre cielo que giraba en torno a la cara norte del Ras Dashén mientras aguzaba el oído e intentaba discernir el ruido de unos rotores batiendo el aire.

¿Dónde estaba Fadi? Su helicóptero llegaba tarde. Abbud ibn Aziz llevaba toda la mañana pendiente del tiempo. Sabía que, estando tan cerca la borrasca, el piloto tendría muy pocas oportunidades de aterrizar.

En realidad, sin embargo, no era contra el frío o contra el aire cristalino contra lo que clamaba, sino contra el hecho de que Fadi y él estuvieran allí. Contra el plan. Sabía quién se ocultaba tras él. Sólo había un hombre capaz de idear un proyecto tan arriesgado y volátil: el hermano de Fadi, Karim al Yamil. Fadi podía ser el rostro incendiario de Duyya, pero entre sus muchos seguidores sólo Abbud ibn Aziz sabía que Karim era el alma del grupo. Era el maestro de ajedrez, la araña que tejía pacientemente múltiples redes tendidas hacia el futuro. Cuando pensaba en lo que podía estar tramando Karim, le daba vueltas la cabeza. Al igual que Fadi y que su hermano, Abbud ibn Aziz se había educado en Occidente. Conocía la historia, la política y la economía del mundo no árabe: un requisito fundamental, según Fadi y Karim, para ascender en la cadena de mando.

El problema de Abbud ibn Aziz era que no se fiaba del todo del hermano de Fadi. Para empezar, era un ermitaño. Y además, que él supiera, sólo hablaba con Fadi. Que no fuera así en absoluto (que él supiera menos de lo que creía sobre Karim) le ponía muy nervioso.

Eso era lo que tenía contra Karim: que él, el lugarteniente de Fadi, su compañero más cercano, quedara excluido de los entresijos de la organización. Aquello le parecía enormemente injusto y, aunque su lealtad hacia Fadi no tenía resquicios, le irritaba que le mantuvieran al margen. Entendía, desde luego, que la sangre era más densa que el agua. ¿Cómo no iba a entenderlo, siendo un hombre del desierto? Pero Fadi y Karim eran sólo medio árabes. Su madre era inglesa. Habían nacido en Londres, después de que su padre trasladara allí la sede de su empresa desde Arabia Saudí.

Le atormentaban varios interrogantes que en parte no quería resolver. ¿Por qué se había marchado de Arabia Abu Sarif Hamid ibn Ashef al Uahhib? ¿Por qué se había liado con una infiel? ¿Y por qué había agravado su error casándose con ella? Abbud ibn Aziz no se explicaba por qué hacía un saudí una cosa así. En realidad, ni Fadi ni Karim al Tamil eran hombres del desierto, como él. Habían crecido en Occidente, se habían educado entre el pulso incesante de la metrópolis londinense. ¿Qué sabían ellos del profundo silencio, de la austera belleza, de los límpidos olores del desierto? El desierto, donde la gracia y la sabiduría de Alá se dejaban ver en todas partes.

Como era propio de un hermano mayor, Fadi protegía a Karim. Eso, al menos, Abbud ibn Aziz podía entenderlo. Él sentía lo mismo por sus hermanos pequeños. Pero, en el caso de Karim al Yamil, llevaba tiempo preguntándose en qué lodazales estaba metiendo a la organización. ¿Quería acompañarle él en aquel viaje? Había llegado hasta allí sin rechistar por su lealtad hacia Fadi. Era Fadi quien le había adoctrinado en aquella guerra del terror a la que les habían forzado las incursiones occidentales en su territorio. Era Fadi quien le había enviado a estudiar a Europa, y aunque Abbud ibn Aziz despreciaba aquella época de su vida, tenía que reconocer que había resultado provechosa. Para derrotar al enemigo, le había dicho Fadi muchas veces, había que conocerlo.

A Fadi se lo debía todo; allí donde fuera, le seguiría. Pero, por otro lado, no era sordo, ni ciego, ni imbécil. Si en algún momento, cuando tuviera más información, le parecía que Karim estaba llevando a la Duyya (y por tanto a Fadi) a la ruina, levantaría la voz sin pensar en las consecuencias.

Un viento seco y desabrido restalló en su mejilla. El zumbido de los rotores del helicóptero le llegó como salido de un sueño.

Pero era su propia ensoñación de la que debía desprenderse. Levantó la vista al sentir en las pestañas y las mejillas los primeros copos de nieve.

Distinguió una mota negra entre el gris turbio del cielo. La mota creció rápidamente. Abbud ibn Aziz levantó los brazos y comenzó a moverlos adelante y atrás al tiempo que retrocedía para apartarse del punto de aterrizaje. Tres minutos después, el helicóptero había aterrizado. La puerta se abrió y Muta ibn Aziz saltó a la nieve y el hielo.

A salvo del alcance de las aspas del rotor, cuyo giro se hacía cada vez más lento, Abbud ibn Aziz esperó a que apareciera Fadi, pero sólo vio acercarse a su hermano Muta.

—Salió todo bien. —Dio un abrazo rígido y formal a su hermano—. Fadi ha contactado conmigo.

Muta guardó silencio en medio del áspero viento.

Desde hacía algún tiempo, una disputa se había instalado en la frontera de sus vidas. Como una falla abierta por un seísmo, aquella cuestión los había separado mucho más de lo que ninguno de los dos estaba dispuesto a admitir. Y, al igual que las emanaciones de un terremoto, había enconado heridas que ahora, años después, se habían convertido en escoria dura, seca y retorcida como tejido cicatricial.

Muta entornó los ojos.

—Hermano, ¿adónde fue Fadi cuando nos separamos?

Abbud no pudo evitar que un deje de soberbia impregnara su voz.

—Tenía asuntos que atender en otra parte.

Muta masculló algo. Un regusto amargo, demasiado conocido ya, había inundado su boca. *Es siempre lo mismo. Abbud usa su poder para mantenerme alejado de Fadi y de Karim, los centros de nuestro universo. Así manda sobre mí. Así me hizo jurar que guardaría nuestro secreto. Es mi hermano mayor. ¿Cómo voy oponerme a él?* Rechinó los dientes. *Como siempre, debo obedecerle en todo.*

Se estremeció violentamente y se puso al socaire de un peñasco para eludir el viento.

—Cuéntame, hermano, ¿qué ha pasado por aquí?

—Bourne llegó al Ras Dashén esta mañana. Está haciendo progresos.

Muta ibn Aziz asintió con un gesto.

—Entonces debemos trasladar a Lindros a un lugar seguro.

—Estamos en ello —respondió Abbud con un filo gélido en la voz.

Muta asintió, el corazón lleno de hiel.

—Ya casi ha acabado. Dentro de un par de días, Jason Bourne dejará de sernos útil. —Sonrió, pero su sonrisa, aunque amplia, era absolutamente hermética—. La venganza es dulce, como dice Fadi. ¡Cuánto va a disfrutar viendo morir a Jason Bourne!

La tienda del *nagus* era sorprendentemente cómoda y espaciosa, sobre todo para ser un armazón más o menos portátil. El suelo estaba formado por alfombras superpuestas. Las pieles que colgaban de las paredes ayudaban a conservar el calor que desprendía un fuego alimentado con ladrillos de estiércol seco.

Bourne permanecía sentado junto al fuego con las piernas cruzadas, envuelto en una tosca manta de lana, mientras los hombres del *nagus* desvestían a Zaim despacio y con cuidado. Cuando acabaron, le envolvieron en una manta y le hicieron sentarse junto a él. Después les sirvieron sendas tazas de un té fuerte y humeante.

Otros hombres se ocuparon de la herida de Zaim: la limpiaron, la cubrieron con un emplasto de hierbas y volvieron a vendarla. Mientras todo esto ocurría, el *nagus* se sentó al lado de Bourne. Era un hombre menudo y poco agraciado, a excepción de sus ojos negros, que ardían como dos lámparas en medio de su cráneo pulido y broncíneo. Bourne, sin embargo, no se dejaba engañar por su cuerpo flaco y nervudo: aquel hombre disponía de muchos recursos, tanto ofensivos como defensivos, para mantenerse con vida y mantener con vida a sus hombres.

—Me llamo Kabur —dijo—. Zaim me ha dicho que te llamas Bourne. —Pronunció su apellido en dos sílabas: «Boh-orn».

Éste asintió.

—He venido al Ras Dashén en busca de un amigo que iba en uno de los pájaros derribados hace casi una semana. ¿Sabes algo?

—Sí —dijo Kabur.

Se llevó la mano al pecho y sacó una lámina metálica que le enseñó. Era la placa de identificación del piloto.

—Él ya no la necesita —se limitó a decir.

Bourne se desanimó.

—¿Está muerto?

—Como si lo estuviera.

—¿Y mi amigo?

—Se los llevaron a los dos. —El *nagus* le ofreció un cuenco de madera lleno con un guiso fuertemente especiado en el que habían clavado una tosca rebanada de pan ácimo. Mientras Bourne comía sirviéndose del pan como cuchara, Kabur continuó—: No fuimos nosotros, ¿entiendes? Nosotros no tenemos nada que ver con eso, aunque, como ya has podido comprobar, algunos aceptan dinero suyo a cambio de servicios. —Sacudió la cabeza—. Pero está mal, es una esclavitud por la que algunos han pagado el peor de los precios.

Bourne, que había acabado de comer, dejó el cuenco a un lado.

—¿Quién es esa gente exactamente?

Kabur ladeó la cabeza.

—Me sorprendes. Esperaba que supieras mucho más de ellos que yo. Llegaron del otro lado del golfo de Adén. De Yemen, imagino. Pero no son yemeníes, no. Sabe Dios dónde tienen su base. Algunos son egipcios, otro saudíes, otros afganos...

—¿Y el jefe?

—Ah, Fadi. Fadi es saudí. —Los fieros ojos negros del *nagus* se habían vuelto opacos—. Aquí todos le tenemos miedo.

—¿Por qué?

—¿Que por qué? Porque es poderoso, porque es más cruel de lo que puedas imaginar. Porque lleva la muerte en la palma de la mano.

Bourne pensó en los cargamentos de uranio.

—¿Tú has visto pruebas de la muerte que lleva consigo?

—Con mis propios ojos. Uno de los hijos de Zaim...

—¿El chico de la cueva?

Kabur se giró hacia el padre de Alem, en cuyos ojos había un dolor inmenso.

—Un hijo descarriado que no hacía caso de nadie. Ahora no podemos tocarle, ni siquiera para darle sepultura.

—Eso puedo hacerlo yo —dijo Bourne. Ahora comprendía por qué se había escondido Alem en el Chinook más próximo a la cueva. Quería estar cerca de su hermano—. Puedo enterrarle allí, cerca de la cumbre.

El *nagus* guardó silencio, pero los ojos de Zaim se habían vuelto acuosos cuando volvió a mirar a Bourne.

—Sería una verdadera bendición. Para él, para mí y para toda mi familia.

—Se hará, te doy mi palabra —dijo Bourne. Se volvió hacia Kabur—. ¿Me ayudaréis a encontrar a mi amigo?

El *nagus* vaciló un momento mientras observaba a Zaim. Al fin, suspiró.

¿Encontrar a tu amigo perjudicará a Fadi?

—Sí —respondió Bourne—. Mucho.

—Es un viaje muy difícil el que nos pides que emprendamos contigo. Pero por mi amigo, por el vínculo que os une, por la promesa que le has hecho, mi honor me obliga a concederte ese deseo.

Levantó la mano derecha y un hombre les llevó un artilugio parecido a un narguile.

—Fumemos juntos para sellar el pacto que hemos hecho.

Soraya tenía intención de irse a casa, pero se descubrió circulando por el distrito noreste de Washington. Sólo cuando tomó la calle Siete se dio cuenta de a qué había ido allí. Tomando una última curva, llegó a casa de Deron.

Se quedó allí sentada un momento, escuchando el tictac del motor. Por la escalera de la casa de la izquierda pululaban cinco o seis chicos de aspecto feroz. No le quitaban ojo, pero no hicieron intento de detenerla cuando salió del coche y subió los escalones de la casa del hombre que había ido a visitar.

Llamó varias veces a la puerta. Esperó y volvió a llamar. No hubo respuesta. Al oír que alguien se acercaba por la acera, se giró. Esperaba encontrarse con Deron, pero en su lugar vio a un chico alto y delgado, uno de los miembros de la pandilla.

—Eh, tú, la espía, me llamo Tyrone. ¿Qué haces aquí?

—¿Sabes dónde está Deron?

Tyrone mantuvo una expresión neutra.

—Podrías hablar conmigo en vez de con él.

—Lo haría, Tyrone —dijo ella con cautela—, si pudieras aclararme los usos del bisulfuro de carbono.

—Conque crees que soy un negro que no sirve para nada, ¿eh?

—Para serte sincera, no sé nada de ti.

Sin cambiar de expresión, Tyrone dijo:

—Ven conmigo.

Soraya asintió. Sabía por instinto que cualquier vacilación por su parte debilitaría su posición.

Echaron a andar juntos por la acera, torcieron a la derecha y dejaron atrás la escalera en la que los miembros de la pandilla se habían posado como una bandada de cuervos.

—Deron ha ido a ver a su padre. Volverá dentro de un par de días.

—¿Seguro?

—Te estoy diciendo la verdad. —Tyrone frunció los labios—. Bueno, ¿qué quieres saber de mí? ¿Quieres que te hable de la yonqui de mi madre? ¿O a lo mejor te interesa mi padre, que se está pudriendo en la cárcel? ¿O mi hermana pequeña, que está criando a un niño cuando debería estar en el instituto? ¿O mi hermano mayor, que gana un sueldo de mierda trabajando de maquinista en el metro? Seguro que has oído montones de historias parecidas, para qué voy a volver a contarte el mismo rollo.

—Es tu vida —dijo Soraya—. Eso la hace distinta a todas las que conozco.

Tyrone soltó un bufido, pero ella notó por su expresión que le había gustado su respuesta.

—Yo me eduqué en la calle, pero nací con el cerebro de un ingeniero. ¿Y qué quiero decir con eso? —Se encogió de hombros y señaló a lo lejos—. En la avenida de Florida están construyendo rascacielos. Siempre que puedo voy por allí, a ver cómo los levantan, ¿sabes?

Soraya le miró a los ojos un momento.

—¿Pensarás que soy tonta si tc digo que hay muchas formas de sacarle partido a tu cerebro?

—Puede, si me lo dices tú. —Una sonrisa empezó a extenderse por su cara. De pronto parecía mucho mayor de lo que era—. Éste es mi terreno, nena.

Soraya pensó en responder, pero decidió que ya le había presionado bastante.

—Tengo que irme.

Tyrone frunció los labios.

—Oye, sólo para que lo sepas, no has venido sola, te ha seguido un coche hasta aquí.

Ella se paró en seco.

—Será una broma.

Él giró la cabeza y la miró como una cobra miraría a su presa.

—Sigues igual de mema que antes.

Soraya estaba furiosa consigo misma. Había estado tan inmersa en sus pensamientos que ni siquiera se le había ocurrido que pudieran estar siguiéndola. No lo había comprobado, a pesar de que solía hacerlo automáticamente. Por lo visto estaba más alterada de lo que creía porque aquel cabrón de Lerner la hubiera despedido. Y ahora estaba pagando el precio de su descuido.

—Te debo una, Tyrone.

Él se encogió de hombros.

—Para eso me paga Deron. La seguridad es cara, pero la lealtad no tiene precio.

Soraya le miró como si le viera de verdad por primera vez.

—¿Dónde está? ¿El coche que me ha seguido? ¿Se ha ido ya?.

—Está ahí delante, en la esquina de la Ocho —contestó Tyrone—. Al otro lado de la calle, para que el conductor vea bien lo que haces. —Se encogió de hombros—. Mis chicos se encargarán de él.

—No es que no te lo agradezca, Tyrone. —Le miró muy seria—. Pero le he traído yo. Es cosa mía.

—Vaya, estoy impresionado. —Se detuvo y se quedó mirándola un momento. Estaba tan serio como ella. Su determinación resultaba inconfundible. En aquel lugar, el escollo inamovible era él—. Imagino que sabes que hay que hacerlo antes de que sepa algo de Deron. Después, nadie podría salvarle. Ni siquiera tú.

—Me encargaré ahora mismo. —Agachó la cabeza, azorada de pronto—. Gracias.

Tyrone asintió con un gesto y volvió con los demás chicos. Soraya respiró hondo y siguió caminando en aquella dirección, hacia la esquina de la calle Ocho, donde el detective Overton estaba sentado en su coche, anotando algo en una hoja de papel rayado.

Soraya tocó con los nudillos en el cristal. Él levantó los ojos y se guardó apresuradamente el papel en el bolsillo de la camisa.

Dejó el bolígrafo.

—Quería asegurarme de que no le ocurriera nada. Este barrio es peligroso.

—Muchas gracias, pero sé valerme sola.

—Escuche, sé que anda detrás de algo... importante de lo que Seguridad Nacional no tiene ni idea. Necesito información.

Ella le miró con enfado.

—Lo que tiene que hacer es marcharse. Ahora mismo.

La cara de Overton se convirtió de pronto en una máscara de granito.

—Quiero que me informe en cuanto averigüe algo.

Soraya sintió el ardor del combate en las mejillas.

—¿Y, si no, qué?

Overton abrió la puerta de repente y la golpeó con ella en el estómago. Soraya cayó de rodillas, jadeando.

El policía salió despacio del coche y se cernió sobre ella.

—A mí no me jodas, listilla. Soy mayor que tú. Y me trae sin cuidado el reglamento. Me sé más trucos de los que aprenderás tú en toda tu vida.

Soraya cerró los ojos un momento para hacerle creer que intentaba recuperar el aliento y la compostura. Mientras tanto, con la mano izquierda, sacó una pistola ASP compacta de la delgada funda que llevaba en los riñones y apuntó a Overton.

—Está cargada con balas nueve milímetros Parabellum —dijo—. A esta distancia, podría partirle en dos de un solo disparo. —Respiró hondo dos veces. La mano con la que sostenía la pistola se mantenía firme—. Largo de aquí ahora mismo.

Overton retrocedió lentamente, con precaución, y se sentó tras el volante sin quitarle ojo. Sacó un cigarrillo, se lo metió entre los labios exangües, lo encendió con un lánguido ademán y dio una calada.

—Sí, señora. —Su voz sonó vacía: tenía todo el veneno en los ojos. Cerró la puerta de golpe.

La vio incorporarse mientras el motor se ponía en marcha; luego arrancó. Mirando por el retrovisor, vio que apuntaba directamente a la luna trasera hasta que el coche desapareció entre el tráfico.

Cuando la perdió de vista, sacó su móvil y apretó una tecla de marcación rápida. En cuanto oyó la voz de Matthew Lerner dijo:

—Tenía razón, señor Lerner. Soraya Moore sigue husmeando por aquí y, si quiere que le diga la verdad, acaba de convertirse en un verdadero peligro.

Kabur los condujo a la iglesia cuyo campanario había guiado a Bourne hasta la aldea. Como todas las del país, pertenecía a la Iglesia ortodoxa etíope de Tewahedo. El culto era muy antiguo y, con sus más de treinta y seis millones de fieles, era la Iglesia ortodoxa oriental más numerosa del mundo. De hecho, era la única Iglesia cristiana precolonial de aquella parte de África.

Hubo un momento, a la luz acuosa del templo, en el que Bourne pensó que Kabur le había engañado. Que no era solamente el hijo muerto de Zaim quien estaba al servicio de Fadi, sino también el propio *nagus*. Que le habían tendido una trampa. Sacó la Makarov. Luego las sombras y las manchas de luz se aclararon y vio que una persona le hacía señas llamándole en silencio.

—Es el padre Mihret —susurró Zaim—. Le conozco.

Aunque seguía recuperándose de su herida, el hombre había insistido en acompañarle. Ahora estaba unido a Bourne. Se habían salvado la vida mutuamente.

—Hijos míos —dijo el padre Mihret en voz baja—, me temo que llegáis demasiado tarde.

—El piloto —dijo Bourne—. Por favor, lléveme con él.

Mientras cruzaba apresuradamente la iglesia, preguntó:

—¿Aún está vivo?

—A duras penas. —El sacerdote era alto y flaco como un poste. Tenía los ojos grandes y el aspecto consumido de un asceta—. Hemos hecho todo lo que hemos podido por él.

—¿Cómo llegó hasta aquí, padre? —preguntó Zaim.

—Le encontraron unos pastores a las afueras del pueblo, entre unos abetos, cerca del río. Vinieron a verme y les dije que le trajeran aquí en camilla, pero me temo que no sirvió de gran cosa.

—Dispongo de un helicóptero —dijo Bourne—. Puedo sacarle de aquí.

El padre Mihret sacudió la cabeza.

—Tiene fracturas en el cuello y en la médula espinal. Es imposible inmovilizarle adecuadamente. No sobreviviría a otro traslado.

Jaime Cowell, el piloto, estaba tendido en la cama del padre Mihret. Le atendían dos mujeres: una curaba su carne despellejada mientras la otra le daba de beber retorciendo un paño mojado sobre su boca entreabierta. Los ojos de Cowell brillaron un momento cuando en su campo de visión apareció Bourne.

Éste le dio la espalda un momento.

—¿Puede hablar? —le preguntó al sacerdote.

—Muy poco —contestó el padre Mihret—. Cuando se mueve, el dolor se hace insoportable.

Bourne se acercó a la cama para que su rostro quedara en la línea de visión de Cowell.

—He venido a llevarte a casa, Jaime. ¿Me oyes?

Cowell movió los labios. Un suave siseó escapó de ellos.

—Mira, seré breve —prosiguió Bourne—. Tengo que encontrar a Martin Lindros. Él y tú fuisteis los únicos supervivientes de los ataques. ¿Lindros está vivo?

Bourne tuvo que agacharse. Su oído casi rozó los labios de Cowell.

—Sí. La última vez que... que le vi. —La voz del piloto era como arena deslizándose por una duna.

Aunque se le encogió el corazón, Bourne no pudo evitar que aquel olor le horrorizara. El sacerdote tenía razón: la muerte se había instalado ya en aquel cuarto y empezaba a apestarlo todo.

—Jaime, es muy importante. ¿Sabes dónde está Lindros?

De nuevo aquel terrible hedor cuando se inclinó.

—A tres kilómetros, dirección oeste-suroeste... cruzando el... el río. —Cowell sudaba por el esfuerzo y el dolor—. Un campamento... fuertemente defendido.

Bourne estaba a punto de apartarse cuando oyó de nuevo los estertores de Cowell. Sus músculos, sometidos a una tensión extrema, comenzaron a moverse espasmódicamente y su pecho, que subía y bajaba con rapidez antinatural, se convulsionó. Cerró los ojos y las lágrimas brotaron por debajo de los párpados.

—Tranquilo —le dijo—. Descansa ahora.

—¡No! ¡Dios mío!

De pronto abrió los párpados. Cuando miró a Bourne, la oscuridad del abismo parecía acechar sus ojos.

—Ese hombre..., el jefe...

—Fadi —dijo Bourne.

—Está... está torturando a Lindros.

A Bourne se le hizo un nudo en el estómago.

—¿Lindros está aguantando? ¡Cowell! Cowell, ¿puedes contestar?

—Ya no oye nada. —El padre Mihret se acercó y puso la mano sobre la frente sudorosa del piloto—. Dios misericordioso ha dado alivio a su sufrimiento.

Iban a trasladarle. Martin Lindros lo supo porque oyó que Abbud ibn Aziz gritaba un sinfín de órdenes, todas ellas con el objetivo de largarse de la cueva sin pérdida de tiempo. Oyó el estruendo de las pisadas, el estrépito de las armas metálicas, el gruñido de los hombres al levantar fardos pesados. Y a continuación oyó la vibración del motor de una camioneta que retrocedía hacia la entrada de la cueva.

Un momento después, Abbud ibn Aziz en persona fue a vendarle los ojos.

Se agachó junto a él.

—No te preocupes —dijo.

—Ya nada me preocupa —contestó Lindros con una voz ronca que apenas reconoció.

Abbud ibn Aziz toqueteaba la capucha que estaba a punto de colocarle sobre la cabeza. Era de tela negra y no tenía agujeros para los ojos.

—Si sabes algo sobre el intento de asesinato de Hamid ibn Ashef, sería el momento de que me lo dijeras.

—Te lo he dicho muchas veces: no sé nada. Sigues sin creerme.

—No. —Abbud ibn Aziz le puso la capucha—. No te creo.

Luego, inesperadamente, apretó un instante el hombro de Lindros.

¿Qué es esto?, se preguntó. *¿Una señal de empatía?* Tenía gracia, en cierto modo, que en ese momento no fuera capaz de apreciarlo. Podía observar aquel indicio como lo observaba todo últimamente: como desde detrás de un panel de cristal blindado que él mismo había fabricado. El hecho de que ese panel fuera imaginario no mermaba su eficacia. Desde que había vuelto de

su cámara acorazada, se hallaba en un estado semidisociativo, como si no pudiera habitar por completo su propio cuerpo. Las cosas que hacía físicamente (comer, dormir, excretar, caminar para hacer ejercicio, incluso hablar de vez en cuando con Abbud ibn Aziz) parecían ocurrirle a otra persona. Lindros apenas podía creer que le hubieran capturado. La posibilidad de que aquella disociación fuera consecuencia inevitable de su larga estancia en la cámara acorazada de su cerebro (la idea de que aquel estado pudiera disiparse lentamente y, por último, desaparecer) le parecía de momento una pura quimera. Tenía la impresión de que pasaría el resto de su vida en aquel limbo: vivo, pero sin vivir del todo.

Cuando le hicieron levantarse bruscamente, se sintió como si estuviera en un sueño imaginado una y otra vez mientras se hallaba en el plácido lago. ¿Por qué le trasladaban con tanta prisa? ¿Había ido alguien a buscarle? Dudaba de que fuera la CIA; por los retazos de conversaciones que había oído días atrás, sabía que Duyya había destruido el segundo helicóptero enviado en su rescate. No. Sólo había un hombre que poseyera la tenacidad, la destreza y los conocimientos necesarios para llegar a la cumbre del Ras Dashén sin que le mataran: Jason Bourne. Jason había ido en su busca para llevarle a casa.

Matthew Lerner había tomado asiento al fondo del Golden Duck. Aunque estaba en el barrio chino, el pequeño restaurante aparecía en numerosas guías de Washington, razón por la cual lo frecuentaban los turistas y lo rehuían los vecinos de la ciudad, incluidos los miembros de la peculiar fraternidad clandestina de espías y agentes gubernamentales de la que el propio Lerner formaba parte. Aquello, naturalmente, le convenía. Conocía media docena larga de lugares de encuentro que había ido descubriendo por toda la ciudad, entre los que repartía aleatoriamente sus citas con contactos y otros individuos de cuyos servicios podía sacar algún provecho.

El local, oscuro y desangelado, olía a aceite de sésamo, a especias molidas y al contenido de una profunda y burbujeante freidora de la que periódicamente iban saliendo rollitos de primavera y trozos de pollo empanado.

Lerner se tomaba sin prisas una Tsingtao. Bebía directamente de la botella porque le desagradaban las manchas grasientas de los vasos. A decir verdad, habría preferido estar meciendo una copa de Johnnie Walker etiqueta negra, pero no allí. Y menos aún con aquella cita en particular.

Sonó su móvil y, al abrirlo, vio un mensaje de texto: «En la calle Siete, por la puerta de atrás. Cinco minutos».

Borró enseguida el mensaje, guardó el teléfono y volvió a beber su Tsingtao. Cuando acabó, dejó unos billetes sobre la mesa, recogió su abrigo y se dirigió al aseo de caballeros. Conocía la disposición del local, como la de todos sus lugares de encuentro. Después de orinar, torció a la derecha al salir del aseo y pasó junto a la cocina nublada por el vapor, en la que los gritos en cantonés se mezclaban con el airado chisporroteo de enormes *woks* de hierro colocados sobre llamas desnudas.

Abrió la puerta trasera y salió a la calle Siete. El Ford, un modelo ya antiguo, pasaba absolutamente desapercibido en Washington, donde todos los organismos gubernamentales estaban obligados a comprar sólo vehículos americanos. Lerner miró rápidamente a un lado y a otro, abrió la puerta trasera del coche y entró. El Ford se puso en marcha.

Se recostó en el asiento.

—Frank.

—Hola, señor Lerner —dijo el conductor—. ¿Cómo van las cosas?

—Chungas —contestó con sorna—, como de costumbre.

—Ni que lo diga. —Frank manifestó su asentimiento. Era un hombre corpulento, con cuello de toro y pinta de entrenar como un esclavo en el gimnasio.

—¿Cómo está el secretario esta tarde?

—Ya sabe. —Frank chasqueó los dedos—. ¿Cómo se dice?

—¿Enfadado? ¿Cabreado? ¿Con ganas de matar a alguien?

Frank le lanzó una mirada por el retrovisor.

—Algo así.

Cruzaron el puente del monumento a George Mason y giraron hacia el sureste por el bulevar del monumento a Washington. En aquella ciudad, se dijo Lerner, todo parecía llevar adherida la coletilla «monumental». Política de autobombo de la peor especie. Lo que más despreciaba el secretario.

La inmensa limusina, cuyo gigantesco motor ronroneaba como un avión a punto de despegar, le esperaba a las afueras de la terminal de carga del aeropuerto. Cuando Frank detuvo suavemente el Ford, Lerner se apeó y pasó al otro vehículo, como había hecho tantas veces en los últimos años.

Su interior no se parecía a ningún otro coche del que Lerner hubiera oído hablar, salvo quizás al Air Force One, el avión del presidente. Cuando era necesario (como ahora), las ventanillas se tapaban con paneles de madera bruñida. Completaban el cuadro una mesa de nogal, un centro de comunicaciones wi-fi de última generación, un mullido sofá cama, un par de sillas giratorias igualmente mullidas y una nevera de tamaño mediano.

Sentado detrás de la mesa, un hombre de aspecto distinguido, rayano en los setenta, con un halo de cabello gris cortado casi al cero, movía velozmente los dedos sobre el teclado de un ordenador portátil. Sus ojos grandes y algo saltones, de mirada tan atenta y penetrante como en su juventud, contrastaban con sus mejillas hundidas, su piel pálida y su floja papada.

—Secretario —dijo Lerner con una potente mezcla de respeto y temerosa admiración.

—Ponte cómodo, Matthew. —Su seco y entrecortado acento texano dejaba claro que el secretario de Defensa Halliday había nacido y se había criado en la fronda urbana de Dallas—. Enseguida estoy contigo.

La limusina arrancó mientras Lerner se acomodaba en una de las sillas. Bud Halliday se ponía nervioso si pasaba mucho tiempo en un mismo lugar. Cuando le preguntaban por él, Lerner solía responder que era un hombre hecho a sí mismo, criado muy lejos de los campos petrolíferos de los que procedían muchos de los hombres con los que Lerner había coincidido durante su estancia en Washington. El secretario había amasado su fortuna a la vieja usanza, lo cual garantizaba su independencia. No le debía nada a nadie, ni siquiera al presidente. Los tratos que hacía en nombre de sus electores o de sí mismo eran tan astutos y demostraban tal mano izquierda que invariablemente aumentaban su influencia sin comprometerle con ninguno de sus colegas de la clase política.

Cuando acabó lo que estaba haciendo, el secretario Halliday levantó la vista e intentó sonreír, pero no lo consiguió. El único vestigio de la leve apoplejía que había sufrido cerca de diez años antes era la comisura izquierda de su boca, que no siempre funcionaba como debía.

—De momento, todo va bien, Matthew. Cuando me dijiste que el director había pedido tu traslado, no podía creerme mi buena suerte. Llevo años intentando hacerme con el control de la CIA, siempre por la puerta de atrás. El director es un dinosaurio, el último que queda en activo de la vieja escuela. Ya está mayor, y envejece cada minuto que pasa. He oído decir que empieza a perder la cabeza. Quiero atacar ahora que está acosado por todas partes. Públicamente es intocable, claro; hay otros dinosaurios que todavía tienen mucha mano en Washington, aunque estén retirados. Por eso os contraté a ti y a Mueller. Necesito tenerlo a mi alcance. Aunque negaré todo conocimiento del asunto si se descubre el pastel, claro está.

»El caso es que tiene que irse. Hay que limpiar su agencia de arriba abajo. Siempre nos han llevado la delantera en inteligencia humana, que es como se denomina al espionaje en la jerga de Washington. El Pentágono, que controlo yo, y la Agencia Nacional de Seguridad, que controla el Pentágono, siempre han estado en segundo plano. Éramos los responsables de las escuchas y de los satélites espías, los encargados de preparar el campo de batalla, como le gusta decir a Luther LaValle, mi mano derecha en el Pentágono.

»Pero ahora estamos en guerra, y creo firmemente que es preciso que el Pentágono tome el control de la inteligencia humana. Quiero controlarla por completo, para que nos convirtamos en una máquina más eficaz a la hora de desmantelar todas las redes y todas las células terroristas que operan dentro y fuera de nuestras fronteras con el único objetivo de destruirnos.

Lerner observaba atentamente el rostro del secretario, a pesar de que, dada la naturaleza íntima de su larga relación, intuía lo que iba a suceder. Cualquier otro se habría dado por satisfecho con sus progresos, pero Halliday no. Lerner se armó de valor, porque cada elogio que le dedicaba el secretario iba seguido por una exigencia que podía calificarse de irrealizable. Eso a Halliday, naturalmente, le traía sin cuidado. Se había forjado en el mismo correoso molde que Lyndon Johnson: era un hijo de puta con la piel muy dura.

—¿Podría aclararme qué quiere decir con eso?

Halliday se quedó mirándole un momento.

—Ahora que has confirmado mis sospechas de que la CIA está plagada de árabes y musulmanes, lo primero que tendrás que hacer cuando tomemos el control de la dirección será efectuar una purga.

—¿Una purga? —preguntó Lerner—. ¿Tiene una lista?

—¿Una lista? No necesito una lista, joder —replicó Halliday con aspereza—. Si digo que hay que efectuar una purga, es que hay que hacerla. Los quiero fuera a todos.

Lerner estuvo a punto de hacer una mueca.

—Eso llevará algún tiempo, señor secretario. Nos guste o no, vivimos una época de gran sensibilidad religiosa.

—A mí no me vengas con ésas, Matthew. Tengo un dolor en la nalga derecha desde hace casi diez años. ¿Y sabes cuál es la causa?

—Sí, señor. La sensibilidad religiosa.

—Exacto. Estamos en guerra con los puñeteros musulmanes. Y no pienso permitir que minen nuestros cuerpos de seguridad desde dentro, ¿entendido?

—Entendido, señor.

Aquello era como un gag protagonizado por ambos, aunque Lerner dudaba que el secretario estuviera de acuerdo. Su sentido del humor, si lo tenía, estaba tan bien enterrado como los huesos de un neandertal.

—Y ya que hablamos de incordios, está el asunto de Anne Held.

Lerner comprendió que el verdadero espectáculo estaba a punto de comenzar. Todo aquello formaba parte del baile preliminar del secretario.

—¿Qué pasa con ella?

Halliday blandió una carpetilla marrón y se la puso en las manos. Lerner la abrió y hojeó rápidamente su contenido. Luego levantó la vista.

El secretario asintió.

—Así es, amigo mío. Anne Held ha empezado a indagar sobre tu pasado por su cuenta.

—La muy zorra... Creía que la tenía controlada.

—Es más lista que el hambre, Matthew, y muy leal al director. Lo que significa que no tolerará que asciendas. Se ha convertido en una auténtica amenaza para nosotros. Que es precisamente lo que quería demostrarte.

—No puedo eliminarla así como así. Aunque lo hiciéramos pasar por un robo o un accidente...

—Olvídate de eso. Harían una investigación tan minuciosa que tendrías las manos atadas hasta el día del Juicio. —Halliday se dio unos golpecitos en los labios con la capucha de una pluma estilográfica—. Por eso te sugiero que encuentres una forma de librarte de esa mujer comprometiéndola del modo más penoso y humillante tanto para ella como para el director. Uno más en una larga lista de escándalos. Despojado de su fiel mano derecha, el director será mucho más vulnerable. Y tu estrella ascenderá con más rapidez aún, precipitando la caída del dinosaurio. De eso me encargo yo.

10

Tras cruzar el río helado en dirección oeste-suroeste, se abatió sobre ellos la sombra de la empinada falda de la montaña. Tres soldados de Kabur que conocían aquella zona mejor que Zaim acompañaban a éste y a Bourne, a quien le ponía nervioso viajar con tanta gente; tanta según sus parámetros. Su metodología dependía del sigilo y la invisibilidad, cosas ambas extremadamente difíciles de lograr en aquellas circunstancias. Aun así, mientras avanzaban con paso enérgico, tuvo que reconocer que los hombres de Kabur apenas hacían ruido y que parecían concentrados en su misión, consistente en llevarles con vida hasta el campamento de Fadi.

Después de ascender paulatinamente desde la ribera oeste del río, el terreno se nivelaba durante un trecho, lo que indicaba que habían alcanzado una meseta boscosa. La montaña se erguía sobre ellos, cada vez más imponente: una pared casi vertical que, treinta metros más arriba, se proyectaba de repente hacia delante en un inmenso saledizo rocoso.

La nieve, que empezaba a arreciar cuando emprendieron el camino, se había convertido en una llovizna que no estorbaba su avance. Así pues, recorrieron los primeros dos kilómetros y medio sin contratiempos. Llegados a aquel punto, uno de los hombres de Kabur les indicó que se detuvieran y mandó a uno de sus compañeros que se adelantara para inspeccionar el terreno. Esperaron agachados entre los abetos susurrantes mientras seguía cayendo la nieve. La vanguardia de la tormenta había traído consigo un espantoso silencio que ahora cubría aquella zona como si la gigantesca cornisa rocosa absorbiera todos los ruidos de la falda de la montaña.

Cuando el amhara regresó y les indicó por señas que todo estaba despejado, volvieron a ponerse en marcha. Avanzaban a trompicones entre la nieve, con los ojos y los oídos bien abiertos. La meseta ascendía progresivamente a medida que se acercaba al saledizo, y el sendero se iba haciendo al mismo tiempo más pedregoso y más arbolado. Bourne entendía muy bien que Fadi hubiera instalado su campamento en aquellas cumbres.

Cuando llevaban recorrido medio kilómetro, el comandante de Kabur ordenó otra parada y mandó adelantarse de nuevo a su compañero. El amhara tardó más que antes en volver y al regresar se llevó aparte a su superior y mantuvo con él una encendida conversación. El lugarteniente de Kabur se apartó de él y se acercó a Bourne y Zaim.

—Tenemos la certeza de que el enemigo está ahí delante. Hay dos hombres al este de aquí.

—Debemos estar muy cerca de su campamento —dijo Bourne.

—No son guardias. Están batiendo el bosque sistemáticamente y se dirigen hacia aquí. —El comandante arrugó el ceño—. Me pregunto si saben que venimos.

—Imposible saberlo —dijo Zaim—. Y, en todo caso, hay que matarlos.

El comandante arrugó el ceño más aún.

—Son hombres de Fadi. Esto traerá consecuencias.

—Olvídalo —dijo Bourne bruscamente—. Iremos Zaim y yo.

—¿Me tomas por un cobarde? —El comandante sacudió la cabeza—. Nos han ordenado llevaros al campamento de Fadi y eso es lo que vamos a hacer.

A una señal suya, sus hombres se alejaron en dirección este.

—Nosotros tres seguiremos en la misma dirección que antes. Dejemos que mis hermanos hagan su trabajo.

Siguieron ascendiendo a marchas forzadas por la montaña, que se empinaba como si intentara tocar el enorme saliente. De momento había dejado de nevar y el sol asomaba por una hendidura entre las nubes caudalosas.

De pronto sonó una ráfaga de disparos que el eco repitió una y otra vez. Se detuvieron los tres y corrieron a agazaparse entre los árboles. Un instante después se oyó otra ráfaga; luego todo volvió a quedar en silencio.

—Tenemos que darnos prisa —dijo el comandante, y se levantaron para proseguir la marcha en dirección oeste-suroeste.

Un momento después oyeron trinar a un pájaro. Al poco rato, los dos soldados se reunieron con ellos. Uno estaba herido, pero de poca gravedad. Siguieron adelante con determinación, como una unidad bien cohesionada, con el explorador avanzando en cabeza.

Casi inmediatamente el terreno empinado se allanó y los árboles comenzaron a escasear. Cuando el explorador se puso de rodillas, pareció que había tropezado con una roca o con la raíz de un árbol. Luego la sangre salpicó la nieve, al recibir otro soldado un disparo en la cabeza. Los demás se pusieron a cubierto. Les habían sorprendido, pensó Bourne, porque los disparos procedían del oeste. La avanzadilla de dos hombres que se dirigía hacia ellos desde el este había sido una estratagema, parte de una pinza lanzada desde el este y el oeste. Bourne acababa de descubrir algo más sobre Fadi: que había corrido el riesgo de perder dos hombres para tender una emboscada al grupo al completo.

Los disparos seguían arreciando en descarga cerrada: era imposible deducir a cuántos hombres se enfrentaban. Bourne se apartó de Zaim y del comandante, que disparaban desde detrás de cualquier parapeto que encontraban. Dirigiéndose hacia su derecha, trepó por un talud empinado, tan abrupto que tuvo que buscar entre la nieve dónde apoyar pies y manos. Sabía que había sido un error permitir que los hombres de Kabur les acompañaran (ni siquiera quería la ayuda de Zaim), pero la cultura de los amharas hacía imposible rehusar dádivas como aquélla.

Al llegar a lo alto del risco, avanzó hasta su extremo, donde la roca caía a pico. Desde aquel punto elevado vio a cuatro hombres armados con fusiles y armas cortas. A pesar de la distancia, saltaba a la vista que no eran amharas. Tenían que formar parte de la célula terrorista de Fadi.

El problema ahora era de carácter logístico. Armado únicamente con una pistola, se hallaba en franca desventaja para enfrentarse a enemigos provistos de fusiles. El único modo de remediarlo era acercarse a ellos. Era un plan arriesgado, pero no había alternativa.

Bourne avanzó en círculo, aproximándose a ellos desde atrás. Enseguida comprendió que un simple ataque por la espalda estaba descartado. Habían apostado a un hombre para vigilar su retaguardia. Estaba sentado en una roca que había despejado de nieve y sostenía un Mauser SP66, un fusil de francotirador de fabricación alemana. El Mauser usaba munición de 7,62 × 51 milímetros y estaba equipado con una mira telescópica Zeiss Diavari de alta precisión. Todos estos detalles eran cruciales para el paso que se disponía a dar Bourne. Aunque el Mauser era un fusil excelente para disparar a un objetivo situado a larga distancia, tenía un cañón muy pesado y un cerrojo de manejo manual: era un arma pésima para disparar con prisas.

Bourne avanzó con sigilo hasta estar a quince metros del vigía; sacó entonces el cuchillo curvo que le había quitado al soldado amhara. Salió de su escondite y se dejó ver por el terrorista, que se levantó de un salto, ofreciéndole así un blanco perfecto. El hombre de Fadi estaba aún intentando apuntarle con el Mauser cuando Bourne arrojó el cuchillo. Éste se clavó hasta la empuñadura justo por debajo del esternón. Su hoja curva traspasó tejidos y órganos por igual. El terrorista comenzó a ahogarse en su propia sangre antes de caer a la nieve.

Bourne recuperó el cuchillo al pasar por encima del cadáver, limpió la hoja en la nieve y volvió a guardarlo en su funda. Luego recogió el Mauser y fue a buscar un sitio donde esconderse.

Oyó entonces una sucesión de disparos en ráfagas cortas y largas, como un código morse que fuera desgranando la muerte de los combatientes. Echó a correr hacia la posición que ocupaban los terroristas, pero habían empezado a moverse. Tiró el Mauser y sacó la Makarov.

Al avanzar al descubierto por el borde del risco, vio justo debajo de él al comandante tendido en la nieve, en medio de un charco de sangre. Luego, mientras avanzaba poco a poco, aparecieron dos terroristas. Disparó a uno al corazón por la espalda. El otro se volvió y abrió fuego. Bourne se agachó tras una roca.

Se oyeron más disparos en ráfagas entrecortadas, un sonido espolvoreado que el saliente rocoso recogía y arrojaba como un rayo a sus oídos. Bourne se puso de rodillas, y tres disparos rebotaron en una roca cercana, lanzando chispas al aire.

Se movió ostensiblemente hacia su derecha para atraer los disparos y se arrastró luego boca abajo hacia su izquierda, hasta que tuvo a la vista uno de los hombros del terrorista. Disparó dos veces y oyó un gruñido de dolor. Entonces se levantó y avanzó sin esconderse, y cuando el terrorista asomó la cabeza apuntándole directamente con su Makarov, Bourne le disparó limpiamente entre los ojos.

Siguió adelante, en busca del tercer terrorista. Le encontró retorciéndose en la nieve, con la mano en la tripa. Sus ojos brillaron al ver a Bourne y, curiosamente, el espectro de una sonrisa cruzó su cara. Luego, en un último espasmo, arrojó una bocanada de sangre y sus ojos se nublaron.

Bourne echó a correr. Encontró a Zaim a menos de treinta metros de allí. El amhara estaba de rodillas. Tenía dos disparos en el pecho. Bizqueaba de dolor, pero mientras Bourne avanzaba hacia él dijo:

—No, déjame. Estoy acabado.

—Zaim...

—Sigue tú. Encuentra a tu amigo. Llévatelo a casa.

—No puedo dejarte aquí.

El hombre compuso una sonrisa.

—Todavía no lo entiendes. No me arrepiento de nada. Porque mi hijo va a ser enterrado. Eso es lo único que pido.

Con un último y largo estertor, cayó de lado y no volvió a moverse.

Bourne se acercó a él por fin y, arrodillándose, le cerró los ojos. Después siguió hacia el campamento de Fadi. Quince minutos más tarde, tras cruzar serpeando bosquecillos de abetos cada vez más densos, vio un grupo de tiendas militares levantadas en una zona llana que, a juzgar por los tocones resecos de los árboles, había sido despejada hacía tiempo.

Agachado junto al tronco de un árbol, observó el campamento: nueve tiendas, tres fogatas para cocinar y una letrina. El problema era que no veía a nadie. El campamento parecía desierto.

Se levantó, dispuesto a hacer su ronda de reconocimiento en torno al lugar. Pero en cuanto abandonó el refugio de las ramas bajas del abeto, los balazos comenzaron a levantar la nieve a su alrededor. Divisó al menos a media docena de hombres.

Y echó a correr.

—¡Aquí arriba! ¡Por aquí! ¡Deprisa!

Al levantar la mirada, Bourne vio a Alem tendido en un lecho de roca cubierto de nieve. Buscó dónde apoyar el pie y se encaramó al saliente. El chico se apartó del borde y se quedó a su lado mientras, tumbado boca abajo, Bourne veía cómo se desplegaban en su busca los hombres de Fadi.

Luego, siguiendo el ejemplo de Alem, se pegó más al fondo del lecho rocoso. Cuando los terroristas se alejaron y ellos pudieron ponerse en pie, Alem dijo:

—Han llevado a tu amigo a otro sitio. Debajo de la cornisa hay unas cuevas. Le han llevado allí.

—¿Qué estás haciendo aquí? —le preguntó Bourne cuando comenzaron a trepar.

—¿Dónde está mi padre? ¿Por qué no está contigo?

—Lo siento, Alem. Le han matado de un disparo.

Bourne estiró el brazo hacia él, pero el chico dio un respingo. Con la mirada absorta, se apartó de la roca.

—Si te sirve de consuelo, hizo todo lo que pudo. —Bourne se agachó junto a él—. Murió en paz. Le prometí que enterraría a tu hermano.

—¿Puedes hacer eso?

Asintió.

—Sí, creo que sí.

Los ojos oscuros del chico recorrieron su cara. Luego hizo un gesto de reconocimiento y siguieron ascendiendo en silencio. Había empezado a nevar otra vez, y la densa cortina blanca de la nieve parecía apartarlos del resto del mundo. Amortiguaba, además, todos los sonidos, lo cual era al mismo tiempo bueno y malo para ellos: camuflaría los ruidos que hicieran al moverse, pero haría lo mismo con los de sus perseguidores.

Alem, sin embargo, avanzaba resueltamente delante de Bourne. Seguía un surco que cruzaba en diagonal la enorme cornisa rocosa. Pisaba con firmeza, sin perder pie. Menos de quince minutos después alcanzaron la cumbre.

Treparon ambos por su abrupta superficie.

—Hay chimeneas que bajan hasta las cuevas —dijo—. Mi hermano y yo solíamos jugar al escondite aquí. Sé por qué chimenea hay que bajar para llegar hasta donde está tu amigo.

Bourne vio, a pesar de la nieve, que la cornisa estaba cubierta de agujeros que marcaban la entrada a chimeneas verticales, vestigios de una glaciación tan potente que había horadado el material granítico de la montaña.

Se inclinó sobre uno de los agujeros, apartó la nieve acumulada y se asomó a él. La luz no llegaba hasta el fondo, pero el pozo parecía tener unos doscientos metros de longitud.

—Tus enemigos estaban vigilando —comentó Alem a su lado.

—Sí, me lo dijo tu padre.

El chico inclinó la cabeza. Estaba claro que no le sorprendía.

—Sacaron a tu amigo del campamento para que no le encontraras.

Bourne se echó hacia atrás y contempló al muchacho.

—¿Por qué me cuentas eso ahora? Suponiendo que sea verdad, claro.

—Han matado a mi padre. Ahora creo que es lo que querían desde el principio. ¿Qué les importamos nosotros a ellos, qué les importa si morimos o quedamos tullidos, mientras se salgan con la suya? Me aseguraron que mi padre estaría a salvo, que le protegerían, y yo fui tan tonto que les creí. Así que, ahora, que les jodan. Quiero ayudarte a rescatar a tu amigo.

Bourne no dijo nada, ni se movió.

—Sé que debo demostrarte que soy de fiar, así que bajaré yo primero. Si es una trampa, si tus sospechas son ciertas, si creen que vas a usar la chimenea, me matarán a mí. Y tú estarás a salvo.

—No importa lo que hayas hecho, Alem. No quiero que te hagan daño.

El rostro del chico reflejó un momento su confusión. Estaba claro que era la primera vez que un desconocido se interesaba por su bienestar.

—Te he dicho la verdad —dijo—. Los terroristas no saben nada de estas chimeneas.

Tras vacilar un momento, Bourne dijo:

—Puedes demostrarme tu lealtad hacia tu padre y hacia mí, pero no así. —Hurgó en su bolsillo y sacó un pequeño objeto octogonal de goma dura, de color gris oscuro, en el centro del cual había dos botones, uno negro y uno rojo.

Al ponerlo en la mano de Alem, dijo:

—Necesito que bajes de la cornisa y que te dirijas hacia el sur. Estoy seguro de que te encontrarás con algunos hombres de Fadi. En cuanto los veas, aprieta el botón negro. Cuando estés a cien metros de ellos, aprieta el botón rojo y arrójales esto con todas tus fuerzas. ¿Lo has entendido?

El chico miró el octógono.

—¿Es un explosivo?

—Ya sabes que sí.

—Cuenta con ello —dijo Alem solemnemente.

—Bien. No me moveré hasta que oiga la explosión. Luego bajaré por la chimenea.

—La explosión les hará salir. —Alem se levantó para marcharse—. Cuando hayas bajado dos tercios de la chimenea, verás una bifurcación. Toma el túnel de la derecha. Cuando llegues al final, dobla a la derecha. Estarás a cincuenta metros de donde tienen encerrado a tu amigo.

Bourne le vio cruzar a gatas la cima de la cornisa y desaparecer entre los ventisqueros de la ladera sur. Un instante después llamó a Davis por el teléfono vía satélite.

—Tu posición está en peligro —dijo—. ¿Has visto movimiento? ¿Alguna novedad?

—Esto está tranquilo como una tumba —respondió el piloto—. ¿Puedes decirme una hora aproximada de regreso? Se está formando un frente en el noroeste.

—Eso he oído. Mira, necesito que salgas de ahí. Pasé por un prado alpino a unos trece o cartorce kilómetros al noroeste de donde estás. Dirígete allí. Pero primero quiero que entierres el cadáver de la cueva. No podrás cavar, así que usa piedras. Haz un túmulo. Reza una oración. Ah, y otra cosa: ponte el traje antirradiación que vi en la cabina.

Bourne volvió a la tarea que tenía entre manos. Tenía que confiar en que Alem le hubiera dicho la verdad. Pero aun así debía tomar precauciones, por si se equivocaba. En lugar de esperar la detonación, como le había dicho al chico, se introdujo inmediatamente en la chimenea y comenzó a descender por ella. El muchacho podía estar entregando la granada a uno de los hombres de Fadi en aquel mismo instante. Al menos así no estaría donde el chico creía que estaba.

Bourne bajó por la chimenea de roca apoyándose con rodillas, tobillos y codos. La presión que ejercía con ellos era lo único que impedía que se precipitara por el conducto hasta el suelo rocoso.

Tal y como le había dicho Alem, la chimenea se bifurcaba en un punto situado a unos dos tercios de su longitud. Bourne se quedó un momento suspendido sobre la bifurcación, ponderando lo imponderable. O creía al chico o no le creía, era así de sencillo. Aunque, naturalmente, no tenía nada de sencillo. En lo tocante a motivaciones e impulsos humanos, nada era sencillo.

Tomó el ramal de la derecha. A poca distancia de allí, el túnel se estrechaba ligeramente y en algunos puntos le costó seguir avanzando. En una ocasión tuvo que hacer un giro de cuarenta y cinco grados para que pasaran sus hombros. Al final, sin embargo, salió al suelo de la cueva. Con la Makarov en la mano, miró a un lado y a otro. No había terroristas emboscados, pero una estalagmita de metro y medio de alto (un depósito calizo causado por el agua rica en mineral que bajaba por la chimenea) emergía del suelo de la caverna.

Bourne la partió de una patada medio metro por encima de su base. Cogió el trozo que había arrancado y se dirigió a la derecha siguiendo la pared de la caverna. Poco después, el pasadizo se curvaba hacia la izquierda. Bourne aminoró el paso; luego se agachó.

Al asomarse a la esquina vio a uno de los hombres de Fadi en pie, con un fusil Ruger semiautomático apoyado en la cadera. Esperó mientras respiraba hondo, lentamente. El terrorista se movió y Bourne pudo ver a Martin Lindros. Atado y amordazado, estaba apoyado contra un fardo de lona. Se le aceleró el pulso. Martin estaba vivo.

No tuvo, sin embargo, tiempo de evaluar el estado de su amigo: en ese mismo instante, el eco de una explosión retumbó en la cueva. Alem se había redimido: había hecho estallar la granada de Deron, como le había prometido.

Aquel tipo volvió a moverse, impidiéndole ver a Lindros. Otros dos terroristas se reunieron con el primero, que se puso a hablar rápidamente en árabe por un teléfono vía satélite, intentando decidir qué hacían. Así pues, Fadi había dejado tres hombres custodiando al prisionero. Bourne tenía ya un dato crucial.

Tras tomar una decisión, los terroristas formaron un triángulo defensivo: un hombre en una punta, junto a la entrada de la cueva, y dos separados detrás de Lindros, cerca de donde Bourne estaba agazapado.

Bourne dejó la Makarov. No podía permitirse usar un arma de fuego. El ruido atraería inmediatamente al resto de los hombres de Fadi. Se levantó y plantó bien los pies sobre el suelo. Sujetando la estalagmita con una mano, sacó el cuchillo de hoja curva. Arrojó primero el cuchillo, que se hundió hasta la empuñadura en la espalda del guardia de atrás, a la izquierda. Cuando el otro se volvió, Bourne arrojó la estalagmita como si fuera una lanza. La clavó en la garganta del terrorista, atravesándola limpiamente. El hombre arañó la estalagmita un momento mientras se tambaleaba. Después se desplomó sobre su compañero.

El terrorista del otro extremo se había girado y le apuntaba con su Ruger, así que inmediatamente levantó las manos y comenzó a andar hacia él.

—¡Alto! —dijo en árabe el terrorista.

Pero Bourne ya había echado a correr. Llegó hasta él cuando el tipo le miraba aún con los ojos dilatados por la impresión. Apartó el cañón del Ruger y le golpeó en la nariz con el canto de la mano, haciendo saltar sangre y trozos de cartílago. Después le rompió la clavícula de un golpe. El terrorista cayó de rodillas y se tambaleó, aturdido. Jason le quitó el Ruger de las manos y le asestó un golpe en la sien con la culata. El hombre se desplomó, inmóvil.

Bourne ya se había alejado. Cortó la cuerda que unía las manos y los tobillos de Lindros. Cuando su amigo estuvo en pie, le quitó la mordaza.

—Tranquilo —dijo—. ¿Estás bien?

Lindros se lo confirmó con un gesto.

—De acuerdo. Voy a sacarte de aquí inmediatamente.

Mientras lo llevaba por el mismo camino por el que él había llegado, le desató las muñecas. Martin tenía la cara hinchada y descolorida, los efectos más visibles de su tormento. ¿A qué sufrimientos físicos y mentales le había sometido Fadi? Bourne había sido torturado más de una vez. Sabía que algunas personas aguantaban mejor la tortura que otras.

Pasaron junto al tocón de la estalagmita rota y llegaron a la chimenea.

—Tenemos que subir —dijo Bourne—. Es la única salida.

—Haré lo que tenga que hacer.

—No te preocupes. Yo te ayudaré.

Cuando se disponía a introducirse en la chimenea, Lindros le tocó el brazo.

—Jason, nunca perdí la esperanza. Sabía que me encontrarías —dijo—. Nunca podré darte las gracias como te mereces.

Bourne le apretó el brazo un momento.

—Anda, vamos. Sígueme.

Tardó más en subir que en bajar. Para empezar, trepar era mucho más difícil y cansado. Y, en segundo lugar, estaba Lindros. En varias ocasiones tuvo que parar y retroceder un metro o dos para ayudar a su amigo a superar un tramo especialmente difícil de la chimenea. Y al pasar por una parte en la que el conducto se estrechaba, tuvo que cargar físicamente con él.

Por fin, tras treinta minutos angustiosos, salieron a la cima de la cornisa. Mientras Martin recuperaba la respiración, Bourne observó el tiempo. El viento había cambiado de dirección. Ahora soplaba del sur. La nieve caía dispersa, con un leve repiqueteo. Saltaba a la vista que no volvería a arreciar: el frente se había alejado. Esta vez, los demonios ancestrales del Ras Dashén se habían apiadado de ellos.

Bourne ayudó a Lindros a levantarse y juntos emprendieron la marcha hacia el helicóptero.

11

Anne Held vivía en Georgetown, en una casa de dos plantas, de estilo federal y ladrillo rojo, a tiro de piedra de Dumbarton Oaks. La casa tenía contraventanas negras, tejado de pizarra y un cuidado seto de alheña en la parte delantera. Había pertenecido a Joyce, su difunta hermana. Joyce y su marido, Peter, habían muerto tres años antes, cuando su avioneta se estrelló en la niebla camino de Martha's Vineyard. Anne había heredado la casa, que de otro modo no habría podido permitirse.

La mayoría de las noches, cuando volvía a casa, no echaba de menos a su Amante. Para empezar, el director la hacía trabajar hasta muy tarde. Siempre había sido un trabajador incansable, pero desde que su esposa le había abandonado, hacía dos años, no tenía ningún motivo para abandonar su despacho. Además, una vez en casa, Anne se mantenía ocupada hasta el momento en que se tomaba un somnífero, se metía bajo las mantas y apagaba la luz de la mesilla de noche.

Con todo, había noches (como ésta) en las que no pensaba en otra cosa. Echaba de menos su olor, el tacto de sus miembros musculosos, el roce de su vientre plano sobre su piel, el placer exquisito que sentía cuando la tomaba, o cuando ella le tomaba a él. El vacío interior que le dejaba su ausencia era un dolor físico que sólo conseguía aliviar mediante el trabajo o el sueño inducido por los somníferos.

Su Amante. Tenía nombre, claro. Y mil apelativos cariñosos que ella le había puesto con el paso de los años. En su cabeza, en sus sueños, sin embargo, era siempre su Amante. Le había conocido en Londres, en una alegre fiesta consular: el embajador de no sé dónde celebraba su setenta y cinco cumpleaños y había invita-

do a sus seiscientas y pico amistades, entre ellas Anne. En aquel
entonces ella trabajaba para el director del MI6, un viejo amigo de
confianza del director de la CIA.

De pronto se sintió aturdida y un poco asustada. Aturdida por
su cercanía, y asustada por el profundo efecto que aquel hombre
surtía sobre ella. A sus veinte años, no carecía de experiencias con
el sexo opuesto. Pero esas experiencias se limitaban a chicos im-
berbes. Su Amante era un hombre hecho y derecho. Anne le añoraba ahora tan intensamente que sentía un nudo en el pecho.

Tenía la garganta seca. Cruzó el recibidor y entró en la biblioteca, al otro lado de la cual se hallaba el pasillo que conducía a la
cocina. No había dado más de tres o cuatro pasos cuando se paró
en seco.

Nada estaba como lo había dejado. Aquella escena la sacó de
golpe del abismo emocional en el que había caído. Sin apartar la
vista de la habitación, abrió el bolso y sacó su Smith & Wesson
J-frame. Tenía buena puntería; practicaba dos veces al mes en la
sala de tiro de la CIA. No era muy aficionada a las armas, pero
todo el personal de oficinas estaba obligado a entrenarse.

Así armada, miró a su alrededor con más detenimiento. No era
que hubiera entrado un ladrón y lo hubiera revuelto todo. Era un
trabajo pulcro y minucioso. De hecho, los cambios eran en su mayoría tan insignificantes que, de no haber sido tan neurótica, quizá
le habrían pasado desapercibidos. Los papeles de su mesa no estaban tan bien ordenados como los había dejado, su vieja grapadora
cromada estaba más torcida de la cuenta, sus lápices de colores se
hallaban en orden ligeramente distinto y los libros de las estanterías estaban peor alineados que antes.

Inspeccionó primero todas las habitaciones y los armarios de
la casa para asegurarse de que estaba sola. Luego comprobó las
puertas y las ventanas. No había nada roto, ni dañado. Lo que
significaba que o la persona que había entrado tenía un juego de
llaves, o había forzado la cerradura. De esas dos posibilidades, la
segunda parecía de lejos la más probable.

Regresó a la biblioteca y examinó lenta y metódicamente cada objeto de la habitación. Era importante para ella hacerse una idea de quién había entrado en su casa. Mientras iba de estantería en estantería, se imaginó a aquella persona acechándola, fisgando y hurgando entre sus cosas con intención de descubrir sus secretos más íntimos.

En cierto sentido, parecía inevitable que ocurriera algo así, teniendo en cuenta a qué se dedicaba. Pero esa certeza no aliviaba el temor que le producía aquella violación de su vida privada. Estaba muy protegida, desde luego. Y era tan cuidadosa en casa como en la oficina. La persona que había entrado en su casa no habría encontrado nada de valor, de eso estaba segura. Era el hecho mismo lo que la angustiaba. La habían atacado. ¿Por qué? ¿Y quién? Preguntas sin respuesta inmediata.

Olvida ese vaso de agua, se dijo. Se sirvió un whisky escocés a palo seco y, mientras se lo bebía, subió a su dormitorio. Se sentó en la cama y se quitó los zapatos. Pero la adrenalina que seguía circulando por su organismo no le permitía relajarse. Se levantó, se acercó a la cómoda y dejó sobre ella el anticuado vaso de whisky. De pie ante el espejo, se desabrochó la blusa y se la quitó. Entró en el vestidor y apartó una fila de blusas para alcanzar el perchero. Al levantar el brazo, se quedó inmóvil. Su corazón comenzó a latir como un martillo neumático, y sintió que una oleada de náuseas se apoderaba de ella.

Allí, colgada de la barra cromada del perchero, había una horca minúscula. Y atrapada en el nudo corredizo, tenso como si ciñera el cuello de un condenado, había una de sus bragas.

—Querían que les dijera qué sabía. Querían saber por qué les estaba siguiendo. —Martin Lindros apoyó la cabeza en el respaldo del asiento del avión, y entornó los párpados—. Me daban ganas de abofetearme. El que me interrogaba me dijo que me habían descubierto en Zambia. Yo ni me enteré.

—Es absurdo atormentarse por eso —dijo Bourne—. No estás acostumbrado al trabajo de campo.

Lindros sacudió la cabeza.

—Eso no es excusa.

—Martin —dijo Bourne suavemente—, ¿qué le ha pasado a tu voz?

Lindros hizo una mueca.

—Creo que estuve gritando durante días. No me acuerdo. —Intentó ahuyentar aquel recuerdo—. No vi nada.

Bourne tenía claro que su amigo seguía sumido en una especie de trauma posrescate. Martin le había preguntado dos veces por la suerte que había corrido Jaime Cowell, su piloto, como si no le hubiera oído la primera vez, o como si fuera incapaz de asimilar la noticia. Bourne había preferido no hablarle del segundo helicóptero; ya habría tiempo para eso más adelante. Habían ocurrido tantas cosas en tan poco tiempo que apenas habían tenido ocasión de hablar hasta ahora. Nada más despegar del Ras Dashén, Davis había llamado por radio al aeropuerto de Ambouli, en Yibuti, pidiendo un médico de la CIA. Lindros había pasado el vuelo tendido en una camilla, entrando y saliendo de un sueño espasmódico. Bourne nunca le había visto tan delgado. Tenía la cara demacrada y gris, y la barba alteraba su apariencia de la manera más inquietante: le hacía parecer uno de sus secuestradores.

Davis, un piloto de primera donde los hubiera, no sólo había logrado despegar, sino que había hecho pasar el helicóptero por el ojo de una aguja: una hendidura entre el viento ululante que formaba el costado de la borrasca. Siguió hábilmente aquella hendidura montaña abajo, hasta que el tiempo se despejó. Entre tanto, Lindros yacía a su lado, con la cara pálida y la máscara de oxígeno firmemente colocada en su sitio.

Durante el azaroso vuelo, Bourne procuró olvidarse de la cara podrida y agujereada del hermano de Alem. Le habría gustado enterrar al chico con sus propias manos. Había sido imposible, así que había hecho lo mejor que se le había ocurrido. Imaginando el túmulo de piedras que había levantado Davis, rezó en silencio una oración de difuntos, como había hecho meses antes junto a la tumba de Marie.

El médico de la CIA subió a bordo en cuanto tomaron tierra en Yibuti. Era un joven de semblante severo y cabello prematuramente gris. Tras pasar cerca de una hora examinando a Lindros, Bourne y él hablaron junto al helicóptero.

—Está claro que ha sufrido un fuerte maltrato —dijo el médico—. Hematomas, contusiones, una costilla fracturada... Y deshidratación, claro está. Lo bueno es que no hay síntomas de hemorragia interna. Le he puesto un gotero con suero y antibióticos, así que no se le podrá mover hasta dentro de una hora. Aproveche para asearse y comer algo proteínico.

El doctor había dedicado a Bourne un esbozo de sonrisa.

—Físicamente, se pondrá bien. Pero aún no puedo evaluar los daños mentales y anímicos. La evaluación oficial tendrá que esperar hasta que volvamos a Washington, pero entre tanto puede echarme usted una mano. Distráigalo durante el viaje de vuelta, si puede. Tengo entendido que son buenos amigos. Háblele de las cosas que han hecho juntos, a ver si descubre si ha sufrido alguna alteración.

—¿Quién te interrogaba? —preguntó Bourne ahora, sentado junto a Lindros en el avión de la CIA.

Su amigo cerró los ojos un momento.

—Su líder, Fadi.

—Así que Fadi en persona estaba allí, en el Ras Dashén.

—Sí. —Un leve escalofrío recorrió a Lindros como una ráfaga de viento—. Ese cargamento era demasiado importante para dejarlo en manos de un subalterno.

—Entonces lo descubriste antes de que te capturaran.

—Descubrí lo del uranio, sí. Llevaba conmigo detectores de radiactividad. —Su mirada se deslizó hacia la ventanilla del avión, más allá de la cual sólo había negrura—. Al principio pensaba que Duyya andaba detrás de los detonadores. Pero en realidad no tenía sentido. ¿Porque para qué querían interruptores de alto voltaje si no...? —Otro suave espasmo recorrió su cuerpo—. Hay que dar por sentado que lo tienen todo, Jason. Los detonadores y, lo que es peor, los medios para enriquecer el uranio. Debemos asumir que están construyendo una bomba nuclear.

—Es la misma conclusión que saqué yo.

—Y no se trata de una de esas bombas sucias que sólo destruirían un par de manzanas. Es una bomba atómica de verdad, con potencia suficiente para devastar una gran urbe e irradiar las zonas colindantes. Por amor de Dios, ¡estamos hablando de millones de vidas!

Martin tenía razón. Bourne había llamado al Viejo desde Yibuti, mientras el médico examinaba a Lindros, para informarle brevemente del estado de éste, de su situación y, más concretamente, de lo que habían descubierto sobre Duyya y su capacidad de llevar sus amenazas a la práctica. De momento, sin embargo, lo único que podía hacer era calibrar el estado mental de su amigo.

—Háblame de los días que has pasado secuestrado.

—No hay mucho que contar, en realidad. La mayor parte del tiempo tuve la cabeza tapada con una capucha. Lo creas o no, llegué a temer que me la quitaran, porque era entonces cuando me interrogaba Fadi.

Bourne sabía que patinaba sobre una capa de hielo muy fina. Pero tenía que descubrir la verdad, aunque no le gustara oírla.

—¿Sabía que eras de la CIA?

—No.

—¿Se lo dijiste tú?

—Le dije que era de la Agencia Nacional de Seguridad y me creyó. No tenía motivos para dudarlo. Para esa gente, todas las agencias de espionaje norteamericanas son iguales.

—¿Quería información sobre el despliegue de personal o los objetivos de la agencia?

Lindros sacudió la cabeza.

—Como te decía, lo que le interesaba era saber por qué les estaba siguiendo y qué sabía.

Bourne vaciló un momento.

—¿Lo averiguó?

—Sé adónde quieres ir a parar, Jason. Estaba convencido de que, si me derrumbaba, Fadi me mataría.

Bourne se quedó callado. Lindros respiraba agitadamente. Tenía la frente manchada de sudor. El médico le había advertido que, si se pasaba de la raya, si le presionaba demasiado, podía producirse una reacción adversa.

—¿Quieres que llame al médico?

Lindros sacudió la cabeza.

—Dame un minuto. Enseguida estaré bien.

Bourne se dirigió a la despensa y calentó comida para ambos. No había auxiliares de vuelo a bordo, sólo el doctor, el piloto de la CIA y un copiloto armado en la cabina. Al regresar a su asiento, ofreció un plato a su amigo y se sentó. Pasó un rato comiendo en silencio. Después notó que Lindros se había calmado lo suficiente para empezar a picotear la comida de su plato.

—Cuéntame qué ha pasado en mi ausencia.

—Ojalá tuviera buenas noticias. La verdad es que tu gente cogió a ese traficante de Ciudad del Cabo que le vendió los detonadores a Duyya.

—Sí, Hiram Cevik.

Bourne sacó la PS3, abrió la foto de Cevik y se la enseñó.

—¿Es él?

—No —contestó Lindros—. ¿Por qué?

—Éste es el hombre al que detuvieron en Ciudad del Cabo y llevaron a Washington. Escapó, pero antes uno de sus hombres mató a Tim Hytner de un disparo.

—Menuda mierda. Hytner era un buen hombre. —Lindros tocó la pantalla de la PS3—. ¿Y éste quién es?

—Creo que es Fadi.

Lindros parecía incrédulo.

—¿Le atrapamos y se nos escapó?

—Me temo que sí. Aunque, por otra parte, es la primera pista que tenemos sobre su verdadero aspecto.

—Déjame ver. —Lindros miró la fotografía con detenimiento. Pasado un rato dijo—: ¡Dios mío, es Fadi!

—¿Estás seguro?

Lindros hizo un gesto de asentimiento.

—Estaba allí cuando nos atacaron. En la foto lleva un montón de maquillaje, pero reconozco la forma de su cara. Y esos ojos. —Asintió de nuevo mientras le devolvía la PS3—. Es Fadi, sí.

—¿Puedes hacerme un retrato robot?

Lindros dijo que sí con la cabeza. Bourne se levantó y un momento después volvió con un cuaderno y un puñado de lápices que había pedido al copiloto.

Mientras Lindros dibujaba, él le habló de algo que había notado en la actitud de su amigo.

—Martin, tengo la impresión de que quieres decirme algo más.

Lindros apartó la mirada del cuaderno.

—Seguramente no es nada, pero... —Sacudió la cabeza—. Cuando estaba a solas con otro de los que me interrogaban, un tal Abbud ibn Aziz, que por cierto es la mano derecha de Fadi, salía siempre a relucir el mismo nombre: Hamid ibn Ashef.

—No le conozco.

—¿De veras? Creía haber visto su nombre en tu expediente.

—Si es así, sería en alguna misión montada por Alex Conklin. Pero no recuerdo si participé en ella.

—Me estaba preguntando por qué Abbud ibn Aziz quería información sobre esa misión en concreto. Supongo que ya nunca lo sabré. —Lindros bebió un largo trago de agua. Estaba cumpliendo las órdenes del médico: descansar y rehidratarse—. Jason, puede que todavía esté un poco desorientado, pero no estoy en estado de choque. Sé que los de arriba van a hacerme pasar por toda una batería de pruebas para evaluar cómo estoy.

—Volverás al trabajo, Martin.

—Espero que sepas que vas a tener un peso esencial en esa decisión. A fin de cuentas, tú eres quien mejor me conoce. La CIA tendrá que guiarse por tu criterio.

Bourne no pudo evitar echarse a reír.

—Eso sí que sería un cambio.

Lindros respiró hondo y, al soltar el aire, dejó escapar un leve silbido de dolor.

—Al margen de todo eso, quiero que me prometas una cosa.

Bourne escudriñó su cara en sombras, en busca de alguna señal que indicara que Lindros sabía lo que de verdad querrían averiguar los mandamases de la CIA: si le habían lavado el cerebro, convirtiéndole en una bomba de relojería humana, en un arma que utilizar contra la propia agencia. Él había tenido presente esa posibilidad en todo momento mientras buscaba a su amigo. ¿Qué sería peor?, se preguntaba. ¿Encontrar muerto a Martin, o descubrir que se había pasado al enemigo?

—La rígida organización de Duyya, casi empresarial, sus reservas aparentemente ilimitadas de armamento moderno, el hecho de que Fadi se haya educado en Occidente, la suma de todos esos factores distingue a este grupo de cualquier otra red terrorista a la que nos hayamos enfrentado antes —prosiguió Lindros—. Construir una planta de enriquecimiento de uranio es tremendamente caro. ¿Quién tiene tanto dinero para repartir? Imagino que algún cártel. Dinero procedente de la droga cosechada en Afganistán o Colombia. Cierra ese grifo, acaba con los que les facilitan el dinero, y acabarás con sus posibilidades de enriquecer uranio y de hacerse con armamento de última generación. No hay mejor forma de mandarlos de nuevo a la Edad de Hierro. —Bajó la voz—. Creo que en Botsuana descubrí el rastro del dinero de Duyya, y que ese rastro conduce a Odesa. Tengo un nombre: Lemontov. Edor Vladovich Lemontov. Según los datos que recabé en Uganda, Lemontov tiene su base allí.

Sus ojos brillaron: el antiguo entusiasmo había vuelto.

—¡Piénsalo, Jason! Hasta ahora, el único medio realista de destruir una red de terrorismo islámico era intentar infiltrarse en ella. Una táctica tan difícil que nunca ha tenido éxito. Ahora, por primera vez, tenemos otra alternativa. Un medio tangible de desmantelar desde fuera la red terrorista más peligrosa del mundo.

»De eso puedo ocuparme yo. Pero en cuanto a la persona que

les facilita el dinero, sólo me fío de ti. Necesito que vayas a Odesa lo antes posible, que encuentres a Lemontov y que acabes con él.

La laberíntica casona de piedra rústica se había construido hacía más de un siglo. Desde entonces, había tenido tiempo de sobra de acomodarse entre las suaves colinas de Virginia. Tenía ventanas abuhardilladas, tejado de pizarra y un alto muro de piedra que rodeaba por completo la finca y cuya verja de hierro se abría electrónicamente. Los vecinos decían que era propiedad de un viejo escritor que vivía recluido y que, si alguien se tomaba la molestia de consultar la copia de las escrituras que figuraba en el ayuntamiento, a cincuenta kilómetros de allí, vería que había comprado la casa veintidós años antes por la suma de 240.000 dólares, después de que las autoridades del condado cerraran el manicomio. Aquel escritor, decían, tenía un punto de paranoico. ¿Por qué, si no, estaba electrificado el muro? ¿Y por qué había un par de dóbermans flacos y perpetuamente hambrientos vagando por los jardines, husmeando y gruñendo con aire amenazador?

En realidad, la finca era propiedad de la CIA. Los agentes veteranos, los que estaban al tanto de su existencia, la llamaban Casa Lóbrega porque era allí donde la agencia les sometía a interrogatorio después de una misión. Se contaban chistes macabros sobre ella porque su sola existencia les llenaba de temor. Allí fueron conducidos Bourne y Lindros una gélida mañana de invierno, tras su llegada al aeropuerto de Dulles.

—Ponga la cabeza ahí. Eso es.

El agente de la CIA apoyó la mano en la nuca de Martin Lindros, como había hecho un momento antes con Jason Bourne.

—Mire al frente, por favor —prosiguió— y procure no parpadear.

—He hecho esto mil veces —refunfuñó Lindros.

El agente no le hizo caso; encendió el lector de retina y observó los dígitos mientras el aparato escaneaba el centro del ojo derecho. Tras tomar su fotografía, el lector comparó automáticamente el dibujo de la retina con el que figuraba en sus archivos. Coincidían a la perfección.

—Bienvenido a casa, subdirector. —El agente sonrió y le tendió la mano—. Ya puede entrar en Casa Lóbrega. Segunda puerta a la izquierda. Señor Bourne, usted, la tercera a la derecha.

Les indicó con la cabeza el ascensor que la CIA había hecho instalar al comprar la finca. Como era él quien lo controlaba, las puertas estaban abiertas y la cabina les esperaba pacientemente. Dentro del reluciente habitáculo de acero inoxidable no hacían falta números, ni botones que pulsar. Aquel ascensor iba solamente al subsótano, donde la madriguera de toscos pasillos de cemento, claustrofóbicas habitaciones sin ventanas y misteriosos laboratorios poblados por un auténtico batallón de médicos especialistas y psicólogos les aguardaba como en una cámara de los horrores medieval.

En la CIA todo el mundo sabía que, cuando te llevaban a Casa Lóbrega, era porque algo se había torcido irremediablemente. Aquélla era la morada transitoria de tránsfugas, agentes dobles, incompetentes y traidores.

Después no volvía a oírse a hablar de aquella gente, cuya suerte era una fuente inagotable de rumores pavorosos en el seno de la agencia.

Al llegar al subsótano, Bourne y Lindros salieron al pasillo, que olía vagamente a ácido y a limpiador. Se miraron un momento cara a cara. No había nada más que decir. Se estrecharon las manos como gladiadores a punto de salir al coso ensangrentado, y se separaron.

En la habitación de la tercera puerta a la derecha, Bourne se sentó en una silla metálica atornillada al suelo de cemento. Los largos fluorescentes de una lámpara industrial cubierta con rejilla de acero zumbaban en el techo como un tábano contra el cristal de una ventana. Su luz dejaba ver una mesa de metal y otra silla metálica, ambas fijadas al suelo. En un rincón había un váter de acero inoxidable parecido a los de las prisiones y un pequeño lavabo. Fuera de eso, la habitación estaba desnuda, salvo por un espejo empotrado en la pared, a través del cual podría observarle la persona que tuviera asignado su interrogatorio.

Esperó dos horas con la única compañía del zumbido de los fluorescentes. Después la puerta se abrió bruscamente. Entró un agente y se sentó al otro lado de la mesa. Sacó una pequeña grabadora, la puso en marcha, abrió una carpeta sobre la mesa y empezó a interrogarle.

—Cuénteme lo más detalladamente que pueda lo que ocurrió desde el momento en que llegó a la cara norte del Ras Dashén hasta el momento en que despegó con el sujeto a bordo del helicóptero.

Mientras Bourne hablaba, el interrogador no le quitaba ojo. Era un hombre de mediana edad, estatura media, frente alta y abombada y cabello fino y escaso. Tenía el mentón huidizo y ojos de zorro. No miró de frente a Bourne ni una sola vez: le observaba de soslayo, como si de ese modo pudiera penetrar en sus pensamientos o, como mínimo, intimidarle.

—¿En qué estado estaba el sujeto cuando le encontró?

El interrogador le estaba pidiendo que repitiera lo que Bourne ya le había dicho. Era un procedimiento estándar, una forma de distinguir la verdad de la mentira. Si un individuo mentía, su relato cambiaba tarde o temprano.

—Estaba atado y amordazado. Parecía muy delgado, mucho más que ahora, como si sus secuestradores le hubieran alimentado mínimamente.

—Imagino que el ascenso de vuelta al helicóptero se le hizo muy penoso.

—Lo que más le costó fue empezar. Pensé que quizá tendría que llevarle a hombros. Tenía los músculos agarrotados y una resistencia prácticamente nula. Le di un par de barras proteínicas y eso ayudó. Pasada una hora caminaba con más firmeza.

—¿Qué fue lo primero que dijo? —preguntó el interrogador con falsa blandura.

Bourne sabía que cuanto más despreocupada sonara una pregunta más importancia tenía para el interrogador.

—«Haré lo que tenga que hacer.»

El interrogador sacudió la cabeza.

—Me refiero a cuando le vio a usted. Cuando le quitó la mordaza.

—Le pregunté si estaba bien...

El interrogador miró el techo como si se aburriera.

—¿Y qué dijo exactamente?

Bourne mantuvo una expresión pétrea.

—Asintió. No dijo nada.

El interrogador parecía perplejo, señal segura de que intentaba tenderle una trampa.

—¿Y eso por qué? Lo lógico sería que hubiera dicho algo, después de pasar más de una semana secuestrado.

—La situación era peligrosa. Cuanto menos habláramos en ese momento, mejor. Él lo sabía.

El interrogador le miraba de nuevo con el rabillo del ojo.

—Entonces, lo primero que dijo fue...

—Le dije que teníamos que trepar por la chimenea para escapar y me contestó: «Haré lo que tenga que hacer».

El interrogador parecía incrédulo.

—Está bien, dejemos eso. En su opinión, ¿cuál era su estado mental en ese momento?

—Parecía encontrarse bien. Aliviado. Quería salir de allí.

—¿No estaba desorientado? ¿No mostró ningún síntoma de amnesia? ¿No dijo nada extraño, algo fuera de lugar?

—No, nada de eso.

—Parece muy convencido, señor Bourne. ¿No tiene usted mismo problemas de memoria?

Bourne sabía que su interlocutor intentaba que picara el anzuelo, y se relajó. Aquél era el último recurso, la treta que se usaba cuando se agotaban todas las vías para desmontar una historia.

—De acontecimientos del pasado. Mis recuerdos de ayer, de la semana pasada, del último mes son claros como el agua.

El interrogador preguntó sin vacilar un momento:

—¿Le hicieron un lavado de cerebro al sujeto? ¿Le han convertido a su causa?

—El hombre del otro lado del pasillo es el Martin Lindros de siempre —contestó Bourne—. En el vuelo de regreso, hablamos de cosas que sólo sabíamos él y yo.

—Sea más concreto, por favor.

—Confirmó la identidad de Fadi, el líder terrorista. Hizo un boceto de él para mí. Un inmenso paso adelante para nosotros. Antes, Fadi era solamente una cifra. Y me dijo el nombre de la mano derecha de Fadi, Abbud ibn Aziz.

El interrogador le hizo unas cuantas preguntas más, la mayoría de las cuales ya había formulado de otra manera. Bourne respondió con paciencia a todas ellas. No iba a permitir que nada alterara su calma.

La sesión llegó a su fin tan bruscamente como había empezado. Sin darle las gracias ni ofrecerle explicaciones, el interrogador apagó la grabadora, recogió sus notas y salió de la habitación.

Siguió otro periodo de espera que sólo interrumpió un agente más joven para llevarle una bandeja de comida. El tipo salió sin decir palabra.

Eran poco más de las seis de la tarde, según el reloj de Bourne (el interrogatorio había durado todo el día), cuando volvió a abrirse la puerta.

Bourne, que creía estar preparado para cualquier cosa, se llevó una sorpresa al ver aparecer al director. El Viejo se quedó allí parado largo rato, mirándole. Bourne vio en su semblante un reflejo del conflicto de emociones que constreñía su garganta. Le había costado un gran esfuerzo entrar allí, y lo que había ido a decirle se le había atascado en el buche como la espina de un pez.

Por fin dijo:

—Ha cumplido su promesa. Ha traído a Martin a casa.

—Martin es amigo mío. No iba a dejarle en la estacada.

—Bourne, usted sabe que desearía no haberle conocido, no es ningún secreto. —El Viejo sacudió la cabeza—. Pero la verdad es que es usted un puto enigma.

—Hasta para mí mismo.

El director parpadeó varias veces. Luego dio media vuelta y salió, dejando la puerta abierta. Bourne se levantó. Suponía que era libre de irse, igual que Martin. Eso era lo único que importaba. Martin había pasado la exhaustiva batería de pruebas y test psicológicos a la que le habían sometido. Ambos habían sobrevivido a su paso por Casa Lóbrega.

Sentado en la silla del director de Tifón, tras la mesa del director de Tifón, Matthew Lerner comprendió que algo iba mal en cuanto oyó el aplauso. Se apartó de su terminal, donde había estado diseñando un nuevo sistema de catalogación para los archivos informáticos de Tifón.

Se levantó, cruzó el despacho y abrió la puerta. Vio entonces a Martin Lindros rodeado por los miembros del equipo de Tifón, que, cuando no estaban jaleándole con sus aplausos, sonreían, reían y le estrechaban la mano con entusiasmo.

Lerner apenas podía creer lo que estaba viendo. *Aquí llega César*, pensó con amargura. *¿Y por qué el director no ha tenido a bien informarme de su regreso?* Con una mezcla de envidia y repulsión, vio cómo el general pródigo avanzaba triunfalmente hacia él sin apresurar el paso. *¿Qué haces aquí? ¿Por qué no estás muerto?*

Con no poco esfuerzo, compuso una sonrisa y le tendió la mano.

—Todos aclaman al héroe en su regreso.

Lindros le devolvió la sonrisa con la misma acerada ironía.

—Gracias por mantener mi silla caliente, Matthew.

Pasó junto a Lerner y entró en su despacho. Luego se quedó allí parado, haciendo inventario.

—¿Cómo? ¿No has mandado dar una nueva mano de pintura? —Cuando Lerner le siguió, añadió—: Antes de que subas, quiero un informe verbal.

Lerner hizo lo que le pedía mientras recogía sus efectos personales. Cuando acabó, Lindros dijo:

—Te agradecería que dejaras el despacho tal y como lo encontraste, Matthew.

Lerner le miró con ira durante una fracción de segundo; después volvió a colocar las fotografías, las láminas y recuerdos que había quitado con la esperanza de no volver a verlos. Como buen comandante, sabía cuándo abandonar el campo de batalla. Tenía el convencimiento de que aquello era una guerra, y apenas acababa de empezar.

El teléfono de Lindros sonó tres minutos después de que Lerner abandonara las oficinas de Tifón. Era el Viejo quien llamaba.

—Apuesto a que es un placer estar sentado detrás de esa mesa.

—No sabe cuánto —contestó Lindros.

—Bienvenido a casa, Martin. Y lo digo de todo corazón. Has confirmado las intenciones de Duyya, y eso no tiene precio.

—Sí, señor. Ya he ideado un plan paso a paso para detenerlos.

—Bien hecho —dijo el director—. Reúne a tu equipo y sigue adelante con la misión, Martin. Hasta que resolvamos esta crisis, tu misión es la de la CIA. A partir de este momento, tienes acceso ilimitado a todos los recursos de la agencia.

—Cumpliré con mi deber, señor.

—Cuento con ello, Martin —dijo el director—. Esta noche podrás informarme durante la cena. A las ocho en punto.

—Lo estoy deseando, señor.

El director carraspeó.

—Bueno, ¿qué piensas hacer con Bourne?

—No entiendo, señor.

—A mí no me vengas con ésas, Martin. Ese hombre es un peligro y los dos lo sabemos.

—Me ha traído a casa, señor. Dudo que otro hubiera podido hacerlo.

El Viejo se sacudió las palabras de Lindros.

—Estamos en medio de una crisis nacional de proporciones y gravedad sin precedentes. Lo último que nos hace falta es una bala perdida. Quiero que te libres de él.

Lindros se removió en la silla mientras miraba por la ventana los balines plateados de una lluvia gélida. Anotó mentalmente que debía comprobar si el vuelo de Bourne iba a retrasarse. En medio del silencio creciente, dijo:

—Voy a necesitar que me aclare eso.

—Ah, no, no, nada de eso. De todos modos, ese hombre tiene siete vidas. —El director se quedó callado un momento—. Sé que habéis forjado una especie de vínculo, pero eso no es sano. Créeme, lo sé. Piensa que enterramos a Alex Conklin hace tres años. Es peligroso que alguien se acerque demasiado a él.

—Señor...

—Si te sirve de algo, te estoy pidiendo una última prueba de lealtad, Martin. Que continúes al frente de Tifón depende de ello. No hace falta que te recuerde que hay alguien pisándote los talones. A partir de este instante, cortarás todos tus vínculos con Jason Bourne. Bourne no recibirá más información, ni de tu oficina ni de ninguna otra del edificio. ¿Está claro?

—Sí, señor. —Lindros cortó la conexión.

Cogió el teléfono inalámbrico, se levantó y se acercó a la ventana. Al apoyar la mejilla en el cristal, sintió que el frío se apoderaba de él. Seguía sintiendo dolores y molestias que traspasaban sus huesos, y una jaqueca que nunca se disipaba por completo y de la que no había dicho nada a los médicos de la CIA. Todo ello le recordaba vivamente lo que había sucedido, lo largo que había sido aquel viaje.

Marcó un número y se acercó el teléfono al oído.

—¿El vuelo de Bourne va a salir a su hora? —Asintió al oír la respuesta—. Bien. ¿Está en el aeropuerto? ¿Le has visto? Excelente, vuelve aquí. Eso es. —Cortó la comunicación. Pasara lo que pasara, Bourne iba camino de Odesa.

Martin regresó a su mesa, encendió el intercomunicador y le dijo a su secretaria que organizara inmediatamente una conferencia telefónica con todos los agentes de Tifón en el extranjero. Una vez hecho esto, encendió el altavoz de la sala de reuniones, donde había convocado una reunión urgente de todo el personal de Tifón. Les puso al corriente de los datos que tenía sobre la amenaza terrorista y a continuación les explicó su plan a grandes rasgos. Dividió a su equipo en grupos de cuatro y les asignó tareas que, según les dijo, debían emprender de inmediato.

—A partir de ahora, las demás misiones quedan congeladas —les dijo—. Encontrar y detener a Duyya es nuestra prioridad absoluta. Hasta que lo logremos, todos los permisos quedan cancelados. Acostumbraos a estas cuatro paredes, muchachos. Estamos en estado de emergencia y vamos a trabajar día y noche.

Cuando vio que sus órdenes se cumplían satisfactoriamente, se fue al apartamento de Soraya para aclarar el lío que había armado Matthew Lerner. En el coche abrió su móvil GSM cuatribanda y marcó un número de Odesa.

Cuando respondió una voz conocida, dijo:

—Ya está. Bourne llega desde Múnich mañana por la tarde, a las cuatro cuarenta hora local. —Se saltó un semáforo en rojo y torció a la derecha. El bloque de apartamentos de Soraya estaba a tres manzanas de allí—. Le mantendrás vigilado, como acordamos... No, sólo quería asegurarme de que no cambiabas de planes de improviso. Está bien, entonces. Bourne irá al quiosco, porque es allí donde cree que Lemontov tiene su cuartel general. Mátale antes de que averigüe la verdad.

LIBRO SEGUNDO

12

En Odesa hay un quiosco, uno más entre los muchos de la playa, frente al mar Negro. Está descolorido por la intemperie, gris como el agua que lame la orilla. Bourne fuerza la cerradura de una puerta lateral, se desliza dentro a hurtadillas. ¿Dónde está la persona a la que llevaba en brazos? No se acuerda, pero ve que tiene las manos cubiertas de sangre. Siente en su propio cuerpo el olor de una muerte violenta. ¿Qué ha ocurrido?, se pregunta. ¡No hay tiempo, no hay tiempo! En algún lugar, un reloj marca los segundos: tiene que seguir adelante.

El quiosco, que debería estar lleno de vida, está silencioso como un cementerio. Al fondo, una cocina con ventana, iluminada por la luz chillona de los fluorescentes. Ve movimiento a través del cristal y avanza agazapado entre pilas de cajones de cerveza y refrescos, altos como las columnas de una catedral. Ve la silueta del hombre al que le han enviado a matar, el hombre que ha hecho lo posible por confundirle y esquivarle.

Todo en vano.

Está a punto de abordar a su objetivo cuando un movimiento le hace volverse hacia su izquierda. Una mujer sale de las sombras y avanza hacia él. ¡Marie! ¿Qué está haciendo en Odesa? ¿Cómo sabía dónde estaba?

—Cariño —dice ella—, ven conmigo, vámonos de aquí.

—Marie... —Bourne nota que el pánico le oprime el pecho—. No puedes estar aquí. Es muy peligroso.

—Casarme contigo también era peligroso, amor, y aun así lo hice.

Comienza a oírse un agudo lamento que reverbera en el vacío de su pecho.

—Pero ahora estás muerta.

—¿Muerta? Sí, supongo que sí. —Una mueca ceñuda disloca *momentáneamente la belleza de su rostro—. ¿Por qué no estabas allí, cariño? ¿Por qué no estabas protegiéndonos a los niños y a mí? Aún estaría viva, si no hubieras estado al otro lado del mundo, si no hubieras estado con ella.*

—¿Con ella? —El corazón de Bourne late como un martillo *neumático, y su angustia crece por momentos.*

—Eres un experto en mentir a todo el mundo, cariño, menos a mí.

—¿Qué quieres decir?

—Mira tus manos.

Él mira la sangre que empieza a secarse en las grietas de sus palmas.

—¿De quién es esta sangre?

Desea, necesita una respuesta y levanta la vista. Pero Marie se ha marchado. No hay nada allí, excepto la luz estridente que se derrama sobre el suelo como la sangre de una herida.

—Marie —dijo en voz baja—. ¡Marie, no me dejes!

Martin Lindros llevaba viajando algún tiempo, acompañado por su séquito de secuestradores. Había volado en un helicóptero y luego, tras una corta espera, en un pequeño avión que había aterrizado al menos una vez para repostar. Martin no estaba seguro porque o se había dormido, o le habían dado algo para hacerle dormir. Poco importaba, de todas formas. Sabía que ya no estaba en el Ras Dashén, ni en el noroeste de Etiopía, ni siquiera en el continente africano.

Jason... ¿Qué había sido de Jason? ¿Estaba vivo o muerto? Evidentemente, no había conseguido encontrarle a tiempo. Martin no quería pensar que estaba muerto. No lo creería ni aunque se lo dijera el propio Fadi. Le conocía demasiado bien. Jason siempre se las arreglaba para apartar la tierra recién removida y salir de su tumba. Estaba vivo, y Lindros lo sabía.

Pero se preguntaba si eso importaba. ¿Sospechaba Jason que Karim al Jamil había ocupado su lugar? Aunque hubiera sobrevivido al rescate en el Ras Dashén, habría abandonado su búsqueda si habían conseguido engañarle. Martin comenzó a sudar frío al ocurrírsele una perspectiva aún más temible. ¿Y si Jason había encontrado a Karim al Jamil y le había llevado al cuartel general de la CIA? Dios del cielo, ¿era eso lo que se proponía Fadi desde el principio?

Su cuerpo vibró y se meció cuando el avión entró en una zona de turbulencias. Para sujetarse, se recostó en la fría concavidad de la mampara del avión. Un momento después, puso la mano sobre el vendaje que cubría la mitad de su cara. Debajo se hallaba el hueco dejado por su ojo derecho. Aquello se había convertido en una costumbre. Su cabeza palpitaba con un dolor indescriptible. Era como si su ojo ardiera, sólo que su ojo ya no era su ojo. Pertenecía al hermano de Fadi, Karim al Jamil ibn Hamid ibn Ashef al Uahhib. Al principio, aquella idea le daba náuseas; vomitaba a menudo, atrozmente, como un yonqui con el mono. Ahora sólo le repugnaba.

La violación de su cuerpo, la extracción del órgano en vida, era un horror del que nunca se recuperaría. En ciertos momentos, mientras se hallaba en las aguas argénteas del lago, pescando una trucha irisada, se le pasó por la cabeza matarse, aunque nunca había considerado seriamente la idea. El suicidio era el recurso de los cobardes.

Además, ansiaba vivir, aunque sólo fuera para vengarse de Fadi y Karim al Jamil.

Un espasmo violento despertó a Bourne. Miró a su alrededor, desorientado momentáneamente. ¿Dónde estaba? Vio una cómoda, una mesilla de noche, unas cortinas echadas para impedir el paso de la luz. Sillones anónimos, pesados y con la tela raída. Una habitación de hotel. ¿Dónde?

Se levantó de la cama, cruzó descalzo la moqueta manchada, apartó las gruesas cortinas. Un súbito resplandor golpeó limpiamente su cara y su pecho. Entornó los ojos para defenderse de las minúsculas cimitarras del sol, doradas sobre el gris profundo del agua. El mar Negro. Estaba en Odesa.

¿Había soñado con Odesa, o la había recordado?

Se volvió, la cabeza llena aún con el recuerdo del sueño, que se estiraba pegajoso como un caramelo en la mañana azulada. ¿Marie en Odesa? Imposible. Entonces, ¿por qué aparecía en aquel recuerdo fragmentario de...?

¡De Odesa!

Era en aquella ciudad donde se había gestado aquel fragmento de su memoria. Había estado allí en otra ocasión. Le habían enviado a matar a alguien. Pero ¿a quién? No tenía ni idea.

Volvió a sentarse en la cama, frotándose los ojos. Todavía oía la voz de Marie.

«Aún estaría viva, si no hubieras estado al otro lado del mundo, si no hubieras estado con ella.»

No sonaba recriminatoria. Sonaba triste.

¿Qué importaba dónde estaba, lo que estuviera haciendo? No estaba con ella. Marie le había telefoneado. Creía que tenía un catarro, nada más. Luego, la segunda llamada le había vuelto medio loco de dolor. Y de culpa.

Debería haber estado allí para proteger a su familia, igual que debería haber estado allí para proteger a su primera mujer y sus hijos. La historia se había repetido, si no exactamente, sí de la misma manera trágica. Resultaba irónico que estar tan lejos del lugar de la catástrofe le hubiera acercado a ella, llevándole al borde mismo del negro vacío que se abría en su interior. Al asomarse a él, sintió que una desesperación abrumadora y ya antigua brotaba dentro de él: la necesidad de castigarse, o de castigar a otros.

Se sentía solo. Aquel estado le alteraba profundamente; era como si hubiera salido de sí mismo, al igual que sucede en los sueños. Sólo que no era un sueño: era la vida real. Se preguntó, no por primera vez, si el torbellino de emociones en el que se hallaba había perturbado de algún modo su capacidad de juicio. No encontraba otra explicación a ciertas anomalías: al hecho de haber sacado a Hiram Cevik de la celda de la CIA; el haberse despertado allí sin saber dónde estaba. Por un instante se preguntó, desesperanzado, si la muerte de Marie le habría partido por completo en dos, si los delicados hilos que unían sus múltiples identidades se habrían roto definitivamente. *¿Me estoy volviendo loco?*

Sonó su teléfono móvil.

—Jason, ¿dónde estás? —Era Soraya.

—En Odesa —contestó con voz pastosa. Notaba la boca rellena de algodón.

Ella contuvo la respiración un momento. Luego dijo:

—¿Se puede saber qué haces ahí?

—Me mandó Lindros. Estoy siguiendo una pista que me dio. Cree que un tal Lemontov está financiando a Duyya. Edor Vladovich Lemontov. Un cártel de narcotraficantes, posiblemente. ¿Te dice algo ese nombre?

—No, pero echaré un vistazo a la base datos de la CIA.

Le contó brevemente lo sucedido en el hotel Constitution.

—Pero lo más extraño de todo es que usaran bisulfuro de carbono, un producto inflamable muy poco común. Mi amiga dice que nunca se lo había encontrado.

—¿Para qué se usa?

—Principalmente para la fabricación de celulosa, tetracloruro de carbono y toda clase de compuestos sulfurosos. Y también para fabricar fumigantes del suelo y como agente de flotación en el procesamiento de minerales. Mi amiga cree que lo utilizaron porque tiene un punto de deflagración muy bajo.

Bourne asintió mientras observaba un petrolero que llegaba vacío de Estambul.

—Lo cual lo convierte en un explosivo.

—Y muy eficaz, por cierto. Arrasó la suite. Fue una auténtica tormenta de fuego. Tuvimos suerte con la prótesis: se había atascado en la cañería de la bañera y eso la salvó del fuego. No quedó nada más de valor, ni siquiera un cuerpo que identificar.

—Parece que la suerte de Fadi se está yendo por el desagüe —dijo Bourne con sorna.

Soraya se rió.

—Lo de ese tal Lemontov me interesa. He pensado que los antiguos refrigerantes y extintores de incendios se han prohibido en Estados Unidos, pero seguramente no en otros sitios. Como en Europa del Este, por ejemplo. En Ucrania y en Odesa.

—Vale la pena averiguarlo —dijo Bourne, y cortó la conexión.

Aunque era más de la una de la madrugada, Martin Lindros seguía introduciendo datos en su terminal informática. La CIA se hallaba aún en Código Mesa. Estaban inmersos en una crisis y se habían cancelado todos los permisos. Nadie podía permitirse el lujo de irse a dormir.

Llamaron suavemente a la puerta y Soraya asomó la cabeza y le interrogó con la mirada. Lindros la saludó levantando la mano. Ella cerró la puerta a su espalda y, al tomar asiento, puso algo sobre la mesa.

—¿Qué es eso? —preguntó Lindros.

—Una prótesis. Recibí una llamada de una amiga mía, una especialista en incendios provocados que trabaja en la Unidad de Investigación de Incendios. —Soraya ya le había puesto al corriente de los sucesos del hotel Constitution—. Encontró algo que le extrañó en la suite de los Silver. Eso. Se utiliza en disfraces sumamente sofisticados.

Él cogió la prótesis.

—Sí. Jason me enseñó algo parecido una vez. Se usa para cambiar de aspecto.

Soraya asintió.

—Hay pruebas suficientes para concluir que Jakob Silver era en realidad Fadi, que su hermano era otro terrorista y que fueron ellos los causantes del incendio.

—¿No había un cadáver en la habitación? ¿No era uno de los Silver?

—Sí y no. Parece más probable que fuera el cuerpo de un camarero pakistaní. En realidad, los señores Silver nunca existieron.

—Qué ingenioso —dijo Lindros, pensativo, mientras daba vueltas a la prótesis entre los dedos—. Pero ya no nos sirve de gran cosa.

—Al contrario. —Soraya volvió a coger la prótesis—. Voy a ver si puedo averiguar quién la fabricó.

Lindros se quedó pensando un momento.

—Hablé con Bourne hace menos de una hora —prosiguió Soraya.

—¿Ah, sí?

—Quería que averiguara todo lo posible sobre un tal Edor Vladovich Lemontov, un narcotraficante.

Lindros apoyó los codos sobre la mesa y juntó los dedos. La situación podía escapársele de las manos si no la atajaba inmediatamente. Manteniendo un tono neutro preguntó:

—¿Y qué has descubierto?

—Nada, aún. Primero quería contarte lo de la prótesis.

—Has hecho bien.

—Gracias, jefe. —Se levantó—. Ahora me esperan unas cuantas horas de forzar la vista.

—Olvídate de investigar a ese cabrón. Yo no encontré nada. Sea quien sea, tiene una buena coraza. Justo el tipo de capitalista que le conviene a Duyya. —Lindros se había vuelto ya hacia la pantalla del ordenador—. Quiero que cojas el primer vuelo que salga hacia Odesa. Vas a cubrirle las espaldas a Bourne.

Soraya se sorprendió visiblemente.

—A él no le gustará.

—No hace falta que le guste —contestó él secamente.

Cuando Soraya hizo amago de recoger la prótesis, Lindros se la quitó.

—De esto me encargo yo.

—Señor, si no le importa que se lo diga, ya tiene suficiente trabajo.

Lindros escudriñó su cara.

—Soraya, quería ser yo quien te lo dijera: teníamos un topo en Tifón. —Le satisfizo oír que ella contenía el aliento. Luego abrió un cajón y le pasó un fino dosier que había preparado.

Ella recogió la carpeta y la abrió. En cuanto comenzó a leer, sintió que las lágrimas nublaban sus ojos. Era Tim Hytner. Bourne tenía razón, a fin de cuentas. Hytner trabajaba para Duyya.

Miró a Lindros.

—¿Por qué?

Éste se encogió de hombros.

—Por dinero. Está todo ahí. El rastro informático conduce hasta una cuenta en las islas Caimán. Hytner nació en la miseria, ¿no? Y su padre lleva tiempo ingresado en un hospital que su seguro no va a pagar, ¿me equivoco? Su madre carece de fondos. Todo el mundo tiene un punto flaco, Soraya. Hasta tu mejor amigo.

Le quitó el dosier.

—Olvídate de Hytner, es agua pasada. Tienes cosas que hacer. Te quiero en Odesa lo antes posible.

Cuando oyó que la puerta se cerraba con un leve siseo, Lindros se quedó mirándola como si pudiera verla alejarse. *Sí*, pensó. *Y en Odesa te matarán antes de que descubras quién fabricó esta prótesis.*

13

Bourne se alojaba en el hotel Samarin, un destartalado y gigantesco edificio situado en el puerto, frente a la Terminal Marítima, de donde salían y entraban los transbordadores a intervalos regulares. Desde la última vez que había estado allí, se había levantado en el enorme muelle de pasajeros el elegante y ultramoderno hotel Odesa, que a él le parecía tan discordante como un indigente vestido con un traje de Dolce & Gabbana.

Tras afeitarse, ducharse y vestirse, bajó al espacioso y soñoliento vestíbulo, tan adornado como un sombrero de Pascua decimonónico. En realidad, en aquel hotel todo tenía un tufo a principios del siglo XIX, desde los enormes sillones de terciopelo raído al papel floreado de las paredes.

Desayunó entre empresarios de tez rubicunda, en un comedor soleado que daba al puerto. Olía vagamente a mantequilla quemada y a cerveza. Cuando el camarero le llevó la cuenta, preguntó:

—¿Dónde va uno en esta época del año si quiere pasarlo bien?

Bourne había hablado en ruso. Aunque estaba en Ucrania, el ruso era la lengua oficial de Odesa.

—El Ibitza está cerrado —contestó el camarero—, y también los clubes de Arkadia. —Arkadia era el distrito costero; en verano, las playas se llenaban de jóvenes rusas con dinero y de turistas al acecho—. Depende. ¿Qué prefiere, hombres o mujeres?

—Ninguna de las dos cosas —respondió Bourne. Se puso el dedo en la nariz y aspiró sonoramente.

—Ah, ese comercio abre todo el año —precisó el camarero, un hombre flaco, encorvado, prematuramente envejecido—. ¿Cuánto necesita?

—Más de lo que puedes conseguirme tú. Compro al por mayor.

—Eso es muy distinto —dijo el hombre cansinamente.

—Aquí tienes todo lo que necesitas saber. —Bourne le pasó un fajo de billetes americanos.

El camarero se guardó el dinero sin vacilar.

—¿Conoce el mercado de Privoz?

—Daré con él.

—El pasillo de los huevos, tercer puesto entrando por el este. Dígale a Yevgeny Feyodovich que quiere huevos morenos, sólo morenos.

El Samarin, como todo el casco viejo de Odesa, estaba construido en estilo neoclásico o, lo que es lo mismo, afrancesado, cosa nada extraña si se tiene en cuenta que uno de sus padres fundadores fue el duque de Richelieu, arquitecto mayor y principal proyectista de la ciudad durante los once años que duró su gobierno, a principios del siglo XIX. Fue el poeta ruso Alexander Pushkin, exiliado en la ciudad durante un tiempo, quien afirmó que en las tiendas y cafés de Odesa se dejaba sentir el aroma de Europa.

En la calle Primorskaya, umbría y bordeada de tilos, un viento húmedo y helado recibió a Bourne con una bofetada que le enrojeció la piel. Al sur, mar adentro, pendían bajos y densos nubarrones que vertían aguanieve sobre la piel erizada de las olas.

El olor salobre del mar le trajo feroces recuerdos. Odesa de noche, sangre en las manos, una vida en el fiel de la balanza, la búsqueda frenética de su objetivo, cuyo rastro conducía al quiosco donde lo encontró por fin.

Volvió la mirada tierra adentro, hacia las terrazas escalonadas de las colinas que custodiaban el puerto en forma de cimitarra. Tras consultar el plano que le había dado el viejo ordenanza del hotel, se subió a un tranvía en marcha que le llevaría a la estación de tren del bulevar Italiansky.

El mercado de abastos de Privoz, a tiro de piedra de la estación, y cubierto por un techo de chapa, era una colosal panoplia de productos agrícolas y ganaderos. Los puestos se levantaban tras muretes de cemento que llegaban a la altura de la cintura y que a Bourne le recordaron los parapetos antiterroristas de Washington. El mercado estaba rodeado de catres y chabolas improvisadas. Los granjeros llegaban de cerca y de lejos, y los que tenían que recorrer largas distancias se quedaban invariablemente a pasar la noche.

Dentro reinaba un tumulto de ruidos, olores y voces en distintas lenguas: ruso chapurreado, ucraniano, rumano, yidis, georgiano, armenio, turco... El olor del queso se mezclaba con el de la carne fresca, los tubérculos, las hierbas aromáticas y las aves desplumadas. En el pasillo de los pavos, Bourne vio despachando en los puestos a mujeres enormes con espaldas de defensas de fútbol americano, ataviadas con jerséis apolillados y pañuelos en la cabeza. Para los no iniciados, el mercado ofrecía un apabullante abanico de tenderetes contra los que hordas de recios compradores apretaban sus descomunales barrigas.

Tras preguntar varias veces, se abrió paso entre el clamor y el ajetreo del pasillo de los huevos. Una vez orientado, se dirigió al tercer puesto desde el extremo este, que, como era de esperar, estaba abarrotado de gente. Una mujer de cara colorada y un hombre corpulento (seguramente Yevgeny Feyodovich) se atareaban cambiando huevos por dinero. Bourne esperó del lado del hombre y cuando le llegó el turno dijo:

—¿Es usted Yevgeny Feyodovich?

El hombre le miró entornando los ojos.

—¿Quién quiere saberlo?

—Estoy buscando huevos morenos, sólo morenos. Me han dicho que viniera aquí y preguntara por Yevgeny Feyodovich.

El hombre refunfuñó, se inclinó y le dijo algo a su compañera. Ella asintió sin dejar de empaquetar huevos y meter dinero en los enormes bolsillos de su vestido descolorido.

—Por aquí —dijo Yevgeny ladeando la cabeza. Se puso una andrajosa trenca de lana, salió de detrás del mostrador y condujo a Bourne a la calle por el lado este del mercado. Cruzaron la calle Sredfontanskaya y entraron en la plaza de Kulikovo Pole. El cielo se había puesto blanco, como si una nube colosal hubiera descendido de las alturas para cubrir la ciudad. La luz , habría hecho las delicias de un fotógrafo: lo dejaba todo al descubierto.

—Como verá, esta plaza es muy soviética, muy fea y muy retro, pero en el mal sentido —dijo Yevgeny Feyodovich con un asomo de ironía—. Aun así, nos ayuda a acordarnos del pasado. Del hambre y de las matanzas.

Siguió caminando hasta que llegaron a una estatua de diez metros de alto.

—Mi lugar preferido para hablar de negocios: a los pies de Lenin. Aquí era donde solían reunirse los comunistas en los viejos tiempos. —Sus hombros carnosos se encogieron—. El sitio ideal, ¿eh? Ahora Lenin me mira desde ahí arriba como un santo patrono bastardo al que espero hayan desterrado al pozo más negro del infierno.

Volvió a achicar los ojos. Olía como un bebé, a leche cuajada y azúcar. Tenía unas cejas prominentes bajo una aureola de pelo castaño que se encrespaba hacia todos los lados como un estropajo usado.

—Así que desea huevos morenos.

—En gran cantidad, sí —contestó Bourne—. Un suministro constante.

—¿Conque sí, eh? —Yevgeny apoyó la nalga en la basa de caliza de la estatua de Lenin y sacó un cigarrillo turco. Lo encendió con un ritual lento, casi religioso, y aspiró una buena bocanada de humo. Luego sostuvo el cigarrillo negro entre los dedos, como un jipi disfrutando de un porro de marihuana mexicana—. ¿Cómo sé que no es de la Interpol? —preguntó con un suave siseo al exhalar—. ¿O un agente encubierto del SBU? —Se refería al Servicio de Seguridad de Ucrania.

—Porque se lo digo yo.

Yevgeny se rió.

—¿Sabe lo que tiene gracia de esta ciudad? Está pegada al mar

Negro, pero siempre ha andado escasa de agua potable. Eso no tendría mucho interés, sino fuera porque de ahí viene su nombre. Verá, en la corte de la emperatriz Catalina se hablaba francés, y a algún graciosillo se le ocurrió que llamara Odesa a la ciudad, porque así es como suena *assez d'eau* dicho del revés. «Suficiente agua», ¿entiende? Una bromita que nos gastaron los putos franceses.

—Si hemos acabado con la lección de historia —dijo Bourne—, me gustaría reunirme con Lemontov.

Yevgeny le miró guiñando los ojos entre el humo acre del cigarrillo.

—¿Con quién?

—Con Edor Vladovich Lemontov. El que dirige el negocio aquí.

Yevgeny se sobresaltó, se apartó de la basa y miró más allá de Bourne. Le llevó al otro lado de la estatua.

Sin volver la cabeza, Bourne vio de soslayo a un hombre paseando a un enorme dóberman. El perro volvió la cara larga y estrecha y clavó en Yevgeny sus ojos amarillos, como si intuyera su miedo.

Cuando llegaron al otro lado de la estatua de Lenin, Yevgeny prosiguió la conversación:

—Bueno, ¿por dónde íbamos?

—Lemontov —respondió Bourne—. Su jefe.

—¿Y eso quién lo dice?

—Si trabaja para otro, dígamelo ya —contestó secamente—. Es con Lemontov con quien quiero hacer negocios.

Bourne sintió que otro hombre se acercaba a él por la espalda, pero no se movió, ni dio señales de haberlo visto hasta que el gélido cañón de una pistola se clavó detrás de su oreja derecha.

—Le presento a Bodgan Iliyanovich. —Yevgeny Feyodovich dio un paso adelante y desabrochó el abrigo de Bourne—. Ahora sabremos la verdad, *tovarich*. —Sacó la cartera y el pasaporte del bolsillo interior con el mínimo esfuerzo.

Retrocedió y abrió primero el pasaporte.

—Conque moldavo, ¿eh? Ilias Voda. —Miró la foto con detenimiento—. Sí, eres tú, no hay duda. —Pasó una hoja—. Vienes directamente de Bucarest.

—Las personas a las que represento son rumanas —dijo Bourne.

Observó a Yevgeny Feyodovich hurgar en la cartera y sacar tres documentos distintos, entre ellos un permiso de conducir y una licencia de importación-exportación. Un toque bonito, pensó Bourne. Tendría que darle las gracias a Deron cuando volviera.

Yevgeny le devolvió al fin la cartera y el pasaporte. Sin quitarle ojo, sacó un móvil y marcó un número local.

—Un asunto nuevo —dijo lacónicamente—. Ilias Voda, en representación de intereses rumanos, según dice. —Apartó el teléfono un momento y preguntó a Bourne—: ¿Cuánto?

—¿Es Lemontov?

La cara de Yevgeny se ensombreció.

—¿Cuánto?

—Cien kilos ahora.

Yevgeny le miró, absorto.

—Y el doble el mes que viene, si todo sale bien.

El hombre se alejó un poco y siguió hablando por teléfono de espaldas a Bourne. Regresó un momento después. Ya se había guardado el móvil en el bolsillo.

Movió la cabeza y Bodgan Iliyanovich apartó el arma y la escondió bajo el largo abrigo de lana, que se agitaba alrededor de sus tobillos. Era un hombre de grueso cuello y pelo azabache, peinado con gomina de derecha a izquierda, al estilo de Hitler. Sus ojos eran dos ágatas brillando oscuramente en el fondo de un pozo.

—Mañana por la noche.

Bourne le miró a los ojos. Quería acabar con aquello de una vez por todas. El tiempo era esencial. Cada día, cada hora que pasaba, Fadi y sus hombres se hallaban más cerca de lanzar su arma nuclear. Pero vio en el rostro de Yevgeny la fría expresión de un profesional encallecido. No serviría de nada intentar adelantar su entrevista con Lemontov. Le estaban poniendo a prueba, para ver si estaba tan bregado como ellos. Bourne sabía que Lemontov quería tener tiempo para observarle antes de concederle una audiencia. Protestar no sólo sería una imprudencia: le haría parecer débil.

—Deme el lugar y la hora —dijo.

—Después de la cena. Esté preparado. Alguien llamará a su habitación. En el Samarin, ¿no?

El camarero que le había puesto en contacto con Yevgeny, pensó Bourne.

—Entonces, no hace falta que le diga mi número de habitación.

—No, en efecto.

Yevgeny Feyodovich le tendió la mano. Mientras Bourne se la estrechaba dijo:

—*Gospadin*, Voda, le deseo buena suerte en su empeño. —No soltó inmediatamente la mano de Bourne, que apretaba con ferocidad—. Ahora está dentro de nuestra órbita. O es amigo o enemigo. Le ruego que recuerde que, si intenta comunicarse con alguien por el medio que sea, será considerado un enemigo. No habrá segunda oportunidad. —Echó los labios hacia atrás y dejó ver sus dientes amarillos—. Si nos traiciona, no saldrá vivo de Odesa, eso puedo garantizárselo.

14

Martin Lindros iba camino del despacho del Viejo, con varias carpetas en la mano, para una reunión de urgencia, cuando sonó su móvil. Era Anne Held.

—Buenas tardes, señor Lindros. Ha habido un cambio de planes. Por favor, reúnase con el director en el Túnel.

—Gracias, Anne.

Lindros colgó y apretó el botón de bajada. El Túnel era el aparcamiento subterráneo que albergaba el parque de vehículos de la agencia, y por donde entraba y salía el personal de servicio que figuraba en las listas aprobadas por la CIA, bajo la atenta mirada de agentes armados y provistos de chalecos antibalas.

Bajó en ascensor hasta el Túnel, donde le enseñó su identificación a uno de los agentes de guardia. El aparcamiento era, en realidad, un enorme búnker de hormigón armado, a prueba de incendios y bombas. Había una sola rampa que conducía a la calle y que podía sellarse inmediatamente por ambos lados. El Lincoln blindado del Viejo aguardaba ronroneando sobre el cemento, con la puerta trasera abierta. Lindros agachó la cabeza al entrar y se sentó junto al director, en el mullido asiento de cuero. La puerta se cerró sin su ayuda y se bloqueó de forma automática. El chófer y el escolta le saludaron con una inclinación de cabeza y un instante después la mampara de separación subió, aislando a los pasajeros en el espacioso habitáculo trasero. Las ventanillas estaban tintadas de forma que nadie distinguiera el interior desde fuera, pero los pasajeros podían ver el exterior.

—¿Traes los dos dosieres?

—Sí, señor. —Lindros asintió al darle las carpetas.

—Buen trabajo, Martin. —El Viejo contrajo la cara—. Me ha

convocado el POTUS. —«POTUS» era el acrónimo predilecto de los servicios de seguridad de Washington para llamar al presidente de Estados Unidos—. Teniendo en cuenta la crisis interna y externa en la que estamos metidos, la cuestión es hasta qué punto va a salir mal esta reunión.

La reunión salió, de hecho, muy mal. Para empezar, el Viejo no fue conducido al Despacho Oval, sino a la Sala de Guerra, tres pisos por debajo del nivel del suelo. Y, además, el presidente no estaba solo. Había otras seis personas sentadas alrededor de la mesa ovalada que ocupaba el centro de la habitación de hormigón armado, iluminada únicamente por las gigantescas pantallas que parpadeaban en las cuatro paredes y que mostraban, en vertiginosa sucesión, escenas cambiantes de bases militares, misiones de aviones espías y simulaciones digitales de situaciones de guerra.

El Viejo conocía a algunos de sus interlocutores; el presidente le presentó a los demás. De izquierda a derecha, el grupo empezaba por Luther LaValle, el zar de inteligencia del Pentágono, un hombre grande y cuadrado, con una cúpula agrietada a modo de frente y finas cerdas grises y aceradas en lugar de pelo. A su izquierda, el presidente le presentó a Jon Mueller, un alto cargo del Departamento de Seguridad Nacional, un espécimen cuyos ojos penetrantes y extrema quietud hicieron comprender al director el peligro en que se hallaba. El hombre sentado a su izquierda no necesitaba presentación: era Bud Halliday, el secretario de Defensa. Luego estaba el propio presidente, un hombre enjuto y atildado, de cabello gris, mirada franca y aguda inteligencia. A su izquierda se hallaba el consejero de Seguridad Nacional, moreno de pelo y de espaldas redondeadas, cuyos ojos brillantes e inquietos siempre le habían parecido los de un enorme roedor. La última persona por la derecha era un hombre con gafas llamado Gundarsson, que trabajaba para la Agencia Internacional de la Energía Atómica.

—Ya que estamos todos —comenzó el presidente sin el protocolo ni el discurso preliminar de costumbre—, vamos al grano. —Sus ojos se fijaron en el director de la CIA—. Estamos inmersos en una crisis de proporciones inauditas. Todos hemos sido informados de la situación, pero, dada su extrema fluidez, ¿te importaría ponernos al día, Kurt?

El Viejo abrió el dosier de Duyya.

—El regreso del subdirector Lindros nos ha reportado nuevos datos sobre los movimientos de Duyya, además de subir mucho la moral de la agencia. Hemos constatado que Duyya estaba en la cordillera de Simien, en el noroeste de Etiopía, y tenemos confirmación de que estaban transportando uranio y artilugios susceptibles de utilizarse como detonadores de armas nucleares. El análisis de las últimas traducciones de las conversaciones telefónicas de Duyya nos ha permitido iniciar la localización exacta de la planta donde creemos que están enriqueciendo uranio.

—Excelente —dijo LaValle—. En cuanto tengan las coordenadas exactas, ordenaremos un ataque aéreo quirúrgico que mandará a esos hijos de puta de vuelta a la Edad de Piedra.

—Director —intervino Gundarsson—, ¿hasta qué punto estamos seguros de que Duyya dispone de medios para enriquecer uranio? A fin de cuentas, no sólo hacen falta conocimientos especializados; también se necesitan instalaciones provistas, entre otras cosas, de miles de centrifugadoras para conseguir el uranio enriquecido necesario para fabricar una sola bomba nuclear.

—No estamos seguros en absoluto —contestó el director enérgicamente—, pero ahora disponemos del testimonio del subdirector Lindros y del agente que le trajo a casa, que afirman que Duyya está traficando tanto con uranio como con detonadores.

—Todo eso está muy bien —dijo LaValle—, pero todos sabemos que la torta amarilla es abundante y barata. Y también que está muy lejos de ser un arma.

—Estoy de acuerdo. El problema es que los residuos que se han detectado nos llevan a creer que Duyya está traficando con polvo de dióxido de uranio —respondió el director—. Y a diferencia de la torta amarilla, el UO_2 está sólo a un paso del uranio de uso armamentístico. Puede enriquecerse si se dispone de un laboratorio decente. Por eso debemos tomarnos extremadamente en serio los planes de Duyya.

—A no ser que sea todo una maniobra de desinformación —dijo LaValle obstinadamente. Era hombre acostumbrado a utilizar su innegable poder para exasperar a los demás. Y, lo que era peor, parecía disfrutar haciéndolo.

Gundarsson carraspeó sonoramente.

—Estoy de acuerdo con el director. La idea de que una red terrorista tenga en su poder dióxido de uranio resulta aterradora. No podemos desdeñar como desinformación una amenaza nuclear directa. —Introdujo la mano en el maletín que había a su lado y sacó un fajo de papeles que distribuyó entre los asistentes—. Un artefacto nuclear, sea o no una de las llamadas bombas sucias, tiene ciertas dimensiones, especificaciones y componentes que no varían. Me he tomado la libertad de componer una lista a la que he añadido esquemas detallados mostrando el tamaño, los parámetros y los posibles marcadores para su detección. Les sugiero que lo hagan llegar a los cuerpos de seguridad de todas las grandes ciudades del país.

El presidente manifestó su aprobación.

—Kurt, quiero que coordines la distribución.

—Enseguida, señor —contestó el director.

—Un momento, director —dijo LaValle—. Quisiera volver al asunto de ese otro agente al que ha hecho mención. Me refiero a Jason Bourne. Estuvo implicado en la huida de ese terrorista. Fue él quien sacó al prisionero de su celda sin la debida autorización, ¿no es así?

—Eso es estrictamente un asunto interno, señor LaValle.

—Creo que, en esta sala, al menos, la necesidad de ser sinceros ha de sobreponerse a cualquier rivalidad entre agencias —respondió el zar del espionaje del Pentágono—. Francamente, pongo en duda que debamos creer nada de lo que diga Bourne.

—Ya le ha dado problemas en otras ocasiones, ¿verdad, director? —preguntó el secretario Halliday.

El director parecía estar medio dormido. En realidad, su cerebro funcionaba a toda velocidad. Comprendió que el momento que estaba esperando había llegado. Se hallaba sometido a un ataque cuidadosamente orquestado.

—¿Y qué si es así?

Halliday esbozó una sonrisa.

—Con el debido respeto, director, yo diría que ese hombre es un estorbo para su agencia, para el Gobierno y para todos nosotros. Permitió que un sospechoso del más alto nivel escapara de manos de la CIA y, por si no bastara con eso, puso en peligro la vida de no sé cuántos ciudadanos inocentes. Creo que habría que encargarse de él, cuanto antes mejor.

El director desestimó las palabras del secretario con un gesto del dorso de la mano.

—¿Podemos volver al asunto que nos ocupa, señor presidente? Duyya...

—El secretario Halliday tiene razón —insistió LaValle—. Estamos en guerra con Duyya. No podemos permitirnos el lujo de dejar que se nos escape uno de sus líderes. Y dado que así ha sido, ¿tendría la amabilidad de decirnos qué pasos está dando su agencia para ocuparse de Jason Bourne?

—El señor LaValle ha dado en el clavo, director —dijo el secretario Halliday en su más untuosa imitación de Lyndon Johnson, al estilo texano—. Esa chapuza en el puente de Arlington nos puso a todos un ojo morado y elevó la moral de nuestros enemigos justo cuando menos podíamos permitírnoslo. Además de convertir en víctima colateral a uno de sus propios hombres... —Chasqueó los dedos—. ¿Cómo se llamaba?

—Timothy Hytner —contestó.

—Eso es, Hytner —continuó el secretario como si confirmara su respuesta—. Con el debido respeto, director, si yo estuviera en su lugar, estaría mucho más preocupado por la seguridad interna de lo que parece estar usted.

Aquello era lo que estaba esperando el director. Abrió la carpeta más fina de las dos que Martin Lindros le había dado en el Túnel.

—Lo cierto es que acabamos de concluir la investigación interna del asunto que el señor secretario ha traído a colación. Aquí está la conclusión irrefutable. —Giró la página de arriba sobre la mesa y vio que Halliday la cogía con cautela—. Mientras el secretario de Defensa lee, resumiré las conclusiones para el resto de los presentes. —El director entrelazó los dedos y se inclinó hacia delante como un profesor dirigiéndose a sus alumnos—. Hemos descubierto que teníamos un topo dentro de la CIA. ¿Su nombre? Timothy Hytner. Fue Hytner quien cogió la llamada de Soraya Moore informando de que el prisionero iba a salir de la celda. Y fue también él quien llamó a los cómplices del prisionero para preparar su huida. Por desgracia para él, le mató un disparo destinado a la señorita Moore.

El director miró uno por uno a los reunidos en torno a la mesa de la Sala de Guerra.

—Como les decía, nuestra seguridad interna está bajo control. Ahora podemos centrar toda nuestra atención en lo que la exige: desmantelar a Duyya y llevar a sus miembros ante la justicia.

Su mirada se clavó por fin en el secretario Halliday y permaneció fija en él un buen rato. Estaba seguro de que era de éste de quien procedía aquel ataque. Le habían advertido de que el secretario y LaValle querían invadir la esfera tradicionalmente reservada a la CIA; por ese motivo había hecho circular aquellos rumores sobre sí mismo. Durante los seis meses anteriores, en reuniones en el Capitolio, en almuerzos y cenas con colegas y rivales, se había fingido agotado por momentos, y había simulado accesos de aturdimiento, depresión o desorientación momentánea. Quería dar la impresión de que lo avanzado de su edad le estaba pasando factura; de que no era el mismo de siempre. De que al fin era vulnerable al ataque político.

Como consecuencia de ello, tal y como esperaba, la intriga había salido por fin a la luz. Una cosa le preocupaba, sin embargo:

¿por qué no había intervenido el presidente para atajar el ataque contra él? ¿Había fingido demasiado bien? ¿Habían convencido los conspiradores al presidente de que se estaba convirtiendo en un incompetente incapaz de seguir al frente de la CIA?

La llamada llegó cuando pasaban exactamente doce minutos de la medianoche. Bourne levantó el teléfono y oyó una voz de hombre que le citaba en una esquina a tres manzanas del hotel. Había tenido horas para prepararse. Cogió su abrigo y salió.

La noche era templada, con muy poca brisa. De vez en cuando, un jirón de nubes cruzaba la luna creciente, que estaba realmente muy hermosa: muy blanca, muy nítida, como vista a través de un telescopio.

Bourne se quedó en la esquina con los brazos colgando a los lados. Durante el día y medio transcurrido desde su encuentro con Yevgeny, no había hecho otra cosa que ver monumentos. Había paseado incansablemente, lo que le había permitido comprobar quién le seguía, cuántos eran y cuánto duraban sus turnos. Había memorizado sus caras, podría haberlos distinguido entre una multitud de un centenar o un millar de personas, de haber sido necesario. Había tenido tiempo de sobra de observar su metodología, así como sus costumbres. Podía imitarlos a todos. Con una cara distinta, podría haber sido uno de ellos. Pero para eso necesitaba tiempo, y el tiempo escaseaba. Una cosa le inquietaba: había veces en que estaba seguro de que sus perseguidores desaparecían: estaban entre turno y turno, o él mismo les daba esquinazo por diversión, simplemente por pasar el rato. Durante esos intervalos, su instinto animal, afinado hasta el límite, le decía que había alguien más vigilándole. ¿Uno de los guardaespaldas de Lemontov? No lo sabía, porque no había podido verle ni una sola vez.

El gorgoteo de un motor diésel resonó tras él. No se volvió. Un *marshrutka* (un microbús de línea) se detuvo delante de él con un espantoso chirrido. Sus puertas se abrieron desde dentro y Bourne montó.

Se encontró de frente con los ojos de ágata de Bogdan Iliyano-vich. Sabía que no debía preguntarle adónde iban.

El *marshrutka* les dejó al comienzo del Bulevar Francés. Ca-minaron por los adoquines, bajo aquellas altísimas acacias que tan bien conocía su memoria. Al final de la calle empedrada se levan-taba la terminal de un teleférico que llevaba a la playa. Bourne había estado allí antes, estaba seguro de ello.

Bodgan se dirigió hacia la terminal. Bourne estaba a punto de seguirle cuando un sexto sentido le hizo volverse. Notó que el chófer no había dado marcha atrás. Estaba arrellanado en su asiento, con el teléfono móvil pegado a la mejilla. Sus ojos se movían a izquierda y a derecha, sin posarse en Bourne, ni en Bogdan.

Como una atracción de feria, el teleférico estaba compuesto por cabinas para dos personas, pintadas de color caramelo, que colgaban en vertical de un chirriante cable de acero. El cable es-taba tendido muy por encima de una zona verde, llena de árboles y densos matorrales, por la que serpenteaban estrechos senderos y empinadas escaleras y que desembocaba en la playa de Otrada. En pleno verano, la playa se llenaba de bañistas morenos y adora-dores del sol, pero en aquella época del año, y a aquella hora del día, mientras el viento que soplaba del lado del mar azotaba la arena húmeda, estaba casi desierta. Bourne se asomó por encima de la barandilla de hierro y, estirando el cuello, vio que un gran bóxer atigrado retozaba entre la espuma verde clara que ilumina-ba la luna mientras su dueño (un hombre flaco, con un sombrero de ala ancha sobre la cabeza y las manos metidas en los enormes bolsillos de un abrigo de *tweed* que le venía grande) le paseaba por la playa. Una caótica algarabía en ruso resonó a través de unos pequeños altavoces y cesó de pronto.

—Date la vuelta. Los brazos a la altura de los hombros.

Bourne hizo lo que le ordenaba Bogdan. Notó que le cachea-ba con sus grandes manos, buscando armas o algún artefacto con el que grabar la transacción y atrapar a Lemontov. Bogdan gruñó y se apartó. Encendió un cigarrillo y se desentendió de él.

Cuando entraron en la terminal del teleférico, Bourne vio detenerse un coche negro. Salieron cuatro sujetos. Hombres de negocios vestidos con trajes baratos del este de Europa. Pero parecían incómodos con aquel atuendo. Miraron a su alrededor, se estiraron y bostezaron, y luego echaron otro vistazo en torno, durante el cual todos ellos fijaron su mirada en él. Otra sacudida recorrió a Bourne: aquello también había sucedido antes.

Uno de los hombres sacó una cámara digital y empezó a hacer fotos a los otros. Se rieron y comenzaron a gastar bromas de hombres.

Mientras aquellos tipos bromeaban y se comportaban como turistas, Bourne y Bogdan esperaron que la cabina de color manzana caramelizada llegara a la terminal de cemento. Bourne se puso de espaldas al grupo.

—Bogdan Iliyanovich, nos han seguido.

—Claro que nos han seguido, aunque me sorprende que lo menciones.

—¿Por qué?

—¿Me tomas por tonto? —Bogdan sacó su Mauser y le apuntó tranquilamente—. Son de los tuyos. Te lo advertimos. No habría segunda oportunidad. Aquí está la cabina. Monta, *tovarich*. Te mataré cuando estemos sobre el parque.

A las 17:33, el director estaba en la biblioteca, donde le encontró Lerner. La biblioteca era una sala grande y aproximadamente cuadrada, con techos de doble altura. Pero no contenía libros. Ni un solo volumen. Todos los datos, informes, comentarios, notas tácticas y estratégicas (en suma, todos los conocimientos compilados por los jefes de departamento y los efectivos de la CIA, pasados y presentes) se hallaban digitalizados y almacenados en los inmensos discos duros interconectados de un servidor informático especial. Había dieciséis terminales distribuidas alrededor de la sala.

El Viejo había accedido a los archivos sobre Abu Sarif Hamid ibn Ashef al Uahhib, una misión montada por Alex Conklin, la única, que él supiera, en la que Bourne había fracasado. Hamid era el propietario de una multinacional dedicada al refino de petróleo y la fabricación de sustancias químicas y fundición de metales: hierro, cobre, plata, acero y cosas parecidas. La compañía, Integrated Vertical Technologies, tenía su sede en Londres, donde el saudí se había instalado al casarse en segundas nupcias con una inglesa de clase alta llamada Holly Cargill, que le había dado dos hijos y una hija.

La CIA (Alex Conklin, en concreto) había señalado a Hamid ibn Ashef como objetivo. A su debido tiempo, Conklin había enviado a Bourne a eliminarle. Éste le había seguido hasta Odesa, pero allí habían surgido complicaciones. Había disparado al saudí, pero no había logrado matarle. Hamid ibn Ashef tenía a su disposición una extensa red de agentes, y había logrado escabullirse. Bourne, por su parte, apenas había logrado salir vivo de la ciudad.

Lerner carraspeó. El Viejo se dio la vuelta.

—Ah, Matthew, siéntate.

Acercó una silla y se sentó.

—¿Abriendo viejas heridas, señor?

—Estoy interesado en el caso Hamid ibn Ashef. Intentaba averiguar qué fue de la familia. ¿Vive el padre o está muerto? Si vive, ¿dónde está? Poco después del chasco de Odesa, se hizo cargo de la empresa su hijo pequeño, Karim al Yamil. Algún tiempo después, el mayor, Abu Gazi Nadir al Yamuh, desapareció sin dejar rastro, seguramente para cuidar de Hamid ibn Ashef. Sería lo normal, según las tradiciones tribales saudíes.

—¿Y la hija? —preguntó Lerner.

—Sarah ibn Ashef. Es la pequeña de la familia. Tan poco religiosa como su madre, que sepamos. Nunca ha aparecido en nuestros radares, por razones obvias.

Lerner se inclinó un poco hacia delante.

—¿Su interés por la familia obedece a algo en particular?

—Es un cabo suelto que tengo atravesado. El único fracaso de Bourne, y teniendo en cuenta lo que está sucediendo, últimamente pienso mucho en el fracaso. —Se quedó allí sentado un momento, con la mirada fija a lo lejos, rumiando sus pensamientos—. Le dije a Lindros que cortara todo contacto con Bourne.

—Una decisión acertada, señor.

—¿De veras? —El director le miró sombríamente—. Yo creo que fue un error. Un error al que quiero poner remedio. Martin está trabajando noche y día, movilizando a Tifón para encontrar a Fadi. Tú tienes otra misión. Quiero que encuentres a Bourne y que acabes con él.

—¿Señor?

—No te hagas el tonto conmigo —dijo el director en tono cortante—. Te he visto ascender por el escalafón de la CIA. Sé lo eficaz que eras cuando estabas en activo. No será el primero al que liquides. Y lo que es más importante: puedes sacarle información a una piedra.

Lerner no dijo nada, lo que en cierto modo equivalía a asentir. Pero, a pesar de su silencio, su mente trabajaba a mil por hora. *Así que por eso me ha promocionado*, pensó. *Al Viejo no le importa reorganizar la CIA. Quiere servirse de mi experiencia. Quiere que alguien de fuera se encargue de la única misión que no puede confiarle a uno de sus hombres.*

—Prosigamos, pues. —El Viejo levantó el dedo índice—. Estoy harto de ese cabrón insolente. Ha hecho lo que le ha dado la gana desde que llegó. A veces pienso que somos nosotros los que trabajamos para él. Piensa en cómo sacó a Cevik de la celda. Tenía sus motivos, puedes estar seguro, pero nunca nos dirá cuáles eran por propia voluntad. Como tampoco sabemos qué pasó en Odesa.

Lerner estaba sorprendido. Se preguntaba si había subestimado al Viejo.

—No querrá decir que no se interrogó debidamente a Bourne.

El director pareció ofendido.

—Naturalmente que sí, como a todos los implicados. Pero dijo que no recordaba nada: ni una puta cosa. Martin le creyó, pero yo no.

—Deme su autorización, y yo le sacaré la verdad, señor.

—No te engañes, Lerner. Bourne preferirá matarse a darte información.

—Si algo he aprendido en este oficio es que todo el mundo acaba por romperse.

—Bourne no. Créeme. No, le quiero muerto. Tendré que conformarme con eso.

—Sí, señor.

—Ni una palabra a nadie, tampoco a Martin. He perdido la cuenta de cuántas veces ha salvado a Bourne del verdugo. Pero esta vez no, joder. Me dijo que había cortado el contacto con Bourne. Ahora, ve tú a buscarle.

—Entendido. —Lerner se levantó enérgicamente.

El director levantó la cabeza.

—Y, Matthew, hazte un favor. No vuelvas sin información.

Lerner le miró fijamente, sin vacilar.

—¿Y entonces?

El Viejo sabía distinguir un desafío. Se recostó en la silla, estiró los dedos y juntó las yemas como si reflexionara.

—Puede que no consigas lo que quieres —respondió—, pero quizá sí lo que te hace falta.

Bourne subió a la estrecha cabina y Bogdan le siguió. La cabina salió de la terminal y comenzó a avanzar suspendida sobre el empinado barranco de caliza.

—Creía que esos hombres eran vuestros —dijo Bourne.

—No me hagas reír.

—Estoy solo, Bodgan Iliyanovich. Sólo quiero hacer negocios con Lemontov.

Se sostuvieron la mirada un momento. Había entre ellos una animosidad tan intensa que se dejaba sentir como una tercera parte. El abrigo de lana de Bodgan apestaba a moho y a tabaco. Tenía caspa en las solapas.

El monótono movimiento de los rodamientos de la cabina hacía chirriar el cable. En el último momento, los cuatro hombres saltaron a las dos últimas cabinas. Seguían armando jaleo, como si estuvieran borrachos.

—No sobrevivirás a una caída desde esta altura —comentó Bogdan tranquilamente—. Nadie sobreviviría.

Bourne miró a los hombres que armaban jaleo.

El mar estaba agitado. Los petroleros cruzaban lentamente el puerto, pero los transbordadores permanecían en reposo, como las gaviotas. A lo lejos, la luz de la luna escarchaba las crestas de las olas.

Cuando llegaron a la playa, el bóxer seguía retozando. Levantó la cabeza mientras correteaba por la arena gris. Tenía el morro cuadrado manchado de espuma y trocitos de algas marinas. Ladró una vez y su dueño le mandó callar y acarició su flanco al pasar bajo un embarcadero de madera cuyos pilotes verdosos hacía crujir la marea. A la izquierda había un esquelético laberinto de postes: sostenían parte de la zona ajardinada, socavada por el mar en algún momento del pasado. Más allá se levantaba la hilera de oscuros quioscos, bares y restaurantes que servían a las muchedumbres de veraneantes. Siguiendo la suave curva de la playa, quizás a un kilómetro en dirección sur, se hallaba el club de yates, cuyas luces ardían como el resplandor de un pueblecito.

Los cuatro hombres del teleférico habían llegado a la playa.

Bogdan dijo:

—Hay que hacer algo.

En cuanto acabó de hablar, Bourne comprendió que aquello era otra prueba. Le bastó una mirada para saber que los hombres habían desaparecido de golpe. Sabía, naturalmente, que tenían que estar aún en la playa. Tal vez estaban en el armazón de madera que sostenía parte de la ladera de la colina, o en alguno de los quioscos.

Extendió la mano.

—Dame la Mauser. Iré tras ellos.

—¿Crees que voy a darte una pistola? ¿O que voy a creerme que vas a dispararles? —Bogdan escupió—. Si hay que ir de caza, vamos los dos.

Bourne inclinó la cabeza en señal de aprobación.

—Ya había estado aquí, sé cómo moverme. Sígueme. —Empezaron a cruzar la playa, alejándose en diagonal de la orilla. Bourne se metió en el laberinto agachando la cabeza, cogió un madero y golpeó con él uno de los postes para ver si aguantaba. Miró a Bogdan para ver si protestaba, pero éste sólo se encogió de hombros. A fin de cuentas, él tenía la Mauser.

Avanzaron por entre las sombras del laberinto, agachándose aquí y allá para no golpearse la cabeza con las vigas más bajas.

—¿Estamos cerca del punto de encuentro con Lemontov? —susurró Bourne.

Bogdan le miró con recelo.

Bourne presentía que el encuentro iba a producirse en uno de los barcos anclados en el puerto deportivo. Volvió a escudriñar las sombras. Sabía que delante de él estaba el primero de los quioscos: el que había visitado una vez.

Avanzaron despacio, Bourne siempre un paso por delante de Bogdan. La luz de la luna, que se reflejaba en la arena, estiraba sus dedos blancos hacia aquel mundo subterráneo de pilotes cuadrados, enormes riostras y vigas transversales. Caminaban más o menos en paralelo al muelle, y Bourne sabía que estaban muy cerca del quiosco.

Con el rabillo del ojo, vio un movimiento confuso y furtivo. No cambió de dirección, no volvió la cabeza, sólo movió los ojos. Al principio, sólo vio un prieto entramado de vigas. Luego, entre los ángulos del armazón, distinguió un arco: una curva que sólo podía ser humana. Uno, dos, tres. Los identificó a todos. Les estaban esperando, desplegados entre las sombras como una telaraña perfectamente colocada.

Sabían que se dirigía hacia allí como si pudieran leerle el pensamiento. Pero ¿cómo? ¿Se estaba volviendo loco? Era como si sus recuerdos le impulsaran a tomar decisiones que sólo conducían al error y al peligro.

¿Qué podía hacer ahora? Se detuvo y comenzó a retroceder, pero enseguida sintió el cañón de la pistola de Bogdan en su costado, instándole a seguir adelante. ¿Estaba Bogdan metido en aquello? ¿Formaba parte el ucraniano de una conspiración destinada a atraparle?

De pronto echó a correr hacia la izquierda, en dirección a la playa. Mientras corría, torció el torso y arrojó el madero a la cabeza de Bogdan. El ucraniano lo esquivó sin dificultad, pero tardó en disparar, y Bourne pudo esconderse tras un poste un instante antes de que una bala de la Mauser le arrancara una esquina.

Giró a la derecha y corrió luego hacia la izquierda con todas sus fuerzas, dando con la pierna derecha pasos más largos que con la izquierda para que Bogdan no pudiera predecir hacia dónde iría. Otro disparo, éste algo más separado de su objetivo.

Un tercer disparo abrió un rasgón en su abrigo, que ondeaba movido por la carrera. Luego alcanzó los primeros pilotes del embarcadero y se deslizó entre las sombras.

Bogdan Iliyanovich respiraba agitadamente mientras corría tras el hombre que se hacía llamar Ilias Voda. Iba con la lengua fuera por hundirse en la arena, cada vez más cenagosa a medida que se acercaba al embarcadero. Tenía los zapatos llenos de arena y los bajos del abrigo mojados.

El agua estaba helada. No quería adentrarse más en ella, pero de pronto divisó a su presa y siguió adelante. El agua le llegó a las rodillas y lamió luego sus muslos. Empezaba a costarle avanzar.

De pronto, un fuerte ruido le hizo girarse hacia su izquierda. Pero su larguísimo abrigo empapado de agua le frenaba. Se tambaleó y en ese instante, exhausto, comprendió por qué había corrido Voda hacia allí: le había atraído premeditadamente hacia el agua para que el abrigo le impidiera moverse con libertad.

Soltó una sarta de maldiciones, pero se interrumpió súbitamente, como si se mordiera la lengua. A la luz de la luna, vio a tres de los hombres de negocios corriendo a toda velocidad hacia él con las pistolas en alto.

Cuando intentó escapar, el que iba delante apuntó y disparó.

Bourne les vio antes que Bogdan. Estaba a punto de abalanzarse sobre el ucraniano cuando el primer disparo arrancó un trozo del pilote más próximo. Bogdan estaba volviéndose hacia él cuando resbaló. Bourne le levantó y le hizo volverse, de forma que quedara entre los hombres armados y él.

Otro apuntó y disparó. La bala se hundió en el hombro izquierdo de Bogdan, empujando su cuerpo hacia atrás y a la izquierda. Bourne estaba preparado; había adoptado, de hecho, la postura de un experto en artes marciales: los pies separados el ancho de las caderas, las rodillas ligeramente flexionadas, el torso relajado y, por tanto, listo para el siguiente movimiento. Su fuerza procedía del bajo vientre. Dio de nuevo la vuelta a Bogdan para utilizarle como escudo. Los tres hombres estaban muy cerca, casi en la orilla, formando un triángulo. Los veía claramente a la luz fría de la luna.

Otra bala dio al ucraniano en el abdomen, haciéndole doblarse. Bourne le irguió, levantó la Mauser y apuntó sirviéndose del brazo y la mano del propio Bogdan. Apretó el gatillo con el dedo índice sobre el del ucraniano. El hombre de la derecha, el que estaba más cerca, se tambaleó y cayó de bruces. Otra bala dio a Bogdan en el muslo, pero para entonces Bourne había hecho ya otro disparo. El tipo del medio salió despedido hacia atrás con los brazos extendidos.

Bourne arrastró al ucraniano hacia la derecha. Otras dos balas pasaron a escasos centímetros de la cabeza de Bogdan. El hombre que quedaba se acercó zigzagueando bruscamente mientras disparaba, pero el oleaje era cada vez más fuerte y apenas lograba mantener el equilibrio. Bourne le pegó un tiro entre los ojos.

Después sintió un movimiento animal y una ligera sacudida cuando Bogdan sacó la pistola que llevaba sujeta debajo del abrigo. Había perdido la otra en el agua negra, llena de algas e hilillos de su propia sangre. Bourne le asestó un golpe con el canto de la mano y la pistola voló de la mano del ucraniano y desapareció en el agua revuelta.

Bogdan levantó las manos y le apretó el cuello con la fuerza de quien ve cerca la muerte. Una ola hizo caer a Bourne de rodillas. Su atacante intentó aplastar con los pulgares el cartílago de su garganta, pero él descargó un golpe con el canto de la mano en una de sus heridas de bala. El ucraniano gritó y echó la cabeza hacia atrás.

Bourne se levantó, tambaleándose, y asestó un último golpe que tumbó a Bogdan, lanzándole hacia atrás. Se golpeó la cabeza con un pilote y escupió sangre.

Miró a Bourne un momento. Una sonrisilla curvó las comisuras de su boca.

—Lemontov —dijo.

En la playa sólo se oía el fragor de las olas al estrellarse contra los pilotes. No se oyó el zumbido ronco del motor de un barco, ni ningún otro ruido reconocible hasta que el bóxer dejó escapar un ladrido lloroso, como si estuviera asustado.

Entonces Bogdan comenzó a reírse con un gorgoteo.

Bourne le sujetó por las solapas del abrigo.

—¿Qué tiene tanta gracia, Bogdan Iliyanovich?

—Lemontov. —La voz del ucraniano sonaba débil, insustancial, como el aire escapando de un globo. Ponía los ojos en blanco, pero logró decir una última cosa—: No hay ningún Lemontov.

Mientras el cadáver se hundía en el agua, Bourne percibió una presencia que salía de la oscuridad y se lanzaba hacia él. Se volvió hacia la izquierda. ¡El cuarto hombre!

Demasiado tarde. Sintió un dolor ardiente en el costado y a continuación una ráfaga de calor. Su atacante comenzó a remover el cuchillo. Bourne le empujó con ambas manos y el cuchillo que tenía clavado en el costado se soltó, escupiendo un chorro de sangre.

—Es cierto, ¿sabes? —dijo el hombre—. Lemontov es un fantasma que invocamos para atraerte hasta aquí.

—¿Quiénes?

Su agresor se acercó. La luz de la luna, que se colaba entre las planchas del embarcadero, desveló una cara extrañamente familiar.

—No me reconoces, Bourne. —Su sonrisa era tan salvaje como venenosa.

El norteamericano se sobresaltó al reconocerle por el boceto que Martin Lindros había dibujado para él.

—Fadi.

15

—He esperado mucho tiempo este momento —dijo Fadi. Sostenía una Makarov en una mano y en la otra un cuchillo, con la hoja manchada de sangre—. Mucho tiempo para volver a mirarte a la cara.

Bourne sintió que la marea se agitaba alrededor de sus muslos. Apretaba con fuerza el brazo izquierdo contra su costado para intentar detener la hemorragia.

—Mucho tiempo para cobrarme venganza.

—Venganza —repitió Bourne. Notaba un sabor metálico en la boca, y de pronto se apoderó de él una sed abrasadora—. ¿Venganza por qué?

—No finjas que no lo sabes. Eso no puedes haberlo olvidado.

La marea, que intensificaba su fuerza, arrastraba cúmulos de algas cada vez más grandes. Sin apartar los ojos de Fadi, Bourne hundió la mano derecha en el agua y cogió un puñado de aquel cieno flotante. Sin previo aviso, lanzó la bola empapada a la cabeza de Fadi. El árabe disparó a ciegas casi en el mismo instante en que el amasijo de algas le daba en la cara.

Bourne ya se había puesto en movimiento, pero la marea, que había sido su aliada al enfrentarse a Bogdan y a los hombres de Fadi, se volvió de pronto contra él: una fuerte ola le golpeó de lado. Se tambaleó y, atravesado por el dolor, apartó el brazo izquierdo de la herida y volvió a manar la sangre.

Fadi ya se había recobrado. Mientras mantenía a Bourne en el punto de mira de la Makarov, saltó hacia él entre las olas, blandiendo el cuchillo de hoja sinuosa con el que pensaba rajarle.

Bourne luchó por recuperarse, por seguir moviéndose hacia su derecha y alejarse de Fadi, pero otra ola le dio en la espalda y le lanzó directamente hacia el cuchillo.

En ese momento oyó un gruñido ronco, muy cerca. El bóxer atigrado saltó y lanzó su cuerpo musculoso contra el costado derecho de Fadi. Pillado por sorpresa, éste perdió pie y se hundió en el agua; encima de él, el bóxer abría y cerraba las mandíbulas y le arañaba con las patas, empujándole hacia abajo.

—¡Vamos, vamos!

Bourne oyó un susurro en la oscuridad de debajo del embarcadero. Luego sintió que un brazo, delgado pero fuerte, le rodeaba y tiraba de él hacia la izquierda, por un camino sinuoso y en sombras entre los pilares mohosos, hasta que salieron a la luz de la luna.

—Tengo que volver y... —jadeó Bourne.

—Ahora no —dijo con firmeza aquella voz susurrante. Procedía del hombre delgado, tocado con un sombrero de ala ancha, al que había visto en la playa: el dueño del bóxer. El hombre silbó y el perro salió brincando de debajo del embarcadero y corrió por el agua, hacia ellos.

Bourne oyó entonces el lamento de unas sirenas. En el cercano club de yates, alguien debía de haber oído disparos repetidos y había llamado a la policía.

Así pues, siguió adelante, avanzando a trompicones, apoyado en aquel brazo; cada vez que daba un paso, un dolor ardiente palpitaba en su costado, como si el cuchillo siguiera aún removiéndose en sus entrañas. Y cada vez que su corazón latía, perdía más sangre.

Cuando Fadi salió a la superficie tosiendo y escupiendo agua, lo primero que vieron sus ojos enrojecidos fue el rostro de Abbud ibn Aziz, inclinado sobre la barandilla de un velero que navegaba sin luces. El barco, ligeramente escorado, había aprovechado la brisa que soplaba del mar para acercarse a tierra; muchos barcos a motor habrían encallado tan cerca de la orilla.

Abbud ibn Aziz le tendió un brazo moreno y fuerte. Tenía la frente fruncida por la preocupación. Cuando Fadi subió a bordo,

Abbud ibn Aziz gritó una orden. El piloto, que estaba ya en las escotas, izó las vergas y el velero se alejó velozmente de la orilla.

Justo a tiempo. Al volverse, Fadi vio por qué estaba tan alarmado Abbud ibn Aziz. Tres lanchas de policía acababan de doblar el cabo que había hacia el norte y se dirigían a toda velocidad hacia las inmediaciones del embarcadero.

—Iremos al club de yates —le dijo Abbud ibn Aziz al oído—. Para cuando estén lo bastante cerca para inspeccionar esta zona, ya estaremos amarrados y a salvo. —No dijo nada de los tres hombres. No estaban allí; estaba claro que no iban a volver. Habían muerto—. ¿Y Bourne? —preguntó.

—Herido, pero aún vive.

—¿Es grave la herida?

Fadi se tumbó de espaldas y se limpió la sangre de la cara. El maldito perro le había mordido en tres sitios, uno de ellos el bíceps derecho, que notaba ardiendo. Sus ojos brillaban como los de un lobo a la luz de la luna.

—Puede que lo suficiente para que acabe tan mal como mi padre.

—Un destino justo.

Las luces del club de yates se acercaban rápidamente por el lado de proa.

—Los documentos.

Abbud ibn Aziz le entregó un paquete envuelto en hule impermeable.

Fadi lo cogió, se puso de lado y escupió al agua.

—Pero ¿es una venganza justa? —Movió la cabeza de un lado a otro, como respondiendo a su propia pregunta—. Yo creo que no. Aún no.

—¡Por aquí, por aquí! —le decía al oído aquella voz apremiante—. No aflojes ahora, ya estamos cerca.

¿Cerca?, pensó Bourne. Cada vez que daba tres pasos tenía la impresión de haber recorrido un kilómetro. Respiraba trabajosa-

mente y sus piernas parecían columnas de piedra. Cada vez le costaba más mantenerlas en movimiento. El agotamiento se apoderaba de él en oleadas, y de vez en cuando perdía el equilibrio y caía hacia delante. La primera vez pilló desprevenida a la persona que le acompañaba. Cayó de bruces al agua y un momento después el hombre le ayudó a emerger de nuevo a la húmeda noche de Odesa. A partir de ese momento, no volvió a correr la misma suerte.

Intentaba levantar la cabeza, ver dónde estaban, hacia dónde se dirigían. Pero avanzar entre el agua era ya bastante esfuerzo. Era consciente de que alguien iba a su lado, y sentía una extraña sensación de familiaridad que se extendía sobre la superficie de su mente como una mancha de aceite. Pero, de igual modo, Bourne no podía ver lo que había por debajo, no lograba adivinar quién era aquella persona. Alguien de su pasado. Alguien...

—¿Quién eres? —jadeó.

—¡Vamos! —le instó su acompañante con un susurro—. Hay que seguir adelante. Tenemos a la policía detrás.

De pronto Bourne cobró conciencia de las luces que bailoteaban en el agua. Parpadeó. No, en el agua no: encima del agua. El reflejo emborronado por las olas de unos focos eléctricos. En algún lugar al fondo de su cabeza sonó una campana y de pronto pensó: *El club de yates*.

Pero su acompañante, que tan extrañamente conocido le resultaba, se encaminó hacia tierra antes de que llegaran al extremo norte de la red de embarcaderos, pantalanes y pasarelas de listones. Con inmenso esfuerzo, se adentraron tambaleándose en las olas. Bourne cayó de rodillas una vez. Cuando estaba a punto de levantarse, furioso, su acompañante le detuvo. Sintió que ataba algo suave alrededor de su pecho y que lo apretaba tan fuerte que casi le dejó sin respiración. Le dio vueltas y vueltas, hasta que perdió la cuenta. La presión surtió efecto: dejó de sangrar, pero en cuanto se puso en pie y avanzaron hacia la orilla, hasta llegar a la arena, apareció una pequeña mancha que fue extendiéndose lentamente y empapando la tela. Aun así, no dejaría un rastro de sangre sobre la tierra seca. Su acompañante, fuera quien fuese, era al mismo tiempo listo y valiente.

Ya en la playa, Bourne notó la presencia del bóxer, un enorme macho atigrado de cara majestuosa. Habían dejado atrás la hilera de quioscos. Al fondo de la playa se erguían sobre ellos rocas peladas, ceñudas y silenciosas. Bourne vio justo enfrente de ellos un cobertizo de madera, pintado de verde oscuro y cerrado con un candado; era allí donde se guardaban las sombrillas de la playa.

El bóxer dejó escapar un gemido breve y agudo y empezó a mover frenéticamente los cuartos traseros.

—¡Deprisa! ¡Deprisa!

Siguieron adelante medio inclinados, tambaleándose. Del mar les llegaba un zumbido de potentes motores, y de pronto el intenso resplandor de los focos de las lanchas policiales iluminó la playa a su derecha. Los rayos de luz comenzaron a barrer la playa, dirigiéndose hacia ellos. Un momento después, quedarían al descubierto.

Llegaron a trompicones al otro lado del almacén de sombrillas, se agacharon y pegaron el cuerpo a él. Los rayos se aproximaron y barrieron la arena de un lado a otro. Los haces de luz se cruzaron un momento sobre el almacén, alumbrándolo de lleno. Luego pasaron de largo.

Pero se oían gritos procedentes de las lanchas, y Bourne vio que otra unidad de policía había empezado a rodear el club de yates. Llevaban cascos, chalecos antibalas y fusiles semiautomáticos.

Su acompañante tiró de él enérgicamente y juntos corrieron hacia el pie del acantilado. Bourne se sentía desnudo y vulnerable cuando cruzaron la parte de arriba de la playa. Sabía que le faltaban fuerzas para defenderse, y más aún para defender a la persona que iba a su lado.

Entonces notó un empujón en la espalda y cayó de bruces. Tumbado boca abajo en la arena, con su acompañante al lado, vio que otros focos cabeceaban en el cielo nocturno, perpendiculares a los de las lanchas. En el club de yates, varios policías escudriñaban la playa con sus linternas, cuya luz pasó a escasos veinte centímetros de sus cuerpos tendidos. Bourne vio moverse algo en la periferia de su campo de visión. Varios policías estaban saltando de los muelles a la playa. Se dirigían hacia allí.

Respondiendo a una señal silenciosa de su acompañante, se arrastró penosamente hacia las sombras de la pared desnuda del acantilado, donde el perro aguardaba agazapado. Al volverse vio que el tipo que le ayudaba se había quitado el abrigo y estaba usando sus faldones para borrar las marcas que había dejado en la arena.

Bourne se levantó jadeando y se tambaleó como un púgil que se ha enfrentado durante demasiados asaltos a un contrincante superior.

Vio que su acompañante se había puesto de rodillas y agarraba los gruesos barrotes de hierro de lo que parecía ser una salida de aguas residuales. Los gritos fueron aumentando de volumen. La policía se acercaba.

Bourne se inclinó para ayudar y juntos apartaron la rejilla. Se dio cuenta de que alguien había quitado ya los tornillos.

Su acompañante le metió dentro de un empujón, y el bóxer saltó alegremente a su lado. Bourne vio a la otra persona que les seguía. Al agacharse se le cayó el sombrero de ala ancha. Se giró para recogerlo y la luz de la luna alumbró su cara.

Bourne contuvo bruscamente el aliento y sintió un estallido de dolor.

—¡Tú!

Porque la persona que le había salvado y que le resultaba tan familiar no era un hombre en absoluto.

Era Soraya Moore.

16

La PDA de Anne Held comenzó a vibrar a las 6:46 de la tarde. Era su PDA personal, la que le había regalado su Amante, no la de la CIA. Al cogerla, la carcasa negra estaba caliente: Anne la llevaba sujeta al muslo. En la pantalla aparecía este mensaje, como escrito por un genio: «Dentro de veinte minutos, en su apartamento».

Su corazón empezó a latir más deprisa y su sangre a agitarse, porque aquel mensaje procedía, en cierto modo, de un genio: su Amante. Su Amante había regresado.

Le dijo al Viejo que tenía cita con el ginecólogo, lo cual la hizo reírse para sus adentros. El Viejo, en cualquier caso, se lo tomó con calma. La sede de la CIA era como la sala de urgencias de un hospital: desde que Lindros los había puesto en estado de emergencia, trabajaban todos sin cesar.

Anne salió del edificio, detuvo un taxi y se bajó de él a seis manzanas de Dupont Circle. Desde allí siguió a pie. El cielo estaba despejado e iluminado por una luna muy alta. Un viento afilado intensificaba el frío. Con las manos metidas en los bolsillos, Anne se sentía caliente por dentro, a pesar del tiempo.

El apartamento estaba en la calle Veinte, en una casa decimonónica de cuatro plantas y estilo neocolonial, diseñada por Stanford White. Le abrieron la puerta de madera y cristal emplomado a través del portero automático. Se encontró con un pasillo con friso de madera que cruzaba en línea recta el centro del edificio y acababa en una puerta trasera, también de madera y cristal, la cual daba a una zona mínimamente ajardinada, que se utilizaba como aparcamiento privado.

Anne se detuvo junto a los buzones y pasó las yemas de los dedos por la portezuela metálica, con bisagras de apertura en vertical, que llevaba el número 401 y tenía escrito el nombre de Martin Lindros.

Se detuvo en el cuarto descansillo, delante de la puerta de color crema, y apoyó la mano en la gruesa madera. Le pareció sentir una vibración sutil, como si el apartamento, vacío durante tanto tiempo, bullera de nuevo lleno de vida. El cuerpo de su Amante, cálido y eléctrico, habitaba las estancias detrás de la puerta y las inundaba de energía y calor redoblado, como el sol filtrándose a través de un cristal.

Anne recordó su última despedida. Sintió el mismo dolor que entonces: cortante como una profunda bocanada de aire una noche de helada, se le clavó en las costillas infligiéndole otra herida a su corazón. Esta vez, sin embargo, el dolor era también distinto, porque entonces estaba segura de que no volvería a verle al menos en nueve meses. Hacía, en realidad, casi once que no se veían. Pero no era sólo el tiempo pasado (ya de por sí bastante malo) lo que le preocupaba, sino también la convicción de que se habría efectuado algún cambio.

Había arrumbado aquel temor en un armario al fondo de su cabeza, naturalmente, pero ahora, al hallarse allí, delante de la puerta del apartamento, comprendió que era un peso que había acarreado durante todos aquellos meses, como un niño no deseado.

Se inclinó hacia delante y apoyó la frente sobre la madera pintada, recordando su despedida.

—*Pareces muy angustiada* —había dicho él—. *Te he dicho que no te preocupes.*

—*¿Cómo no voy a preocuparme?* —había contestado ella—. *Nunca se ha hecho.*

—*Siempre me he considerado una especie de pionero.* —Sonrió *para infundirle ánimos. Luego, al ver que fracasaba, la estrechó entre sus brazos*—. *A tiempos desesperados, medidas desesperadas. Nadie lo sabe mejor que tú.*

—*Sí, sí, claro.* —Anne se había estremecido—. *Pero aun así no puedo evitar preguntarme qué será de nosotros... al otro lado.*

—*¿Por qué iba a cambiar algo?*

Ella se había separado lo justo para mirarle a los ojos.

—Tú sabes por qué —le había susurrado.

—No, no lo sé. Seguiré siendo el mismo. Tienes que confiar en mí, Anne.

Y ahora allí estaba (allí estaban ambos), al otro lado. Era el momento de la verdad, el momento de descubrir qué cambios se habían operado en él durante esos once meses. Confiaba en él, sí. Pero el miedo con el que había convivido se había desatado de pronto y serpeaba por su bajo vientre. Se disponía a adentrarse en lo desconocido. No había precedente, y la aterrorizaba encontrarle tan cambiado que ya no fuera su Amante.

Giró el pomo de bronce de la puerta con un leve gemido de fastidio dirigido hacia sí misma y empujó. Él había dejado abierto. Al entrar en el recibidor se sintió como una hindú, como si su camino hubiera sido trazado hacía mucho tiempo y viviera atenazada por un destino que la superaba, que le superaba incluso a él. ¡Qué lejos estaba de la educación privilegiada que le habían proporcionado sus padres! Eso tenía que agradecérselo a su Amante. Ella había puesto también su parte, desde luego, pero su rebeldía estaba cargada de temeridad. Él la había domeñado, la había convertido en un foco de luz. Ella no tenía nada que temer.

Estaba a punto de llamarle cuando oyó su voz: aquella canción ululante que tan bien conocía llegó flotando hasta ella como arrastrada por una corriente de aire destinada sólo a ella. Le encontró en el dormitorio principal, sobre una de las alfombras de Lindros, porque no podía, claro está, llevar una de las suyas.

Estaba de rodillas, descalzo, con la cabeza cubierta por un casquete blanco y el torso inclinado hacia delante de modo que su frente tocaba el borde de la alfombra. Estaba rezando de cara a la Meca.

Se quedó muy quieta, como si cualquier movimiento pudiera perturbarle, y dejó que las palabras en árabe la bañaran como una lluvia suave. Hablaba bien el idioma, varios de sus dialectos, en realidad, lo cual había intrigado a su Amante cuando se vieron por primera vez.

La oración acabó por fin. Él se levantó y, al verla, sonrió con la cara de Martin Lindros.

—Sé lo que quieres ver primero —dijo suavemente en árabe, quitándose la camisa por la cabeza.

—Sí, enséñamelo todo —contestó Anne en el mismo idioma.

Allí estaba el cuerpo que tan bien conocía. Anne se fijó en su abdomen, en su pecho. Deslizando la mirada hacia arriba, se encontró con sus ojos: el derecho, alterado por una nueva retina. El rostro de Martin Lindros, provisto de su retina derecha. Era ella quien había procurado las fotografías y el escáner de retina que había hecho posible la transformación. Estudió ahora la cara como no había podido hacerlo en las dos ocasiones en que se había cruzado con él al salir o entrar en el despacho del Viejo. En esas ocasiones, se habían saludado inclinando brevemente la cabeza y habían intercambiado un hola, como si él fuera el auténtico Lindros.

Estaba maravillada. La cara era perfecta: el doctor Andursky había hecho un trabajo magnífico. La metamorfosis había colmado con creces sus expectativas.

Él se llevó las manos a la cara y rió suavemente al tocar los hematomas, los arañazos, los cortes. Estaba muy satisfecho de sí mismo.

—¿Ves?, el maltrato que recibí de mis secuestradores estaba calculado para ocultar los escasos vestigios que quedaban de las cicatrices que dejó el bisturí de Andursky.

—Yamil... —musitó ella.

Se llamaba Karim al Yamil ibn Hamid ibn Ashef al Uahhib. Karim al Yamil significaba «Karim el hermoso». Dejaba que Anne le llamara Yamil porque ello le producía un intenso placer. A ninguna otra persona se le ocurriría hacerlo, y menos aún decirlo en voz alta.

Sin apartar los ojos de su cara, Anne se quitó el abrigo y la chaqueta, se desabrochó la camisa y se bajó la cremallera de la falda. Con la misma parsimonia se quitó el sujetador y se bajó las bragas. Luego se quedó allí de pie, en tacones, en medias de satén y liguero de encaje, y su corazón se llenó de gozo al ver cómo la devoraba él con la mirada.

Se apartó del suave montón que formaba su ropa y se acercó a él.

—Te he echado de menos —dijo Yamil.

Anne se dejó abrazar, pegó su carne desnuda a la de él, gimió al aplastar los pechos contra su torso. Pasó las palmas por sus músculos más prominentes, dejando que las yemas de sus dedos trazaran la forma de las lomas y hondonadas que memorizó la primera noche que pasaron juntos en Londres. Pasó largo rato así. Él esperó pacientemente: sabía que era como una persona ciega intentando cerciorarse de que ha penetrado en territorio conocido.

—Cuéntame qué pasó. ¿Cómo fue?

Karim al Yamil cerró los ojos.

—Durante un mes y medio fue terriblemente doloroso. Lo que más temía el doctor Andursky era una infección mientras cicatrizaban los injertos de piel y de músculo. No podía verme nadie, excepto su equipo y él. Llevaban guantes de látex y mascarilla para taparse la nariz y la boca. Me daban un antibiótico tras otro.

»Después del trasplante de retina, estuve muchos días sin poder abrir el ojo. Tenía el párpado cerrado y tapado con una bola de algodón y espadrapo. Estuve un día sin poder moverme, y luego otros diez con los movimientos muy limitados. No podía dormir, así que tuvieron que sedarme. Perdí la noción del tiempo. El dolor no cesaba, por más cosas que me inyectaban. Era como un segundo corazón que latía con el mío. Notaba la cara en llamas. Y detrás del ojo derecho tenía un picahielos que no podía quitarme.

»Eso fue lo que pasó. Lo que sentí.

Ella había empezado ya a treparse a él como si fuera un árbol. Él bajó las manos para agarrar sus nalgas. La apoyó contra la pared, apretándola contra ella, y Anne le ciñó las caderas con las piernas. Él luchó con su cinturón, se bajó los pantalones. Estaba tan excitado que le dolía. Ella gritó cuando la mordió, y volvió a gritar cuando echó la pelvis hacia delante y empujó hacia arriba.

En la cocina, con la piel desnuda y deliciosamente erizada, Anne sirvió champán en un par de copas altas. Echó luego una fresa en cada una y las vio flotar entre el chisporroteo de las burbujas. La cocina estaba en el lado oeste del edificio. Sus ventanas daban a un patio entre edificios.

Le dio una de las copas.

—Todavía se nota la herencia de tu madre en el color de tu piel.

—Alabado sea Alá. Sin su ascendencia inglesa, no habría podido hacerme pasar por Martin Lindros. El bisabuelo de Lindros era de un pueblo de Cornualles, a menos de ochenta kilómetros de la finca de la familia de mi madre.

Anne se rió.

—Qué ironía. —Sus manos, privadas tanto tiempo de la piel de su Amante, parecían poder acariciarlo eternamente. Dejó la copa en la encimera de granito, le agarró y le empujó juguetona hacia atrás, hasta que estuvo contra la ventana—. No puedo creer que estemos aquí juntos. No puedo creer que estés a salvo.

Karim al Yamil besó su frente.

—Dudabas de mi plan.

—Ya sabes que sí. Tenía dudas y miedos. Parecía tan... arriesgado, tan difícil de llevar a cabo.

—Todo es cuestión de percepción. Debes pensar en ello como en un reloj. Un reloj ejecuta una función muy simple: marca los segundos y los minutos. Y cuando acaba una hora, emite un tintineo. Es sencillo, pero fiable. Y eso es porque por dentro está compuesto por una serie de piezas ideadas con todo cuidado, afinadas y pulidas con esmero para que, al ponerse en marcha, encajen a la perfección.

En ese momento, notó que Anne miraba detrás de él. Un destello de pavor apareció en sus ojos.

Karim al Yamil se volvió y miró por la ventana, hacia el aparcamiento entre los edificios. Allí, aparcados el uno junto al otro, había dos coches norteamericanos de último modelo, mirando cada uno hacia un lado. El que miraba hacia el norte tenía el motor encendido. Las ventanillas de los conductores estaban bajadas. Saltaba a la vista que sus ocupantes estaban hablando.

—¿Qué pasa?

—Esos dos coches —susurró ella—. Son efectivos de la policía.

—O dos conductores que se han parado a charlar.

—No, hay algo...

Anne se calló de pronto. Uno de los hombres se había inclinado hacia delante lo justo para que le reconociera.

—Es Matthew Lerner. ¡Maldita sea! —Se estremeció—. No he tenido ocasión de decírtelo, pero entró en mi casa, la registró y me dejó una horca en el armario, con unas bragas mías colgadas.

Karim al Yamil sofocó una risa amarga.

—Tiene sentido del humor, eso hay que reconocerlo. ¿Sospecha algo?

—No. Habría ido a hablar con el director si tuviera la más ligera sospecha. Lo que quiere es librarse de mí. Creo que es para poder quitarse de en medio al Viejo sin que nadie le estorbe.

Abajo, en el aparcamiento, los dos hombres se habían dicho ya lo que tuvieran que decirse. Lerner se marchó en el coche que miraba hacia el norte y el otro se quedó sentado detrás del volante de su vehículo. No hizo intento de poner el motor en marcha, sino que encendió un cigarrillo.

Karim al Yamil dijo:

—En cualquier caso, te está haciendo seguir. Nuestra seguridad corre peligro. —Se apartó de la ventana—. Vístete. Tenemos cosas que hacer.

En cuanto el velero atracó en el club de yates, la policía saltó a bordo. El capitán y los pilotos, incluido Abbud ibn Aziz, se mostraron debidamente acobardados y entregaron sus documentos de identidad al policía que ejercía de teniente. Luego el policía se volvió hacia Fadi.

Sin decir palabra, sin parecer intimidado en lo más mínimo, éste le entregó los documentos que le había dado Abbud ibn Aziz

y que le identificaban como el teniente general Viktor Leonido-
vich Romanchenko, del servicio de contraespionaje del SBU. Sus
órdenes, incluidas entre los papeles, iban firmadas por el coronel
general Igor P. Smeshko, jefe del SBU.

A Fadi le hizo gracia ver que aquel teniente de policía tan
petulante palidecía de pronto y se cuadraba ante él. El amo se
había convertido en sirviente.

—Estoy siguiendo el rastro de un asesino, un prófugo de prioridad máxima—dijo Fadi al volver a coger sus papeles cuidadosamente falsificados—. Ha matado a esos cuatro hombres de la playa, así que ya ve que es muy peligroso, además de muy hábil.

—Soy el teniente Kove. A sus órdenes, teniente general.

Fadi les hizo salir al trote del velero.

—Le advierto una cosa —dijo por encima del hombro—. Eje-
cutaré con mis propias manos a quien mate al fugitivo. Adviérta-
selo a sus hombres. Ese asesino es mío.

El detective Bill Overton fumaba sentado en su coche. Estaba
relajado, más contento que en todo el año anterior. Aquel trabajo
bajo cuerda que le había ofrecido Lerner le había venido como
caído del cielo. Además, le había asegurado que, cuando acabara,
tendría ese puesto en Seguridad Nacional que tanto deseaba.
Overton sabía que no intentaba darle gato por liebre. Lerner tenía poder. Decía lo que pensaba y pensaba lo que decía. Lo único
que tenía que hacer él era cumplir sus órdenes sin preguntar por
qué ni para qué. Y eso era fácil: le importaba una mierda lo que se
trajera entre manos. Sólo le interesaba que le abriera las puertas
de Seguridad Nacional.

Overton mordisqueaba su cigarrillo. Para él, Seguridad Nacional lo era todo. ¿Qué otra cosa tenía? Una mujer que le era
indiferente, una madre con Alzheimer, una ex mujer a la que
odiaba y un par de críos que, emponzoñados por su ex mujer, no
le tenían ningún respeto. Si no conseguía aquel trabajo, no tendría nada de valor.

Suponía, en cualquier caso, que así funcionaban las cosas en las fuerzas de la ley.

Podía estar fumando y pensando en sus cosas, pero no había olvidado su entrenamiento. Echaba un vistazo a su alrededor cada quince segundos, puntual como un reloj. Estaba colocado de forma que, a través de la puerta trasera de madera y cristal reforzado, veía claramente el pasillo del edificio hasta la entrada principal. Una ubicación perfecta a la que le sacaba el máximo partido.

Vio a Anne Held salir del ascensor, dar media vuelta y avanzar por el pasillo hacia la puerta trasera. Tenía prisa y parecía preocupada. Overton la vio salir por la puerta de atrás. Parecía haber estado llorando. Cuando ella se acercó, el detective notó que tenía la cara hinchada y enrojecida. ¿Qué le había pasado?

A él le traía sin cuidado. Tenía orden de seguirla allá donde fuera y de darle un buen susto en algún momento: sacar su coche de la carretera o atracarla en alguna calle desierta. Algo que le costara olvidar, había dicho Lerner. *El muy cabrón*, pensó Overton. Era de admirar.

Cuando Anne pasó de largo, el detective salió del coche, tiró el cigarrillo y, con las manos metidas en los bolsillos del abrigo, la siguió a distancia prudencial. No había nadie entre los edificios. Sólo la chica y él. No podía perderla.

Allá adelante, su objetivo llegó al final de la zona de patios interiores y dobló la esquina de la avenida Massachusetts Noroeste. Overton apretó el paso para no perderla de vista.

Justo en ese momento, algo le golpeó tan fuerte de costado que cayó al suelo. Se golpeó la cabeza con la pared de ladrillo del edificio vecino. Vio las estrellas. Aun así, el instinto le hizo echar mano del revólver reglamentario. Pero le asestaron entonces un golpe tan fuerte en la muñeca derecha que su mano quedó inutilizada. Tenía un lado de la cara cubierto de sangre y una oreja medio arrancada. Se volvió y vio a un hombre erguirse sobre él. Intentó alcanzar el revólver a gatas, pero una potente patada en las costillas le hizo quedar patas arriba, como una tortuga en la arena.

—¿Qué... qué...?

Vio un borrón. Un instante después, su agresor le apuntaba con un arma provista de silenciador.

—No. —Overton parpadeaba mirando la cara implacable de su asesino. Le avergonzó descubrir que podía rebajarse a suplicarle—. No, por favor.

Un sonido saturó sus oídos, como si de pronto le hubieran sumergido la cabeza en agua. Para cualquier otra persona, fue un ruido tan leve como una tos discreta; a él le sonó tan fuerte que pensó que el mundo se había partido en dos. Luego la bala penetró en su cerebro y ya no hubo nada más que un espantoso y total silencio.

—El problema ahora —dijo Soraya cuando Bourne y ella volvieron a colocar la rejilla en su sitio— es cómo llevarte a un médico.

En la playa se oían los gritos de los policías. Ahora había más. Seguramente habían atracado las lanchas en el club de yates para que sus efectivos pudieran sumarse a la cacería. En la zona que les permitía ver la rejilla se cruzaban potentes haces de luz. En la semioscuridad, Soraya pudo echar un primer vistazo a la herida.

—Es profunda, pero parece bastante limpia —le dijo—. Está claro que no ha perforado ningún órgano. Si no, estarías muerto. —La cuestión que la atormentaba, la que no podía responder, era cuánta sangre había perdido y, por tanto, cuánta resistencia le quedaba. Aunque, por otro lado, le había visto operar a pleno rendimiento durante treinta y seis horas seguidas con una bala alojada en el hombro.

—Era Fadi —dijo Bourne.

—¿Qué? ¿Está aquí?

—Fue él quien me apuñaló. El perro...

—*Oleksandr.* —Al oír su nombre, el bóxer aguzó las orejas.

—El hombre al que le ordenaste atacar era Fadi.

Estaban solos, aislados en medio de un entorno hostil, pensó Soraya. La playa estaba repleta de policías ucranianos, y ahora les perseguía también Fadi.

—¿Qué está haciendo aquí?

—Dijo algo de vengarse. No sé de qué. No me creyó cuando le dije que no me acordaba.

Bourne estaba pálido y sudaba, pero Soraya sabía por experiencia propia lo fuerte que era, lo poderosa que era su determinación no sólo de sobrevivir, sino de triunfar a toda costa. Intentando imitar su fortaleza, le apartó de la rejilla y comenzaron a avanzar a trompicones por el túnel, apresuradamente, guiados tan sólo por un cono de luz de luna cada vez más débil.

El aire era polvoriento. Olía tan inerte como la piel mudada de una serpiente. A su alrededor, por todas partes, se oían pequeños crujidos y gemidos suaves, como si almas en pena intentaran hacerse escuchar. Allí donde la arenisca se había excavado parcialmente o se había rajado bajo el peso aplastante de la superficie, una tierra apelmazada cubría el suelo. Gruesos puntales de seis por seis, toscamente labrados y encofrados con hierro, se alzaban a intervalos regulares, atornillados a viguetas y brochales y ennegrecidos por el moho y por una costra de color rojo oscuro que los cubría aquí y allá. Los pasadizos olían a podredumbre, como si la tierra por la que discurrían estuviera sometida a un lento proceso de descomposición.

A Soraya se le encogía dolorosamente el estómago. ¿Qué había encontrado la policía? ¿Qué había pasado ella por alto? Santo cielo, que no fuera nada. Odesa era el escenario de su equivocación más grave, de una pesadilla que la perseguía día y noche. Ahora, el destino había vuelto a situarla allí, con Bourne. Y estaba decidida a enmendar su error.

Oleksandr avanzaba por delante de ellos con el hocico pegado al suelo, como si siguiera un rastro. Bourne le seguía sin quejarse. Tenía la impresión de que su pecho entero había estallado en llamas. Había tenido que recurrir a su adiestramiento para respirar hondo, de forma constante, por más que le doliera. Suponía que Soraya había encontrado el modo de salir a las cloacas, pero no notaba el hedor ni la humedad propias de las alcantarillas. Además, avanzaban cuesta arriba. Bourne recordó entonces que Odesa se había construido en su mayor parte con sillares de arenisca extraídos del subsuelo, lo que había creado una inmensa red de catacumbas. Durante la Segunda Guerra Mundial, los partisanos se servían de ellas para lanzar ataques por sorpresa contra las tropas alemanas y rumanas que ocuparon la ciudad.

Soraya iba preparada: encendió una potente linterna que llevaba sujeta a la muñeca. A Bourne no le tranquilizó lo que vio. Las catacumbas eran muy viejas. Y, lo que era peor aún, estaban muy descuidadas: necesitaban urgentemente un apuntalamiento. En algunas zonas se veían obligados a pasar por encima de montones de rocas y escombros, lo que frenaba de forma considerable su avance.

Oyeron tras ellos un chirrido metálico, como si una enorme rueda oxidada se pusiera en marcha. Se pararon y se volvieron a medias.

—Han encontrado la rejilla —dijo Soraya—. No había forma de volver a colocar los tornillos que la sujetaban. La policía está en el túnel.

—Es un poli. —Karim al Yamil sostenía en la mano la cartera abierta de Overton—. Un detective de la policía metropolitana, nada menos.

Anne había acercado el coche de Overton al lugar donde yacía apoyado contra la pared del edificio. Los ladrillos de color claro estaban manchados de sangre.

—Está claro que le pagaba Lerner —dijo ella—. Debió de ser él quien entró en mi casa. —Miró su cara tosca y caballuna—. Me apuesto algo a que se lo pasó en grande.

—La cuestión que hay que resolver —dijo Karim al Yamil al levantarse— es a cuántos más como él tiene Lerner en nómina.

Señaló con la cabeza y Anne abrió el maletero. Karim al Yamil se agachó y levantó a Overton, gruñendo.

—Demasiados donuts y hamburguesas.

—Como todos los norteamericanos —respondió Anne mientras le veía meter el cuerpo en el maletero y cerrar la puerta. Luego se apartó del volante y se acercó a la manguera del jardín, cuyo soporte estaba atornillado a la pared de ladrillo. Abrió el grifo y regó la pared para limpiar la sangre de Overton. No sentía remordimientos por su muerte. Al contrario: el derramamiento de sangre la hacía sentir que dentro de su pecho latía otro corazón, lleno de odio por la sociedad occidental: por su derroche, por el egoísmo de los ricos y los privilegiados, por aquella famosocracia tan empeñada en perpetuarse que era sorda, ciega e insensible a la miseria. Imaginaba que aquel sentimiento la había acompañado siempre. Su madre, a fin de cuentas, había sido primero modelo y luego editora de *Town & Country*. Su padre había nacido en el seno de la aristocracia adinerada. No era de extrañar que su vida hubiera estado repleta de chóferes, mayordomos, secretarios personales, aviones privados, temporadas de esquí en Chamonix y discotecas en Ibiza, todo dentro de los límites marcados por los guardaespaldas de sus padres. Personas que hacían todo lo que uno debía hacer por sí mismo. Era todo tan superficial, tan ajeno a la realidad... Una cárcel de la que estaba deseando escapar. Su rebeldía manifiesta había sido su modo de expresar ese odio. Pero era Yamil quien la había hecho racionalizar lo que intentaban decirle sus emociones. La ropa que llevaba puesta (carísimos diseños a la última moda) formaba parte de su tapadera. Por debajo, la piel le picaba como si estuviera cubierta de hormigas rabiosas. De noche se la quitaba a toda prisa y no volvía a mirarla hasta que volvía a vestirse por la mañana.

Con aquellos pensamientos bulléndole en la cabeza, volvió a montar en el coche. Karim al Yamil se sentó a su lado. Ella salió a la avenida Massachusetts sin vacilar.

—¿Adónde vamos? —preguntó.

—Deberías volver a la CIA —dijo Karim al Yamil.

—Tú también —contestó ella. Luego le miró a los ojos—. Yamil, cuando me reclutaste no era una idealista con la cabeza llena de pájaros que quería batallar contra la desigualdad y la injusticia.

Sé que eso fue lo que pensaste de mí al principio. Dudo que entonces te dieras cuenta de que tenía cerebro y podía pensar por mí misma. Espero que ahora sí lo sepas.

—Tienes dudas.

—Yamil, el islam ortodoxo va en contra de las mujeres. Los hombres como tú os criáis convencidos de que las mujeres deben cubrirse la cara y la cabeza. Que no deben recibir educación, que no deben pensar por su cuenta, y que Alá se apiade de ellas si empiezan a pensar en la independencia.

—A mí no me educaron así.

—Gracias a tu madre, Yamil. Hablo en serio. Fue ella quien te salvó de creer que era justo lapidar a una mujer por pecados imaginarios.

—El pecado del adulterio no es imaginario.

—Lo es para los hombres.

Él se quedó callado, y ella se rió suavemente. Pero era una risa triste, teñida de desengaños y de una desilusión que brotaba de lo más profundo de su ser.

—No es sólo un continente lo que nos separa, Yamil. ¿No es lógico que sienta pánico cuando nos separamos?

Karim al Yamil la miró. Por alguna razón, le resultaba imposible enfadarse con ella.

—No es la primera vez que hablamos de este tema.

—Ni será la última.

—Aun así, dices que me quieres.

—Y te quiero.

—A pesar de los que tú consideras mis pecados.

—Pecados no, Yamil. Pero todos tenemos nuestros puntos flacos, incluso tú.

—Eres peligrosa —dijo él sinceramente.

Anne se encogió de hombros.

—No soy muy distinta a las mujeres musulmanas, salvo porque soy consciente de mi fortaleza.

—Eso es precisamente lo que te hace peligrosa.

—Sólo para el statu quo.

Se quedaron callados un momento. Nadie se había atrevido a presionarle tanto como ella. Pero eso estaba bien. Nunca le había halagado para conseguir influencia y poder, como la mayoría de las personas que le rodeaban. En momentos como aquél, deseaba poder introducirse en su mente, porque Yamil nunca le decía qué estaba pensando, ni siquiera lo dejaba traslucir por su expresión o sus gestos. Era una especie de enigma; por eso, en parte, se había sentido atraída por él al principio. Los hombres eran por lo general transparentes. Pero Yamil no.

Al final, Anne posó suavemente la mano sobre la suya.

—¿Ves cómo somos como un matrimonio? Para bien o para mal, estamos juntos en esto. Hasta el final.

Él se quedó mirándola un momento.

—Conduce en dirección este-sureste. Hacia la calle Ocho Noreste, entre la L y la avenida West Virginia.

A Fadi le habría gustado volarle la cabeza de un tiro al teniente Kove, pero ello habría conducido a toda clase de complicaciones que no podía permitirse. Se contentó, en cambio, con representar su papel a rajatabla.

No le costó trabajo: era un actor nato. Su madre, que había percibido su talento con el instinto infalible de las madres, le apuntó a la Royal Theatrical Academy a los siete años. A los nueve era un intérprete consumado, lo cual le vino muy bien cuando sus posturas se radicalizaron. Reunir seguidores (ganarse el corazón y la mente de los pobres, de los oprimidos, de los marginados y los desesperados) era, en definitiva, cuestión de carisma. Fadi sabía muy bien en qué consistía ser un gran líder: importaba muy poco cuál fuera tu filosofía, siempre y cuando supieras cómo venderla. Ello no le convertía en un cínico: ningún radical que mereciera ese nombre podía serlo. Sencillamente, significaba que había aprendido la lección crucial de la manipulación propagandística.

Aquella idea hizo asomar una sonrisa a sus labios carnosos

mientras seguía con la mirada el vaivén de las linternas de la policía.

—Estas catacumbas tienen dos mil kilómetros de longitud —dijo el teniente Kove, intentando ser de utilidad—. Forman un verdadero enjambre hasta el pueblo de Nerubaiskoye, a media hora en coche de aquí.

—Pero seguramente no se podrá pasar por todas. —Fadi se había fijado en los puntales de madera rajada y podrida, en las paredes que se abombaban de forma alarmante en algunas zonas, en los pasadizos bloqueados por cascotes.

—No, señor —dijo el teniente Kove—. Se hacen visitas guiadas por la zona del museo de Nerubaiskoye, pero entre las personas que se aventuran por su cuenta en las catacumbas, hay un porcentaje altísimo de muertos y desaparecidos.

Fadi percibía el nerviosismo creciente de los tres policías que el teniente Kove había escogido para acompañarles. Se dio cuenta de que éste seguía hablando para calmar su propia angustia.

Cualquier otro se habría dejado contagiar por el nerviosismo de sus compañeros, pero Fadi era incapaz de sentir miedo. Se enfrentaba a las situaciones nuevas y peligrosas con la acerada confianza de un escalador. Ni siquiera se le pasaba por la cabeza que pudiera fracasar. Y ello no porque no valorara la vida, sino porque no temía la muerte. Para sentirse vivo, era necesario ponerse en situaciones extremas.

—Si ese hombre está herido, como me ha dicho, no puede llegar muy lejos —dijo el teniente Kove, aunque no estaba claro si se dirigía a Fadi o a sus asustadizos acompañantes—. Conozco un poco este sitio. Tan cerca del mar, las catacumbas son especialmente proclives a derrumbarse. Además hay que tener cuidado con las pozas de barro. En algunos puntos hay tantas filtraciones que el agua ha socavado por completo el suelo. Esas pozas son especialmente peligrosas porque actúan como arenas movedizas. Pueden tragarse a un hombre en menos de un minuto.

El teniente se interrumpió de repente. Se habían quedado todos quietos. El hombre que iba delante se volvió a medias hacia ellos. Les indicó con un gesto que había oído algo más adelante. Esperaron, sudando.

Entonces volvió a oírse un suave arañar, como de cuero rozando piedra. ¿El tacón de una bota?

El semblante del teniente había cambiado. De pronto parecía un perro de caza que ha olfateado su presa. Asintió y siguieron avanzando en silencio.

Anne llevó el coche del detective Overton por barrios cada vez más deprimidos, pasando sin detenerse por cruces con semáforos quemados y señales cubiertas de pintadas obscenas. Era ya plena noche; el ceniciento crepúsculo del invierno había quedado atrás, junto con las pulcras hileras de casas, las calles limpias, los museos y los monumentos. Aquélla era otra ciudad de otro planeta, pero Karim al Yamil la conocía bien y se sentía a gusto en ella.

Recorrieron la calle Ocho hasta que Karim al Yamil señaló un bloque de cemento muy ancho que todavía conservaba un letrero visible: «M&N Chapa y pintura». Siguiendo sus indicaciones, Anne se desvió hacia una explanada de cemento resquebrajado y detuvo el coche delante de las puertas metálicas del taller.

Karim dio un salto. Mientras avanzaban por la explanada, miró detenidamente a su alrededor. Quedaban pocas farolas y las sombras se habían adensado. Una luz espasmódica les llegaba de los coches que pasaban por la calle L Noreste hacia el norte y por la avenida West Virginia hacia el sur. Sólo había dos o tres coches aparcados en la manzana, ninguno de ellos cerca de donde estaban. Las aceras estaban despejadas; las ventanas de las casas, a oscuras.

Al Yamil abrió un gran candado con una llave que sacó de debajo de un trozo de cemento roto. Subió el cierre de la puerta y le hizo una seña a Anne. Ella puso el coche en marcha y al llegar a su lado, bajó la ventanilla.

—Última oportunidad —dijo él—. Puedes irte ahora.

Ella no dijo nada, ni se apartó del volante.

El hombre escudriñó sus ojos en busca de la verdad, a la luz de luciérnaga de los coches que pasaban por la calle. Luego le indicó que entrara en el taller abandonado.

—Remángate, entonces. Hay que ponerse manos a la obra.

—Les estoy oyendo —susurró Soraya—. Pero todavía no veo luz. Eso es buena señal.

—Fadi sabe que estoy herido —dijo Bourne—. Sabe que no puedo escapar.

—Pero no sabe nada de mí —contestó ella.

—¿Qué te propones?

Ella acarició el pelo atigrado de *Oleksandr* y el animal frotó el hocico en su rodilla. Habían llegado a una bifurcación en la que el pasadizo de la catacumba se dividía formando una Y. Sin vacilar un momento, Soraya les condujo por el túnel de la izquierda.

—¿Cómo me encontraste?

—Siguiéndote, como a cualquier objetivo.

Así que era a Soraya a quien había sentido tras él incluso cuando los hombres de Yevgeny Feyodovich bajaban la guardia.

—Además —añadió ella—, conozco esta ciudad de arriba abajo.

—¿Por qué?

—Era la jefa de nuestra estación aquí cuando tú llegaste.

—¿Cuando yo...?

Los recuerdos inundaron su mente de inmediato.

Marie viene hacia él en un lugar con grandes acacias y calles empedradas. Se siente un intenso olor mineral en el aire, como a marejada. Una brisa húmeda levanta su cabello, que ondea tras ella como una bandera.

—Puedes conseguirme lo que quiero. Tengo fe en ti —le dice él.

Hay miedo en los ojos de Marie, pero también valor y determinación.

—Volveré pronto —dice—. No te defraudaré.

Bourne se tambaleó, asaltado por aquella visión. Las acacias, la calle empedrada: era la llegada a la terminal del teleférico. La cara, la voz... No era Marie con quien hablaba. Era...

—¡Soraya!

Ella le agarró con fuerza; temía que hubiera perdido tanta sangre que no pudiera seguir.

—¡Eras tú! Cuando estuve en Odesa hace años, estabas aquí.

—Era la agente de la CIA aquí. No querías saber nada de mí, pero al final no te quedó elección. Para llegar a tu objetivo, necesitabas la información que nos proporcionaba mi contacto.

—Recuerdo haber hablado contigo bajo las acacias del Bulevar Francés. ¿Qué hacía aquí? ¿Qué demonios pasó? Ese recuerdo me está desquiciando.

—Te contaré lo que no sepas.

Él tropezó. Soraya le incorporó con firmeza.

—¿Por qué no me dijiste que habíamos trabajado juntos cuando entré en el centro de operaciones de Tifón?

—Quería hacerlo...

—La cara que pusiste...

—Casi hemos llegado —dijo ella.

—¿Adónde?

—Al sitio donde nos escondimos la otra vez.

Habían recorrido cerca de un kilómetro siguiendo el ramal de la izquierda. En aquella zona el túnel parecía estar en pésimas condiciones. Los puntales estaban resquebrajados y el agua se filtraba por todas partes. La catacumba parecía emitir un terrible gruñido, como si fuerzas desconocidas se empeñaran en destruirla.

Bourne vio que Soraya le había llevado hacia un hueco en la pared de la izquierda. No era una bifurcación, sino una parte de la pared que el agua había erosionado, como una ensenada excavada por la marea. Enseguida, sin embargo, descubrieron que el hueco estaba lleno de cascotes casi hasta arriba.

Bourne vio trepar a Soraya por el montículo y arrastrarse boca abajo por la abertura que quedaba entre la parte de arriba y el techo. La siguió, a pesar de que cada vez que daba un paso, cada vez que levantaba un brazo, sentía una nueva punzada de dolor en el costado. Cuando logró colarse por el hueco de arriba, el cuerpo entero parecía palpitarle al ritmo del corazón.

Soraya le llevó por un recodo, hacia la derecha, y salieron a lo que sólo podía llamarse una habitación, con una plataforma de tablones que servía de cama cubierta con una fina manta. Frente a ella había otros tres tablones más pequeños, clavados entre dos pilares de madera, sobre los que se veían varias botellas de agua y algunas latas de comida.

—Son de la otra vez —dijo Soraya al ayudarle a subir a la cama elevada sobre el suelo.

—No puedo quedarme aquí —protestó Bourne.

—Sí puedes. No tenemos antibióticos y necesitas una buena dosis, cuanto antes mejor. Voy a ir a pedírselos a la doctora de la CIA. La conozco y me fío de ella.

—No esperes que me quede aquí tumbado.

—*Oleksandr* se quedará contigo. —Frotó el reluciente hocico del bóxer—. Dará su vida por ti, ¿verdad que sí, hombrecito mío? —El perro pareció entenderla. Se acercó a Bourne y se quedó allí sentado, con la puntita rosa de la lengua asomando entre los colmillos.

—Esto es una locura. —Bourne descolgó las piernas por el borde de la cama improvisada—. Iremos juntos.

Soraya se quedó mirándole un momento.

—Está bien. Vamos.

Bourne se bajó de la plataforma y se puso en pie. O lo intentó, porque sus rodillas cedieron en cuanto soltó los tablones. Soraya le cogió y volvió a ponerle en la cama.

—Olvidémoslo, ¿de acuerdo? —Acarició distraídamente con los nudillos de la mano el espacio entre las orejas triangulares de *Oleksandr*—. Voy a volver a la bifurcación. Tengo que tomar el túnel de la derecha para llegar a la doctora, pero haré ruido suficiente para que crean que somos los dos y me sigan. Los alejaré de ti.

—Es muy peligroso.

Ella esperó un momento.

—¿Alguna otra idea?

Él negó con la cabeza.

—Está bien, no tardaré mucho, te lo prometo. No voy a dejarte aquí.

—Soraya...

Ella le miró de perfil, vuelta ya para irse.

—¿Por qué no me lo dijiste?

Soraya vaciló una fracción de segundo.

—Pensé que era mejor que no recordaras hasta qué punto la había cagado.

Bourne la vio marcharse, con el eco de sus palabras resonando aún en su cabeza.

Después de quince minutos de marcha por un terreno escarpado llegaron a un cruce.

—Estamos en una de las bifurcaciones principales —dijo el teniente Kove mientras las linternas sondeaban el arranque de la Y.

A Fadi no le gustaban las dudas. Para él, la indecisión era señal de debilidad.

—Entonces necesitamos alguna idea clara de por dónde seguir, Kove. —Sus ojos se clavaron en los del policía—. El experto es usted. Así que hable de una vez.

En presencia de Fadi era casi imposible expresar una opinión en contra o permanecer inactivo. Kove contestó:

—El túnel de la derecha. Es el que elegiría yo si estuviera en su lugar.

—Muy bien —dijo Fadi.

Entraron en el túnel de la derecha. Entonces oyeron de nuevo aquel ruido, un arañar de cuero sobre piedra; más claro esta vez, se repetía a intervalos regulares. No había duda de que oían el eco de unos pasos en el túnel. Estaban ganando terreno a su presa.

Con férrea determinación, Kove instó a sus hombres a seguir adelante.

—¡Vamos, deprisa! Le cogeremos enseguida.

—Un momento.

La fría voz de la autoridad los hizo detenerse en seco.

—¿Señor?

Fadi se quedó pensando un momento.

—Necesito una de esas linternas. Ustedes sigan por aquí. Yo voy a ver qué encuentro en el túnel de la izquierda.

—Señor, no creo que sea sensato. Como le he dicho...

—No necesito que me digan las cosas dos veces —contestó Fadi secamente—. Ese criminal es muy listo. Puede que esos ruidos sean una maniobra de distracción, un modo de apartarnos de su rastro. Si ha perdido tanta sangre, le cogerán con toda probabilidad en el túnel de la derecha. Pero no puedo pasar por alto esa otra posibilidad.

Sin decir más, cogió la linterna que le ofrecía uno de los hombres de Kove, retrocedió hasta el vértice de la Y y tomó el pasadizo de la izquierda. Un momento después tenía en la mano el cuchillo de hoja curva.

17

Provisto de un grueso delantal de goma y guantes de faena, Karim al Yamil tiró del cable que accionaba la motosierra y dijo, sirviéndose del estruendo de la máquina para ocultar el sonido de su voz:

—Llevamos una década planeando hacer estallar una bomba nuclear en una gran urbe de Estados Unidos. —No sospechaba que pudiera haber un micrófono oculto en el taller, pero su adiestramiento no le permitía relajar el estricto código de seguridad por el que se regía.

Se acercó al cadáver del detective Overton, colocado sobre una mesa de cinc, en el destartalado y fantasmagórico taller de chapa y pintura. Sobre sus cabezas chisporroteaban tres fluorescentes de luz violácea.

—Pero para asegurarnos el más alto porcentaje de éxito —dijo Anne—, necesitabas el respaldo de Jason Bourne cuando te convirtieras en Martin Lindros. Bourne jamás se habría prestado, desde luego, así que tuvimos que encontrar el modo de manipularle y servirnos de él. Dado que tengo acceso a su expediente, pudimos utilizar en nuestro provecho su única debilidad, su memoria, y sus muchas cualidades: su lealtad, su tenacidad, su fina inteligencia y también su paranoia.

Anne también se había envuelto en un delantal. Llevaba guantes y sostenía en una mano un martillo y en la otra un formón de boca ancha. Mientras Karim al Yamil se ocupaba de las piernas y los pies de Overton, ella colocó el formón en el hueco interior del codo izquierdo y asestó en el mango un golpe rápido y certero. El taller de chapa y pintura volvía a la vida, como en sus tiempos de alegre ajetreo.

—Pero ¿cuál fue el mecanismo detonador, lo que te permitió acceder al punto flaco de Bourne? —preguntó.

Él le lanzó una fina sonrisa mientras se concentraba en su horrenda tarea.

—Encontré la solución al documentarme sobre la amnesia: los amnésicos reaccionan violentamente en situaciones de intensa carga emocional. Teníamos que darle un buen susto, causarle un trauma que removiera sus recuerdos.

—¿Fue eso lo que hiciste cuando te dije que la mujer de Bourne había muerto de repente?

Karim al Yamil se pasó el antebrazo por la cara para quitarse un denso goterón de sangre.

—Como decimos los beduinos, la vida es sólo voluntad de Alá. El dolor hizo que el trastorno de memoria que sufre Bourne amenazara con desbordarse. Por eso te pedí que le ofrecieras una cura.

—Ahora lo entiendo. —Se apartó un momento para esquivar un estallido gaseoso—. Naturalmente, la cura tenía que proceder de su amigo Martin Lindros. Y yo le facilité a Lindros el nombre y la dirección del doctor Allen Sunderland.

—Pero en realidad la llamada nos llegó a nosotros —dijo Karim—. Citamos a Bourne un martes, el día de la semana que Sunderland y su personal no tienen consulta, y el doctor Costin Veintrop se hizo pasar por Sunderland.

—Es genial, amor mío. —Los ojos de Anne brillaban de admiración.

Arrojaron una por una las partes del cadáver a un gran barreño oval de acero galvanizado, como si aquello fuera el comienzo de un experimento en el laboratorio del doctor Frankenstein. Karim al Yamil observaba atentamente a Anne, pero ella no se puso pálida ni dio un solo respingo. Actuaba con una naturalidad que le complacía y al mismo tiempo no dejaba de sorprenderle. Ella tenía razón en una cosa: la había subestimado por completo. Lo cierto era que no estaba preparado para que una mujer mostrara las cualidades de un hombre. Estaba acostumbrado a su hermana, apocada y servil. Sarah había sido una buena chica, una joya para la familia; en su delgado cuerpo residía la honra de todos ellos. No merecía una muerte tan temprana. Ahora, la venganza era el único modo de recuperar el honor de la familia, sepultado junto a su cuerpo.

En la cultura de su padre, las mujeres estaban excluidas de todo aquello a lo que se dedicaban los hombres. Su madre era una excepción, claro. Pero ella no se había convertido al islam. Karim al Yamil no se explicaba por qué a su padre no le importaba, por qué no la había obligado a abrazar su fe. Su padre parecía disfrutar enormemente teniendo una esposa tan mundana, aunque debido a ello hubiera cosechado gran cantidad de enemigos entre los imanes y los musulmanes devotos. Karim entendía menos aún que eso tampoco pareciera importarle. Su madre lloraba a su hija muerta y él, el viejo tullido, sumido días tras día en la aflicción de su esposa, se veía obligado también a guardarle luto.

—¿Qué le hizo Veintrop a Bourne exactamente? —preguntó Anne.

Mientras cortaba sin inmutarse la articulación de una rodilla, Karim contestó:

—Veintrop es un genio de la amnesia, aunque no goce de reconocimiento público. Fue a él a quien consulté acerca del trastorno de memoria de Bourne. Utilizó una inyección de ciertas proteínas de síntesis química que él mismo había diseñado para estimular las sinapsis de determinadas partes del cerebro de Bourne, alterando así sutilmente su estructura y su funcionamiento. La estimulación artificial funciona a la manera de un trauma que, según demuestran los ensayos de Veintrop, puede alterar los recuerdos. La inyección de proteínas afecta a sinapsis concretas, creando así nuevos recuerdos. Y cada recuerdo está diseñado para desencadenarse en la cabeza de Bourne mediante ciertos estímulos externos.

—Yo a eso lo llamo lavado de cerebro —dijo Anne.

Karim asintió con un gesto.

—En cierto modo lo es, pero en una esfera totalmente nueva, que no implica coerción física, semanas de privación sensorial o tortura sistemática.

La bañera oval estaba casi llena. Karim le hizo una seña a Anne y ambos dejaron sus herramientas sobre el pecho de Overton, que, aparte de la cabeza, era casi lo único que quedaba de él.

—Ponme un ejemplo —dijo ella.

Agarraron las grandes asas del barreño y lo acercaron a un pozo seco que antaño había servido para deshacerse ilegalmente del aceite de motor usado.

—Ver a Hiram Cevik desencadenó en Bourne un recuerdo implantado: el de una táctica consistente en mostrar a un prisionero la libertad que había perdido como medio de hacerle hablar. Si no, no habría sacado a Fadi de la celda bajo ningún concepto. Su actuación consiguió dos cosas al mismo tiempo: permitió escapar a Fadi y convirtió a Bourne en sospechoso a ojos de su propia organización.

Volcaron el barreño. Su contenido desapareció en el pozo seco.

—Pero yo tenía la impresión de que un solo recuerdo implantado no bastaría para detener a Bourne —prosiguió Karim—, así que le dije a Veintrop que añadiera un factor de incomodidad física: un dolor de cabeza que le debilitase cada vez que se activara el recuerdo implantado.

Mientras llevaban el barreño a la mesa, Anne dijo:

—Eso lo tengo claro, pero ¿no fue un riesgo excesivo que Fadi en persona se dejara detener en Ciudad del Cabo?

—Todo lo que ideo, todo lo que hago, es intrínsecamente peligroso —respondió el hombre—. Estamos librando una guerra por el corazón, la mente y el futuro de nuestro pueblo. Para nosotros, el peligro excesivo no existe. En cuanto a Fadi, en primer lugar se estaba haciendo pasar por el traficante de armas Hiram Cevik. Y, en segundo lugar, sabía que lo habíamos preparado todo para que Bourne le rescatara involuntariamente.

—¿Y si el método del doctor Veintrop no hubiera funcionado, o hubiera funcionado mal?

—Bueno, en ese caso te teníamos a ti, amor mío. Te habría dado instrucciones para liberar a mi hermano.

Encendió la motosierra y descuartizó lo que quedaba del cadáver. Los restos fueron a parar al pozo seco.

—Por suerte no hizo falta poner en práctica esa parte del plan.

—Suponíamos que Soraya Moore llamaría al director pidiendo permiso para que Bourne sacara de la celda a Fadi —dijo Anne—. Pero llamó a Tim Hytner para decirle que se reuniera con ella fuera, en el jardín. Le dijo dónde estaría Fadi exactamente. Y como yo estaba controlando todas sus llamadas, pudisteis poner en marcha el resto del plan de huida.

Karim cogió una lata de gasolina, le quitó el tapón y vertió un tercio del contenido en el pozo seco.

—Alá incluso nos brindó la cabeza de turco perfecta: Hytner.

Vació lo que quedaba de la lata de gasolina dentro del coche. Ningún equipo forense hallaría nada de valor allí. Señaló la entrada trasera y se fue apartando del coche mientras dejaba un rastro de gasolina en el suelo.

Se acercaron ambos al amplio fregadero de sílice, se quitaron los guantes y se lavaron la sangre de brazos y mejillas. Luego se desataron los delantales y los tiraron al suelo.

Cuando estaban en la puerta, Anne dijo:

—Todavía queda por resolver lo de Lerner.

Karim al Yamil manifestó su aprobación.

—Tendrás que andarte con ojo hasta que decida qué hacer con él. De Lerner no podemos encargarnos como nos hemos encargado de Overton.

Encendió una cerilla y la arrojó a sus pies. La llama azul se inflamó con un susurro y se deslizó velozmente hacia el coche.

Anne abrió la puerta y salieron ambos a la oscuridad del gueto.

Tyrone los estuvo observando mucho antes de que M&N Chapa y Pintura estallara en llamas. Había estado agazapado sobre un muro de piedra, entre las densas sombras de un viejo roble cuyas ramas retorcidas se extendían formando una bóveda semejante al nido de Medusa. Se había levantado la capucha del chándal negro y estaba allí sin hacer nada, esperando a que DJ Tank le llevara unos guantes porque hacía un frío del carajo.

Estaba soplándose las manos cuando vio detenerse el coche delante de la puerta ruinosa del taller. Hacía meses que le había echado el ojo a aquel sitio. Confiaba en que estuviera abandonado y quería convertirlo en base de operaciones de su pandilla. Pero hacía un mes y medio le habían dicho que se veía movimiento por allí a altas horas de la noche, cuando los negocios legales estaban cerrados, y se había ido con DJ Tank a echar un vistazo.

En efecto, había gente dentro. Dos hombres con barba. Y lo que era aún más interesante: había otro tío con barba apostado fuera. Cuando el de la puerta se volvió, Tyrone vio claramente el brillo de una pistola en su cintura. Sabía quiénes llevaban barbas como aquéllas: los judíos ortodoxos o los árabes extremistas.

Cuando DJ Tank y él dieron la vuelta al edificio y miraron discretamente por una ventana mugrienta, aquellos hombres estaban equipando el taller con latas, herramientas y máquinas. Aunque habían restablecido el suministro eléctrico, saltaba a la vista que no pensaban hacer mejoras y, al marcharse, cerraron la puerta delantera con un enorme candado que el ojo experto de Tyrone reconoció enseguida como irrompible.

Pero estaba la puerta de atrás, escondida en un estrecho callejón y cuya existencia casi nadie conocía. Tyrone, en cambio, sabía que estaba allí. No había prácticamente nada en su territorio que él no supiera, o de lo que no pudiera enterarse en un abrir y cerrar de ojos.

Cuando los hombres se marcharon, forzó la cerradura de la puerta de atrás y entró con DJ Tank. ¿Qué encontró? Un batiburrillo de herramientas eléctricas que no le revelaron nada sobre aquellos hombres o sus intenciones. Las latas, en cambio, eran otra historia. Las inspeccionó una por una: trinitrotolueno, pentrita, bisulfuro de carbono, octógeno... Sabía lo que era el TNT, desde luego, pero los demás no le sonaban de nada. Llamó a Deron y él se lo dijo: salvo el bisulfuro de carbono, eran todos explosivos de alta potencia. La pentrita, también conocida como PETN, se usaba como núcleo de espoletas de detonación. El octógeno, también llamado HMX, era un explosivo a base de polímero enlazado, tan estable como el C-4. A diferencia del TNT, no era sensible al movimiento ni a la vibración.

Desde esa noche, aquel incidente resonaba en su cabeza como el berrido de un niño. Quería comprender qué decía aquel niño, por eso había estado vigilando el taller de chapa y pintura, y esa noche su vigilancia había dado fruto.

En medio del local había una mesa de cinc, y encima de ella un muerto. Un hombre y una mujer con delantales y guantes de goma lo estaban descuartizando como a un ternero. ¡A qué cosas se prestaba la gente! Tyrone sacudió la cabeza mientras DJ Tank y él miraban por el cristal manchado de la ventana lateral. Sintió entonces un leve cosquilleo punzante en la nuca. ¡Conocía la cara del muerto tumbado en la mesa! Era el tipo que había seguido a la espía un par de días antes, ese del que ella dijo que iba a encargarse.

Tyrone siguió mirando trabajar al hombre y la mujer, pero tras la impresión que se llevó al reconocer al muerto dejó de prestar atención a lo que hacían. Prefirió aprovechar la ocasión para memorizar sus caras. Tenía la sensación de que a la espía le interesaría mucho lo que se traían entre manos aquellos dos.

Luego la noche se iluminó de pronto. Tyrone sintió un intenso calor en la mejilla y las llamas comenzaron a salir a borbotones del edificio.

Tyrone estaba familiarizado con el fuego (o más concretamente con los incendios provocados), de modo que no pudo decir que se llevara una fuerte impresión, pero sí que aquello le afligió: ya no podría sacarle partido al taller de chapa y pintura. Pero entonces se le ocurrió una idea y le susurró algo a DJ Tank.

La primera vez que entraron, el local estaba repleto de todo tipo de explosivos y acelerantes. Si aquellas sustancias hubieran seguido allí, la explosión habría hecho saltar por los aires el edificio entero, y de paso a ellos dos.

Pero si los explosivos no estaban dentro, ¿dónde coño estaban?, se preguntaba Tyrone.

El secretario de Defensa E. R. *Bud* Halliday no comía a una hora fija, ni de día, ni de noche. Pero a no ser que el presidente le convocara para deliberar o para tomarle el pulso al Senado, a no ser que tuviera que departir con el vicepresidente o con la Junta de Jefes de Estado Mayor, Bud Halliday siempre comía en el coche. Salvo para las necesarias paradas técnicas de diversa índole, su limusina no descansaba nunca: como un tiburón, surcaba constantemente, imperturbable, las calles y avenidas de Washington.

Matthew Lerner disfrutaba de ciertos privilegios en presencia del secretario, uno de los cuales consistía en comer con él, como se disponía a hacer esa tarde. En el mundo que se extendía más allá de los cristales tintados, aún era temprano para la cena. Pero aquél era el mundo del secretario, y allí era hora de cenar.

Tras rezar una breve plegaria, acometieron sus platos de barbacoa texana: grandes costillas de ternera de un rojo intenso y satinado, frijoles cocidos con trocitos de chiles picantes y (como única concesión al reino de las hortalizas) unas patatas fritas. Lo regaron todo con varias botellas de cerveza Shiner Blonde, elaborada con orgullo en Fort Worth, como decía Bud.

Cuando acabó de comer, el secretario se limpió las manos y la boca, cogió otra botella de Blonde y se recostó en su sillón.

—Así que el director te contrató para que fueras su asesino particular.

—Eso parece —contestó Lerner.

El secretario estaba acalorado; sus mejillas brillaban con una encantadora pátina de grasa de ternera.

—¿Alguna idea al respecto?

—Nunca me ha arredrado un trabajo, ni un desafío —dijo Lerner.

Bud bajó la mirada hacia la hoja de papel que Lerner le había dado al entrar en la limusina. Ya la había leído, claro; volvía a mirarla buscando provocar un efecto en su interlocutor, lo cual se le daba muy bien.

—No ha sido fácil, pero he averiguado dónde está Bourne. Las cámaras de seguridad del aeropuerto Kennedy captaron su imagen. —Levantó la vista y absorbió un hilillo de ternera que se le había quedado entre las muelas—. Tendrás que ir a Odesa. Muy lejos del cuartel general de la CIA.

Lerner sabía que el secretario quería decir que aquella misión iba a apartarle de la que le había encargado en un principio.

—No necesariamente —dijo—. Voy a hacerlo por el Viejo, así que estará en deuda conmigo y ambos lo sabremos. Podré utilizar este asunto para presionarle.

—¿Y Held?

—Tengo a alguien de confianza vigilándola. —Lerner rebañó la salsa densa y especiada con un trozo de pan de molde—. Un hijoputa muy terco. Para hacerle soltar su presa, habría que matarle.

Bourne volvió a soñar, sólo que esta vez sabía que no era un sueño. Estaba reviviendo un fragmento de su memoria, otra pieza que encajaba en aquel rompecabezas: *en un sucio callejón de Odesa, Soraya se arrodilla a su lado. Él nota en su voz un arrepentimiento cargado de amargura:*

—Ese cabrón de Tariq ibn Said me ha engañado desde el principio —dice ella—. Era Nadir al Yamuh, el hijo de Hamid ibn Ashef. Fue él quien me dio la información que nos ha metido en esta ratonera. La he jodido, Jason.

Bourne se sienta. Hamid ibn Ashef. Tenía que encontrar a su objetivo y matarle de un disparo. Órdenes de Conklin.

—¿Sabes dónde está ahora Hamid ibn Ashef?

—Sí, y esta vez la información es auténtica —dice Soraya—. Está en la playa de Otrada.

Oleksandr se removió y frotó su negro y chato hocico contra el muslo de Bourne.

Éste parpadeó para desvanecer el recuerdo que tenía ante los ojos e intentó concentrarse en el presente. Debía de haberse quedado dormido, a pesar de que tenía intención de mantenerse alerta. *Oleksandr* había montado guardia por él.

Al incorporarse sobre la tarima de la minúscula celda subterránea, vio el siniestro granulado de la oscuridad. El bóxer tenía el pelo del cuello erizado. Alguien se acercaba.

Sobreponiéndose a una oleada de dolor, Bourne descolgó las piernas por un lado de la plataforma. Era demasiado pronto para que volviera Soraya. Apoyado en la pared, se puso en pie y se quedó allí un momento, sintiendo el cuerpo cálido y musculoso del perro pegado a él. Seguía estando débil, pero había aprovechado bien el tiempo, meditando para recuperar energías y respirando profundamente. La pérdida de sangre había mermado sus fuerzas, pero aún era capaz de dominarlas.

El cambio de luz era todavía muy tenue, pero Bourne pudo confirmar que aquella claridad no procedía de un punto fijo. Subía y bajaba, lo que significaba que alguien avanzaba hacia él por el túnel sosteniendo una linterna.

A su lado, expectante y con el pelo del cuello de punta, *Oleksandr* se lamió los belfos. Bourne le acarició entre las orejas, como había visto hacer a Soraya. ¿Quién era ella, en realidad?, se preguntaba. ¿Qué había significado para él? Los signos sutiles que había percibido en ella al entrar en las oficinas de Tifón y que entonces le habían parecido tan extraños cobraban ahora sentido. Soraya esperaba que se acordara de ella, que recordara el tiempo que habían pasado allí. ¿Qué habían hecho? ¿Y por qué después de aquello la habían apartado del servicio activo?

La luz ya no era informe. No disponía de más tiempo para reflexionar sobre su memoria rota. Era hora de actuar. Pero, cuando empezó a moverse, una oleada de vértigo le hizo tambalearse. Se agarró a la pared de piedra al sentir que le flaqueaban las rodillas. La luz se intensificó, y no pudo hacer nada más.

Fadi avanzaba por el túnel de la izquierda con el oído atento al más leve ruido. Cada vez que oía algo, volvía la luz hacia el sonido, pero sólo veía ratas de ojos rojos que se escabullían sacudiendo la cola. Tenía una intensa sensación de haber dejado un asunto pendiente. La idea de que su padre (aquel hombre inteligente, robusto y poderoso) hubiera quedado reducido a un pelele babeante que, atado a una silla de ruedas, miraba hacia el gris infinito, le hacía arder las entrañas. Y la culpa era de Bourne, de él y de la mujer. No muy lejos de allí, Bourne había estado a punto de matar a su padre. Fadi no se engañaba respecto a él. Jason Bourne era un verdadero mago: cambiaba de apariencia, surgía de la nada, misteriosamente, y del mismo modo volvía a esfumarse. Era él, de hecho, quien había inspirado sus camaleónicos cambios de identidad.

El objetivo de su vida había cambiado desde el momento en que Bourne incrustó una bala en la espina dorsal de su padre. La bala causó una parálisis instantánea y el trauma provocó un derrame cerebral que privó a su progenitor del habla y de la capacidad de pensar con coherencia.

Fadi había interiorizado su filosofía extremista. En lo tocante a sus seguidores, nada había cambiado. Pero él sabía que en su fuero interno se había operado una transformación. Desde que Jason Bourne había dejado lisiado a su padre, ansiaba infligirles a él y a Soraya Moore el mayor daño posible antes de matarlos: ése era su objetivo íntimo. La idea de que murieran rápidamente le resultaba intolerable. Él lo sabía, y también lo sabía su hermano, Karim al Yamil. La muerte en vida de su padre les había unido como ninguna otra cosa. Se habían convertido en dos cuerpos con una sola mente consagrada a la venganza. Y a ese propósito habían dedicado su prodigioso intelecto.

Fadi (nacido Abu Gazi Nadir al Yamuh ibn Hamid ibn Ashef al Uahhib) pasó junto a un agujero practicado en el túnel, a su izquierda. Allá adelante, la luz de la linterna alumbraba pasadizos a derecha e izquierda. Avanzó varios metros por ambos lados, pero no encontró ningún rastro.

Pensó que a fin de cuentas se había equivocado y, dando media vuelta, volvió hacia la bifurcación. Apretó el paso para alcanzar al teniente Kove y sus hombres. Necesitaba ansiosamente estar allí, participar en la cacería. Siempre cabía la posibilidad de que, en el calor de la batalla, los demás olvidaran su orden expresa de no matar a Bourne.

Acababa de pasar junto al agujero en el pasadizo cuando se detuvo. Se volvió y sondeó la oscuridad con la linterna. No vio nada fuera de lo normal, pero se adentró en el agujero de todos modos. Enseguida llegó al montón de escombros. Vio las paredes abombadas, las grietas en la pared de piedra, los puntales de madera chirriante. Aquel sitio era un desastre; saltaba a la vista que corría peligro de derrumbarse.

Al alumbrar los escombros, vio que había un pequeño hueco entre el montículo y el techo del túnel. Estaba calculando si era lo bastante ancho para que un hombre se deslizara por él cuando el eco de un disparo recorrió las catacumbas.

¡Le han encontrado!, pensó. Giró sobre sus talones, salió al pasadizo principal y echó a correr hacia la bifurcación.

18

Mientras huía por el pasadizo, Soraya sintió pasar silbando los trozos de piedra que levantaban las balas. Uno se le clavó en el hombro y casi la hizo gritar. Se lo quitó a la carrera y lo tiró al suelo para que lo encontraran sus perseguidores. Estaba decidida a proteger a Bourne, a compensarle por el terrible error de juicio que cometió aquella otra vez, en Odesa.

Había apagado la linterna y avanzaba guiándose únicamente por su memoria, lo cual estaba muy lejos de ser el modo ideal de recorrer aquellas catacumbas. Aun así, sabía que no tenía elección. Había ido contando sus pasos. Según sus cálculos, por imprecisos que fueran, estaba a cinco kilómetros de la bifurcación. Faltaban aún dos para llegar a la salida más cercana a la casa de la doctora Pavlyna.

Pero primero tendría que doblar dos recodos y llegar a otro cruce. Oyó algo. Un instante después, una luz tenue iluminó fugazmente las catacumbas a su espalda. ¡Habían encontrado su rastro! Aprovechando la luz para orientarse, se metió en un túnel situado a su derecha. Allí la oscuridad era total y los ruidos de la persecución sonaban de momento amortiguados.

Luego golpeó algo con la punta del pie derecho. Se tambaleó y cayó hacia delante, apoyando las manos y las rodillas. Sintió que el terreno se elevaba irregularmente justo delante de ella y se le encogió el corazón. Aquello sólo podía equivaler a un nuevo montón de escombros. Pero ¿cómo era de grande? Tendría que arriesgarse a encender la luz, aunque sólo fuera uno o dos segundos.

La encendió, trepó por el montón de cascotes y siguió adelante. Ya no oía a nadie persiguiéndola. Era muy posible que hubiera eludido a la policía, pero no podía contar con ello.

Siguió avanzando con esfuerzo. Dobló el segundo recodo a la izquierda y luego el tercero. Sabía que aproximadamente a un kilómetro de allí había una segunda bifurcación. Después sería libre.

Fadi descubrió que la policía no sólo había localizado a Bourne, sino que le había disparado. Enfurecido, le propinó a Kove un fortísimo golpe que estuvo a punto de romperle el cráneo. El policía se quedó inmóvil, con la cara colorada, mordiéndose el labio. No dijo nada ni siquiera cuando Fadi les ordenó seguir adelante. Cuando llevaban recorridos unos doscientos metros, Fadi vio un trozo de piedra manchado de sangre que brillaba a la luz de la linterna. Lo cogió, cerró el puño a su alrededor y se sintió eufórico.

Sabía, sin embargo, que habiéndose adentrado tanto en las catacumbas carecía de sentido seguir avanzando en grupo. Se volvió hacia el oficial y dijo:

—Cuanto más tiempo pase en las catacumbas, más probabilidades tendrá de escapar. Divida a sus hombres, que se desplieguen de uno en uno, como harían en un bosque en territorio enemigo.

Notaba que los subordinados de Kove empezaban a perder los nervios y a contagiarle su angustia al teniente. Tenía que hacer que se movieran inmediatamente; después, sería imposible.

Se acercó a Kove y le susurró al oído:

—Estamos perdiendo la carrera contra el reloj. Dé la orden ahora mismo o lo haré yo.

El policía se apartó como si hubiera entrado en contacto con un cable pelado. Dio un paso atrás, se humedeció los labios. Por un momento pareció hipnotizado por Fadi. Luego, con un levísimo estremecimiento, se volvió hacia sus hombres y les ordenó desplegarse en formación de a uno por los pasillos y los ramales de las catacumbas.

Soraya intuyó la bifurcación delante de sí. Una ráfaga de aire fresco rozó su mejilla como la caricia de un amante: había llegado al punto de acceso. A su espalda todo estaba a oscuras. Había mucha humedad. El agua subterránea iba erosionando la tierra y la madera, descomponiéndolas poco a poco, y olía a podredumbre. Se arriesgó a encender la linterna un momento. No hizo caso de las paredes llorosas, porque vio el vértice de la Y allí delante, a menos de veinte metros de donde estaba. Al llegar a él, debía tomar el pasadizo de la izquierda.

En ese instante, una esquirla de luz hendió la oscuridad del túnel, tras ella. Apagó enseguida la linterna. El pulso le latía en las sienes; su corazón palpitaba a toda velocidad. ¿Había visto la luz de la linterna su perseguidor y se había dado cuenta de que estaba allí? Tenía que seguir adelante, pero no podía comprometer a la doctora Pavlyna, cuya pertenencia a la CIA era un secreto extremadamente bien guardado.

Se detuvo y se volvió para ver el túnel por el que había avanzado. La luz había desaparecido. No, allí estaba otra vez: un faro minúsculo en la negra oscuridad, menos difuso ahora. En efecto, alguien se aproximaba por aquel lado de las catacumbas.

Empezó a caminar lentamente hacia atrás, alejándose de su perseguidor. Se movía con cautela hacia el vértice de la bifurcación sin apartar los ojos de la luz oscilante de la linterna. Siguió caminando mientras intentaba decidir qué hacer. Luego, de pronto, fue demasiado tarde.

Al apoyar el pie, traspasó la blanda superficie del suelo de la catacumba. Intentó echarse hacia delante, pero la succión del suelo desintegrado tiraba de ella hacia atrás y hacia abajo. Agitó los brazos para recuperar el equilibrio, pero no fue suficiente. Ya se había hundido hasta los muslos en el fango. Comenzó a forcejear.

De pronto, una luz intensa iluminó el pasadizo. Lo que antes era una mancha negra cobró una forma conocida: la de un policía ucraniano, enorme en la estrechura del túnel.

El policía la vio, abrió los ojos de par en par y sacó su pistola.

Exactamente a las 22:45, el ordenador de Karim al Yamil emitió un suave pitido para recordarle que quedaban quince minutos para su segunda reunión del día con el director. Aquello le preocupaba menos que la misteriosa desaparición de Matthew Lerner. Había preguntado al Viejo, pero el muy cabrón sólo le había dicho que Lerner «tenía una misión». Lo cual podía significar cualquier cosa. Como todo buen conspirador, Karim odiaba los cabos sueltos, y en eso precisamente se había convertido Matthew Lerner. Ni siquiera Anne sabía dónde estaba, cosa muy extraña. Normalmente habría sido ella la encargada de reservar los billetes para su viaje. El director estaba tramando algo. Al Yamil no podía descartar la posibilidad de que la súbita desaparición de Lerner tuviera algo que ver con Anne. Tendría que averiguarlo lo antes posible. Y eso significaba hablar directamente con el Viejo.

El monitor volvió a pitar: era hora de irse. Recogió las traducciones de las últimas conversaciones de Duyya que había compilado el equipo de Tifón y al salir del despacho recogió un par de papeles más. Los fue leyendo mientras subía a la oficina del director.

Anne le estaba esperando sentada tras su mesa, en su pose habitual. Sus ojos se iluminaron una fracción de segundo cuando apareció. Luego dijo:

—Te está esperando.

Karim al Yamil asintió y pasó a su lado. Ella abrió a distancia la enorme oficina. El director estaba al teléfono, pero le hizo señas de que pasara.

—Está bien. Que todas las estaciones permanezcan en alerta máxima.

Parecía evidente que estaba hablando con el jefe del Departamento de Operaciones.

—Esta mañana informamos al director de la Agencia Internacional de la Energía Atómica —continuó el director tras escuchar un momento la voz del otro lado de la línea—. Han movilizado a su personal y se han puesto temporalmente bajo nuestras órdenes.

Sí. Ahora, el problema principal es impedir que Seguridad Nacional lo estropee todo. No, de momento estamos manteniendo un apagón informativo total. Sólo nos faltaba que la prensa hiciera cundir el pánico entre la población civil. De acuerdo. Mantenme informado noche y día.

Colgó el teléfono e indicó a Karim al Yamil que tomara asiento.

—¿Qué me traes?

—Por fin un avance. —Karim le entregó una de las hojas que le habían dado al salir de su despacho—. Hemos detectado actividad sospechosa en Yemen, y lleva la impronta de Duyya.

El director asintió con un gesto mientras leía el informe.

—Concretamente en Shabwah, en el sur, por lo que veo.

—Shabwah es una zona montañosa y escasamente poblada —comentó Al Yamil—. Perfecta para construir una planta nuclear subterránea.

—Estoy de acuerdo —dijo el Viejo—. Vamos a mandar unidades Escorpión lo antes posible, pero esta vez quiero apoyo terrestre. —Cogió el teléfono—. Hay dos batallones de *rangers* del cuerpo de Marines acuartelados en Yibuti. Les diré que manden una compañía completa para apoyar a nuestro personal. —Sus ojos brillaban—. Buen trabajo, Martin. Puede que tu gente nos haya brindado el medio de cortar esta pesadilla de raíz.

—Gracias, señor.

Karim al Yamil sonrió. El Viejo habría tenido razón, si aquellos datos no fueran desinformación que Duyya había lanzado a las ondas. Aunque los montes de Shabwah eran, en efecto, un escondite perfecto (un escondite que su hermano y él habían considerado alguna vez), la verdadera ubicación de la planta nuclear subterránea de Duyya estaba, de hecho, muy lejos del sur de Yemen.

Soraya tuvo suerte en un sentido, aunque a simple vista no se diera cuenta: las vetas de metal de las paredes del túnel hacían imposible que el policía contactara con el resto de su contingente. Estaba solo.

Ella recuperó la compostura y dejó de moverse. Sus forcejeos sólo habían servido para que se hundiera más en el pozo de fango del suelo de la catacumba. Estaba metida hasta la pelvis en el barro, y el policía ucraniano avanzaba despacio hacia ella.

Cuando se acercó, Soraya notó lo asustado que estaba. Tal vez había perdido a un hermano o una hija en las catacumbas, cualquiera sabía. En todo caso, estaba claro que era muy consciente de los muchos peligros que acechaban en cada recodo de aquellos túneles. Y ahora la veía a ella en la situación en la que se había imaginado a sí mismo desde que le ordenaran entrar en ellos.

—Ayúdeme, por el amor de Dios.

Mientras se aproximaba al borde del pozo, el policía la alumbró con la linterna. Soraya tenía un brazo delante y otro a la espalda.

—¿Quién es usted? ¿Qué hace aquí?

—Soy una turista. Me he perdido. —Empezó al llorar—. Tengo miedo. Tengo miedo de ahogarme.

—No, una turista, no. Me han dicho quién es. —Sacudió la cabeza—. Para su amigo y para usted ya es demasiado tarde. Están con el agua al cuello. —La apuntó con la pistola—. Van a morir los dos esta noche, de todas formas.

—No estés tan seguro —dijo Soraya, y le disparó al corazón con su pistola ASP.

El policía abrió los ojos del todo y cayó hacia atrás, como el muñeco de cartón de un campo de tiro. Soltó la linterna, que cayó al suelo con estrépito y se apagó.

—Mierda —masculló Soraya.

Volvió a guardarse la pistola en la funda del hombro. La había sacado al recuperar el equilibrio y la había mantenido oculta a su espalda mientras se acercaba el policía. Ahora, lo primero era cogerle de los pies. Se inclinó hacia delante en el barro, intentando tumbarse en horizontal. Al hacerlo, se acercó más a su objetivo.

Flota, pensó. *¡Flota, maldita sea!*

Dejó flojas las piernas, estiró del todo los brazos y se deslizó poco a poco hacia delante impulsándose únicamente con el tronco. Sentía cómo el fango tiraba de ella, reacio a soltar sus piernas y sus caderas. Sofocó otra oleada de pánico y se concentró en moverse centímetro a centímetro. A oscuras era aún más difícil. Una o dos veces pensó que ya se había sumergido. Que estaba muerta.

Luego tocó goma con los dedos: ¡las suelas de unas botas! Se estiró uno o dos centímetros más, hasta que pudo agarrarse a los pies del policía. Respiró hondo y tiró con todas sus fuerzas. Ella no se movió, pero el policía sí. Sus pies y sus piernas se inclinaron hacia el pozo. Pero eso fue todo: su corpachón no volvió a moverse ni un milímetro.

Soraya, sin embargo, no necesitaba más. Valiéndose del cadáver como rampa improvisada, fue trepando lentamente por sus piernas, hasta que pudo agarrarse con ambas manos a su ancho cinturón. De ese modo se fue encaramando poco a poco, hasta salir por completo del pozo de fango.

Luego se quedó allí un momento, tendida sobre él. Sentía el latido atronador de su corazón y oía salir y entrar el aire de sus pulmones. Al fin se apartó, cayó al suelo húmedo de las catacumbas y se puso en pie.

Como temía, la linterna del policía no tenía arreglo. Mientras limpiaba la suya, Soraya rezó para que funcionara aún. Se encendió una luz débil, que se apagó y volvió a encenderse. Ahora que podía apoyarse mejor, consiguió arrojar al ucraniano al pozo. Después removió el suelo con los pies, tapando con polvo y cascotes la sangre del muerto.

Consciente de que las pilas de la linterna se estaban agotando, se adentró corriendo en el pasadizo de la izquierda, en dirección al punto de acceso más cercano a la casa de la doctora Pavlyna.

En su segunda parada para repostar, el avión que llevaba a Martin Lindros acogió a un nuevo pasajero. Dicho pasajero se sentó junto a él y dijo algo en árabe con el mismo acento beduino de Abbud ibn Aziz.

—Pero tú no eres Abbud ibn Aziz —dijo Lindros, volviendo la cabeza como un ciego. Aún llevaba la capucha de tela negra.

—No, en efecto. Soy su hermano, Muta ibn Aziz.

—¿Y eres tan aficionado a lisiar a seres humanos como tu hermano?

—Esas cosas se las dejo a él —replicó el interpelado con dureza.

Lindros, cuyo sentido del oído se había aguzado debido a su falta de visión, percibió aquella inflexión y pensó que podía aprovechar la emoción que se adivinaba tras ella.

—Imagino que tú tienes las manos limpias. —Sentía que el otro le observaba como si acabara de tropezar con un mamífero de una especie desconocida.

—Tengo la conciencia limpia.

Lindros se encogió de hombros.

—A mí me importa poco que mientas.

Muta ibn Aziz le dio una bofetada.

Lindros notó el sabor de su propia sangre y se preguntó si el labio podría hinchársele más aún.

—Tienes más en común con tu hermano de lo que pareces creer —dijo con voz pastosa.

—Mi hermano y yo no podríamos ser más distintos.

Se hizo un tenso silencio. Lindros comprendió que Muta había desvelado algo de lo que se arrepentía. Se preguntó qué disputa habría entre los dos hermanos y si habría un modo de servirse de ella.

—He pasado varias semanas con Abbud ibn Aziz —dijo—. Me torturó y, al ver que no servía de nada, intentó hacerse amigo mío.

—¡Ja!

—Eso dije yo también —añadió Lindros—. Sólo quería que le contara lo que sabía sobre el atentado contra Hamid ibn Ashef.

Sintió que Muta se removía, notó que se aproximaba a él. Cuando el árabe volvió a hablar, su voz apenas se dejaba oír por encima del zumbido de los motores.

—¿Por qué le interesaba tanto ese asunto? ¿Te lo dijo?

—Eso habría sido una estupidez.

Lindros tenía enfocada su antena íntima en lo que acababa de suceder. El intento de asesinato contra Hamid ibn Ashef era, obviamente, de extrema importancia para los dos hermanos. Pero ¿por qué?

—Además Abbud ibn Aziz puede ser muchas cosas, pero no es estúpido.

—No, no lo es. —La voz de Muta se había endurecido hasta hacerse acerada—. Pero un mentiroso y un impostor, ésa es otra historia.

Karim al Yamil ibn Hamid ibn Ashraf al Uahhib, el hombre que desde hacía días se hacía pasar por Martin Lindros, estaba hurgando en el ordenador central de la CIA, donde se almacenaban todos los datos sensibles, por nimios que fueran. El problema era que no conocía la clave de acceso capaz de abrirle las puertas de los archivos. El verdadero Martin Lindros se había negado a darle la suya. Lo cual no era de extrañar. Karim, sin embargo, había ideado una solución tan elegante como eficaz. Tratar de introducirse en el ordenador central de la CIA era inútil. Gente mucho más hábil que él en cuestiones informáticas lo había intentado y había fracasado. El cortafuegos de la CIA, bautizado con el nombre de Centinela, era célebre por sus cualidades, que lo asemejaban con una cámara acorazada.

El problema era, pues, cómo entrar en un ordenador a prueba de *hackers* y cuya clave de acceso se desconocía. Karim sabía que, si lograba deshabilitar el ordenador central, los informáticos de la CIA tendrían que repartir nuevas claves de acceso entre todo el personal, incluido él. El único modo de lograrlo era introducir un virus en el sistema. Y puesto que Centinela no permitía hacerlo desde fuera, había que hacerlo desde dentro.

Así pues, había tenido que procurarse un modo absolutamente seguro de introducir el virus informático en el edificio de la

CIA. Era demasiado peligroso que lo llevaran encima Anne o él, y había demasiados controles de seguridad para hacerlo de otra manera. No. Sólo un agente de la CIA podía introducirlo en el edificio. Fadi y él habían pasado meses intentando resolver ese problema.

Y ésta era la solución con la que habían dado: el código que los agentes de la CIA habían encontrado en el botón de la camisa de Fadi no era tal código. Por eso Tim Hytner no había logrado descifrarlo. Era una lista de instrucciones detalladas sobre cómo reconstruir el virus empleando el código binario de uso corriente: una retahíla de órdenes elementales que funcionaban en un segundo nivel y pasaban totalmente desapercibidas. Una vez reconstruido en un ordenador de la CIA, dichas órdenes atacarían el sistema operativo (el UNIX, en este caso), corrompiendo sus comandos básicos. Ello provocaría un caos total que dejaría inoperativas las terminales de la agencia por espacio de seis minutos.

Karim tenía, además, una salvaguarda: si, por un golpe de suerte, Hytner hubiera logrado adivinar que no se trataba de un código, no hubiera podido poner en marcha inadvertidamente la cadena de instrucciones, porque estaban escritas del revés.

Karim abrió el archivo en el que había estado trabajando Hytner, tecleó la serie binaria leyéndola del revés y la guardó en un fichero. Luego salió del sistema operativo Linux y entró en el lenguaje de programación C++. Pegó la serie de instrucciones y fue siguiendo los pasos para construir el virus en C++.

Karim al Yamil miró el virus fijamente; sólo tenía que apretar una tecla para activarlo. En una décima de segundo, el virus se introduciría en el sistema operativo, y no sólo por las vías principales, sino también por los accesos secundarios y las interconexiones.

En otras palabras, obturaría y corrompería después el flujo de datos que entraba y salía del ordenador central de la CIA, esquivando así por completo al Centinela. Ello sólo podía hacerse desde un ordenador conectado a la red interna de la CIA, porque el cortafuegos atajaría de inmediato cualquier ataque externo, por sofisticado que fuera.

Primero, no obstante, tenía que ocuparse de otro asunto. Abrió un archivo personal en otro monitor y comenzó a grabar en él una serie de datos irrefutables, entre ellos el código que estaba usando para crear el virus.

Hecho esto, imprimió el contenido del archivo, metió las hojas en una carpeta de la CIA y la guardó bajo llave. Con la yema del dedo despejó la pantalla y abrió el programa que esperaba pacientemente su puesta en marcha. Exhalando un pequeño suspiro de satisfacción, pulsó la tecla.

El virus se había activado.

19

A solas con la marea y sus lúgubres pensamientos, Abbud ibn Aziz fue el primero en ver a Fadi salir del agujero de detrás de la rejilla. Hacía más de tres horas que los policías y él habían entrado en las catacumbas. Acostumbrado a las expresiones faciales y a los ademanes de su líder, Abbud ibn Aziz comprendió enseguida que no habían encontrado a Bourne. Lo cual era muy malo para él, porque lo era para Fadi. Luego salieron los policías dando tumbos y jadeando, faltos de aire.

Abbud ibn Aziz oyó la voz quejumbrosa del teniente Kove.

—He perdido un hombre en esta operación, teniente general Romanchenko.

—Y yo he perdido mucho más que eso, teniente —le espetó Fadi—. Su hombre dejó escapar a mi objetivo. Ha muerto por incompetente. Un castigo justo, diría yo. En vez de lamentarse, debería usted sacar conclusiones de lo ocurrido. Sus hombres no son lo bastante duros. Muy al contrario.

Antes de que Kove pudiera responder, Fadi giró sobre sus talones y se alejó por la playa, en dirección al muelle donde estaba atracado el velero.

—Zarpamos —dijo secamente al subir a bordo.

Estaba de tan mal humor que parecía echar chispas. En momentos como aquél su carácter era de lo más volátil, y nadie lo sabía mejor que Abbud ibn Aziz, salvo quizá Karim al Yamil. Y era precisamente de su hermano de quien Abbud tenía que hablarle a su líder.

Esperó hasta que se alejaron del muelle con las velas desplegadas. Poco a poco dejaron atrás a los efectivos policiales y, surcando la noche del mar Negro, pusieron rumbo a una dársena en la que Abbud ibn Aziz tenía esperando un coche que les llevaría al aeropuerto. Sentado con Fadi en la proa, lejos de los dos hombres que formaban la tripulación, Abbud ibn Aziz le ofreció algo de comer y beber. Estuvieron comiendo un rato en silencio, acompañados únicamente por el rumor del agua que la quilla hendía en una ola simétrica y, de cuando en cuando, por el ulular de la sirena de un barco, tan lastimero como el llanto de un niño extraviado.

—Mientras estabas fuera he recibido un mensaje inquietante del doctor Senarz —dijo Abbud ibn Aziz—. Afirma que, aunque él lo niegue, el doctor Veintrop tiene a punto la última serie de procedimientos necesarios para completar el artefacto nuclear.

—El doctor Veintrop intenta demorar los acontecimientos —dijo Fadi.

Abbud ibn Aziz mostró su asentimiento.

—El doctor Senarz es de la misma opinión, y yo me inclino a creerle. A fin de cuentas, el físico nuclear es él. Además, Veintrop nos ha dado problemas otras veces.

Fadi se quedó pensando un momento.

—Muy bien. Llama a tu hermano. Dile que vaya a buscar a Katya Veintrop y que la lleve a Miran Shah. Nos reuniremos allí con él. Creo que, cuando el doctor Veintrop vea lo que podemos hacerle a su esposa, volverá a mostrarse complaciente.

Abbud iban Aziz miró ostensiblemente su reloj.

—El último vuelo despegó hace horas. El próximo no sale hasta esta noche.

Fadi se había puesto muy rígido y tenía la mirada fija. Abbud ibn Aziz sabía que había vuelto a retrotraerse a la época en que dispararon a su padre. Su mala conciencia por aquel incidente era inmensa. Abbud había aconsejado muchas veces a su líder y amigo que concentrara su mente y sus energías en el presente. Pero el incidente se había complicado con el profundo dolor de la traición, del asesinato. Su madre nunca le había perdonado por la muerte de su única hija. La madre de Abbud ibn Aziz jamás habría hecho pesar sobre los hombros de su hijo esa espantosa carga.

Pero su madre era musulmana; la madre de Fadi, en cambio, era cristiana, de ahí la diferencia. Abbud había coincidido innumerables veces con Sarah ibn Ashef, pero jamás había reparado en ella hasta esa noche en Odesa. Fadi, por otro lado, era medio inglés; ¿quién podía imaginar qué pensaba o sentía por su hermana, y por qué?

Abbud ibn Aziz sintió que los músculos de su vientre se tensaban. Se lamió los labios y dio comienzo al discurso que había preparado.

—Fadi, ese plan de Karim al Yamil empieza a preocuparme. —Fadi seguía sin decir nada; su mirada no se movía. ¿Le había oído siquiera? Abbud ibn Aziz tenía que suponer que sí. Prosiguió—: Primero, por el halo de secreto que lo rodea. Te hago preguntas y tú te niegas a contestar. Intento controlar la seguridad, pero tu hermano y tú me ponéis trabas. Y en segundo lugar porque entraña un peligro extremo. Si fallamos, toda nuestra red se verá amenazada y nuestra principal fuente de financiación quedará al descubierto.

—¿A qué viene eso ahora? —Fadi no se había movido, no había apartado la vista del pasado. Hablaba como un fantasma, y Abbud ibn Aziz se estremeció.

—Me ronda por la cabeza desde el principio. Pero ahora he descubierto la identidad de la mujer con la que se ve Karim al Yamil.

—Su amante —dijo Fadi—. ¿Y qué?

—Tu padre tomó a una infiel por amante. Y se casó con ella.

Fadi giró la cabeza bruscamente. Sus ojos oscuros eran como los de una mangosta al acecho de una cobra.

—Estás yendo demasiado lejos, Abbud ibn Aziz. Es de mi madre de quien estás hablando.

Abbud se estremeció de nuevo sin poder evitarlo.

—Hablo del islam y de la cristiandad. Fadi, amigo mío, sufrimos la ocupación cristiana de nuestros países, su amenaza constante contra nuestra forma de vida. Ésa es la batalla que hemos jurado librar y ganar. Es nuestra identidad cultural, nuestra misma esencia lo que está en juego. Karim al Yamil se está acostando con una infiel, puede que la deje embarazada, que se confíe a ella..., ¿quién sabe? Si nuestra gente lo supiera, se levantaría enfurecida, exigiría la muerte de esa mujer.

El semblante de Fadi se ensombreció.

—¿Es una amenaza lo que oigo de tus labios?

—¿Cómo puedes pensar eso? Yo jamás diría nada.

Fadi se levantó, plantó firmemente los pies sobre la cubierta oscilante del barco y bajó la mirada hacia su lugarteniente.

—Y sin embargo andas husmeando por ahí y espiando a mi hermano. Y ahora me cuentas esto, echas sobre mí esa carga.

—Amigo mío, sólo intento protegerte de la influencia de los infieles. Yo sé, aunque los demás no lo sepan, que este plan fue idea de Karim al Yamil. Tu hermano confraterniza con el enemigo. Lo sé porque tú mismo me metiste en la ciudadela enemiga. Sé cuántas distracciones, cuántas tentaciones ofrece la cultura occidental. Su hedor me revolvía el estómago. Pero puede que a otros no.

—¿A mi hermano, quieres decir?

—Podría ser, Fadi. No puedo asegurarlo, porque entre él y yo hay un muro impenetrable.

Fadi sacudió los puños.

—Ah, ahora sale la verdad a la luz. Estás resentido porque te mantenemos en la ignorancia, aunque ése sea el deseo de mi hermano. —Se inclinó y le propinó una fuerte bofetada—. Sé qué pretendes. Quieres elevarte por encima de los demás. Ansías el conocimiento, Abbud ibn Aziz, porque el conocimiento es poder, y eso es lo que buscas: más poder.

Abbud ibn Aziz no se movió, aunque temblaba por dentro, ni se atrevió a llevarse la mano a la mejilla enrojecida. Sabía muy bien que Fadi era capaz de arrojarle por la borda y dejar que se ahogara sin un ápice de remordimientos. Aun así, había tomado un camino. Si no llegaba hasta el final, jamás se lo perdonaría.

—Fadi, si te enseño un puñado de arena, ¿qué ves?

—¿Ahora me vienes con adivinanzas?

—Yo veo el mundo. Veo la mano de Alá —continuó Abbud ibn Aziz apresuradamente—. Yo pertenezco a las tribus de Arabia. Nací y me crié en el desierto. En el puro y esplendoroso desierto. Karim al Yamil y tú nacisteis y fuisteis educados en una metrópolis occidental. Sí, hay que conocer al enemigo para derrotarle, como tú dices con toda razón. Pero, Fadi, contéstame a una cosa: ¿qué ocurre cuando empiezas a identificarte con el enemigo? ¿No es posible convertirse en él?

Fadi se mecía sobre las puntas de los pies. Estaba a punto de estallar.

—¿Te atreves a insinuar...?

—Yo no insinúo nada, créeme. Se trata de una cuestión de confianza, de fe. Si no confías en mí, si no tienes fe en mí, échame ahora. Me iré sin rechistar. Pero nos conocemos de toda la vida. Te lo debo todo. Tú te esfuerzas por proteger a Karim al Yamil y yo no deseo otra cosa que protegerte de todos los peligros, tanto dentro como fuera de Duyya.

—Entonces tu obsesión te ha vuelto loco.

—Cabe esa posibilidad, desde luego. —Abbud ibn Aziz seguía sentado igual que antes, sin acobardarse ni temblar, lo que sin duda habría inducido a Fadi a arrojarle al agua de una patada—. Sólo digo que el aislamiento voluntario de Karim al Yamil le ha convertido en una fuerza en sí mismo. No puedes negarlo. Quizás eso redunde en vuestro beneficio, como creéis ambos. Pero a mi modo de ver esa relación tiene un grave inconveniente: os nutrís el uno del otro. No hay intermediario, una tercera parte que equilibre la balanza.

Abbud ibn Aziz se arriesgó a levantarse despacio, con todo cuidado.

—Ahora quisiera plantearte una reflexión. Te suplico que te preguntes si tus motivos y los de Karim al Yamil son puros. Tú sabes la respuesta: no lo son. Los ha enturbiado, los ha corrompido vuestra sed de venganza. Te digo que Karim al Yamil y tú tenéis que olvidaros de Jason Bourne y olvidar en qué se ha convertido vuestro padre. Fue un gran hombre, no hay duda. Pero su tiempo ha pasado. El vuestro, en cambio, acaba de empezar. Así es la vida. Ponerse en su camino es pura arrogancia. Corréis el riesgo de que os arrolle.

»Debes centrarte en el futuro, no en el pasado, y pensar en tu pueblo. Tú eres nuestro padre, nuestro protector, nuestra salvación. Sin ti, somos polvo al viento. No somos nada. Tú eres nuestra estrella rutilante. Pero sólo si tus motivos vuelven a ser puros.

Guardaron silencio largo rato. Abbud ibn Aziz sentía que se había quitado un inmenso peso de encima. Creía en sus argumentos, en todo lo que había dicho. Si aquello era su fin, que así fuera. Moriría sabiendo que había cumplido con su deber para con su líder y amigo.

Fadi, sin embargo, ya no le miraba con ira. Ni siquiera parecía ver el mar, ni las luces de Odesa titilando en la oscuridad. Su mirada se había vuelto de nuevo hacia dentro, su yo se había sumido en las profundidades, a las que incluso Karim al Yamil tenía vedada la entrada, sospechaba Abbud ibn Aziz. O, mejor dicho, lo esperaba de todo corazón.

El fallo masivo de los ordenadores de la CIA sumió la sede de la agencia en el caos. Todos los miembros disponibles del Departamento de Códigos y Comunicaciones recibieron orden de abordar el problema del virus informático. De ellos, un tercio se encargó de desconectar el Centinela (el cortafuegos de la CIA) para llevar a cabo una serie de pruebas diagnósticas de nivel tres. Los demás se dedicaron a revisar cada vena y arteria de la Intranet de la CIA, provistos de *software* de búsqueda y destrucción. Dicho *software*, diseñado por la DARPA expresamente para la CIA, utilizaba un algoritmo heurístico avanzado que lo convertía en un código de resolución de problemas. Cambiaba y se adaptaba constantemente, dependiendo del tipo de virus que encontraba.

Las instalaciones se cerraron a cal y canto: nadie podía entrar ni salir. En la sala de reuniones oval situada frente a la oficina del Viejo e insonorizada, nueve hombres se habían sentado en torno a una lustrosa mesa de madera veteada. Cada sitio disponía de un terminal informático incrustado en el tablero de la mesa y de varias botellas de agua fría. Sentado a la izquierda del director, el jefe de la Dirección de Códigos y Comunicaciones recibía información constante sobre los avances de sus legiones frenéticas. Dicha información aparecía en su terminal, era pasada por la criba (es decir, se hacía inteligible para los legos que ocupaban la sala) y se visualizaba en una de las seis pantallas planas que colgaban de las paredes de fieltro negro de la habitación.

—Fuera de estas paredes nada se filtra —dijo el director. Ese día sentía todos y cada uno de sus sesenta y ocho años de edad—. Lo que ha pasado aquí hoy, se queda aquí. —El peso de la historia le aplastaba como a un Atlas su carga. Sabía que cualquier día le quebraría la espalda. Pero no hoy. ¡No hoy, maldita sea!

—Nada corre peligro —dijo el director de Códigos y Comunicaciones mientras estudiaba los datos en bruto que iban apareciendo en su terminal—. Al parecer, el virus no venía de fuera. Hemos completado el análisis del Centinela. El cortafuegos estaba cumpliendo su función, como estaba programado para hacer. No ha habido infiltración. Repito, no ha habido infiltración.

—Entonces, ¿qué demonios ha pasado? —bramó el director. Ya había empezado a dar gracias a su buena estrella por que el secretario de Defensa no llegara a enterarse nunca de aquella catástrofe sin paliativos.

El director de Códigos y Comunicaciones levantó su calva y reluciente cabeza.

—Por lo que cabe deducir a estas alturas, nos han atacado desde dentro.

—¿Desde dentro? —preguntó Karim al Yamil con incredulidad. Estaba sentado a la derecha del Viejo—. ¿Está diciendo que tenemos un traidor dentro de la CIA?

—Eso parece —dijo Rob Batt, el jefe de operaciones, el más influyente de los Siete, como se conocía internamente a la junta de jefes de departamento.

—Rob, quiero que te pongas inmediatamente con eso —dijo
el Viejo—. Confírmalo o asegúranos que estamos limpios.

—De eso puedo encargarme yo —dijo Karim, y enseguida se
arrepintió.

Rob Batt volvió hacia él su mirada viperina.

—¿No tienes ya suficiente trabajo, Martin? —preguntó suavemente.

El director carraspeó.

—Martin, necesito que concentres todos tus recursos en detener a Duyya. —Lo que le faltaba, se dijo con amargura: una guerra
entre departamentos. Se volvió hacia el jefe de Códigos y Comunicaciones—. Necesito saber cuándo va a restablecerse el sistema
informático.

—Podría tardar un día o más.

—Imposible —replicó el Viejo—. Necesito una solución para
que estemos a pleno rendimiento dentro de dos horas.

El director de Códigos y Comunicaciones se rascó la calva.

—Bueno, podríamos recurrir a la red de seguridad. Pero eso
supondría distribuir nuevos códigos de acceso a todo el edifi...

—¡Hazlo! —ordenó con rotundidad el director, dando una
palmada en la mesa—. Muy bien, caballeros. Todos sabemos lo
que hay que hacer. ¡Vamos a quitarnos esta mierda de los zapatos
antes de que empiece a apestar!

En su estado de vigilia intermitente, los acontecimientos del pasado que le atormentaban desde la muerte de Marie volvieron a visitar a Bourne.

*Está en Odesa y corre. Es de noche; un viento gélido y mineral,
procedente del mar Negro, le empuja por la calle empedrada. Lleva
en brazos a la joven, que se desangra vertiginosamente. Ve la herida
del disparo, sabe que va a morir. Mientras se dice esto, ella abre los
ojos. Los tiene pálidos, las pupilas dilatadas por el dolor. Intenta
verle en la oscuridad, al final de su vida.*

Él no puede hacer nada, nada, salvo sacarla de la plaza donde le han disparado. Ella mueve la boca. No puede articular palabra. Bourne se mancha de sangre el oído al acercarlo a su boca abierta.

Su voz, frágil como el cristal, reverbera en su tímpano, pero lo que oye es el flujo y el reflujo del mar. A ella le falla la respiración. Sólo queda ya el golpeteo irregular de los pies de Bourne sobre el empedrado.

Desfallece y cae. Se arrastra hasta apoyar la espalda en una pared de ladrillo pegajosa. No puede soltar a la mujer. ¿Quién es? La mira intentando concentrarse. Si pudiera reanimarla, podría preguntarle quién es. Podría haberla salvado, *piensa con desesperación.*

De pronto un fogonazo y es Marie a quien lleva en brazos. La sangre ha desaparecido, pero la vida no ha vuelto. Marie está muerta. Podría haberla salvado, *piensa con desesperación.*

Se despertó llorando por su amor perdido, por su vida extraviada.

—¡Debería haberte salvado! —Y de pronto comprendió por qué la muerte de Marie había hecho aflorar aquel fragmento de su pasado.

La culpa le estaba matando. La culpa por no haber estado allí para salvar a Marie. Así pues, cabía deducir que había podido salvar a aquella mujer cubierta de sangre y no lo había hecho.

—Martin, una cosa.

Al volverse, Karim al Yamil vio a Rob Batt observándole. El director de operaciones no se había levantado, como los demás asistentes a la reunión. En la sala en penumbra ya sólo quedaban los dos.

Karim compuso una expresión neutra.

—Como tú mismo has dicho, Rob, tengo mucho trabajo.

Batt tenía manos de carnicero. Sus palmas eran extrañamente oscuras; parecía tenerlas perpetuamente manchadas de sangre. Las abrió en un gesto que en circunstancias normales habría resultado conciliador, pero que allí pareció una amenaza: una exhibición de fuerza bruta, como si fuera un gorila de lomo plateado dispuesto a embestir.

—Hazme ese favor. No será más que un minuto.

Karim volvió a sentarse a la mesa, frente a él. Batt era una de esas personas que a duras penas soportaban el ambiente de un despacho. Llevaba su traje como si tuviera púas por dentro. Su cara curtida, profundamente agrietada y quemada por el sol, podía ser resultado de practicar el esquí en Gstaad o de segar vidas en las montañas de Afganistán. Aquello despertaba la curiosidad de Karim, que había pasado tanto tiempo en finísimas sastrerías, dejándose vestir con ropas occidentales de la mejor factura, que llevaba con la misma naturalidad un traje de Savile Row que una chilaba.

Juntó las puntas de los dedos y pegó a su cara el esbozo de una sonrisa.

—¿Qué puedo hacer por ti, Rob?

—Francamente, estoy un poco preocupado. —Por lo visto, a Batt no le gustaba andarse por las ramas, aunque quizá se debiera a que conversar no era su fuerte.

Karim mantuvo un tono cortés, a pesar de que su corazón latía a toda prisa.

—¿En qué sentido?

—Bueno, lo has pasado muy mal. Para serte sincero, estaba convencido de que debías tomarte unas cuantas semanas de vacaciones. Para relajarte y que te examinaran otros médicos.

—Psiquiatras, quieres decir.

Batt continuó como si su interlocutor no hubiera respondido:

—Pero el director impuso su criterio. Alegó que tu labor era demasiado valiosa, sobre todo en este momento de crisis. —Replegó los labios en lo que, de haber sido otro, podría haber pasado por una sonrisa—. Pero hace un momento has querido meterte en mi terreno, querías ser tú quien se encargara de investigar quién coño nos ha colado ese virus. —Aquellos ojos de serpiente, negros como suelo volcánico, recorrieron a Karim como si le cachearan mentalmente—. Nunca antes habías intentado pisarme el terreno. De hecho, habíamos pactado no hacernos eso mutuamente.

Karim no dijo nada. ¿Y si era una trampa? ¿Y si Lindros y Batt nunca habían hecho tal pacto?

—Me gustaría saber por qué has faltado a ese compromiso —prosiguió el jefe de operaciones—. Me gustaría saber por qué, en tu estado actual, querías asumir aún más trabajo. —Su voz había bajado de volumen y al mismo tiempo se había adensado como miel fría. De haber sido un animal, habría rondado a Karim esperando el momento idóneo para atacar.

—Te pido disculpas, Rob. Sólo quería ayudar, eso es todo. No había...

Batt echó la cabeza hacia delante tan bruscamente que Karim tuvo que hacer un esfuerzo por dominarse y no retroceder.

—Verás, estoy preocupado por ti, Martin. —Los labios del director de operaciones, ya delgados, estaban tan apretados que formaban una línea exangüe—. Pero a diferencia de nuestro líder incomparable, que te quiere como a un hijo, que te lo perdona todo, mi preocupación es más bien la de un hermano mayor por el pequeño de la familia.

Desplegó sobre la mesa, entre los dos, sus enormes manazas.

—Has convivido con el enemigo, Martin. Y el enemigo te puteó. Yo lo sé y tú lo sabes. ¿Y sabes por qué lo sé? ¿Lo sabes?

—Estoy seguro de que los resultados de mis pruebas...

—A los resultados de las pruebas que les den por el culo —contestó Batt secamente—. Los resultados de las pruebas son para académicos, y ni tú ni yo lo somos, está claro. Esos tipos todavía están debatiendo los resultados, y seguirán así hasta que se hiele el infierno. Para colmo, nos hemos visto obligados a pedirle su opinión a Jason Bourne, un hombre que es inestable en el mejor de los casos, y en el peor, un peligro para el protocolo y la disciplina de la CIA. Pero es quien te conoce mejor. Tiene gracia, ¿no? —Ladeó la cabeza—. ¿Por qué demonios sigues manteniendo el contacto con él?

—Echa un vistazo a su expediente —contestó Karim—. Bourne me es más valioso, a mí y a todos nosotros, que un puñado de tus agentes de Medios y Arbitrios. —*Yo cantando las alabanzas de Jason Bourne, eso sí que tiene gracia*, pensó Karim.

Batt no cejó en su empeño.

—Verás, es tu comportamiento lo que me preocupa, Martin. En ciertos sentidos está bien, es el de siempre. Pero en otras cuestiones más sutiles, de menor importancia... —Sacudió la cabeza—. En fin, digamos simplemente que no cuadra. Bien sabe Dios que siempre has sido un cabronazo muy solitario. «Se cree más que los demás», decían los otros jefes de departamento. Pero yo no. Yo te tenía calado. Eres un búnker. No te hace falta la cháchara que en estos pasillos pasa por amistad.

Karim se preguntó si había llegado el momento de que los colegas de Lindros empezaran a tener sospechas, una posibilidad que, naturalmente, había contemplado al trazar su plan. Pero había calculado que se trataba de una probabilidad remota: a fin de cuentas, sólo iba a pasar unos días en la CIA. Además, como el propio Batt había dicho, Lindros siempre había sido un solitario. Por improbable que pareciera, se hallaba a punto de tener que decidir cómo neutralizar a un jefe de departamento de la CIA.

—Si has notado algo raro en mi comportamiento, estoy seguro de que se debe al estrés que estamos viviendo. Si en algo soy un maestro, es en compartimentar mi vida. Te aseguro que el pasado no es problema.

Se quedaron callados un momento. Karim tuvo la impresión de que una bestia muy peligrosa pasaba a su lado, tan cerca que notaba el olor de su almizcle rancio.

Batt asintió por fin.

—Nada más, entonces, Martin. —Se levantó y le tendió la mano—. Me alegro de que hayamos tenido esta pequeña charla.

Mientras salía, Karim se alegró de haber dejado pruebas convincentes respecto a la identidad del presunto traidor. Si no, Batt le habría clavado los dientes en la nuca.

—Hola, *Oleksandr*. Buen chico.

Soraya volvió al escondrijo donde había dejado a Bourne con un pesado bolso de tela colgado del hombro. Tenía el horrible pálpito de que la muerte rondaba por allí. A la luz de la lámpara de aceite que había encendido, vio que Bourne no estaba muerto, sino inconsciente por la pérdida de sangre. El bóxer no se había movido de su lado. Sus ojos marrones y acuosos escudriñaron los de Soraya como si le pidieran auxilio.

—No os preocupéis —les dijo ella a los dos—. Ya estoy aquí.

Sacó del bolso la mayor parte de lo que le había dado la doctora Pavlyna: bolsas de plástico llenas de diversos fluidos. Tocó la frente de Bourne para asegurarse de que no tenía fiebre y se repitió el protocolo que le había hecho memorizar la médica.

Abrió un envoltorio de plástico, sacó una aguja y la clavó en una vena del dorso de la mano izquierda de Bourne. La insertó en una cánula, encajó el extremo del tubo de la primera bolsa de suero en la boquilla de la cánula y abrió el goteo de dos antibióticos de amplio espectro. Quitó a continuación el vendaje improvisado que la sangre había empapado por completo e irrigó la herida con gran cantidad de solución salina. Un antiséptico, le había dicho la doctora, sólo serviría para retrasar el proceso de cicatrización.

Acercando la lámpara, buscó cuerpos extraños: hilos, trozos de tela, lo que fuese. Sintió alivio al no encontrar ninguno. Pero en los bordes de la herida había zonas de tejido desvitalizado que tuvo que cortar con las tijeras quirúrgicas.

Cogió por su asidero la pequeña aguja curva y, atravesando con ella la piel, tiró del hilo quirúrgico. Fue uniendo ambos pliegues de la herida con mucho cuidado, dando los puntos en forma de rectángulo como le había enseñado la doctor Pavlyna. Procedía muy despacio, asegurándose de no dejar la piel tirante para no incrementar el riesgo de infección. Cuando acabó, hizo un nudo en el último punto y cortó el resto del hilo sujeto aún a la aguja. Por último, colocó una gasa estéril sobre la sutura y vendó la herida una y otra vez para que la gasa no se moviera.

La bolsa de antibióticos ya casi estaba vacía. La desenganchó y cambió el tubo por el de la bolsa de sueros hidratantes y nutritivos.

Menos de una hora después, Bourne dormía normalmente. Pasada otra hora, empezó a volver en sí.

Abrió los ojos.

Ella le sonrió.

—¿Sabes dónde estás?

—Has vuelto —musitó él.

—Dije que volvería, ¿no?

—¿Y Fadi?

—No sé. Maté a un policía, pero no vi a nadie más. Creo que se han dado por vencidos.

Él cerró los ojos un momento.

—Me acuerdo, Soraya. Me acuerdo.

Ella sacudió la cabeza.

—Descansa ahora. Ya hablaremos luego.

—No. —Tenía una expresión de adusta determinación—. Tenemos que hablar. Ahora.

¿Qué le había ocurrido? Nada más despertar se había sentido distinto, como si su mente se hubiera liberado del torno que la aprisionaba. Como si hubiera escapado del barranco infinito en el que habitaba, lleno de un humo de voces y compulsiones. El intenso dolor de cabeza, las frases que se repetían habían desaparecido. Recordaba con perfecta claridad lo que le había dicho el doctor Sunderland acerca de cómo se formaban los recuerdos y de cómo las alteraciones de la actividad neuronal causadas por un trauma o por condiciones extremas podían afectar a la creación y la recreación de la memoria.

—Acabo de darme cuenta de que fue un disparate sacar a Cevik de las celdas —dijo—. Y ha habido otras cosas extrañas. Por ejemplo, un horrible dolor de cabeza que me dejó paralizado mientras Fadi escapaba.

—Cuando mataron a Tim.

—Sí. —Intentó incorporarse, hizo una mueca de dolor.

Soraya se acercó a él.

—No, no te levantes.

Él no se dejó convencer.

—Ayúdame a sentarme.

—Jason...

—Haz lo que te digo —contestó él con firmeza.

Soraya le rodeó con los brazos y, tirando de él, le ayudó a apoyar la espalda en la pared.

—Esas extrañas compulsiones me han llevado a situaciones peligrosas — prosiguió—. Y en todos los casos, mi comportamiento ha beneficiado a Fadi.

—Pero tiene que ser una coincidencia —dijo ella.

La sonrisa de Bourne era casi dolorosa.

—Soraya, si algo me ha enseñado la vida es que las coincidencias suelen ser síntoma de conspiración.

La chica se rió suavemente.

—Hablas como un auténtico paranoico.

—Se da el caso de que es mi paranoia lo que me ha mantenido con vida. —Bourne se removió—. ¿Y si hubiera dado con algo?

Soraya cruzó los brazos.

—¿Con qué, por ejemplo?

—Está bien, partamos de la premisa de que esas coincidencias, como tú dices, tienen su origen en una conspiración. Como te decía, todas ellas han beneficiado a Fadi de algún modo.

—Continúa.

—Los dolores de cabeza empezaron después de mi visita al doctor Sunderland, el experto en memoria que me recomendó Martin.

Soraya frunció el entrecejo. De pronto, lo que le estaba contando Bourne no tenía ninguna gracia.

—¿Por qué fuiste a verle?

—Tenía recuerdos fragmentarios de mi primera visita a Odesa, y esas visiones me estaban volviendo loco. Pero en aquel momento yo ni siquiera sabía que se trataba de Odesa, y menos aún lo que vine a hacer aquí.

—Pero ¿qué relación hay entre ese recuerdo y la conspiración de la que hablas?

—No lo sé —reconoció él.

—No puede formar parte de ella. —Soraya se daba cuenta de que estaba haciendo de abogada del diablo.

Bourne agitó una mano.

—Dejemos eso a un lado de momento. Cuando volvíamos a casa, Martin me dijo que tenía que venir aquí a toda costa, a buscar a un tal Lemontov que, según dijo, era el banquero de Duyya. Alegó que, si liquidaba a ese tipo, Duyya se quedaría sin financiación.

Soraya asintió.

—Un buen razonamiento.

—Lo sería, si Lemontov existiera. Pero no existe. —El semblante de Bourne no dejaba traslucir nada en absoluto—. Y no sólo eso: Fadi sabía lo de Lemontov. ¡Sabía que era ficticio!

—¿Y?

Bourne se apartó de la pared y la miró fijamente.

—¿Cómo podía saber Fadi lo de Lemontov?

—Olvidas que interrogaron a Lindros. Puede que le hicieran memorizar desinformación.

—Pero eso presunpondría que sabían que íbamos a rescatarle.

Soraya se quedó pensando un momento.

—Eso de Lemontov me interesa. Lindros también me lo contó a mí. Por eso estoy aquí. Pero ¿por qué? ¿A qué nos mandó a los dos a Odesa?

—A perseguir a un fantasma —respondió Bourne—. Liquidar a Lemontov era sólo una estratagema. Fadi nos estaba esperando. Sabía que íbamos a venir. Estaba listo para matarme. De hecho, si no me equivoco, necesitaba matarme. Lo vi en sus ojos, lo oí en su voz. Llevaba mucho tiempo esperando para atraparme.

Soraya parecía impresionada.

—Una cosa más —insistió Bourne—. Cuando íbamos en el avión, de vuelta a casa, Martin me dijo que sus interrogadores le preguntaban continuamente por una misión cuyo objetivo era

Hamid ibn Ashef. Una misión mía. Quería saber si me acordaba de ella.

—Jason, ¿por qué le interesaba a Lindros una misión ideada por Alex Conklin?

—Tú sabes por qué —respondió Bourne—. Fadi y Martin están relacionados de algún modo.

—¿Qué?

—Y también el doctor Sunderland. —Su teoría era de una lógica implacable—. El tratamiento que me aplicó Sunderland me alteró de algún modo, me empujó a cometer errores en momentos cruciales.

—¿Cómo es posible?

—Existe una técnica de lavado de cerebro que consiste en utilizar un color, un sonido, una palabra clave o una frase para desencadenar posteriormente ciertas respuestas en el sujeto.

Nada que quemar en el agujero. Aquellas palabras habían rebotado en su cerebro hasta que pensó que iba a enloquecer.

Bourne le repitió la frase a Soraya.

—La dijo Fadi. Esa frase fue la que desencadenó el dolor de cabeza. Fadi conocía la frase clave que Sunderland había introducido en mi cerebro.

—Recuerdo la cara que pusiste cuando la dijo —comentó Soraya—. Pero ¿recuerdas que también dijo que había pasado algún tiempo en Odesa?

—La misión para matar a Hamid ibn Ashef en Odesa es la clave de todo, Soraya. Todo remite a ella. —Tenía la piel grisácea; de pronto parecía cansado—. Hay una conspiración. Pero ¿cuál es su objetivo último?

—Eso es tan difícil de imaginar como la cuestión de cómo consiguieron que Lindros les ayudara.

—No lo consiguieron. Conozco a Martin mejor que nadie. Torturándole no podrían convertirle en un traidor.

Ella desplegó las manos.

—¿Qué otra explicación hay?

—¿Y si el hombre al que rescaté de Duyya, el hombre al que

llevé a la CIA, el hombre al que respaldé, no fuera Martin Lindros?

—Espera, espera. —Levantó las manos con las palmas hacia fuera—. Acabas de cruzar la raya entre la paranoica y la psicosis en toda regla.

Bourne no le hizo caso.

—¿Y si el hombre al que llevé a Washington, el hombre que ahora mismo dirige Tifón, es un impostor?

—Eso es imposible, Jason. Tiene la cara de Lindros, habla como Lindros. Incluso pasó la prueba del escáner de retina, por el amor de Dios.

—Al escáner de retina se le puede engañar —respondió Bourne—. Es extremadamente infrecuente y difícil de hacer. Requiere un trasplante de retina o de todo el ojo. Pero, si ese impostor se tomó la molestia de rehacerse la cara, el trasplante de retina habrá sido pan comido.

Soraya sacudió la cabeza.

—¿Tienes idea de las consecuencias que podría tener lo que estás diciendo? Un impostor en el centro de la CIA, controlando a más de un millar de agentes en todo el mundo. Insisto en que es imposible, una completa locura.

—Por eso precisamente ha funcionado. Nos han manipulado a todos: a ti, a mí, a la gente de Tifón y a toda la CIA. Nos han engañado. Ése era el plan desde el principio. Mientras nosotros correteábamos por todo el globo, Fadi ha tenido libertad para introducir a su gente en Estados Unidos y transportar el artefacto nuclear, indudablemente en piezas, al lugar donde piensan hacerlo estallar.

—Eso que dices es monstruoso. —Soraya estaba casi en estado de choque—. Nadie va a creerte. Ni siquiera yo acabo de creérmelo. —Se sentó en el borde de la plataforma—. Mira, has perdido mucha sangre. Estás agotado, no puedes pensar con claridad. Tienes que dormir y luego...

—Hay un modo infalible de comprobar si la persona a la que llevé a Washington es de verdad Martin Lindros o un impostor

—prosiguió Bourne como si no la hubiera oído—. Tengo que encontrar al verdadero Martin. Si tengo razón, esto significa que aún está vivo. El impostor le necesita vivo. —Comenzó a levantarse de la cama—. Tenemos que...

Una potente oleada de aturdimiento le obligó a detenerse y apoyarse de nuevo en la pared. Soraya le ayudó a tumbarse. Los párpados se le cerraban de cansancio.

—Decidamos lo que decidamos, ahora mismo tienes que descansar —dijo ella con renovada firmeza—. Estamos los dos exhaustos, y necesitas recuperarte.

Un momento después, el sueño embargó a Bourne. Soraya se levantó y se acomodó en el suelo, junto a los tablones. Abrió los brazos. *Oleksandr* se acurrucó junto a sus pechos. Un mal presentimiento se había apoderado de ella. ¿Y si Bourne tenía razón? Las consecuencias de una conspiración semejante eran inimaginables. Y sin embargo se descubrió incapaz de pensar en otra cosa.

—Ay, *Oleksandr* —susurró—, ¿qué vamos a hacer?

El bóxer levantó el hocico y le lamió la cara.

Soraya cerró los ojos, respiró hondo. Poco a poco, mientras sentía el latido reconfortante del corazón de *Oleksandr*, fue rindiéndose a la sigilosa acometida del sueño.

20

Matthew Lerner y Jon Mueller se habían conocido por casualidad diez años antes en un burdel de Bangkok. Tenían muchas cosas en común, además de su afición por las putas, la bebida y el asesinato. Al igual que Lerner, Mueller era un solitario, un genio autodidacta en análisis estratégico y organización táctica. En cuanto se conocieron, advirtieron el uno en el otro algo que les unía, pese a que Lerner era de la CIA y Mueller pertenecía por aquel entonces a la Agencia Nacional de Seguridad.

Lerner caminaba por la terminal del aeropuerto de Odesa, cada vez más cerca de su objetivo, pensando en Mueller y en todo lo que le había enseñado, cuando sonó su teléfono móvil. Era Weller, de la policía metropolitana de Washington, donde Lerner tenía algunos hombres en nómina.

—¿Qué ocurre? —preguntó Lerner cuando reconoció la voz del sargento.

—He pensado que querrías saberlo. Overton ha desaparecido.

Lerner se quedó quieto, zarandeado por el ir y venir de los pasajeros que pasaban junto a él.

—¿Qué?

—No ha venido a trabajar. No responde al teléfono. No ha aparecido por casa. Se ha esfumado, Matt.

A Lerner le daba vueltas la cabeza. Vio pasar a un par de policías. Se detuvieron un momento a hablar con un compañero que venía en la dirección contraria; luego siguieron adelante, atentos a todo.

En medio del elocuente silencio, Weller se atrevió a apuntar una posdata.

—Overton estaba trabajando en un caso para ti, ¿no?

—Eso fue hace tiempo —mintió Lerner. Lo que Overton estuviera haciendo para él no era asunto de Weller—. Oye, gracias por la información.

—Para eso me pagas —respondió Weller antes de colgar.

Lerner agarró su pequeña maleta y se dirigió hacia un lado del pasillo de la terminal. El instinto le decía que Overton no sólo había desaparecido, sino que estaba muerto. La cuestión era ¿cómo había conseguido Anne Held que le mataran? Porque estaba seguro de que era Held quien se hallaba tras su muerte, tan seguro como de que estaba en el aeropuerto de Odesa.

Tal vez hubiera subestimado gravemente a aquella zorra. Estaba claro que la visita que Overton había hecho a su casa no la había intimidado en absoluto. Y que había decidido devolverle el golpe. Lástima que él estuviera tan lejos. Le habría encantado encararse con ella. Pero de momento tenía un pez más gordo que pescar.

Abrió su móvil y marcó un número de Washington que no aparecía en el listín telefónico. Esperó mientras la llamada pasaba por los filtros de seguridad habituales. Luego contestó una voz familiar.

—Hola, Matt.

—Hola, Jon. Tengo algo interesante para ti.

Jon Mueller se echó a reír.

—Todos tus encargos son interesantes, Matt.

Eso era cierto. Lerner le describió brevemente a Anne Held y le puso al corriente de la situación.

—Este giro de los acontecimientos te ha pillado por sorpresa, ¿no?

—La he subestimado —reconoció Lerner. Jon y él no tenían secretos el uno para el otro—. No lo hagas tú también.

—Entendido. Voy a quitarla de en medio.

—Hablo en serio, Jon. Esa zorra es de temer. Tiene recursos con los que no contaba. Nunca imaginé que pudiera liquidar a Overton. Pero no des un paso sin hablar primero con el secretario. Esto es cosa suya, es él quien tiene que decidir si seguimos adelante o no.

Pavlyna le estaba esperando al otro lado de los puestos de Aduanas e Inmigración. Lerner no había reparado en ello, pero con un nombre como aquél debería haberse dado cuenta de que era una mujer. Ahora era la jefa de la estación de la CIA en Odesa. Una mujer. Tomó nota de que debía hacer algo al respecto en cuanto volviera a Washington.

La doctora Pavlyna era bastante guapa, alta, imponente, de grandes pechos y cabello denso y negro, salpicado de gris, a pesar de que al mirarla a la cara resultaba evidente que no podía tener más de cuarenta años.

Atravesaron la terminal y salieron a una tarde mucho más cálida de lo que esperaba Lerner. Era la primera vez que visitaba Odesa. Esperaba encontrarse con el tiempo de Moscú, que por desgracia había tenido que sufrir varias veces.

—Tiene suerte, señor Lerner —dijo la doctora Pavlyna mientras cruzaban una calle, camino del aparcamiento—. He tenido contacto con ese tal Bourne al que anda buscando. No contacto directo, ojo. Parece que está herido. Una herida de arma blanca en el costado. La herida es profunda, pero sus órganos vitales no se han visto afectados. Ha perdido mucha sangre.

—¿Cómo sabe todo eso si no ha estado en contacto directo con él?

—Por suerte, no está solo. Está con uno de los nuestros. Soraya Moore. Se presentó en mi casa anoche. Me dijo que Bourne estaba malherido, que por eso no había podido acompañarla. Le di antibióticos, suturas y esas cosas.

—¿Dónde están?

—No me lo dijo y yo no se lo pregunté. El procedimiento habitual.

—Es una lástima —dijo Lerner sinceramente. Se preguntaba qué demonios hacía Soraya allí. ¿Cómo sabía que Bourne estaba en Odesa, si no la había mandado Martin Lindros? Pero ¿qué motivos tenía Lindros para mandarla allí? Bourne trabajaba solo, todo el mundo lo sabía. Aquel encargo no tenía sentido. Le habría gustado llamar a Lindros para preguntarle por qué lo había hecho, pero no podía, claro está. Su presencia allí era un secreto; el Viejo se lo había dejado claro a la doctora Pavlyna al llamarla.

Se detuvieron junto a un Skoda Octavia RS plateado y nuevecito, una berlina deportiva, pequeña, pero eficaz. La doctora Pavlyna abrió las puertas y entraron.

—El director en persona me dijo que le ayudara en todo lo que estuviera en mi mano. —La mujer cruzó el aparcamiento y pagó el tique—. Desde entonces han sucedido algunas cosas. Al parecer, la policía está buscando a Bourne por la muerte de cuatro personas.

—Eso significa que tendrá que salir de Odesa enseguida, y con el mayor sigilo posible.

—Eso es lo que haría yo, desde luego. —Esperó a que se abriera un hueco entre el tráfico y arrancó.

La mirada alerta de Lerner se fijaba en todo cuanto le rodeaba.

—Esta ciudad es bastante grande. Seguro que hay muchas formas de salir de ella.

—Naturalmente. —La doctora Pavlyna asintió—. Pero Bourne podrá acceder a muy pocas. El aeropuerto, por ejemplo, está saturado de policías. No puede salir por ahí.

—No esté tan segura. Ese tipo es un puto camaleón.

La doctora se movió hacia la izquierda y aceleró al enfilar el carril de adelantamiento.

—Olvida usted que está malherido. La policía lo sabe, no sé cómo. Sería demasiado arriesgado.

—¿Cómo, entonces? —preguntó Lerner—. ¿En coche, en tren?

—Ninguna de las dos cosas. En ferrocarril no lograría salir de Ucrania. Y en coche tardaría mucho y correría demasiados riesgos. Controles de carretera y cosas así. Sobre todo, en su estado.

—Sólo nos queda el barco, entonces.

La doctora Pavlyna asintió.

—Hay un transbordador de pasajeros entre Odesa y Estambul, pero sólo hace el trayecto una vez por semana. Tendría que pasar cuatro días escondido hasta que salga el próximo. —Se quedó pensando un momento mientras pisaba el acelerador—. Odesa vive del comercio. Todos los días hay varios transbordadores y trenes de mercancías que salen de la ciudad hacia distintos destinos: Bulgaria, Georgia, Turquía, Chipre, Egipto... La seguridad es relativamente escasa. En mi opinión, ésa es de lejos su mejor alternativa.

—Pues más vale que lleguemos antes que él —respondió Lerner—, o le garantizo que le perderemos.

Yevgeny Feyodovich entró con paso decidido en el mercado de abastos de Privoz. Se fue derecho hacia el pasillo de los huevos, sin pararse, como solía, a charlar y fumar un cigarro con su círculo de amigos. Esa mañana no tenía tiempo para charlas, ni para nada que no fuera salir a toda leche de Odesa.

Magda, su socia en el tenderete, ya estaba allí. Era de su granja de donde procedían los huevos. El que ponía el capital era él.

—¿Ha venido alguien preguntando por mí? —inquirió al rodear el mostrador.

Ella estaba sacando los huevos de sus cajas y separándolos por tamaño y color.

—No, esto ha estado más tranquilo que un cementerio.

—¿Por qué has dicho eso?

Algo en su tono de voz la hizo detenerse y levantar la vista.

—¿Se puede saber qué te pasa, Yevgeny Feyodovich?

—Nada. —Estaba ocupado recogiendo sus cosas.

—Ya. Pues cualquiera diría que has visto el sol en plena noche. —Puso los puños sobre sus anchas caderas—. ¿Y dónde te crees que vas? Hoy vamos a estar aquí hasta la noche.

—Tengo que ocuparme de un asunto de negocios —contestó él apresuradamente.

Ella le cortó el paso.

—No creas que puedes largarte así. Tenemos un acuerdo.

—Dile a tu hermano que te ayude.

Magda sacó pecho.

—Mi hermano es imbécil.

—Entonces este trabajo le viene que ni pintado.

La cara de Magda empezó a ponerse colorada. Yevgeny la apartó de un empujón y se alejó rápidamente, sin mirar atrás, haciendo caso omiso de sus gritos de indignación y de las miradas de los vendedores cercanos.

Esa mañana, cuando iba camino del mercado, le habían dado por teléfono la inquietante noticia de que Bogdan Iliyanovich había muerto de un disparo cuando conducía al moldavo Ilias Voda a la trampa que le había tendido Fadi, el terrorista. A él le habían pagado una buena suma por hacer de cebo, por atraer al objetivo (en este caso, a Voda) al lugar de encuentro. Hasta que recibió una llamada de un amigo suyo de la policía, ignoraba qué quería Fadi de Ilias Voda y que aquel asunto conllevaría múltiples asesinatos. Ahora Bogdan Iliyanovich estaba muerto, y tres hombres de Fadi y, para colmo, un policía habían corrido la misma suerte.

Yevgeny sabía que, si cogían a alguien, su nombre sería el primero en salir. Era la última persona de Odesa capaz de soportar una investigación policial en toda regla. Su medio de vida (su vida misma) dependía de que mantuviera el anonimato, de que siguiera moviéndose en la sombra. En cuanto la luz del foco cayera sobre él, sería hombre muerto.

Por eso tenía que huir, por eso se veía forzado a dejar atrás su pasado con la mayor urgencia y a establecerse en otro lugar; con suerte, fuera de Ucrania. Estaba pensando en Estambul, claro. El hombre que le había contratado para aquel maldito trabajo estaba en Estambul. Y dado que Yevgeny era el único que había salido con vida, tal vez le diera trabajo. Acudir a alguno de sus proveedores de drogas estaba descartado. Toda la red estaba en peligro. Lo mejor era cortar por completo sus lazos con ellos y empezar de nuevo. Además, Estambul era un territorio mucho más hospitalario para su negocio que cualquier otro que se le ocurriera, especialmente entre los que le quedaban más a mano.

Se abrió paso a toda prisa entre el gentío que empezaba a sa-

turar los accesos al mercado. Le impulsaba un incómodo cosquilleo en la nuca, como si algún sicario le tuviera ya en su punto de
mira.

Estaba pasando junto a un montón de cajas en las que pollos
sin pico giraban como si ya estuvieran decapitados cuando vio que
un par de policías avanzaban a duras penas entre el trasiego de los
peatones. No le hizo falta preguntar qué hacían allí.

Justo cuando iba a escabullirse, una mujer salió de entre dos
pilas de cajas. Con los nervios de punta, Yevgeny retrocedió sin
querer y cerró los dedos en torno al mango de su pistola.

—La policía está aquí, te han tendido una trampa —dijo la
mujer.

Tenía un ligero aire árabe, pero eso podía significar cualquier
cosa. La mitad de la gente que conocía era medio árabe.

Ella le hizo una seña cargada de urgencia.

—Ven conmigo. Puedo sacarte de aquí.

—No me hagas reír. ¿Cómo sé que no trabajas para el SBU?

Comenzó a apartarse de ella y de los dos policías. Soraya sacudió la cabeza.

—Por ese lado te están esperando.

Él siguió adelante.

—No te creo.

Soraya le acompañó, abriéndose paso a empujones entre la
apretada corriente humana, hasta que quedó un poco por delante
de él. De pronto se detuvo y le hizo una seña con la cabeza. Yevgeny sintió que se le formaba una bola de hielo en el bajo vientre.

—Te dije que es una trampa, Yevgeny Feyodovich.

—¿Cómo sabes mi nombre? ¿Cómo sabes que la policía va
detrás de mí?

—Por favor, no hay tiempo. —Le tiró de la manga—. ¡Rápido,
por aquí! Es tu única esperanza de escapar.

Yevgeny hizo un gesto de asentimiento. ¿Qué otra cosa podía
hacer? Ella le llevó de nuevo al laberinto de las cajas de pollos, y
se metió entre ellas. Tenían que caminar de lado para meterse por
sus estrechas callejuelas. Pero los montones de cajas, que se alza-

ban muy por encima de sus cabezas, impedían que los policías que pululaban por el mercado les vieran.

Por fin salieron a la calle y echaron a andar a contracorriente, apretando el paso. Yevgeny vio que se dirigían hacia un Skoda viejo y destartalado.

—Sube detrás, por favor —dijo ella enérgicamente al deslizarse tras el volante.

Presa de una especie de pánico ciego, Yevgeny Feyodovich obedeció: abrió con esfuerzo la puerta y montó en el coche. Cerró de golpe y ella se apartó del bordillo. Fue entonces cuando el hombre reparó en que había otra persona sentada junto a él, sin moverse.

—¡Ilias Voda! —Su voz sonó lúgubre.

—Esta vez te has metido en un buen lío. —Jason Bourne le quitó la pistola y el cuchillo.

—¿Qué? —Yevgeny Feyodovich se quedó perplejo al verse desarmado, pero más aún al ver lo pálido y demacrado que estaba Voda.

Bourne se volvió hacia él.

—En Odesa la has cagado a lo grande, *tovarich*.

Deron decía a menudo que Tyrone podía ser como un perro con un hueso. Cuando una idea se le metía entre ceja y ceja, no podía (o no quería) quitársela de la cabeza hasta que daba con la solución. Eso le había pasado con las dos personas a las que había visto descuartizar el cuerpo del policía y prender fuego al taller de chapa y pintura. Siguió el inevitable revuelo posterior como un fan rabioso de *American Idol*. Llegaron los bomberos y luego la policía. Pero dentro del edificio de bloques de cemento no quedaba nada, excepto polvo y cenizas. Además, aquello era el distrito noreste; o sea, que a nadie le importaba un carajo. La pasma se dio por satisfecha en menos de una hora y, exhalando un suspiro de alivio colectivo, se marchó pitando a buscar refugio en las zonas blancas de la ciudad.

Pero Tyrone sabía lo que había pasado. Nadie se lo había preguntado, claro. Ni él les habría dicho nada, si se hubieran molestado en interrogarle. De hecho, ni siquiera llamó a Florida para contárselo a su amigo Deron.

En el mundo donde él vivía, si estabas jugando al baloncesto y uno del equipo contrario se cagaba en ti, en tu hermana, en tu novia o en lo que fuera, primero le dabas una paliza y luego le quitabas la navaja. Así, a los diez u once años se ganaba uno un respeto que aumentaba exponencialmente el día que algún colega te pasaba una pipa con el número de serie borrado y la culata sujeta con cinta aislante.

Luego había que usarla, claro, porque uno no quería ser un *pringao*, un quiero y no puedo con el que nadie quería juntarse o, peor aún, un retrasado. En realidad, no era tan difícil, porque como uno jugaba al *Postal 2* o al *Soldier of Fortune* ya tenía cierta experiencia en eso de volarle la tapa de los sesos a la gente. Sólo había que tener cuidado después para que tu carrera no se acabara con el primer muerto.

Y, sin embargo, Tyrone tenía la insidiosa sensación de que las cosas no tenían por qué ser así. Estaba Deron, claro, que había nacido y se había criado en el barrio. Pero él tenía una madre normal y un padre que le quería. En cierto modo, Tyrone no entendía, y menos aún podía racionalizar, la sospecha de que aquellas cosas influían en algo. Luego Deron se marchó a estudiar al mundo de los blancos y todo el mundo, incluido el propio Tyrone, echó pestes de él. Pero cuando volvió se lo perdonaron todo porque vieron que no les había abandonado, como temían. Por eso le querían más aún y eran una piña cuando había que protegerle.

Ahora, sentado debajo del árbol, frente al armazón abrasado de M&N Chapa y Pintura, Tyrone encaraba la destrucción de su sueño de convertir el taller en la guarida de su banda y la idea pavorosa de que aquel sueño le traía en realidad sin cuidado. Miraba fijamente la pared de cemento renegrida y vacía, y pensaba que no era muy distinta de su vida.

Sacó su móvil. No tenía el número de la espía. ¿Cómo podía contactar con ella, decirle que tenía...? ¿Cómo lo llamaba Deron? Información privilegiada para ella. Sí, él y sólo él. Si se veían, si volvía a pasear con él. Se obligó a creer que eso era lo único que quería de ella. Aún no se sentía capaz de afrontar la verdad.

Llamó a información. El único número de la CIA que figuraba en la guía era el de la oficina de relaciones públicas. Tyrone era consciente de que aquello sonaba a broma, pero marcó de todos modos. De nuevo, la vida no le había dejado elección.

—¿Sí? ¿En qué puedo ayudarle? —preguntó un joven blanco en tono puntilloso y crispado.

—Quería que me pasara con una agente con la que hablé hace un par de días —dijo Tyrone, avergonzándose por primera vez de su acento arrabalero.

—¿Cómo se llama la agente?

—Soraya Moore.

—Un momento, por favor.

Tyrone oyó algunos chasquidos y de pronto se puso paranoico. Se levantó y echó a andar calle abajo.

—¿Señor? ¿Podría darme su nombre y su número, por favor?

La paranoia se apoderó de él por completo. Apretó el paso como si de ese modo pudiera escapar de aquella pregunta.

—Sólo quiero hablar con...

—Si me da su nombre y su número, me encargaré de que la agente Moore reciba el mensaje.

Tyrone se sintió de pronto encerrado en un mundo del que no sabía nada.

—Dígale solamente que sé quién la mandó seguir.

—Disculpe, señor, ¿cómo ha dicho?

Tyrone tuvo la impresión de que su ignorancia estaba siendo utilizada como un arma contra la que se veía impotente. Su mundo se hallaba deliberadamente oculto dentro de otro más vasto. Antes se sentía orgulloso de ello. Ahora, de repente, se daba cuenta de que era un defecto.

Repitió lo que había dicho y colgó. Asqueado, arrojó el teléfono a una alcantarilla y tomó nota de que debía decirle a DJ Tank que le comprara otro. El suyo le quemaba las manos.

—Entonces, ¿quién eres de verdad? —preguntó Yevgeny Feyodovich con infinita desconfianza.

—¿Acaso importa? —replicó Bourne.

—Supongo que no. —Yevgeny miraba por la ventanilla mientras circulaban por la ciudad. Cada vez que veía un coche patrulla o un policía a pie se le tensaban los músculos—. Ni siquiera eres moldavo, ¿no?

—Tu amigo, Bogdan Iliyanovich, intentó matarme. —Bourne observó atentamente la cara de su interlocutor y añadió—: No pareces sorprendido.

—Hoy nada me sorprende —respondió Yevgeny Feyodovich.

—¿Quién te contrató? —preguntó Bourne con firmeza.

Yevgeny giró bruscamente la cabeza.

—No esperarás que te lo diga.

—¿Fue Fadi, un saudí?

—No conozco a ningún Fadi.

—Pero conocías a Edor Vladovich Lemontov, un narcotraficante ficticio.

—En realidad, nunca dije que le conocía. —Yevgeny Feyodovich miró a su alrededor. A juzgar por la posición del sol, se dirigían hacia el suroeste—. ¿Adónde vamos?

—A un matadero.

Yevgeny aparentó tranquilidad.

—Rezaré mis plegarias, entonces.

—Como gustes.

Soraya conducía deprisa, pero sin saltarse el límite de velocidad. No les convenía llamar la atención de un coche patrulla. Por fin dejaron atrás los suburbios de Odesa y comenzaron a ver filas y filas de enormes fábricas, almacenes de mercancías y depósitos ferroviarios.

Un poco más allá había un tramo de unos tres o cuatro kilómetros en el que había surgido un pueblecito cuyas casas y almacenes parecían minúsculos y discordantes en medio de las monstruosas edificaciones que la flanqueaban. Cuando casi habían
llegado a su extremo, Soraya tomó una calle lateral de la que
poco después se apoderaba la vegetación, tanto natural como
artificial.

Oleksandr les estaba esperando en el jardín delantero de su
dueño y entrenador, un amigo de Soraya que en aquel momento
no parecía estar en casa. El bóxer levantó la cabeza cuando el
destartalado Skoda enfiló la entrada. La dacha que se alzaba tras
él, situada en una pequeña cañada, era de tamaño mediano y estaba aislada de las casas vecinas por una densa arboleda de cipreses
y abetos.

Cuando Soraya detuvo el coche, *Oleksandr* se levantó y se
acercó al trote. Al verla salir del coche, la saludó con un ladrido.

—Dios mío, qué pedazo de bestia —masculló Yevgeny Feyodovich.

Bourne le sonrió.

—Bienvenido al matadero. —Agarró al ucraniano del cuello
de la chaqueta y le sacó a rastras del asiento trasero.

Al ver una cara desconocida, *Oleksandr* levantó las orejas, se
sentó y comenzó a gruñir. Enseñó los dientes.

—Permíteme presentarte a tu verdugo. —Bourne empujó a
Yevgeny Feyodovich hacia el perro.

El ucraniano pareció anonadado.

—¿El perro?

—*Oleksandr* le arrancó la cara a Fadi —comentó Bourne—.
Y no ha comido desde entonces.

Yevgeny Feyodovich se estremeció. Cerró los ojos.

—Ojalá estuviera en otra parte.

—Eso querríamos todos —dijo Bourne sinceramente—. Dime
quién te contrató.

Yevgeny Feyodovich se enjugó la cara sudorosa.

—Me matará, seguro.

Bourne señaló al bóxer con la mano.

—Así vas preparándote.

Justo en ese momento, como habían acordado, Soraya hizo una seña a *Oleksandr*. El perro se abalanzó hacia Yevgeny, que se apartó con un grito agudo, casi risible.

En el último momento, Bourne agarró al perro por el collar y le contuvo. La maniobra le costó más de lo que esperaba. Una oleada de dolor recorrió su cuerpo partiendo de la herida del costado. Se dio cuenta, sin embargo, de que Soraya le observaba y leía en su cara como en un libro abierto.

—Yevgeny Feyodovich —dijo, irguiéndose—, como ves *Oleksandr* es grande y fuerte. Se me está cansando la mano. Dispones de cinco segundos antes de que le suelte.

El ucraniano, cuya mente era acicateada por la adrenalina liberada por el terror, tardó sólo tres en decidirse.

—Está bien, aparta de mí a ese perro.

Bourne echó a andar hacia él, tirando de *Oleksandr*. Vio que Yevgeny abría tanto los párpados que se le veía por completo el blanco de los ojos.

—¿Quién te contrató?

—Un hombre llamado Nesim Hatun. —El ucraniano no quitaba ojo al bóxer—. Trabaja en Estambul, en el distrito de Sultanahmet.

—¿Dónde exactamente? —preguntó Bourne.

Yevgeny se encogió y se apartó de *Oleksandr*, al que Bourne había dejado que se levantara sobre las patas traseras. Era tan alto como el ucraniano.

—No lo sé. Te lo juro. Te he dicho todo lo que sé.

En cuanto Bourne soltó su collar, *Oleksandr* salió disparado como una flecha. Yevgeny Feyodovich gritó. En la bragueta de sus pantalones apareció una mancha cuando cayó al suelo.

Un momento después, *Oleksandr* estaba sentado sobre su pecho, lamiéndole la cara.

—En lo que a puertos de mercancías se refiere, hay básicamente dos posibilidades —dijo la doctora Pavlyna—: Odesa e Ilyichevsk, a unos siete kilómetros al suroeste.

—¿Usted qué opina? —preguntó Matthew Lerner. Iban en el coche de la doctora, camino del extremo norte de Odesa, donde se hallaban las dársenas.

—El de Odesa está más cerca, claro —reconoció ella—. Pero no hay duda de que la policía lo estará vigilando. Ilyichevsk, por otro lado, tiene su atractivo sencillamente porque está más alejado del dispositivo de búsqueda. Seguro que hay menos presencia policial, si es que hay alguna. Además, es un puerto más grande y con más trasiego, y los transbordadores salen con más frecuencia.

—A Ilyichevsk, entonces.

Ella cambió de carril, preparándose para tomar un desvío hacia el sur.

—El único problema que tendrán serán los controles de carreteras.

Soraya abandonó la carretera principal y comenzó a circular por calles apartadas, e incluso por callejones por los que apenas cabía el Skoda.

—Aun así —dijo Bourne—, no descarto que nos encontremos con un control de aquí a Ilyichevsk.

Habían dejado a Yevgeny Feyodovich en el jardín delantero de la casa, custodiado por *Oleksandr*. Tres horas después, cuando ya no les importara que estuviera libre, el amigo de Soraya le dejaría marchar.

—¿Cómo te encuentras? —Soraya circulaba por calles estrechas flanqueadas de almacenes. Aquí y allá, a lo lejos, veían la entrada y las grúas flotantes del puerto de Ilyichevsk, que se elevaban como cuellos de dinosaurio. Aquella ruta era más larga, pero también más segura que la carretera principal.

—Estoy bien —contestó Bourne, pero ella sabía que era mentira. Seguía teniendo la cara muy pálida y desencajada por el dolor y respiraba entrecortadamente, sin inhalar apenas.

—Me alegra saberlo —dijo ella en tono cargado de ironía—. Porque, nos guste o no, dentro de unos tres minutos vamos a encontrarnos con un control.

Bourne miró hacia delante. Había varios coches y camiones parados en fila, a la espera de pasar por el hueco que habían dejado dos vehículos policiales blindados aparcados en perpendicular en medio de la calzada, de modo que sus formidables costados, parecidos a los de un tanque, miraran hacia el flujo del tráfico. Dos policías con uniforme antidisturbios interrogaban a los ocupantes de los coches, se asomaban a los maleteros o echaban un vistazo a la trasera y a los bajos de los camiones. Procedían despacio, con el rostro en tensión, minuciosa y sistemáticamente. No dejaban nada al azar, saltaba a la vista.

Soraya sacudió la cabeza.

—No hay modo de salir de aquí, no puedo tomar ninguna ruta alternativa. Tenemos el mar a la derecha y la carretera a la izquierda. —Miró por el retrovisor de su lado y, entre el atasco que iba formándose tras ellos, distinguió otro coche de policía—. Ni siquiera puedo dar la vuelta sin riesgo de que nos detengan.

—Ha llegado el momento de recurrir al plan B —observó Bourne adustamente—. Tú vigila a los polis de detrás, que yo me encargo de los de delante.

Valery Petrovich volvía a su puesto después de vaciar la vejiga en la pared de ladrillo de un edificio. A su compañero y a él les habían encargado asegurarse de que ningún vehículo de los que esperaban para pasar el control intentaba dar media vuelta. Iba pensando con cierta repugnancia en aquella misión de tres al cuarto; le preocupaba que se la hubiera encasquetado su sargento, al que, a decir verdad, había ganado mil doscientos rublos jugando a los dados y a las cartas. Aquel cabrón de su sargento era muy vengativo. Mira lo que le había hecho al pobre Mijail Arkanovich por comerse sin querer sus *pierogi*, y eso que estaban asquerosos, según le había comentado amargamente el susodicho.

Estaba sopesando diversas formas de poner remedio a sus males cuando vio que alguien salía a hurtadillas de un viejo Skoda, a siete coches de la cabecera de la fila. Lleno de curiosidad, Valery Petrovich siguió las fachadas de los almacenes sin quitar ojo a aquella silueta. Acababa de distinguir que era un hombre cuando se escabulló por un callejón lleno de basuras, entre dos edificios. El policía miró a un lado y a otro y notó que nadie había reparado en él.

Pensó un segundo en usar el *walkie-talkie* para alertar a su compañero de que había visto algo sospechoso. Ése fue el tiempo que tardó en darse cuenta de que aquello era justo lo que necesitaba para congraciarse con su sargento. No iba a perder aquella oportunidad dejando que otro atrapara al fugitivo al que les habían mandado a buscar. No pensaba convertirse en otro Mijail Arkanovich, así que, sacando la pistola, se relamió como un lobo a punto de lanzarse sobre una presa desprevenida, y aceleró el paso.

Bourne ya había decidido cuál era la mejor ruta para sortear el control; le había bastado con echar un vistazo detrás de la fila de almacenes. En circunstancias normales, no habría habido problema. Pero las circunstancias distaban de ser normales. Le habían herido otras veces en acto de servicio, desde luego. Muchas, en realidad. Pero rara vez tan gravemente. Había empezado a sentirse febril cuando iban en el coche, hacia la casa del dueño del perro. Ahora sentía escalofríos. Le ardía la frente y tenía la boca seca. Necesitaba descansar y volver a tomar antibióticos (una buena dosis) para desembarazarse de la debilidad que le había provocado la cuchillada.

Descansar estaba descartado, por supuesto. Y, respecto a los antibióticos, no tenía claro dónde podía conseguirlos. De no haber tenido motivos urgentes para marcharse de Odesa podría haber recurrido a la doctora de la CIA. Pero de eso también podía olvidarse.

Estaba en la explanada que había detrás de los almacenes. Una ancha carretera pavimentada daba acceso a la hilera de muelles de carga. Aquí y allá había semirremolques y camiones frigoríficos, con la trasera pegada a los muelles o aparcados al ralentí en un extremo de la carretera, esperando a que regresaran sus conductores.

Al avanzar hacia la zona paralela al control situado al otro lado de los edificios de su izquierda, pasó junto a un par de carretillas elevadoras y esquivó unas cuantas que, cargadas con grandes cajas, circulaban entre los muelles de carga.

Vio la figura de su perseguidor (un policía) recortada contra una de ellas. Sin aflojar el paso, se subió penosamente a una plataforma de carga y, pasando entre dos pilas de cajas, penetró en un almacén. Observó que todos los operarios llevaban tarjetas de identificación del puerto.

Encontró el camino al vestuario. Hacía tiempo que había empezado el turno, y la habitación alicatada estaba desierta. Recorrió las filas de taquillas forzando las taquillas al azar. En la tercera encontró lo que buscaba: un uniforme de mantenimiento. Al ponérselo sintió que su costado irradiaba una serie de punzadas dolorosas. Buscó con cuidado, pero no encontró ninguna tarjeta. Sabía, sin embargo, cómo solucionarlo. Al salir se rozó con un trabajador que entraba y masculló una disculpa. Se puso la tarjeta que le había robado mientras se dirigía a toda prisa a la plataforma de carga.

Echó un vistazo a su entorno inmediato, pero no vio ni rastro de su perseguidor. Avanzó sorteando las cabinas vacías de los camiones cuyas mercancías estaban siendo descargadas en los muelles de cemento, donde cada caja, cada barril o contenedor se cotejaba con su correspondiente manifiesto de carga o carta de fletamento.

—¡Alto! —gritaron tras él—. ¡Deténgase ahora mismo! —Vio al policía sentado al volante de una de las carretillas elevadoras vacías.

El hombre puso el vehículo en marcha y se dirigió hacia él.

Aunque la carretilla no era muy rápida, Bourne estaba en desventaja. El avance de la carretilla le había aprisionado en un espacio relativamente estrecho, flanqueado a un lado por los camiones aparcados y a otro por una franja de edificios de cemento visto que, semejantes a búnkeres, albergaban las oficinas de los almacenes.

Había mucho trasiego y todo el mundo estaba demasiado atareado para fijarse en la carretilla descarriada y en su presa, pero eso podía cambiar en cualquier momento.

Bourne dio media vuelta y echó a correr, pero fue perdiendo terreno con cada paso que dio: no sólo la carretilla avanzaba a toda velocidad, sino que el dolor le paralizaba. Esquivó a la máquina una, dos veces, y al raspar un muro de cemento los brazos de la carretilla hicieron saltar una lluvia de chispas.

Estaba cerca del extremo de los muelles de carga más próximo al control de carretera. En el último muelle había un enorme semirremolque. Sólo podía hacer una cosa: correr directamente hacia un lado de la cabina del camión y meterse debajo en el último instante. Lo habría logrado, de no ser porque en el último segundo los músculos sobrecargados de su pierna izquierda cedieron al dolor.

Tropezó y chocó contra la cabina. Un segundo después, las puntas de los brazos de la carretilla se clavaron en la chapa pintada, a ambos lados de él, inmovilizándole. Intentó agacharse, pero no pudo. Los brazos de la máquina le sujetaban firmemente.

Luchó por rehacerse, por desembarazarse de un dolor tan paralizante que le impedía pensar. Entonces el policía cambió de marcha y la carretilla avanzó de nuevo. Sus brazos se hundieron en el costado del semirremolque, apretando a Bourne contra el camión.

Un momento después quedaría aplastado entre la carretilla y el semirremolque.

21

Bourne exhaló y se retorció. Al mismo tiempo apoyó las manos sobre los brazos de la carretilla y levantó primero el torso y luego las piernas por encima de ellos. Apoyó los pies en el antepecho de chapa del frontal de la cabina y se encaramó al parabrisas.

El policía dio marcha atrás con la carretilla para intentar arrojarle de allí, pero los brazos se habían quedado bloqueados.

Viendo una oportunidad, Bourne se giró. El policía sacó su pistola y le apuntó con ella, pero antes de que pudiera apretar el gatillo Bourne le propinó una patada y golpeó su cara con la puntera del zapato, y le dislocó la mandíbula partiéndosela

Se apoderó de la pistola y asestó un puñetazo en el plexo solar al policía, que se dobló sobre sí mismo. A continuación se dio media vuelta y saltó al suelo. Un lanzazo de dolor le subió por el costado izquierdo.

Luego echó a correr, dejó atrás la zona del control, se adentró en una pequeña arboleda y salió al otro lado. Cuando llegó junto a la carretera, varios kilómetros más allá del control policial, estaba exhausto. Pero allí estaba el Skoda destartalado, con la puerta del copiloto abierta. Demacrada y ansiosa, Soraya le observó desde el interior del coche mientras montaba. Él cerró la puerta y el vehículo se sacudió al arrancar.

—¿Estás bien? —preguntó ella, mirando alternativamente a Bourne y a la carretera—. ¿Qué diablos ha pasado?

—Tuve que recurrir al plan ce —dijo él—. Y luego al plan de.

—No había plan ce, ni tampoco de.

Bourne apoyó la cabeza en el asiento.

—A eso me refería.

—Lléveme a las dársenas de los transbordadores —dijo Lerner cuando llegaron a Ilyichevsk, bajo densos nubarrones—. Quiero echar un vistazo al primero que salga. Ahí es adonde se dirigirá Bourne.

—No soy de la misma opinión. —La doctora Pavlyna circulaba por las calles del puerto con la seguridad de quien lo ha hecho muchas otras veces—. El puerto tiene su propia policlínica. Le garantizo que Bourne necesitará pasarse por ella.

A Lerner, que no había aceptado órdenes de una mujer en toda su vida, le desagradaba tener que aceptar la sugerencia de la doctora. Le desagradaba, de hecho, que fuera ella quien condujera. Pero de momento todo estaba saliendo bien. Lo cual no impedía que la competencia de aquella mujer le pusiera de muy mal humor.

Ilyichevsk era enorme: un conglomerado de edificios feos y chatos, inmensos silos y almacenes de mercancías, instalaciones frigoríficas, depósitos de contenedores y monstruosas grúas Takraf sobre barcazas flotantes. Hacia el oeste había fondeados varios pesqueros de arrastre a la espera de descarga o reparación. El puerto, que formaba una especie de arco en torno a una ensenada natural del mar Negro, comprendía siete complejos de carga y descarga de mercancías. Seis de ellos estaban especializados en géneros tales como acero y lingotes de hierro, aceites tropicales, madera, hortalizas y aceites líquidos y fertilizantes; otro era un inmenso recargadero de grano. El séptimo estaba destinado a transbordadores y buques de transbordo rodado, es decir, buques cuyo espacio central albergaba enormes contenedores de ferrocarril y remolques de camiones que se apilaban en sus entrañas. Por encima de la gran bodega central se alzaba la zona que albergaba a los pasajeros, el capitán y gran parte de la tripulación. El principal inconveniente de estas embarcaciones era la inestabilidad intrínseca de su diseño. Si uno o dos centímetros de agua inundaban la cubierta de carga, el transbordador comenzaba a escorarse y se hundía. Aun así, ninguna otra nave cumplía tan eficazmente su propósito, de ahí que los buques de transbordo rodado siguieran usándose en toda Asia y Oriente Próximo.

La policlínica se hallaba más o menos a medio camino entre la terminal tres y la seis. Era un discreto edificio de tres plantas y diseño estrictamente funcional. La doctora Pavlyna llevó el coche hasta uno de sus lados y apagó el motor.

Se volvió hacia Lerner.

—Entraré yo. Así los de seguridad no pondrán pegas.

Cuando se disponía a abrir la puerta, él le agarró el brazo.

—Creo que conviene que vaya con usted.

Ella miró su mano un momento antes de decir:

—Está usted complicando las cosas. Déjeme ocuparme de esto. Yo conozco a la gente de aquí.

Lerner la apretó con más fuerza. Su sonrisa dejó al descubierto una hilera de grandes dientes.

—Si conoce a la gente, los de seguridad no pondrán ningún reparo, ¿no, doctora?

Ella le calibró largamente con la mirada, como si le viera por primera vez.

—¿Hay algún problema?

—En lo que a mí respecta, no.

La doctora Pavlyna desasió su brazo.

—Porque si lo hay, deberíamos aclararlo ahora. Estamos en plena misión y...

—Sé exactamente en qué situación estamos, doctora.

—... y las equivocaciones y los malentendidos pueden producir errores fatales.

Lerner salió del coche y echó a andar hacia la puerta principal de la policlínica. Un momento después, oyó el crujido de las botas de la doctora sobre la gravilla, antes de que saliera al asfalto y le alcanzara.

—Puede que le haya enviado el director, pero aquí la agente al mando soy yo.

—De momento —contestó él tranquilamente.

—¿Eso es una amenaza? —La doctora Pavlyna no vaciló. Los hombres, del talante que fueran, habían intentado intimidarla desde que era una niña. Se había llevado unos cuantos palos antes de aprender a defenderse con sus propias armas—. Está usted bajo mis órdenes. ¿Entendido?

Él se detuvo un momento delante de la puerta.

—Lo que entiendo es que tendré que vérmelas con usted mientras esté aquí.

—¿Ha estado casado alguna vez, Lerner?

—Casado y divorciado, por suerte.

—Por qué será que no me sorprende. —Cuando intentaba pasar a su lado, él volvió a agarrarla—. No le gustan mucho las mujeres, ¿verdad?

—Las que se creen hombres, no.

Tras dejar claro lo que quería decir, apartó la mano de su brazo.

Ella abrió la puerta, pero por un momento siguió cortándole el paso.

—Por el amor de Dios, mantenga la boca cerrada o pondrá en peligro mi seguridad. —Se apartó—. Eso hasta un bruto como usted puede entenderlo.

Con la excusa de ponerle al corriente de la misión, Karim al Yamil consiguió que el Viejo le invitara a desayunar. Tenía noticias que darle, desde luego, pero la misión era en sí misma una filfa, de modo que cualquier cosa que le dijera lo sería también. Por otro lado, era un placer darle filfa al director para desayunar. Karim al Yamil, por otra parte, tenía informes propios que digerir. Los recuerdos implantados por el doctor Veintrop habían conducido a Bourne hasta el punto de una emboscada. Pero éste se las había ingeniado de algún modo para matar a cuatro hombres y escapar de Fadi, no sin que antes éste le apuñalara en el costado. ¿Estaba Bourne vivo o muerto? Si hubiera tenido permitido jugar, Karim al Yamil habría apostado a que seguía con vida.

Al llegar a la planta más alta de la sede central de la CIA, obligó a su mente a adoptar de nuevo el papel de Martin Lindros.

El Viejo seguía comiendo en el sitio de siempre, incluso en plena crisis.

—Estar encadenado a la misma mesa, mirando el mismo monitor día tras día, puede volverlo a uno loco —comentó el director cuando Karim al Yamil se sentó frente a él. La planta estaba dividida en dos: en el ala oeste había un gimnasio de primera clase y una piscina olímpica; el ala este, cerrada completamente sobre sí misma, albergaba dependencias a las que sólo el Viejo tenía libre acceso. Era allí donde se encontraban ahora.

Aquélla era la sala a la que de cuando en cuando se invitaba a los siete jefes de departamento. Tenía el aspecto y el ambiente de un invernadero, con el suelo de gruesas baldosas de terracota y un alto nivel de humedad, óptimo para la conservación de una amplia variedad de orquídeas y plantas tropicales. La cuestión de quién se encargaba de cuidarlas era objeto de un sinfín de conjeturas y rocambolescas leyendas urbanas. Lo cierto era que nadie lo sabía, como nadie sabía quién ocupaba los diez o doce despachos, cerrados a cal y canto, que había en el ala este, en caso de que no estuvieran vacíos.

Era la primera vez, desde luego, que Karim al Yamil visitaba la Ronda del Jerbo, como se llamaba a la sala en el seno de la agencia. ¿Y ello por qué? Porque el director tenía tres jerbos en jaulas contiguas. En cada una de ellas, un jerbo daba vueltas sin cesar, confinado en una rueda. Igual que los agentes de la CIA.

Los pocos jefes de departamento que hablaban de sus desayunos con el Viejo afirmaban que observar las evoluciones de los jerbos le relajaba. Como mirar los peces de una pecera. Entre los agentes, sin embargo, se especulaba con la idea de que el director obtenía un placer perverso al recordarse que la labor de la CIA, como la del Sísifo de la antigua Grecia, no tenía fin ni recompensa.

—Aunque en realidad —estaba diciendo el Viejo— el trabajo mismo puede volverlo a uno loco.

En la mesa, sobre un almidonado mantel blanco, había dos servicios de porcelana, un cestillo con cruasanes y magdalenas y dos jarras, una con café fuerte y recién hecho, y otra con té Earl Grey, el preferido del Viejo.

Karim al Yamil se sirvió café, que tomaba solo. Al director le gustaba el té con leche y azúcar. No había camarero, pero un carrito colocado junto a la mesa mantenía caliente el desayuno.

Karim al Yamil sacó sus papeles y preguntó:

—¿Desea que dé comienzo al informe o esperamos a Lerner?

—Lerner no va a venir —contestó el director enigmáticamente.

Karim al Yamil comenzó:

—Las unidades Escorpión han recorrido ya tres tercios del itinerario hacia su destino en la región de Shabwah, en el sur de Yemen. Un destacamento de *marines* ha sido desplazado a Yibuti. —Miró su reloj—. Hace veinte minutos estaban en Shabwah, esperando a recibir órdenes de los comandantes de Escorpión.

—Excelente. —El director volvió a llenar su taza y removió la leche y el azúcar—. ¿Alguna noticia sobre la localización exacta de las transmisiones?

—He puesto a dos equipos de Tifón a analizar distintos paquetes de datos. Ahora mismo estamos razonablemente seguros de que las instalaciones de Duyya se encuentran dentro de un radio de unos ochenta kilómetros.

El director observaba el ajetreo de los jerbos en sus jaulas.

—¿No es posible afinar más?

—El principal inconveniente son las montañas. Tienden a distorsionar las señales y a reflejarlas. Pero estamos en ello.

El Viejo asintió distraídamente.

—Señor, si me permite preguntárselo, ¿en qué está pensando?

Por un momento pareció que el Viejo no le había oído. Luego volvió la cabeza y sus ojos astutos se clavaron en los de Karim al Yamil.

—No sé, pero tengo la sensación de que algo se me escapa. Algo importante.

Karim al Yamil reguló su respiración y fingió una leve preocupación.

—¿Puedo ayudarle en algo, señor? Tal vez se trate de Lerner...

—¿A qué viene hablar de Lerner ahora? —preguntó el director con cierta brusquedad.

—Nunca hemos hablado del hecho de que ocupara mi puesto en Tifón.

—Tú no estabas, y Tifón no tenía director.

—¿Y puso usted en la brecha a un recién llegado?

El director dejó estrepitosamente su taza sobre la mesa.

—¿Estás cuestionando mis decisiones, Martin?

—Claro que no. —*Cuidado*, pensó Karim al Yamil—. Pero fue muy raro verle en mi silla cuando volví.

El Viejo arrugó el entrecejo.

—Sí, ya lo veo.

—Y ahora, en medio de esta crisis, no aparece por ningún lado.

—Trae el desayuno, ¿quieres, Martin? —dijo el director—. Tengo hambre.

Karim al Yamil abrió el carrito y sacó dos platos con huevos fritos y beicon. Tuvo que esforzarse por controlar las náuseas. Nunca había logrado acostumbrarse a los derivados del cerdo, ni a los huevos fritos con mantequilla. Al poner un plato delante del director dijo:

—Entiendo, claro está, que todavía se desconfíe un poco de mí después de lo que ha pasado.

—No es eso —contestó el Viejo, de nuevo con un asomo de brusquedad.

Karim al Yamil dejó su plato sobre la mesa.

—¿Qué es, entonces? Le agradecería que me lo dijera. Esos misterios en torno a Matthew Lerner hacen que me sienta como si se me intentara mantener al margen.

—Ya que te importa tanto, Martin, voy a hacerte una propuesta.

El Viejo hizo una pausa para masticar un pedazo de beicon con huevo, tragó y se limpió con impostada elegancia los labios grasientos.

Karim al Yamil casi se compadeció del verdadero Martin Lindros, que había tenido que aguantar aquel comportamiento ofensivo. *Y a nosotros nos llaman bárbaros.*

—Sé que ahora mismo tienes mucho trabajo —prosiguió por fin el director—, pero si encontraras el modo de hacer discretamente algunas averiguaciones en mi nombre...

—Dígame qué o a quién.

El director juntó trozos de huevos y colocó encima, limpiamente, un tercio de una loncha de beicon.

—Últimamente vengo recibiendo noticias, a través de ciertos canales secretos, de que tengo un enemigo en Washington.

—Después de tantos años —comentó Karim al Yamil—, tiene que haber una lista de cierta longitud.

—Claro que la hay. Pero éste es especial. Debo advertirte que extremes las precauciones. Es muy poderoso.

—Confío en que no sea el presidente —dijo Karim al Yamil en broma.

—No, pero está muy cerca. —El Viejo estaba absolutamente serio—. El secretario de Defensa, Ervin Reynolds Halliday, al que todos sus lameculos llaman Bud. Dudo mucho que tenga verdaderos amigos o algo que se le parezca.

—¿Quién los tiene en esta ciudad?

El director soltó una risilla, lo cual era raro en él.

—Tienes razón. —Se metió el tenedor en la boca y movió la comida hacia un carrillo para seguir hablando—. Pero tú y yo somos amigos, Martin. O casi, en cualquier caso. Así que esto queda entre nosotros.

—Puede contar conmigo, señor.

—Lo sé, Martin. Lo mejor que he hecho estos últimos diez años ha sido ascenderte a lo más alto de la CIA.

—Le agradezco que confíe en mí, señor.

El director no dio señales de haber oído su respuesta.

—Después de que Halliday y LaValle, su leal perro de presa, intentaran tenderme una emboscada en la Sala de Guerra, hice algunas averiguaciones. Y descubrí que han estado montando en secreto brigadas de espionaje paralelas. Están invadiendo nuestro terreno.

—Lo que significa que tenemos que pararles los pies.

El Viejo entrecerró los párpados.

—Así es, Martin. Pero por desgracia pretenden atacar en el peor momento posible: cuando Duyya planea un golpe a gran escala.

—Quizá sea premeditado, señor.

El director pensó en la encerrona de la Sala de Guerra. No había duda de que tanto Halliday como LaValle intentaban humillarle delante del presidente. Recordó de nuevo que el presidente se había mantenido al margen, contemplando cómo se desarrollaba aquel duelo ante sus ojos. ¿Estaba ya de parte del secretario de Defensa? ¿Quería que el Pentágono se hiciera cargo de la CIA? El Viejo se estremeció al pensar que los militares tomaran el control de la llamada inteligencia humana. ¿Quién podía imaginar qué libertades se tomarían LaValle y Halliday, investidos con aquel nuevo poder? Había una buena razón para mantener separados la CIA y el Pentágono. Sin esa separación de poderes, se estaría a un paso del estado policial.

—¿Qué está buscando?

—Trapos sucios. —El director tragó saliva—. Cuantos más, mejor.

Karim al Yamil asintió.

—Necesitaré a alguien...

—A quien quieras. Di un nombre.

—Anne Held.

El director se sorprendió.

—¿Mi Anne Held? —Sacudió la cabeza—. Elige a otra persona.

—Ha dicho que quería discreción. No puedo servirme de un agente. O Anne, o nada.

El director le miró fijamente para ver si husmeaba un farol. Pero por lo visto no pudo.

—Trato hecho —dijo.

—Ahora explíqueme lo de Matthew Lerner.

El Viejo le miró a los ojos.

—Se trata de Bourne.

Tras un largo momento de tenso silencio, durante el cual sólo se oyó el chirrido de las ruedas impulsadas por los doce minúsculos pies de los jerbos, Karim al Yamil preguntó con calma:

—¿Qué tiene que ver Matthew Lerner con Jason Bourne?

El director dejó el tenedor y el cuchillo.

—Sé lo que ha significado Bourne para ti, Martin. Tienes una relación muy estrecha con él, aunque para mí sea algo inexplicable. Pero lo cierto es que es el peor de los venenos para la CIA. Por consiguiente, he mandado a Matthew Lerner a que lo elimine.

Por un momento, Karim al Yamil no pudo creer lo que estaba oyendo. ¿El director había mandado a un asesino a matar a Bourne? ¿Se proponía despojarles a su hermano y a él de la satisfacción de una venganza que llevaban tanto tiempo esperando y que habían planeado con extrema meticulosidad? No. No podía permitirlo.

La rabia asesina (como llamaba su padre al viento del desierto) se apoderó de su corazón, lo calentó y lo batió hasta forjar con él una espada. Aquel torbellino íntimo sólo se dejó entrever en la breve dilatación de sus orificios nasales, pero su interlocutor había vuelto a empuñar los cubiertos y no reparó en ello.

Karim al Yamil cortó sus huevos y vio esparcirse las yemas. Había un punto de sangre sobre la satinada superficie de una de ellas.

—Ésa es una decisión muy drástica —dijo cuando logró dominar por completo sus emociones—. Le dije que me desharía de él.

—Lo estuve pensando y decidí que no era la solución más adecuada.

—Debió acudir a mí.

—Sólo habrías intentado disuadirme —contestó el director enérgicamente. Saltaba a la vista que le satisfacía lo bien que había manejado una situación delicada—. Ahora ya es demasiado tarde. No puedes impedirlo, Martin, así que ni siquiera lo intentes. —Se limpió la boca—. El bien común impera sobre los deseos del individuo. Lo sabes tan bien como yo.

Karim al Yamil pensó en el extremo peligro que entrañaba lo que había desencadenado el director. Además de un peligro para su venganza, la presencia de Lerner era una carta de la baraja con la que ni Fadi ni él habían contado. El cambio de escenario amenazaba la ejecución de su plan. Fadi le había dicho (a través de mensajes codificados que aprovechaban las comunicaciones de la CIA con el extranjero) que había logrado apuñalar a Bourne. Si no le quitaban de en medio, Lerner podía enterarse y, como era lógico, intentaría descubrir la identidad del responsable. O, si descubría que Bourne ya había muerto, querría saber quién le había asesinado. En cualquier caso, aquello podía traer peligrosas complicaciones.

Apartándose de la mesa, Karim al Yamil dijo:

—¿Ha considerado la posibilidad de que Bourne mate a Lerner?

—Si traje a Lerner a bordo, fue por su reputación. —El Viejo cogió su taza, vio que el té se había enfriado y volvió a dejarla sobre la mesa—. Ya no hay hombres como él. Es un asesino nato.

Igual que Bourne, pensó Karim al Yamil con una amargura que quemaba como ácido.

Soraya vio gotas de sangre fresca en el asiento del coche.

—Parece que se te ha saltado algún punto —dijo—. No te recuperarás si no te atiende enseguida un médico.

—Olvídalo —respondió Bourne—. Tenemos que salir de aquí enseguida. El cordón policial va a estrecharse. —Recorrió el puerto con la mirada—. Además, ¿dónde vamos a conseguir un médico aquí?

—Hay una policlínica en el puerto.

Soraya condujo por las calles de Ilyichevsk y aparcó junto a un edificio de tres plantas, al lado de un Skoda Octavia último modelo. Notó que Bourne hacía una mueca de dolor al salir del coche.

—Será mejor que usemos la entrada lateral.

—Así no nos libraremos de los guardias de seguridad —dijo él. Abrió el forro de su abrigo y sacó un pequeño paquete sellado con plástico. Lo rajó, extrajo de él un nuevo fajo de documentos y los hojeó brevemente, a pesar de que durante el vuelo había memorizado toda la documentación falsificada por Deron—. Me llamo Mykola Petrovich Tuz. Soy teniente general del DZND, el departamento del SBU encargado de la lucha antiterrorista y la defensa del Estado. —Se acercó a ella y la agarró del brazo—. Esto es lo que vamos a hacer: tú eres mi prisionera, una terrorista chechena.

—En ese caso, más vale que me cubra la cabeza con un pañuelo —dijo Soraya.

—Nadie va a mirarte, y menos aún a hacerte preguntas —respondió Bourne—. Estarán muertos de miedo.

Abrió la puerta y la empujó sin contemplaciones delante de él. Casi inmediatamente, el conserje llamó a un guardia de seguridad.

Bourne sacó su acreditación del DZND.

—Teniente general Tuz —dijo con aspereza—. Me han apuñalado y necesito un médico. —Vio que el guardia miraba a Soraya—. Está detenida. Una terrorista suicida chechena.

El guardia de seguridad se puso lívido.

—Acompáñeme, teniente general.

Habló por el *walkie-talkie* y los condujo por varios pasillos hasta una consulta libre, típica de las urgencias de un hospital.

Señaló la camilla.

—He avisado al gerente de la clínica. Póngase cómodo, teniente general. —Visiblemente impresionado por el rango de Bourne y la presencia de la detenida, sacó su arma y apuntó a Soraya—. No se mueva de ahí mientras atienden al teniente general.

Bourne soltó el brazo de la joven y le hizo una seña casi imperceptible con la cabeza. Ella se acercó a un rincón de la sala y se sentó en una silla de patas metálicas mientras el guardia intentaba vigilarla sin mirarla a la cara.

—Un teniente general del SBU —dijo el gerente de la policlínica desde detrás de su mesa—. No puede ser el hombre al que buscan.

—Eso tendremos que juzgarlo nosotros —dijo Matthew Lerner en ruso pasable.

La doctora Pavlyna le lanzó una mirada torva antes de volverse hacia el gerente.

—Ha dicho que tiene una herida de arma blanca.

El gerente asintió.

—Eso me han dicho.

La doctora Pavlyna se levantó.

—Entonces creo que debería verle.

—Iremos los dos —dijo Lerner. De pie junto a la puerta, irradiaba oleadas de una especie de energía invisible, como un caballo de carreras en la puerta de salida.

—No es conveniente. —La intencionalidad con la que habló la doctora Pavlyna tenía un énfasis especial para Lerner.

—Estoy de acuerdo. —El gerente se levantó y rodeó la mesa—. Si el paciente es de veras quien dice ser, seré yo quien cargue con las culpas por romper el protocolo.

—Aun así voy a acompañar a la doctora —dijo Lerner.

—Me veré obligado a llamar a seguridad —replicó el gerente con firmeza—. El teniente general no sabrá quién es usted, ni qué hace aquí. De hecho, podría ordenar que le detuvieran o hasta que le peguen un tiro. Y no pienso permitir que eso pase en mi clínica.

—Quédese aquí —dijo la doctora Pavlyna—. Le avisaré en cuanto compruebe quién es.

Lerner no dijo nada cuando la doctora Pavlyna y el gerente salieron del despacho, pero no tenía intención de quedarse de brazos cruzados mientras la doctora se hacía cargo de la situación. Ella ignoraba qué hacía él en Odesa y por qué buscaba a Jason Bourne. No dudó ni por un instante de que el paciente era Bourne. ¿Un teniente general de la policía secreta ucraniana allí, y con una herida de arma blanca en el costado? Imposible.

No iba a consentir que la doctora Pavlyna lo echara todo a perder. Lo primero que le diría Pavlyna a Bourne era que habían mandado a alguien a buscarle desde Washington. Y eso pondría de inmediato a Bourne en estado de alerta. Se largaría antes de que Lerner pudiera atraparle. Y esta vez sería mucho más difícil dar con él.

El problema inmediato era que no sabía dónde estaba el paciente. Salió a la puerta, abordó a la primera persona que vio y le preguntó dónde estaban atendiendo al teniente general. La joven le indicó el camino. Él le dio las gracias y echó a andar por el pasillo. Iba tan concentrado que no vio que la muchacha descolgaba un teléfono interno colgado de la pared y pedía que le pasaran con el gerente.

—Buenas tardes, teniente general. Soy la doctora Pavlyna —dijo ella en cuanto entró en la sala de reconocimiento. Dirigiéndose al gerente, añadió—: Éste no es nuestro hombre.

Sentado en la camilla, Bourne no advirtió nada en su mirada que indicara que estaba mintiendo, pero al ver que miraba a Soraya dijo:

—No se acerque a mi detenida, doctora. Es peligrosa.

—Por favor, túmbese, teniente general. —Cuando Bourne obedeció, la doctora se puso unos guantes de cirujano, le abrió la camisa ensangrentada y comenzó a retirar el vendaje cubierto de sangre—. ¿Esto se lo hizo ella?

—Sí —contestó Bourne.

La doctora Pavlyna palpó la herida para determinar hasta qué punto le dolía.

—Quien le cosió hizo un trabajo de primera. —Miró a Bourne a los ojos—. Por desgracia, se ha movido usted demasiado. Voy a tener que volver a coser la zona de la herida que se ha abierto.

El gerente le mostró dónde estaba el instrumental y abrió el armario cerrado con llave en el que se guardaban los fármacos. La doctora eligió una caja del segundo estante, cortó catorce píldoras y las envolvió en un trozo de papel resistente.

—También quiero que se tome esto. Una dos veces al día,

durante una semana. Es un potente antibiótico de amplio espectro que le protegerá de infecciones. Por favor, tómeselas todas.

Él aceptó el paquete y se lo guardó.

La doctora Pavlyna puso sobre la mesa un bote de antiséptico, gasas, una aguja e instrumental de sutura. Luego cargó una jeringuilla.

—¿Qué es eso? —preguntó Bourne, receloso.

—Un anestésico. —Introdujo la aguja en su costado y presionó el émbolo. Volvió a fijar la mirada en los ojos de Bourne—. No se preocupe, teniente general, no es más que anestesia local. Le quitará el dolor sin entorpecerle física o mentalmente.

Mientras comenzaba la cura, el teléfono de la pared zumbó discretamente. El gerente lo descolgó y escuchó un momento.

—Está bien, entendido. Gracias, enfermera. —Volvió a colgar el aparato.

—Doctora Pavlyna —dijo—, parece que su amigo no ha podido refrenar su impaciencia. Viene para acá. —Se acercó a la puerta—. Yo me ocupo de él.

El gerente salió.

—¿Qué amigo? —preguntó Bourne.

—No hay por qué preocuparse, teniente general —respondió la doctora Pavlyna. Le lanzó otra mirada cargada de sentido—. Un amigo suyo, de la sede central.

De camino a la consulta donde estaban atendiendo al herido, Lerner pasó por tres salas de reconocimiento. Se tomó la molestia de asomarse a las tres. Tras comprobar que eran idénticas, memorizó su disposición: dónde estaban la camilla, las sillas, los armarios, el lavabo... Conociendo la reputación de Bourne, dudaba de que tuviera más de una ocasión de volarle los sesos.

Sacó su Glock y fijó el silenciador al extremo del cañón. Habría preferido no tener que usarlo, porque reducía la precisión y el alcance de la pistola. Pero en aquel entorno no tenía elección. Si quería cumplir su misión y salir vivo del edificio, tenía que matar a

Bourne con el mayor sigilo posible. Desde el momento en que el director le había encargado aquella tarea, había sabido que no tendría oportunidad de torturarle para sacarle información. Ni en aquel entorno hostil, ni seguramente en ninguna otra parte. Además, el mejor modo de ocuparse de Bourne era matarle con la mayor rapidez y eficacia posible, sin darle ocasión de contraatacar.

En ese momento, el gerente dobló la esquina y le miró con reproche.

—Disculpe, pero le pedí que se quedara en mi despacho hasta nuevo aviso —dijo al hallarse cara a cara con Lerner—. Debo pedirle que regrese a...

Lerner le asestó un fuerte golpe en la sien izquierda con el extremo del silenciador. El gerente se desplomó, inconsciente. Lerner le agarró por la parte de atrás del cuello de la camisa, le llevó a rastras hasta una de las consultas vacías y le dejó detrás de la puerta.

Sin pensárselo dos veces volvió al pasillo y recorrió sin tropiezos el resto del camino. Al llegar junto a la puerta cerrada, dejó que la diáfana quietud que acompañaba al acto de matar se apoderara de su mente. Agarró el pomo de la puerta con la mano libre, lo giró hasta donde pudo y lo sujetó con firmeza. El ansia asesina lo envolvía, había penetrado en él.

Soltó el pomo, abrió la puerta de un puntapié y, cruzando el umbral de una zancada, disparó tres veces contra el ocupante de la camilla.

22

Lerner tardó un momento en comprender lo que veía. Al darse cuenta de que en la camilla sólo había un montón de trapos, comenzó a volverse.

Aquel breve lapso entre acción y reacción bastó a Bourne, que estaba de pie junto a la puerta, para clavar la jeringa cargada de anestésico general en el cuello de Lerner. Éste, sin embargo, distaba mucho de estar acabado. Tenía la constitución de un toro y la determinación de quien se sabía condenado. Rompió la jeringa antes de que Bourne tuviera ocasión de inyectarle la dosis completa y se abalanzó sobre él.

Bourne le asestó dos golpes. Lerner apretó el gatillo, y el disparo abrió un boquete en el pecho del guardia de seguridad.

—¿Qué hace? —gritó la doctora Pavlyna—. Me dijo que...

Lerner clavó un codo en la herida ensangrentada de Bourne y disparó a Pavlyna a la cabeza. La doctora salió despedida hacia atrás y se desplomó, muerta, en brazos de Soraya.

Bourne cayó de rodillas. El dolor debilitaba sus músculos, inflamaba sus terminaciones nerviosas. Cuando Lerner le agarró del cuello, Soraya le arrojó a la cara la silla en la que había estado sentada. Lerner soltó a Bourne y se tambaleó, pero no dejó de disparar a ciegas. Soraya vio la pistola del guardia al otro lado de la sala y pensó un momento en correr a por ella, pero Lerner, que se recuperaba a velocidad de vértigo, se lo impedía.

En lugar de intentar coger la pistola, se acercó a Bourne, le ayudó a levantarse y salieron los dos de allí. Oyó el ruido sordo de las balas silenciadas al incrustarse en la pared, junto a su codo; luego doblaron una esquina, corrieron por el pasillo y regresaron a la puerta lateral.

Al salir a la calle, Soraya metió a Bourne como pudo en el asiento del copiloto, se sentó tras el volante del viejo Skoda, encendió el motor, puso marcha atrás y, con un chirrido de ruedas, salió de allí levantando una lluvia de grava.

Medio apoyado contra la camilla, Lerner se levantó a duras penas. Sacudió la cabeza para intentar despejarse, pero no sirvió de nada. Alzó la mano y se sacó del cuello la aguja de la jeringuilla rota. ¿Qué coño le había inyectado Bourne?

Se quedó allí un momento, tambaleándose como un marinero de agua dulce en medio de un temporal. Se agarró a la encimera para no caerse. Aturdido, se acercó al lavabo y se mojó la cara con agua fría, pero sólo consiguió que la vista se le nublara aún más. Le costaba respirar.

Al deslizar la mano por la encimera, descubrió un frasquito de cristal con tapón de goma, de los que dejaban pasar una aguja. Lo cogió y se lo puso delante de la cara. Sus ojos tardaron un momento en enfocar las letras. Midazolam. Eso era. Un anestésico de corta duración utilizado como sedante. Lerner sabía qué necesitaba para contrarrestar sus efectos. Revolvió los armarios hasta encontrar un vial de epinefrina, el principio activo de la adrenalina. Localizó las jeringas, cargó una, dejó que saliera un poco de líquido por la punta de la aguja para eliminar las burbujas de aire que se hubieran formado y se puso la inyección.

El efecto del Midazolam quedó neutralizado. La algodonosa neblina que envolvía su cerebro se levantó de pronto, despejada por un fogonazo. De nuevo podía respirar. Se arrodilló junto al cadáver de la difunta doctora Pavlyna, cuya muerte no lloraría, y le quitó las llaves.

Unos minutos después encontró la puerta lateral y salió de la policlínica. Al acercarse al coche de la doctora vio en la grava del suelo marcas recientes, dejadas por un vehículo que había estado aparcado allí al lado. El conductor llevaba prisa. Lerner subió al

Skoda Octavia. Las huellas de neumáticos conducían hacia la terminal de los transbordadores.

Lerner, a quien la doctora Pavlyna había informado con detalle del funcionamiento del puerto de Ilyichevsk, sabía adónde se dirigía Bourne. Vio a lo lejos un enorme transbordador que estaba cargando mercancías. Aguzó la vista. ¿Cómo se llamaba? *Itkursk*.

Sonrió con ferocidad. Al parecer, iba a tener otra oportunidad de matar a Jason Bourne.

El capitán del *Itkursk*, un buque de transbordo rodado, acomodó encantado al teniente general M. P. Tuz, del DZND, y a su ayudante. Les dio, de hecho, la habitación reservada a personajes importantes: un camarote con ventanas y cuarto de baño propio. Las paredes eran blancas y se curvaban hacia dentro como el casco del barco. El suelo era de tarima muy rayada. Había una cama, una mesa pequeña, dos sillas y dos puertas que daban a un estrecho ropero y al cuarto de baño.

Bourne se quitó la chaqueta y se sentó en la cama.

—¿Estás bien?

—Túmbate. —Soraya dejó su abrigo en una silla y cogió una aguja curva y un rollo de hilo de sutura—. Tengo trabajo.

Bourne obedeció, agradecido. Le ardía todo el cuerpo. Demostrando la precisión de un sádico profesional, Lerner le había golpeado en el costado para hacerle el mayor daño posible. Sofocó un gemido cuando Soraya comenzó a coser la herida.

—Lerner te ha hecho polvo —dijo mientras trabajaba—. ¿Qué está haciendo aquí, en Odesa? ¿Y por qué coño ha intentado matarte?

Bourne miraba el techo bajo del camarote. Estaba acostumbrado a las traiciones de la CIA, a sus intentos de eliminarle. En cierto sentido se había vuelto insensible a la calculada inhumanidad de la agencia. En parte, sin embargo, le costaba asumir el hondo calado de su hipocresía. El director estaba dispuesto a ser-

virse de él cuando se quedaba sin recursos, pero no por ello dejaba de detestarle.

—Lerner es el perro de presa del Viejo —dijo—. Supongo
que ha sido él quien le ha mandado a matarme.

Soraya le miró.

—¿Cómo puedes decirlo tan tranquilo?

Bourne hizo una mueca cuando sintió el pinchazo de la aguja
y el hilo de sutura traspasó su carne.

—Hace falta calma para valorar la situación.

—Pero que tu propia agencia te...

—Soraya, tienes que entender que la CIA nunca ha sido mi
agencia. Entré en ella a través de un grupo de operaciones encubiertas. Trabajaba con mi jefe, no con el Viejo, ni con ninguna
otra persona de la CIA. Y lo mismo puede decirse de Martin.
Desde el punto de vista del estricto reglamento de la CIA, soy un
disidente, un cabo suelto.

Soraya le dejó un momento solo para ir al cuarto de baño. Volvió enseguida con una toalla mojada con agua caliente. La puso
sobre la herida recién cosida y la sostuvo allí un rato, esperando a
que dejara de sangrar.

—Jason —dijo—, mírame. ¿Por qué no me miras?

Bourne fijó la mirada en sus bellos ojos rasgados.

—Porque cuando te miro —dijo—, no te veo a ti. Veo a Marie.

Desanimada de pronto, Soraya se sentó al borde de la cama.

—¿Tanto nos parecemos?

Él volvió a mirar el techo del camarote.

—Al contrario. No os parecéis en nada.

—Entonces, ¿por qué...?

La bocina del transbordador retumbó en la habitación. Un
momento después notaron una leve sacudida y, a continuación,
un suave balanceo. Estaban saliendo del puerto, la proa del navío
hendió las aguas del mar Negro rumbo a Estambul.

—Creo que me debes una explicación —musitó ella.

—¿Nos...? La otra vez, quiero decir.

—No. Yo jamás te habría pedido eso.

—¿Y yo? ¿Te lo pedí yo?

—Vamos, Jason, tú te conoces. Sabes que no.

—Tampoco habría sacado a Fadi de la celda. Ni me habría dejado tender una trampa en la playa. —Su mirada se deslizó hasta la cara de Soraya, que esperaba pacientemente—. Perder la memoria es horrible. —Estaba pensando en aquel confeti de recuerdos, suyos y de otra persona—. Pero tener recuerdos que te confunden, que te apartan de tu camino...

—Pero ¿cómo? ¿Por qué?

—El doctor Sunderland introdujo ciertas proteínas en mis sinapsis cerebrales. —Bourne logró incorporarse con esfuerzo, desdeñando la ayuda de Soraya con un gesto—. Está metido en esto con Fadi. El tratamiento formaba parte del plan de Fadi.

—Ya hemos hablado de eso, Jason. Es un disparate. Para empezar, ¿cómo podía saber Fadi que necesitabas un especialista en amnesia? Y, además, ¿cómo iba a saber a cuál irías?

—Ambas son buenas preguntas. Por desgracia, todavía no tengo las respuestas. Pero piénsalo: Fadi tenía suficiente información sobre la CIA como para saber quién era Lindros. Sabía lo de Tifón. Sus informes eran tan completos, tan detallados, que le permitieron crear un impostor que engañó a todo el mundo, incluso a mí. Incluso al sofisticado escáner de retina de la CIA.

—¿Crees posible que Lindros forme parte de la conspiración? —preguntó ella—. ¿De la conspiración de Fadi?

—Parece el sueño de un paranoico, pero empiezo a creer que todos estos incidentes, el tratamiento de Sunderland, el secuestro de Martin y su suplantación, la venganza de Fadi contra mí, están relacionados; que forman parte de una conspiración brillantemente planeada y ejecutada para acabar conmigo y con toda la CIA.

—¿Cómo vamos a descubrir si tienes razón o no? ¿Cómo vamos a darle sentido a todo esto?

Bourne se quedó mirándola un momento.

—Tenemos que remontarnos al origen. Volver sobre la primera vez que vine aquí, cuando tú dirigías la delegación de Odesa. Pero para eso necesito que rellenes las lagunas de mi memoria.

Soraya se levantó y, acercándose a la ventana, se quedó mirando el mar cada vez más ancho y la brumosa y curvilínea costa de Odesa, que iban dejando atrás.

A pesar del dolor, Bourne movió las piernas y se levantó con precaución. La anestesia local empezaba a disiparse. El daño del golpe calculado de Lerner le arrolló como un tren en marcha, y un hondo pálpito de dolor recorrió su cuerpo. Se tambaleó, estuvo a punto de caer de espaldas en la cama, pero logró rehacerse. Respiró hondo, lentamente. El dolor fue remitiendo poco a poco, hasta hacerse tolerable. Luego cruzó el camarote para reunirse con Soraya.

—Deberías volver a la cama —le conminó ella con voz distante.

—Soraya, ¿por qué te cuesta tanto contarme qué ocurrió?

Ella se quedó callada un momento. Luego dijo:

—Creía que lo había dejado atrás. Que nunca tendría que volver a pensar en ello.

Él la agarró de los hombros y la hizo volverse.

—Por amor de Dios, ¿qué ocurrió?

Tenía los ojos oscuros y luminosos rebosantes de lágrimas.

—Matamos a alguien, Jason. Tú y yo. A una civil, a una persona inocente. A una chica casi adolescente.

Bourne corre por la calle llevando a alguien en brazos. Tiene las manos cubiertas de sangre. De sangre de ella...

—¿Quién era? —preguntó bruscamente—. ¿A quién matamos?

Un terrible escalofrío hizo temblar a Soraya.

—Se llamaba Sarah.

—¿Sarah qué más?

—Eso es todo lo que sé. —Se le saltaron las lágrimas—. Lo sé porque tú me lo dijiste. Me contaste que, antes de morir, sus últimas palabras fueron: «Me llamo Sarah. Recuérdame».

¿Dónde estoy?, se preguntaba Martin Lindros. Había sentido el calor, el roce arenoso de la piel al bajar del avión, cegado todavía

por la capucha. Pero no pasó mucho tiempo expuesto al calor y al polvo. Un vehículo (un todoterreno, o una camioneta ligera, quizá) le había trasladado por una pendiente curiosamente suave. Después, una atmósfera de frescor artificial le había dado la bienvenida, y había recorrido a pie unos mil metros. Había oído correrse un cerrojo y abrirse una puerta corredera, y luego le habían empujado hacia el interior de una habitación. Cuando oyó que la puerta se cerraba de golpe y que el cerrojo volvía a su sitio, se quedó parado un momento, intentando no hacer otra cosa que respirar hondo y con calma. A continuación levantó los brazos y se quitó la capucha de la cabeza.

Estaba más o menos en el centro de un cuarto de unos cinco metros de lado, construido sólida aunque toscamente en hormigón armado. Contenía una camilla más bien anticuada, un pequeño lavabo de acero inoxidable y una fila de armarios bajos sobre los que se veían pulcramente alineados frascos de antiséptico, cajas de guantes de látex, algodón y diversos líquidos e instrumentos.

La enfermería carecía de ventanas, lo cual no le sorprendió, puesto que daba por sentado que estaban bajo tierra. Pero ¿dónde? No había duda de que se hallaba en un clima semidesértico, pero no en un desierto: en el desierto era imposible construir nada bajo tierra. Así pues, tenía que ser un país cálido y montañoso. Las instalaciones, a juzgar por los ecos que había oído mientras iba hacia allí con sus guardianes, eran bastante grandes. Tenían que estar, por tanto, situadas en un lugar oculto a miradas curiosas. Se le ocurrían media docena de lugares así (Somalia, por ejemplo), pero los descartó casi todos por estar demasiado cerca del Ras Dashén. Recorrió la habitación en sentido contrario a las agujas del reloj para ver mejor por el ojo izquierdo. Si hubiera tenido que lanzar una hipótesis, habría dicho que estaba en la frontera entre Afganistán y Pakistán. Una franja de tierra agreste y anárquica, controlada de arriba abajo por grupos tribales cuyos jefes se contaban entre los terroristas más sanguinarios del mundo.

Le habría gustado preguntárselo a Muta ibn Aziz, pero el hermano de Abbud había desembarcado unas horas antes de que el avión llegara a su destino.

Se volvió al oír correrse el cerrojo y abrirse la puerta, y vio entrar a un hombre delgado, con gafas, mal cutis y un llamativo tupé de cabello rojizo. Lindros se abalanzó hacia él con un gruñido gutural, pero al apartarse limpiamente el hombre aparecieron los dos guardias que le acompañaban. La presencia de los guardias no bastó para desinflar la rabia que había invadido el corazón de Lindros, pero las culatas de sus semiautomáticas lo tumbaron en el suelo.

—No le culpo por querer hacerme daño —dijo el doctor Andursky, irguiéndose a salvo sobre el cuerpo postrado de Lindros—. Yo sentiría lo mismo si estuviera en su pellejo.

—Ojalá lo estuviera.

Al oír su respuesta, el doctor Andursky esbozó una sonrisa que irradiaba hipocresía.

—He venido para ocuparme de su salud.

—¿Era eso lo que hacía cuando me extirpó el ojo derecho? —gritó Lindros.

Uno de los guardias respondió clavando en su pecho el cañón de la semiautomática.

El doctor Andursky no se inmutó.

—Como usted bien sabe, necesitaba su ojo. Necesitaba la retina para implantársela a Karim al Yamil. Sin esa parte de su cuerpo, no habría podido engañar al escáner de la CIA. No habría podido hacerse pasar por usted, a pesar del excelente trabajo que le hice en la cara.

Lindros apartó el cañón del arma al incorporarse.

—Habla como si fuera pura rutina.

—La ciencia es muy rutinaria —comentó el doctor Andursky—. Ahora, ¿por qué no se tumba en la camilla para que vea cómo va curando su ojo?

Lindros se levantó, retrocedió y se tumbó en la camilla. Andursky, flanqueado por sus guardias, utilizó unas tijeras quirúrgicas para cortar los vendajes sucios que cubrían el ojo derecho.

Chasqueó la lengua al ver el agujero todavía fresco que antes ocupaba el ojo de Martin.

—Podrían haberse esforzado más. —Estaba visiblemente molesto—. Un trabajo tan fino...

Se lavó en la pila, se puso unos guantes de látex y comenzó a limpiar el orificio. Lindros sólo sentía aquel dolor sordo al que ya se había acostumbrado. Era como un invitado que se presentaba de pronto una noche y ya no se marchaba. Le gustara o no, el dolor era una presencia constante.

—Imagino que ya se habrá acostumbrado a ver por un solo ojo.

Como tenía por costumbre, el doctor Andursky trabajaba rápidamente y con eficacia. Sabía lo que tenía que hacer y cómo quería hacerlo.

—Tengo una idea —dijo Lindros—. ¿Por qué no le saca el ojo derecho a Fadi y me lo da a mí?

—Le veo muy apegado al Antiguo Testamento. —El doctor volvió a vendar la herida—. Pero está usted solo, Lindros. Aquí no hay nadie que vaya a ayudarle.

Acabó y se quitó los guantes.

—Para usted, este infierno no tiene escapatoria.

Jon Mueller se acercó al secretario de Defensa Halliday cuando éste salía del Pentágono. Halliday no estaba solo, claro. Llevaba dos ayudantes, un escolta y varias rémoras: tenientes generales ansiosos de congraciarse con el gran hombre.

Al verle con el rabillo del ojo, Halliday le hizo una seña que Mueller conocía bien. Se quedó rezagado al pie de las escaleras y en el último momento, cuando el secretario entraba ya en su limusina, se sumó a su séquito. Ninguno de los dos pronunció palabra hasta que los ayudantes bajaron del coche, cerca del despacho del secretario. Luego se cerró la mampara que separaba al chófer y al escolta de los ocupantes de la parte de atrás, y Mueller puso a Halliday al corriente de la situación.

Un nubarrón de tormenta cruzó la amplia frente del secretario.

—Lerner me aseguró que estaba todo bajo control.

—Matt cometió el error de encargar el trabajo a un tercero. Yo mismo me ocuparé de esa tal Held.

El secretario inclinó la cabeza en señal de aprobación.

—Está bien, pero te lo advierto, Jon: no debe quedar ningún rastro que pueda conducir hasta mí, ¿entendido? Si algo se tuerce, no moveré un dedo. De hecho, puede que sea yo quien te procese. A partir de este momento estás solo.

Mueller sonrió como un salvaje.

—Descuide, señor secretario, actúo solo desde que tengo uso de razón. Lo llevo en la sangre.

—Sarah. Sólo Sarah. ¿No hiciste averiguaciones?

—No había nada que averiguar. Ni siquiera recordaba claramente su cara. Era de noche y todo ocurrió tan deprisa... Y luego te dispararon. Íbamos huyendo, nos perseguían. Estuvimos un tiempo escondidos en las catacumbas y luego salimos. Después, sólo tenía un nombre. No había constancia oficial de su muerte; era como si nunca hubiera estado en Odesa. —Soraya bajó la cabeza—. Pero aunque hubiera habido algún modo, la verdad es que... no podía. Quería olvidarla, olvidarme de su muerte.

—Pero yo recuerdo correr por una calle empedrada llevándola en brazos. Había sangre suya por todas partes.

Soraya hizo un gesto aprobatorio. Tenía el rostro cargado de dolor.

—La viste moverse. La cogiste en brazos. Entonces fue cuando te dispararon. Yo abrí fuego y de pronto se desató un tiroteo. Nos separamos. Tú fuiste a buscar al objetivo, a Hamid ibn Ashef. Por lo que me contaste después, cuando nos encontramos en las catacumbas, le encontraste y le disparaste, pero no sabías si le habías matado.

—¿Y Sarah?

—Ya llevaba tiempo muerta. La dejaste por el camino, cuando ibas a matar a Hamid ibn Ashef.

El silencio se adueñó largo rato del camarote. Bourne se volvió, se acercó a la jarra de agua y se sirvió medio vaso. Abrió el paquetito de papel que le había dado la doctora Pavlyna y se tragó una de las píldoras de antibiótico. El agua le supo insípida, ligeramente amarga.

—¿Cómo fue? —Estaba de espaldas a ella. No quería ver su cara mientras se lo contaba.

—Apareció en el lugar donde nos reunimos con mi contacto. Él me dijo dónde estaba Hamid ibn Ashef. A cambio, le dimos el dinero que había pedido. Estábamos finalizando la transacción cuando la vimos. Iba corriendo. No sé por qué. Tenía la boca abierta, como si fuera a gritar. Pero el contacto también gritaba. Pensamos que nos había traicionado, y así fue, al final. Disparamos a la chica. Los dos. Y ella cayó.

Bourne se sentó en la cama, repentinamente cansado.

Soraya dio un paso hacia él.

—¿Te encuentras bien?

Él asintió, respiró hondo.

—Fue un error —dijo.

—¿Crees que eso cambia algo para ella?

—Puede que tú ni siquiera le dieras.

—Y puede que sí. En todo caso, ¿me absolvería eso?

—Te estás ahogando en tu propia culpa.

Soraya soltó una leve risa.

—Supongo que nos estamos ahogando los dos.

Se miraron a través del pequeño camarote. La bocina del *Itkursk* sonó de nuevo, sofocada y triste. El transbordador les mecía mientras surcaba el mar Negro con rumbo sur, pero en el camarote había tanta quietud que Soraya creyó oír el ruido que hacía su mente al intentar penetrar aquel hondo y enmarañado misterio.

Bourne dijo:

—Soraya, escúchame, creo que la muerte de Sarah es la clave de todo lo que ha pasado, de todo lo que está pasando.

—Será una broma. —Pero supo por su expresión que no lo era, y lamentó haber respondido así—. Continúa —dijo.

—Creo que Sarah es esencial en todo esto. Creo que fue su muerte la que lo desencadenó todo.

—¿El plan de Duyya de hacer estallar un artefacto nuclear en una ciudad americana? Creo que exageras.

—No el plan en sí mismo. No me cabe duda de que eso ya se estaba debatiendo —dijo Bourne—. Pero creo que precipitó las cosas. Que la muerte de Sarah encendió la mecha.

—Eso significaría que Sarah está relacionada con nuestra misión original, eliminar a Hamid ibn Ashef.

Bourne asintió en silencio.

—Eso creo, sí. No creo que apareciera en el punto de encuentro por casualidad.

—¿Qué hacía allí? ¿Cómo se enteró?

—Puede que lo averiguara por tu contacto. Él nos vendió a la gente de Hamid ibn Ashef —respondió Bourne—. En cuanto a qué hacía allí Sarah, no tengo ni idea.

Soraya arrugó el ceño.

—Pero ¿qué relación hay entre Fadi y Hamid ibn Ashef?

—He estado pensando en eso que te dijo tu amiga, la experta de la Unidad de Investigación de Incendios.

—El bisulfuro de carbono: el acelerante que usó Fadi en el hotel Constitution.

—Exacto. Me dijiste que el bisulfuro de carbono se utiliza en flotación, un método para la separación de mezclas. La flotación se desarrolló a escala comercial a fines del siglo veinte, principalmente para el tratamiento de mineral de plata.

Los ojos de Soraya se iluminaron.

—Uno de los negocios de Integrated Vertical Technologies es el procesamiento de plata. Y Hamid ibn Ashef es el dueño de IVT.

Bourne asintió.

—Creo que IVT es la empresa que ha estado financiando a Duyya todos estos años.

—Pero Sarah...

—En cuanto a Sarah y a todo lo demás, estaremos en dique seco hasta que lleguemos a Estambul y podamos conectarnos a Internet. Ahora mismo, nuestros móviles no sirven para nada.

Soraya se levantó.

—Entonces voy a buscar algo de comer. No sé tú, pero yo estoy hambrienta.

—Te acompaño.

Bourne comenzó a levantarse, pero ella le empujó suavemente para que volviera a la cama.

—Necesitas descansar, Jason. Traeré comida para los dos.

Le sonrió antes de volverse y salir.

Bourne se quedó tumbado un momento, intentando recordar la misión abortada que tenía como objetivo matar a Hamid ibn Ashef. Se imaginó a Sarah, aquella joven, corriendo por la plaza con la boca abierta. ¿Qué estaba gritando? ¿A quién gritaba? La sintió en sus brazos, se esforzó por oír su débil voz.

Pero fue la voz de Fadi la que oyó resonar bajo el embarcadero de Odesa.

«He esperado mucho tiempo este momento. Para volver a mirarte a la cara. Para cobrarme venganza.»

Así pues, el plan de Fadi tenía un importante componente personal. Porque Fadi había ido a por él; con astucia y cuidado extremos, le había hecho caer en una trama conspirativa de proporciones inauditas. Era él, Bourne, quien había ido a rescatar al hombre que había suplantado a Lindros; él quien había respaldado al impostor en Casa Lóbrega. Eso también formaba parte del plan. Fadi le había utilizado para infiltrarse en la cúpula de la CIA.

Incapaz de quedarse quieto, se bajó de la cama a pesar del dolor y la rigidez de sus músculos. Se estiró todo lo que pudo y entró en el cuarto de baño: un plato de ducha metálico, un pequeño lavabo también metálico, un váter de porcelana, un espejo hexagonal. Sobre una repisa había un par de toallas casi raídas y dos grandes pastillas de jabón, posiblemente compuestas en su mayor parte de lejía.

Bourne alargó el brazo, abrió el grifo de la ducha, esperó a que el agua saliera caliente y se metió bajo la alcachofa de la regadera.

La tarde se había vuelto gris al aproximarse el ocaso, y los nubarrones que se alzaban por encima del sol auguraban un diluvio. Con la oscuridad prematura se había levantado un viento húmedo del suroeste que arrastraba consigo como una evocación el olor acre, a orégano y zumaque, de la costa de Turquía.

Matthew Lerner estaba fumando un cigarrillo en la cubierta central del *Itkursk*, acodado en la barandilla de estribor, cuando vio salir a Soraya Moore de uno de los dos camarotes reservados de la cubierta superior.

La vio alejarse y bajar por una escalera metálica hasta una de las cubiertas inferiores. Sintió el impulso de seguirla, de hundirle en la nuca el picahielos que llevaba consigo. Pero eso, a pesar de que le habría hecho feliz, era un suicidio profesional, igual que lo sería utilizar la pistola a bordo de la embarcación. Iba tras Bourne. Matar a Soraya Moore sólo complicaría una situación que ya se le había escapado de las manos. Estaba obligado a improvisar, una situación no deseada, aunque en el servicio activo la improvisación fuera casi inevitable.

Cuando Soraya llegó al rellano de la cubierta central y miró un momento hacia él, Lerner se había vuelto discretamente y estaba de cara al oleaje. Dio una calada al áspero cigarrillo turco y tiró la colilla por la borda.

Se giró. Soraya Moore había desaparecido. La gama de colores que rodeaba todo era muy reducida. El mar era de un gris metálico, el buque estaba pintado de negro y blanco. Lerner cruzó rápidamente la cubierta y subió la escalera que llevaba a la parte más alta del barco, en dirección al camarote reservado.

Bourne se enjabonó con cuidado de no rozar la herida. El agua se llevó los pequeños dolores y la rigidez de sus músculos, además de diversas capas de mugre y sudor. Habría deseado quedarse más tiempo bajo el agua caliente, pero aquél era un barco de transbordo, no un crucero de placer. El agua se enfrió muy pronto, y después, cuando aún tenía enjabonada parte del cuerpo, dejó de salir.

Casi al mismo tiempo distinguió un movimiento difuso con el rabillo del ojo. Se giró, agachándose. Sus reflejos y lo resbaladizo de su piel impidieron que se clavara en su cuello el picahielos que empuñaba Lerner. Éste se abalanzó sobre él, y Bourne cayó hacia atrás, golpeándose con fuerza contra la pared de la ducha.

Lerner le asestó rápidamente dos golpes en la cintura con el canto encallecido de la mano. Los golpes, pensados para incapacitarle de modo que pudiera atacar de nuevo con el picahielos, no bastaron para cumplir su propósito, pese a ser muy fuertes. Bourne paró un tercer golpe y, apoyándose en la pared, aprovechó el impulso para asestar un golpe con el talón izquierdo en el pecho de su atacante en el instante en que éste entraba en la ducha. En lugar de acorralar a Bourne, Lerner salió despedido hacia atrás y resbaló sobre el suelo de baldosas del cuarto de baño.

Bourne salió inmediatamente de la ducha. Cogió la otra pastilla de jabón y la colocó en el centro de la toalla. Agarrando la toalla por sus extremos, la hizo girar para envolver por completo el jabón. Cogió las puntas de la toalla con la mano izquierda y la balanceó adelante y atrás. Detuvo con el antebrazo izquierdo un golpe brutal que Lerner le lanzó con el canto de la mano y apartó el brazo del agresor, levantándolo, para abrirse hueco. Estrelló entonces su arma casera contra el estómago de Lerner.

La pastilla de jabón, envuelta en la toalla, descargó un golpe cuya contundencia Lerner no se esperaba. Tambaleándose, cayó hacia el camarote. Pero estaba en plena forma y aquello sólo le detuvo un momento. Acuclillado sobre los talones, esperó a que Bourne intentara penetrar su línea defensiva. Pero éste lanzó un trallazo con la toalla a poca distancia del suelo, y Lerner se vio obligado a asestar una estocada con el picahielos para defenderse.

De inmediato, Bourne pisó con el pie izquierdo su muñeca derecha, aplastándola contra la moqueta del camarote. Pero estaba descalzo y tenía aún el pie mojado y resbaladizo, y Lerner logró desasirse y lanzar una estocada que estuvo a punto de traspasar el pie de Bourne. Después, girándose hacia la derecha, estrelló la rodilla contra el costado izquierdo de Bourne.

Éste enseñó los dientes en una mueca mientras el dolor retumbaba en todo su cuerpo. Los nudillos de Lerner, duros como el hierro, golpearon su hombro derecho. Se encorvó, y a continuación enganchó su tobillo con el talón y le tiró al suelo.

Se arrojó sobre él, pero Bourne le lanzó un puñetazo que le dio de lleno en la nariz, rompiéndosela. La sangre les salpicó a ambos. Mientras Lerner se la limpiaba de los ojos, él logró enderezarle y clavó los puños justo debajo de su caja torácica que le hizo gruñir de sorpresa y dolor al sentir que dos de sus costillas cedían.

Rugió y se desasió al tiempo que lanzaba un aluvión de golpes tan brutal que, aun teniendo las dos manos libres, Bourne no pudo protegerse de todos. Sólo un tercio traspasó sus defensas, pero ello bastó para debilitar gravemente sus fuerzas, ya muy mermadas.

Sin saber cómo, descubrió la enorme manaza de Lerner alrededor de su cuello. Pegado al suelo, vio bajar la punta del picahielos hacia su ojo derecho.

Sólo tenía una oportunidad. Cedió todo el control de su consciencia al instinto asesino de Bourne, su identidad impuesta. No pensó, ni sintió miedo. Golpeó con las palmas de las manos los oídos de Lerner. Los dos golpes asestados al unísono no sólo le desorientaron, sino que crearon un vacío, de forma que, al apartar las manos bruscamente, la presión resultante perforó los tímpanos de su adversario.

El picahielos se detuvo en el aire y tembló en la mano repentinamente paralizada de Lerner. Bourne lo apartó y, agarrándolo por la pechera de la camisa, tiró de él al tiempo que levantaba la cabeza. El hueso de su frente impactó con la cara de Lerner en el punto exacto en el que el puente de la nariz se unía con la frente.

364 Eric Van Lustbader

Su atacante retrocedió con los ojos en blanco. Seguía empuñando el picahielos. Medio inconsciente, su instinto de supervivencia, extremadamente desarrollado, se disparó. Bajó la mano derecha y atravesó la piel del lado exterior del brazo derecho de Bourne cuando éste se apartó.

Bourne le lanzó un golpe con las dos manos a la carótida, en el lado derecho del cuello. Lerner, que estaba de rodillas, cayó hacia atrás tambaleándose. Formando con las manos una cuña cerrada, Bourne clavó las puntas de los dedos en la parte blanda de debajo de la barbilla. Sintió rasgarse la piel, el músculo, las vísceras.

El camarote se tiñó de rojo.

Bourne sintió que una súbita negrura se adueñaba de su vista. Notó de pronto que las fuerzas le abandonaban, refluyendo como una marea. Se estremeció y cayó al suelo, inconsciente.

23

Muta ibn Aziz sujetaba con fuerza el esbelto brazo de Katya Veintrop mientras el ascensor de acero inoxidable descendía hacia la planta nuclear de Duyya en Miran Shah.

—¿Voy a ver a mi marido? —preguntó Katya.

—Sí —respondió Muta ibn Aziz—, aunque le aseguro que el encuentro no hará feliz a ninguno de los dos.

La puerta del ascensor se abrió suavemente. Katya se estremeció al salir.

—Me siento como si estuviera en las entrañas del infierno —dijo al pasear la mirada por los pasillos de cemento desnudo.

La iluminación infernal no lograba afear su belleza, que Muta ibn Aziz, como todo buen árabe, había intentando ocultar con el mayor pudor posible. Era una mujer alta, esbelta, de grandes pechos, cabello rubio y ojos claros. Su piel, libre de impurezas, parecía resplandecer como si le hubiera sacado brillo. Una pequeña constelación de pecas salpicaba el puente de su nariz. Nada de aquello, sin embargo, afectaba a Muta ibn Aziz, que ignoraba a Katya con una rotundidad nacida y forjada en el desierto.

Durante el monótono y polvoriento viaje de ocho horas en Land Rover hasta Miran Shah, Muta había ocupado su mente con otras cosas. Había estado allí en otra ocasión, hacía tres años. Entonces fue con su hermano, Abbud ibn Aziz, y con el inteligentísimo y renuente doctor Costin Veintrop. Fadi les ordenó escoltar a Veintrop desde su laboratorio en Bucarest hasta Miran Shah, porque el buen doctor parecía incapaz de hacer solo el trayecto.

Veintrop estaba deprimido y amargado: le habían expulsado sumariamente de Integrated Vertical Technologies por delitos que aseguraba no haber cometido. Tenía razón, pero eso no venía al caso. Las acusaciones habían bastado para que cualquier empresa, universidad o programa de becas donde solicitara trabajo le cerrara sus puertas.

Entonces había aparecido Fadi con su apetitosa oferta. No se había molestado en disfrazar el objetivo de su propuesta; ¿para qué? El doctor se daría cuenta enseguida. Veintrop, naturalmente, se dejó seducir por el dinero. Pero resultó que además de un intelecto brillante también tenía escrúpulos. Así pues, Fadi había cambiado la zanahoria por el palo. Y el palo era Katya. Fadi había descubierto enseguida que Veintrop haría prácticamente cualquier cosa por proteger a su mujer.

—Su esposa está a salvo conmigo, doctor —le dijo Fadi cuando Muta ibn Aziz y su hermano se presentaron en Miran Shah con Veintrop—. Mucho más de lo que lo estaría en cualquier otro lugar del mundo. —Y para demostrárselo le enseñó un vídeo de Katya grabado unos días antes. En él, la mujer lloraba e imploraba a su esposo que fuera a buscarla. Veintrop también lloró. Luego, enjugándose las lágrimas, aceptó la oferta de Fadi. Pero todos vieron una sombra preocupante en la mirada del científico.

Después de que el doctor Senarz se llevara a Veintrop para que éste empezara a trabajar en los laboratorios de Miran Shah, Fadi se volvió hacia Muta ibn Aziz y su hermano Abbud.

—¿Hará lo que queremos? ¿Qué opináis?

Los hermanos hablaron al unísono y en consonancia.

—Hará todo lo que le pidamos mientras le demos con el palo.

Ésa fue la última cosa en la que estuvieron de acuerdo durante aquella estancia de cuatro días en la ciudad de hormigón oculta bajo las agrestes y peladas montañas que formaban la frontera entre el oeste de Pakistán y Afganistán. Era fácil morir en los pasos de aquellas montañas: muchos morían, de hecho, por muy bien entrenados y armados que estuvieran. Miran Shah era el yermo mortífero en el que ningún representante del Gobierno o el ejército pakistaníes se atrevía a entrar. Los talibanes, Al Qaeda, la *yihad* islámica, fundamentalistas musulmanes de todo pelaje... Miran Shah estaba plagado de terroristas, muchos de ellos hostiles entre sí, pues una de las falacias propagadas con más éxito por los norteamericanos era que todos los grupos terroristas se hallaban coordinados y controlados por uno o dos hombres, o por un puñado, quizá. Aquello era ridículo: entre las distintas sectas había tal cantidad de enemistades antiguas, tal disparidad de objetivos, que se estorbaban las unas a las otras. Aun así, el mito persistía. Y Fadi, educado en Occidente y ducho en los principios de la comunicación de masas, había utilizado las mentiras de los norteamericanos en su contra para engrandecer la reputación de Duyya y la suya propia.

Mientras conducía a Katya por los pasillos, camino de su entrevista con Fadi y con su esposo, Muta ibn Aziz no tuvo más remedio que reflexionar sobre la esquirla fundamental que le había separado de su hermano. Su desacuerdo había surgido tres años antes, y el paso del tiempo sólo había logrado endurecer sus respectivas posiciones. Aquella esquirla tenía nombre: Sarah ibn Ashef, la única hermana de Fadi y Karim al Yamil. Su asesinato había cambiado la vida de todos ellos, engendrando secretos, mentiras e inquinas donde no los había. Su muerte había destrozado dos familias, tanto de forma evidente como soterrada. Desde aquella noche en Odesa, cuando Sarah agitó los brazos y cayó sobre los adoquines de la plaza, Muta ibn Aziz y su hermano habían terminado. Ambos actuaban, en apariencia, como si nada hubiera pasado, pero íntimamente sus opiniones nunca habían vuelto a coincidir. Estaban perdidos el uno para el otro.

Al doblar una esquina, Muta ibn Aziz vio que su hermano salía por una puerta abierta y le llamaba con una seña. Muta odiaba que hiciera aquello. Era el gesto que haría un profesor a un alumno al que iba a caerle una reprimenda.

—Ah, ya estás aquí —dijo Abbud ibn Aziz como si su hermano hubiera tomado un desvío equivocado y llegara tarde.

Muta ibn Aziz se esforzó por ignorarle y, pasando a su lado, hizo entrar a Katya por la puerta.

La habitación era espaciosa, aunque necesariamente de techo bajo. Estaba amueblada con perfecta funcionalidad: seis si-

llas de plástico moldeado, una mesa con tablero de chapa, armarios a lo largo de la pared de la izquierda, un lavabo y un hornillo
eléctrico.

Fadi estaba de pie, frente a ellos. Tenía las manos sobre los
hombros del doctor Veintrop, que se había sentado, no por gusto,
en una de las sillas.

—¡Katya! —gritó Veintrop al verla. Su cara se iluminó, pero
el brillo de sus ojos se extinguió rápidamente cuando intentó acercarse a ella y no pudo.

Ejerciendo la presión exacta para impedir que Veintrop se
moviera, Fadi hizo una seña con la cabeza a Muta ibn Aziz, que
soltó a la joven. Ella dejó escapar un grito inarticulado, corrió hacia su marido y se arrodilló frente a él.

Veintrop le acarició el pelo y la cara. Sus dedos se movían por
sus facciones como si quisiera asegurarse de que no era un espejis-
mo, o una doble. Había visto lo que el doctor Andursky había
hecho con la cara de Karim al Yamil. ¿Qué le impedía hacerle lo
mismo a una rusa cualquiera para convertirla en una Katya que
sirviera a sus propósitos y le mintiera?

Desde que Fadi le había «reclutado», su umbral de paranoia
se había vuelto extremadamente bajo. Todo formaba parte de una
conspiración para esclavizarle. Y en eso no andaba muy desenca-
minado.

—Ahora que se han reencontrado, más o menos —le dijo Fadi
al doctor Veintrop—, me gustaría que dejara de perder el tiempo.
Tenemos un programa concreto que cumplir, y su reticencia no
nos hace ningún bien.

—No estoy perdiendo el tiempo —respondió Veintrop—. Los
microcircuitos... —Se interrumpió e hizo una mueca cuando Fadi
apretó de nuevo sus hombros.

Luego le hizo una seña a Abbud ibn Aziz, que salió de la habitación. Cuando regresó, iba acompañado del doctor Senarz, el físico nuclear.

—Doctor Senarz —dijo Fadi—, por favor, dígame por qué el
artefacto nuclear que les ordené construir no está listo aún.

El doctor Senarz miró fijamente a Veintrop. Se había formado bajo el célebre científico nuclear pakistaní Abdul Qadir Jan.

—Mi trabajo está acabado —contestó—. He convertido el polvo de dióxido de uranio que me proporcionaron en uranio enriquecido, el metal necesario para la fabricación de una cabeza nuclear. Dicho de otra manera, tenemos el material fisionable. La cubierta también está terminada. Ahora sólo esperamos al doctor Veintrop. Su labor es crucial, como saben. Sin ella, no conseguirá el artefacto que pidió.

—Así pues, Costin, ése es el quid de la cuestión. —La voz de Fadi sonó calmada, suave, neutra—. Con su ayuda, mi plan tendrá éxito; sin ella, está condenado al fracaso. Una ecuación tan sencilla como elegante, por decirlo en términos científicos. ¿Por qué no me ayuda?

—El proceso es más difícil de lo que esperaba. —Veintrop no podía apartar los ojos de su mujer.

—¿Doctor Senarz? —intervino Fadi,

—El doctor Veintrop terminó las labores de miniaturización hace días.

—¿Qué sabe él de miniaturización? —protestó Veintrop con aspereza—. No es cierto.

—No quiero opiniones, doctor Senarz —replicó Fadi con la misma brusquedad.

Al ver que Senarz sacaba una libretita con tapa de cuero rojo, Veintrop dejó escapar un gemido involuntario. Alarmada, Katya se aferró a él con más fuerza.

El doctor Senarz mostró la libreta.

—Aquí están las notas privadas del doctor Veintrop.

—¡No tiene derecho! —gritó éste.

—Claro que lo tiene. —Fadi aceptó la libreta del doctor Senarz—. Usted me pertenece, Veintrop. Todo lo que haga, todo lo que piense, escriba o sueñe, es mío.

Katya gimió.

—Costin, ¿qué has hecho?

—Vender mi alma al diablo —masculló él.

370   ERIC VAN LUSTBADER

Abbud ibn Aziz pareció captar un gesto de Fadi, porque tocó al doctor Senarz en el hombro y le condujo fuera de la habitación. El sonido que hizo la puerta al cerrarse sobresaltó a Veintrop.

—Muy bien —dijo Fadi con su voz más suave.

De pronto, Muta ibn Aziz sujetó a Katya por la nuca y la cintura, y la apartó de su marido. Al mismo tiempo, Fadi retuvó al doctor apretándolo contra la silla, de la que intentaba levantarse.

—No se lo preguntaré otra vez —dijo en el mismo tono suave, como un padre dirigiéndose a un hijo muy querido que se ha portado mal.

Muta ibn Aziz le propinó un golpe brutal en la nuca a Katya.

—¡No! —gritó Veintrop cuando su esposa cayó de bruces al suelo.

Nadie le prestó la menor atención. Muta ibn Aziz levantó a la joven, la sentó y le asestó un puñetazo tan fuerte que rompió su nariz perfecta. Un chorretón de sangre les salpicó a ambos.

—¡No! —chilló Veintrop.

Muta ibn Aziz aferró el cabello rubio de Katya y le asestó un puñetazo en su bello pómulo izquierdo. La joven sollozó. Las lágrimas corrían por su cara amoratada.

—¡Basta! —gritó Veintrop—. ¡Por amor de Dios, basta! ¡Se lo suplico!

Muta ibn Aziz retiró el puño ensangrentado.

—No me haga pedírselo otra vez —dijo Fadi al oído del doctor—. No me obligue a desconfiar de usted, Costin.

—No, está bien. —Veintrop también sollozaba. Su corazón se estaba rompiendo en diez mil pedazos que no podría volver a juntar—. Haré lo que quieran. Tendré acabada la miniaturización dentro de dos días.

—Dos días, Costin. —Fadi le agarró del pelo y tiró de su cabeza hacia atrás para mirarle directamente a los ojos—. Ni un segundo más. ¿Entendido?

—Sí.

—De lo contrario, ni siquiera el doctor Andursky podrá arreglar lo que le haremos a Katya.

Muta ibn Aziz encontró a su hermano en la sala de operaciones del doctor Andursky. Era allí donde Karim al Yamil había recibido la cara de Lindros, y donde le habían sido implantados un nuevo iris, una pupila y, lo que era más importante, una retina que haría creer a los escáneres de la CIA que Karim al Yamil era Lindros.

Para alivio de Muta ibn Aziz, en el quirófano sólo estaba su hermano.

—Tenemos que decirle la verdad a Fadi. —Su voz sonó baja, apremiante.

Sin apartar la mirada del reluciente instrumental quirúrgico, Abbud ibn Aziz contestó:

—¿No se te ocurre otra cosa? Eso es lo mismo que me dijiste hace tres años.

—Las circunstancias han cambiado radicalmente. Tenemos el deber de decírselo.

—Discrepo por completo, igual que entonces —respondió Abbud ibn Aziz—. De hecho, tenemos el deber de impedir que Fadi y Karim al Yamil sepan la verdad.

—Ese argumento carece de lógica.

—¿De veras? El meollo de la cuestión sigue siendo el mismo que al principio. Con la muerte de Sarah ibn Ashef sufrieron una pérdida insoportable. ¿Debe haber más? Sarah ibn Ashef era una flor de Alá, la depositaria del honor de la familia, la hermosa virgen destinada a una vida dichosa. Es esencial que su recuerdo permanezca intacto. Nuestro deber es aislar a Fadi y a Karim al Yamil de distracciones exteriores.

—¡Distracciones! —exclamó Muta ibn Aziz—. ¿A la verdad sobre la muerte de su hermana lo llamas tú una distracción?

—¿Cómo lo llamas tú?

—Un desastre en toda regla, una desgracia peor que cualquier...

—¿Y eres tú quien va a revelarle la horrenda verdad a Fadi? ¿Con qué fin? ¿Qué esperas conseguir?

—Hace tres años, respondí a esa pregunta diciéndote que sólo quería contar la verdad —respondió Muta ibn Aziz—. Ahora su plan incluye vengarse de Jason Bourne.

—No veo razón para detenerles. Bourne es una amenaza para todos nosotros. También para ti. Tú estabas allí esa noche, igual que yo.

—La obsesión por vengar la muerte de su hermana los ha emponzoñado a ambos. ¿Y si no consiguen acabar con él?

—¿Con un solo hombre? —Abbud ibn Aziz se echó a reír.

—Tú estabas con Fadi las dos veces en Odesa. Dime, hermano, ¿logró matar a Bourne?

Abbud ibn Aziz reaccionó al oír el tono gélido de su hermano.

—Bourne estaba malherido. Fadi le siguió hasta las catacumbas de la ciudad. Dudo mucho que sobreviviera. Pero la verdad es que importa poco. Está incapacitado. No puede hacernos ningún daño. Es la voluntad de Alá. Lo pasado, pasado está. Y lo que haya de ocurrir, ocurrirá.

—Y yo te digo que mientras quepa la más remota posibilidad de que Bourne esté vivo, ninguno de los dos descansará. Seguirán distraídos. Mientras que si les decimos...

—¡Silencio! ¡Es la voluntad de Alá!

Abbud ibn Aziz nunca había hablado a su hermano pequeño con tanta inquina. Muta ibn Aziz sabía que lo que se interponía entre ellos era la muerte de Sarah ibn Ashef, un asunto en el que ambos pensaban, pero al que jamás se referían en voz alta. El silencio era mala cosa: envenenaba el pozo de su amor fraterno. Muta ibn Aziz lo sabía, y tenía la fuerte convicción de que algún día aquel silencio premeditado les destruiría a ambos.

Sintió, no por primera vez, que una oleada de desesperanza se apoderaba de él. En momentos como aquél sentía que estaba atrapado; que, hiciera lo que hiciera, tomara el camino que tomara, su hermano y él estaban condenados al fuego del infierno reservado a los inicuos. *La ilaha illallah. ¡No quiera Alá que el Fuego nos toque!*

Como si quisiera subrayar los lúgubres pensamientos de su hermano, Abbud ibn Aziz se reiteró en la postura que había adoptado la noche que murió Sarah.

—Lo de Sarah ibn Ashef queda entre nosotros —sentenció tajantemente—. Me obedecerás sin rechistar, como has hecho siempre. Como tienes que hacer. No somos individuos, hermano, somos eslabones en la cadena familiar. *La ilaha illallah*. El destino de uno es el destino de todos.

El hombre sentado con las piernas cruzadas a la cabecera de la mesa de madera, cargada de cosas, observaba a Fadi sólo con un ojo: el izquierdo. El otro, cubierto por una venda blanca de algodón egipcio, era un cráter ennegrecido.

Fadi se quitó los zapatos y cruzó el suelo de cemento. En Miran Shah, todos los suelos, las paredes y los techos eran de cemento y parecían idénticos. Se sentó a un lado de la mesa.

De un frasco de cristal, sacó un puñado de granos de café tostados hacía horas. Los echó en un almirez dorado, cogió la mano y los molió hasta convertirlos en polvo fino. Había una cafetera de cobre sobre el fuego de un hornillo portátil. Fadi vertió el agua de una jarrita en la cafetera y encendió el hornillo. Un círculo de llamas azules lamió la base de la cafetera.

—Hacía bastante tiempo —dijo Fadi.

—¿De veras esperas que beba contigo? —preguntó el verdadero Martin Lindros.

—Espero que te comportes como una persona civilizada.

Lindros rió amargamente y se tocó el vendaje del ojo con la punta del dedo índice.

—Sería el único, entonces.

—Toma un dátil —dijo Fadi, empujando hacia él un plato ovalado lleno de dátiles secos—. Están muy buenos mojados en esta mantequilla de cabra.

En cuanto el agua comenzó a hervir, volcó el almirez y echó en ella el café molido. Acercó luego una tacita cuyo contenido olía a semillas de cardamomo recién molidas. Observaba atentamente el hervir del café. Un segundo antes de que espumara, apartó la cafetera del fuego y con los dedos de la mano derecha añadió una pizca de polvo de semillas de cardamomo; después vertió la preparación en un recipiente semejante a una pequeña tetera. Un trozo de fibra de palma metido en el pitorro impedía que los posos salieran con el líquido. Fadi dejó la cafetera a un lado y sirvió el *qahwah 'Arabiyah*, el café arábigo, en dos minúsculas tazas sin asas. Sirvió primero a Lindros, como hacían los beduinos con sus invitados de honor, a pesar de que ningún beduino se había sentado nunca en una jaima como aquélla: inmensa, subterránea y construida en hormigón de medio metro de espesor.

—¿Qué tal le va a tu hermano? Espero que ver con mi ojo le dé otra perspectiva. Tal vez así no esté tan obsesionado con la destrucción de Occidente.

—¿De veras quieres hablar de destrucción, Martin? Hablemos, entonces, de cómo los norteamericanos imponen la exportación de una cultura plagada de decadencia, propia de un populacho estragado que lo quiere todo inmediatamente y que ya no comprende el significado de la palabra «sacrificio». Hablemos de la ocupación estadounidense de Próximo Oriente y de la destrucción premeditada de nuestras tradiciones ancestrales.

—Supongo que esas tradiciones incluyen la voladura de efigies religiosas, como hicieron los talibanes en Afganistán. Y la lapidación de mujeres que comenten adulterio mientras sus amantes quedan impunes.

—Yo soy un beduino saudí: tengo tan poco que ver como tú con los talibanes. En cuanto a las adúlteras, hay que tener en cuenta la ley islámica. No somos individuos, Martin. Formamos parte de una unidad familiar. La honra de una familia reside en sus hijas. Si nuestras hermanas se corrompen, su vergüenza repercute en toda la familia hasta que se elimina a la adúltera.

—¿Matar a quien es de tu misma sangre? Es inhumano.

—¿Porque vosotros no lo hacéis? —Fadi hizo un gesto con la cabeza—. Bebe.

Lindros se llevó la taza a los labios y se bebió el café de un trago.

—Hay que beberlo a sorbitos, Martin. —Fadi volvió a llenarle la taza y se bebió luego el suyo en tres breves sorbos, saboreándolo. Cogió un dátil con la mano derecha, lo mojó en la olorosa mantequilla y se lo metió en la boca. Masticó despacio, pensativamente, y escupió el hueso largo y plano—. Te sentaría bien probar uno. Los dátiles son deliciosos, y muy nutritivos. ¿Sabes que Mahoma desayunaba dátiles todos los días? Nosotros hacemos lo mismo, porque nos acerca a sus ideales.

Lindros le miraba fijamente, rígido y silencioso, como si le vigilara.

Fadi se limpió la mano derecha en un pañito.

—¿Sabes?, mi padre hacía café de la mañana a la noche. Es el mayor cumplido que podría hacérsele, a él o a cualquier beduino. Significa que se es un hombre generoso. —Volvió a llenar su taza de café—. Pero mi padre ya no hace café. De hecho, no puede hacer nada más que mirar al vacío. Mi madre le habla, pero él no contesta. ¿Sabes por qué, Martin? —Apuró la taza en otros tres sorbos—. Porque se llama Abu Sarif Hamid ibn Ashef al Uahhib.

Al oír esto, el ojo bueno de Lindros se contrajo ligeramente.

—Sí, así es —prosiguió Fadi—. Hamid ibn Ashef. El hombre al que Jason Bourne fue a matar por orden tuya.

—Así que por eso me capturaste.

—¿Eso crees?

—Esa misión no fue cosa mía, necio. En aquel momento ni siquiera conocía a Jason Bourne. Su jefe era Alex Conklin, y Conklin está muerto. —Lindros comenzó a reírse.

Sin previo aviso, Fadi se abalanzó sobre él por encima de la mesa y le agarró de la pechera. Le zarandeó tan violentamente que a Lindros le castañetearon los dientes.

—Te crees muy listo, Martin. Pero vais a pagar por ello, Bourne y tú.

Le agarró por la garganta como si quisiera arrancarle la tráquea. Disfrutaba visiblemente de sus jadeos.

—Me han dicho que Bourne sigue vivo, aunque por los pelos. Pero aun así sé que moverá cielo y tierra para encontrarte, sobre todo si cree que también me encontrará a mí.

—¿Qué... qué vas a hacer? —Lindros respiraba trabajosamente; apenas logró articular las palabras.

—Voy a darle la información que necesita para encontrarte aquí, en Miran Shah, Martin. Y cuando lo haga, te sacaré las entrañas delante de sus narices. Y después me pondré con él.

Pegó su cara a la de Lindros y miró su ojo izquierdo como si pretendiera encontrar en él todo lo que le ocultaba.

—Al final, Bourne deseará morir, Martin. No me cabe duda. Pero la muerte tardará en llegarle. Antes de morir, me aseguraré de que contemple la destrucción nuclear de la capital de Estados Unidos.

LIBRO TERCERO

24

*El féretro es bajado a tierra. Sus asas despiden reflejos mortecinos;
la placa grabada en la tapa forma minúsculas y mareantes espirales
de luz. En respuesta a un enfático ademán del sacerdote, el ataúd
queda suspendido en el aire. El sacerdote, pulcro y atildado en su
traje de corte europeo, se inclina tanto sobre la tumba que Bourne
piensa que va a caerse dentro. Pero no se cae. Al contrario: en un
sorprendente despliegue de fuerza sobrehumana, arranca la tapa del
ataúd.*

—¿Qué hace? —pregunta Bourne.

*El sacerdote se vuelve hacia él y le hace señas de que se acerque
al tiempo que deja caer la pesada tapa de caoba en la sepultura, y
entonces Bourne ve que no es un sacerdote. Es Fadi.*

*—Vamos —le dice en árabe saudí. Enciende un cigarrillo y le
pasa a Bourne el librillo de cerillas—. Echa un vistazo.*

Él da un paso adelante, se asoma al féretro abierto.

*Y se encuentra sentado en el asiento trasero de un coche. Mira
por la ventanilla y ve un paisaje conocido que sin embargo no puede
identificar. Zarandea el hombro del conductor.*

—¿Adónde vamos?

*El conductor se vuelve. Es Lindros. Pero a su cara le pasa algo
raro. Está ensombrecida, o cubierta de cicatrices. Es el Lindros al
que llevó al cuartel general de la CIA.*

*—¿Tú qué crees? —pregunta Lindros el impostor, pisando el
acelerador.*

*Bourne se inclina hacia delante y ve a una persona de pie en la
cuneta de la carretera. Se acercan deprisa. Una joven, una autoesto-
pista: Sarah. Casi han llegado a su lado cuando se pone delante del
coche, que avanza a toda velocidad.*

Bourne intenta gritar para advertirle, pero está mudo. Siente que el coche se sacude y se encabrita, ve el cuerpo de Sarah volar por el aire, ensangrentado. Rabioso, intenta agarrar al conductor.

Y se encuentra a bordo de un autobús. Los pasajeros, de semblante inexpresivo, le ignoran por completo. Bourne avanza por el pasillo, entre los asientos. El conductor lleva un bonito traje de factura europea. Es el doctor Sunderland, el experto en amnesia de Washington.

—¿Adónde vamos? —le pregunta Bourne.

—Ya se lo dije —contesta el doctor Sunderland.

A través de la enorme luna del parabrisas, ve entonces la playa de Odesa. Ve a Fadi fumando un cigarrillo: le espera, sonriente.

—Estaba todo acordado desde el principio —dice el doctor Sunderland.

El autobús aminora la marcha. Fadi tiene una pistola en la mano. El doctor Sunderland le abre la puerta. Fadi sube, apunta a Bourne con la pistola, aprieta el gatillo...

El eco de un disparo despertó a Bourne. Había alguien de pie junto a él. Un hombre con una sombra azulada de barba, ojos hundidos y frente estrecha y simiesca. La luz vaporosa que entraba de refilón por la ventana iluminaba su cara larga y sombría. Tras él, el cielo estaba partido en franjas azules y blancas.

—Ah, teniente general Mykola Petrovich Tuz, por fin se ha despertado. —Su ruso atroz sonaba deformado por la borrachera—. Soy el doctor Korovin.

Bourne tardó un momento en recordar dónde estaba. Al sentir que la cama se mecía suavemente bajo él, le dio un vuelco el corazón. Había estado allí antes. ¿Había vuelto a perder la memoria?

Entonces lo recordó todo de golpe. Se fijó en la pequeña enfermería, comprendió que estaba a bordo del *Itkursk*, que era el teniente general Mykola Petrovich Tuz y dijo con una voz densa como algodón:

—Necesito a mi ayudante.

—Claro, claro. —El doctor Korovin dio un paso atrás—. Está aquí mismo.

La cara de Soraya Moore reemplazó a la del médico.

—Teniente general —dijo con energía—, se encuentra mejor.

Bourne vio claramente la preocupación reflejada en sus ojos.

—Tenemos que hablar —murmuró.

Ella se volvió hacia el doctor.

—Déjenos solos, por favor —dijo en tono cortante.

—Cómo no —contestó el doctor Korovin—. Mientras, iré a informar al capitán de que el teniente general se está recuperando.

En cuanto la puerta se cerró tras él, Soraya se sentó al borde de la cama.

—Lerner está en el fondo del mar —dijo en voz baja—. Cuando le dije que era un espía extranjero, el capitán colaboró encantado. Fue un alivio para él, de hecho. No quiere mala prensa, y lo mismo puede decirse de la compañía naviera, así que tiraron a Lerner por la borda.

—¿Dónde estamos? —preguntó Bourne.

—A unos cuarenta minutos de Estambul. —Soraya le apretó suavemente el brazo cuando intentó incorporarse—. No nos dimos cuenta de que Lerner había subido a bordo.

—Me parece que pasé por alto otra cosa, algo mucho más importante —dijo él—. Alcánzame mis pantalones.

Estaban pulcramente colgados sobre el respaldo de la silla. Soraya se los dio.

—Tienes que comer algo. El médico te ha puesto suero mientras te curaba. Dice que te sentirás mucho mejor dentro de un par de horas.

—Espera un segundo. —Sentía el dolor sordo de la cuchillada y de la patada que le había asestado Lerner. Tenía vendado el bíceps derecho, donde Lerner le había clavado el picahielos, aunque allí no sentía dolor. Cerró los ojos, pero sólo vio el sueño en el que aparecían Fadi, el impostor, Sarah y el doctor Sunderland.

—¿Qué ocurre, Jason?

Él abrió los ojos.

—Soraya, el doctor Sunderland no es el único que ha estado hurgando dentro de mi cabeza.

—¿Qué quieres decir?

Bourne rebuscó en sus pantalones y sacó un librillo de cerillas. *Fadi enciende un cigarrillo y le pasa a Bourne el librillo de cerillas.* Aquella visión aparecía en el sueño, pero también había tenido lugar en la vida real. Influido por los recuerdos implantados por el doctor Sunderland, había sacado a Fadi de la celda de Tifón. Y, ya en la calle, el terrorista había encendido un cigarrillo con un librillo de cerillas. «No había nada que quemar en el agujero, así que dejaron que me lo quedara», había dicho. Y a continuación le había pasado las cerillas.

¿Por qué había hecho eso? Era un gesto tan simple que era difícil reparar en él o consignarlo en la memoria, sobre todo teniendo en cuenta lo que sucedió después. Y con eso contaba Fadi.

—¿Unas cerillas? —preguntó Soraya.

—Las que me pasó Fadi frente a la sede de la CIA. —Bourne abrió el librillo. Estaba en muy mal estado: tenía el cartón arrugado, las esquinas dobladas y las letras casi ilegibles por el chapuzón de Bourne en el mar Negro.

Prácticamente lo único que quedaba intacto era la capa de abajo, de la que se habían desprendido las cerillas. Con una uña, Bourne quitó las grapas que servían para sostener en su sitio las cerillas. Debajo encontró un pequeño rectángulo de metal y cerámica.

—Dios mío, te puso un transmisor.

Bourne examinó de cerca el pequeño objeto.

—Es un dispositivo de rastreo. —Se lo pasó a Soraya—. Quiero que lo tires por la borda. Ahora mismo.

Soraya lo cogió y salió del camarote. Volvió enseguida.

—Ahora, otro asunto. —Bourne la miró—. Está claro que era Tim Hytner quien mantenía informado a Fadi.

—Tim no era el topo —dijo Soraya con firmeza.

—Sé que erais amigos...

—No es eso, Jason. El hombre que está suplantando a Lindros puso mucho empeño en mostrarme pruebas documentales de que el topo era Tim.

Bourne respiró hondo y, haciendo caso omiso del dolor que le produjo, se puso en pie.

—Entonces es muy probable que no fuera Hytner.

Soraya asintió.

—Lo que significa que posiblemente sigue habiendo un topo dentro de la CIA.

Estaban sentados en el Kaktüs Café, media manzana al sur de Istiklal Caddesi, la Avenida de la Independencia, en el moderno y elegante barrio de Beyoglu, en Estambul. Su mesa estaba llena de platitos de *meze* y minúsculas tacitas de café turco, fuerte y espeso. En el local reinaba una algarabía en la que se mezclaban muchas lenguas distintas, lo cual les convenía.

Bourne había comido bien y, al tercer café, comenzó a sentirse de nuevo medianamente humano. Por fin dijo:

—Está claro que no podemos fiarnos de nadie de la CIA. Si conseguimos un ordenador, ¿podrás engañar al cortafuegos?

Soraya sacudió la cabeza.

—Ni siquiera Tim podía.

Bourne hizo un gesto de asentimiento.

—Entonces tendrás que volver a Washington. Tenemos que localizar al topo. Mientras siga allí, debemos desconfiar de todo lo que ocurra en la CIA, incluida la investigación del plan de Duyya. Tendrás que vigilar de cerca al impostor. Puede que te conduzca al topo, dado que los dos trabajan para Fadi.

—Hablaré con el Viejo.

—No, eso es justamente lo que no debes hacer. No tenemos pruebas. Sería tu palabra contra la del impostor. Y ya estás bajo sospecha por tu relación conmigo. Además, el Viejo adora a Lindros, confía en él absolutamente. Por eso el plan de Fadi es tan brillante. —Sacudió la cabeza—. No, no conseguirás nada acusándole. Lo mejor es que mantengas los ojos y los oídos bien abiertos y la boca cerrada. No quiero que el impostor se dé cuenta de que andas tras él. Sospechará de ti, no hay duda. A fin de cuentas, te mandó a vigilarme.

Una sonrisa agria apareció en la cara vapuleada de Bourne.

—Le daremos lo que quiere. Le dirás que nos viste luchar a Lerner y a mí en el transbordador, y que nos matamos.

—Por eso me dijiste que tirara el transmisor por la borda.

Bourne inclinó la cabeza en señal de aprobación.

—Fadi constatará que está en el fondo del mar Negro.

Soraya se rió.

—Por fin un avance.

En la misma calle del Kaktüs había un cibercafé. Soraya pagó la tarifa mientras Bourne tomaba asiento delante de un ordenador, al fondo del local. Ya estaba buscando información sobre el doctor Sunderland cuando ella acercó una silla. Sunderland, por lo visto, tenía en su haber numerosos libros y galardones. Una de las páginas que abrió Bourne incluía una fotografía de aquel eminente estudioso de la memoria.

—Éste no es el hombre que me trató —dijo al ver la foto—. Fadi utilizó a un impostor. Un médico al que compró o coaccionó para que alterara el funcionamiento de mis sinapsis cerebrales introduciendo en ellas neurotransmisores. Suprimieron ciertos recuerdos, pero también crearon otros nuevos. Recuerdos cuyo objeto era ayudarme a aceptar al suplantador de Martin y conducirme a la muerte.

—Es horrible, Jason. Es como si alguien se hubiera colado dentro de tu cabeza. —Soraya le puso una mano sobre el hombro—. ¿Cómo se combate algo así?

—Lo cierto es que no puedo combatirlo. A menos que encuentre al hombre que me hizo esto.

Rememoró su conversación con el falso Sunderland. Sobre el

escritorio de la consulta había una fotografía de una bella mujer rubia a la que Sunderland había llamado Katya. ¿Formaba aquello parte de la farsa? Bourne hizo memoria, escuchó el tono de voz del doctor. No, había sido sincero al hablar de la mujer. Su existencia, al menos, era real para el hombre que había suplantado a Allen Sunderland.

Y luego estaba su acento. Bourne recordaba que le había parecido rumano. Así pues, había algunas cosas de las que podía estar seguro: aquel hombre era médico y estaba especializado en reconstrucción de la memoria; era rumano y estaba casado con una mujer llamada Katya. Katya, que parecía tan relajada delante de la cámara que podía ser modelo o ex modelo. Aquellos datos inconexos no eran gran cosa, pensó, pero valía más saber algo que no saber nada.

—Ahora, volvamos al principio. —Sus dedos volaron sobre el teclado. Un momento después aparecieron en pantalla diversas referencias a Abu Sarif Hamid ibn Ashef al Uahhib, fundador de Integrated Vertical Technologies—. Casado desde hace treinta y tres años con Holly Cargill, hija menor de Simon y Jacqui Cargill, de Cargill & Denison, un prestigioso bufete de abogados. Los Cargill son miembros prominentes de la alta sociedad londinense. Según ellos, su linaje se remonta a tiempos de Enrique VIII. —Sus dedos seguían bailando; la pantalla continuaba arrojando información—. Holly le dio tres hijos. El primogénito es Abu Gazi Nadir al Yamuh ibn Hamid ibn Ashef al Uahhib. Luego viene el hermano menor, Yamil ibn Hamid ibn Ashef al Uahhib, quien, por cierto, asumió la presidencia de IVT el mismo año en que tú y yo estuvimos en Odesa.

—Dos semanas después de que dispararas a Hamid ibn Ashef —dijo Soraya por encima de su hombro—. ¿Y el tercer hijo?

—A eso voy. —Bourne se desplazó hacia el final de la página—. Aquí está. El menor de la familia es una chica. —Se detuvo, sintió que el corazón le palpitaba en la garganta. Dijo su nombre con voz estrangulada—. Sarah ibn Ashef. Fallecida.

—Nuestra Sarah —susurró Soraya junto a su oído.

—Eso parece. —De pronto, todo encajaba—. Dios mío, Fadi es uno de los hijos de Hamid ibn Ashef.

Soraya parecía atónita.

—El mayor, supongo, puesto que Karim asumió la presidencia de IVT.

Bourne recordó su violento encuentro con Fadi entre el oleaje del mar Negro.

«He esperado mucho tiempo este momento —había dicho—. Mucho tiempo para volver a mirarte a la cara. Para cobrarme venganza.»

Cuando Bourne le preguntó qué quería decir, Fadi gruñó:

«Eso no puedes haberlo olvidado.»

Sólo podía referirse a una cosa.

—Maté a su hermana —dijo Bourne, echándose hacia atrás—. Por eso me han enredado en su plan de destrucción.

—Seguimos sin saber quién es el hombre que está suplantando a Martin Lindros —dijo Soraya.

—Ni si mantienen con vida a Martin. —Bourne volvió a concentrarse en la pantalla del ordenador—. Pero tal vez podamos averiguar algo sobre el otro impostor. —Había abierto la página web de International Vertical Technologies, en la que figuraba la lista del personal de la empresa, incluidos los miembros de su equipo de I+D, dispersos por una docena de países.

—Intentar encontrar al que se hizo pasar por el doctor Sunderland es como buscar una aguja en un pajar.

—No necesariamente —contestó Bourne—. No olvides que ese hombre es un especialista.

—En restauración de la memoria.

—Exacto. —Bourne recordó entonces otra parte de su conversación con Sunderland—. Y en miniaturización.

Había diez científicos cuyos estudios estaban relacionados con esos campos u otros parecidos. Bourne los buscó en la Red uno a uno. Ninguno de ellos era el que le había administrado el tratamiento.

—¿Y ahora qué? —preguntó Soraya.

Bourne salió de la página de IVT y se puso a buscar noticias antiguas sobre el conglomerado empresarial. Cuando llevaba quince minutos ojeando artículos sobre anuncios de fusión, filiales, balances trimestrales y contratación y despido de personal, encontró una referencia a un tal doctor Costin Veintrop, experto en nanociencia biofarmacéutica, medicina molecular y microscopía de barrido por sondeo.

—Al parecer, el doctor Veintrop fue despedido fulminantemente de IVT por supuesto robo de propiedad intelectual.

—¿Eso no le descarta de la lista? —preguntó Soraya.

—Al contrario. Piénsalo. Un despido de esas características tuvo que cerrarle las puertas de todos los laboratorios legales y de todas las universidades. Pasó de lo más alto a caer en el olvido.

—Justo la clase de situación que podía propiciar el hermano de Fadi. Así, o trabajaba para Fadi o no trabajaba.

Bourne asintió.

—Merece la pena comprobar esa teoría.

Tecleó el nombre del doctor Costin Veintrop y apareció un currículum vítae. Todo muy interesante, pero nada concluyente. El enlace de imágenes sí lo era, en cambio. Mostraba al doctor posando en una ceremonia de entrega de premios. Le acompañaba su despampanante esposa: aquella rubia alta y bellísima cuya fotografía había visto Bourne en el despacho de Sunderland. Había sido modelo de una famosa revista masculina. Se llamaba Katya Stepanova Vdova.

A Marlin Dorph, comandante de la CIA a cargo de las unidades Escorpión Cinco y Seis, le había sido concedido el rango de capitán, lo cual le vino muy bien cuando, justo antes de que amaneciera, su equipo y él se reunieron con un destacamento de *marines* a las afueras de la población de Al Ghaydah, en la región de Shabwah, al sur de Yemen.

Dorph era el hombre idóneo para aquella misión. Conocía el Shabwah como la palma de su mano. Llevaba su sangrienta historia tatuada en la piel, a fuerza de victorias y derrotas. A pesar de los desmentidos del Gobierno yemení, la región seguía padeciendo el azote de grupos de islamistas radicales que formaban una densa y desagradable sopa de terrorismo. Durante la Guerra Fría, la Unión Soviética, la Alemania del Este y Cuba crearon una red de campos de entrenamiento en aquella inhóspita región montañosa. En esa época, Al Ghaydah, controlada por instructores cubanos, se había hecho famosa por entrenar y proporcionar armamento al Frente Popular para la Liberación de Omán. En una localidad cercana, los alemanes del Este preparaban a miembros clave del Partido Comunista saudí y el Frente de Liberación de Bahrein en la planificación de acciones desestabilizadoras, incluida la manipulación de los medios de comunicación de masas con el objetivo de difundir la ideología de dichos grupos por todos los rincones de sus respectivos países, socavando de ese modo la moral de sus gentes. Aunque los soviéticos y sus estados satélite abandonaron Yemen del Sur en 1987, las células terroristas siguieron allí, y encontraron renovado vigor en el liderazgo de la ponzoñosa Al Qaeda.

—¿Alguna novedad?

Dorph se volvió hacia el capitán Lowrie, comandante del contingente de *marines* que debía acompañar a Escorpión Cinco y Seis a la planta nuclear de Duyya. Lowrie era alto y rubio, grande como un oso y el doble de feo.

Dorph, que había visto a más de un *marine* realizar actos heroicos y morir en la batalla, levantó su teléfono satélite Thuraya.

—Estoy esperando confirmación.

Se habían encontrado en una meseta achicharrada por el sol, al este de Al Ghaydah. El pueblo parecía temblar a la luz del amanecer, recorrido por un viento incansable y rodeado por las montañas y el desierto. Las nubes, que el viento hacía jirones en lo alto del cielo, surcaban el hondo cuenco azul del firmamento. Los edificios recubiertos de adobe, de diez y doce pisos de altura, tenían forma de caja y ventanas oblongas que daban a las fachadas el aspecto de templos antiguos. El tiempo parecía haberse detenido allí, como si la historia no hubiera proseguido su avance.

En la meseta, los dos grupos de militares permanecían en silencio, tensos como resortes, listos para un despliegue que sabían inminente. Estaban informados sobre lo que estaba en juego y todos ellos estaban dispuestos a dar su vida por la seguridad de su país.

Mientras esperaban, Dorph sacó su GPS y enseñó a su homólogo *marine* la ubicación aproximada de su objetivo. Estaba a menos de cien kilómetros al sur-suroeste de la posición que ocupaban en ese momento.

El Thuraya sonó. Dorph se lo acercó al oído y escuchó mientras el hombre al que creía Martin Lindros confirmaba las coordenadas que ya había marcado en su GPS.

—Sí, señor —dijo suavemente dirigiéndose al micrófono del Thuraya—. Tiempo aproximado de llegada, veinte minutos. Puede contar con nosotros, señor.

Dorph cortó la conexión e hizo una seña con la cabeza a Lowric. Juntos dieron órdenes a sus hombres, que montaron en silencio en cuatro helicópteros Chinook. Un momento después, los rotores se pusieron en marcha y comenzaron a girar cada vez más aprisa. Las máquinas de guerra despegaron de dos en dos, levantando una enorme polvareda que al elevarse en una fina y turbulenta neblina cubrió parcialmente los aparatos hasta que ganaron altitud. Luego los helicópteros se inclinaron un poco hacia delante y partieron a toda velocidad, con rumbo sur-suroeste.

La Sala de Guerra, situada a cuarenta y cinco metros de profundidad del subsuelo de la Casa Blanca, era un hervidero. Las pantallas planas de plasma mostraban fotografías del sur de Yemen tomadas por satélite con diverso grado de precisión, desde una panorámica general a hitos topográficos y accidentes del terreno en torno a Al Ghaydah. Otras mostraban gráficos en tres dimensiones de la zona del objetivo y del avance de los cuatro helicópteros Chinook.

Los presentes en la sala eran más o menos los mismos que se habían reunido días atrás para interrogar al Viejo: el presidente;

Luther LaValle, zar de espionaje del Pentágono, acompañado de otros dos generales de menor rango; el secretario de Defensa Halliday; el consejero de Seguridad Nacional; y Gundarsson, de la AIEA. Sólo faltaba Jon Mueller.

—Diez minutos para alcanzar el objetivo —dijo el Viejo, cuyos auriculares le permitían oír los mensajes cifrados del comandante Dorph.

—Recuérdeme otra vez qué armamento lleva la fuerza de asalto —dijo el secretario Halliday, sentado a la izquierda del presidente.

—McDonnell Douglas diseñó especialmente esos Chinook para nosotros —dijo el Viejo con firmeza—. De hecho, tienen más en común con los helicópteros Apache de combate que fabrica McD que con un Chinook corriente. Al igual que los Apache, van equipados con miras de adquisición y localización de blancos y rastreadores-indicadores láser de alcance de tiro. Nuestros Chinook aguantan impactos de proyectiles de hasta veintitrés milímetros. En cuanto a su arsenal ofensivo, llevan una carga completa de misiles anticarro Hellfire, tres ametralladoras M230 de treinta milímetros y doce cohetes Hydra 70 que dispara un lanzacohetes M261 de diecinueve tubos. Los cohetes están dotados de granadas con espoletas de detonación por impacto y espoletas multiopción activadas por control remoto.

El presidente soltó una risa algo estentórea.

—Hasta tú te darás por satisfecho con tantos detalles, Bud.

—Discúlpeme, director —insistió Halliday—, pero no salgo de mi asombro. No ha mencionado usted la grave crisis de seguridad que ha sufrido la sede central de la CIA.

—¿Qué crisis? —El presidente pareció primero atónito y luego enfadado; la sangre se le agolpó en la cara—. ¿De qué está hablando, Bud?

—Sufrimos el ataque de un virus informático —dijo suavemente el director. *¿Cómo coño se ha enterado de lo del virus?*—. Nuestros técnicos nos aseguraron que el sistema no sufrió daños de importancia. El cortafuegos se ocupó de ello. En estos momentos están purgando el sistema.

—Yo que usted, director —continuó el secretario Halliday—, no restaría importancia a una brecha en la seguridad informática de la agencia, y menos aún teniendo a esos puñeteros terroristas pegados al cogote.

LaValle, como un leal vasallo, prosiguió el interrogatorio.

—Director, dice usted que su gente está purgando el virus, pero lo cierto es que su agencia sufrió un ataque electrónico.

—No es la primera vez —respondió el director—. Ni será la última, se lo aseguro.

—Aun así —continuó LaValle—, un ataque exterior...

—No fue exterior. —El director clavó su formidable mirada en el zar de espionaje del Pentágono—. Gracias a las hábiles pesquisas de mi ayudante, Martin Lindros, descubrimos un rastro electrónico que conducía hasta el topo: el difunto Tim Hytner. Lo último que hizo Hytner fue introducir el virus en el sistema mientras simulaba descifrar una clave de Duyya que resultó ser un código binario.

El Viejo fijó la mirada en el presidente.

—Ahora, por favor, volvamos al grave asunto que nos ocupa.

—*¿Cuántos ataques más tengo que soportar de estos dos antes de que el presidente les pare los pies?*, se preguntó amargamente.

En la Sala de Guerra reinaba un ambiente tenso mientras las imágenes aparecían y desaparecían en múltiples pantallas. Tenían todos la boca seca y los ojos clavados en el monitor de plasma que mostraba el avance por las montañas de los cuatro Chinook de la CIA. Las imágenes eran idénticas a las de una videoconsola, pero en cuanto comenzara el combate se acabaría todo parecido con un juego.

—Han sobrevolado el *uadi* situado más al oeste —informó el director—. Ya sólo les separa de la planta de Duyya una cadena montañosa de escasa importancia. Se dirigen hacia el suroeste de su posición actual. Irán de dos en dos.

—Tenemos NR —informó Marlin Dorph al director de la CIA. Se refería a «niebla de radiación», un curioso fenómeno que a

veces podía observarse al amanecer o durante la noche, provocado por el enfriamiento de la superficie de la tierra, cuando una
capa de aire relativamente húmedo quedaba atrapada a ras de suelo por el aire más seco de las capas superiores.

—¿Han divisado el objetivo? —La voz del director, fina y metálica, resonó en su oído.

—Negativo, señor. Vamos a aproximarnos para echar un vistazo más de cerca, pero dos de los helicópteros se han quedado
atrás en formación de apoyo. —Se volvió hacia Lowrie, que asintió—. Norris —le dijo al piloto del helicóptero de su izquierda—,
hazlo descender.

Vio descender en picado al otro Chinook, cuyos rotores batían
la niebla, disipándola.

—¡Allí! —gritó Lowrie.

Dorph vio un grupo de unos seis hombres armados. Miraban
hacia arriba, sorprendidos. Dejó que sus ojos siguieran el camino
por el que avanzaban y vio un grupo de edificios bajos en forma de
búnker. Parecían las construcciones típicas de un campo de entrenamiento terrorista, pero así era como camuflaría el grupo terrorista Duyya su base.

El Chinook que volaba más bajo comenzó a disparar sus ametralladoras M230. Una andanada de proyectiles de treinta milímetros levantó la tierra. Los hombres se arrojaron al suelo, dispararon, se dispersaron, volvieron a disparar, fueron barridos por el
fuego de las ametralladoras.

—¡Vamos! —gritó Dorph al micrófono—. El complejo está a
medio kilómetro en línea recta.

El Chinook comenzó a descender en picado. Dorph oyó aumentar el estruendo cuando los otros dos helicópteros abandonaron su posición periférica y se lanzaron tras él.

—¡Hellfire listos! —gritó—. Quiero que cada nave lance un
misil cuando yo lo diga. —Los distintos ángulos de tiro harían que
hasta las paredes más sólidas se derrumbaran.

Vio converger sobre el objetivo a los otros tres helicópteros.

—¡Preparados! —bramó Dorph—. ¡Ahora!

Cuatro misiles Hellfire salieron disparados de la panza de los Chinook. Impactaron contra el complejo de edificios, haciendo explosión con escasos segundos de diferencia. Se alzó una ola de fuego. La onda expansiva sacudió el helicóptero al tiempo que grandes ráfagas de un humo negro y grasiento brotaban del objetivo.

Luego el caos fue total.

Mientras hacía cola para embarcar con destino a Washington, en el aeropuerto internacional Atatürk, Soraya Moore sacó su móvil. Desde que se había despedido de Bourne, no había dejado de pensar en la situación en la sede central de la CIA. Bourne tenía razón: el falso Lindros se había colocado en una posición perfecta. Pero ¿por qué se había tomado tantas molestias para infiltrarse en la CIA? ¿Para obtener información? Soraya no lo creía. Fadi era lo bastante listo como para saber que su hombre no podría extraer información saltándose las herméticas barreras de seguridad de la agencia. Su presencia allí sólo podía tener un propósito: entorpecer los esfuerzos de Tifón por detener a Duyya. Eso, a su modo de ver, se traducía en un plan ofensivo. Desinformación activa. Porque si el personal de la CIA se centraba en objetivos ilusorios, Fadi y su equipo podrían infiltrarse en Estados Unidos sin que nadie detectara su presencia. Era una maniobra de distracción clásica, el truco más viejo del conspirador. Y a menudo también el más efectivo.

Sabía que Bourne había dicho que no podían acudir al director. Podía, en cambio, hacer otra cosa: contactar con Anne Held. A ella podía contárselo todo; Anne encontraría el modo de hablar con el Viejo sin que nadie se enterara. Así se librarían del topo limpiamente, fuera quien fuese.

Soraya avanzó en la fila. Los pasajeros del vuelo estaban embarcando. Sopesó de nuevo su idea y marcó el número privado de Anne. El teléfono sonó y sonó, y Soraya se descubrió rezando para que contestara. No se atrevía a dejar un mensaje en el buzón de voz, ni siquiera pidiéndole que le devolviera la llamada. Anne contestó al séptimo pitido.

—Anne, menos mal. —La fila avanzaba ahora más aprisa—. Soy Soraya. Escucha, tengo muy poco tiempo. Voy a volver a Washington. No digas nada hasta que acabe. He descubierto que el Martin Lindros al que Bourne sacó de Etiopía es un impostor.

—¿Un impostor?

—Eso he dicho.

—¡Pero eso es imposible!

—Sé que parece una locura.

—Soraya, no sé qué te ha pasado por allí, pero te aseguro que Lindros es quien dice ser. Hasta pasó el escáner de retina.

—Déjame acabar, por favor. Ese hombre, sea quien sea, trabaja para Fadi. Le han puesto allí para hacernos perder el rastro de Duyya. Necesito que se lo digas al Viejo, Anne.

—Ahora sí que tengo claro que te has vuelto loca. Si le digo al Viejo que Lindros es un impostor, hará que me encierren en un manicomio.

Soraya casi estaba en la puerta de embarque. Se le había agotado el tiempo.

—Tienes que creerme, Anne. Tienes que encontrar un modo de convencerle.

—Sin pruebas, no —le dijo—. Cualquier cosa concreta servirá.

—Pero no...

—Tengo aquí un boli. Dime qué vuelo vas a coger. Iré a buscarte al aeropuerto. Ya pensaremos algo antes de llegar al cuartel general.

Soraya le dio el número de vuelo y la hora de llegada. Saludó con una inclinación de cabeza a la azafata de la puerta al darle la tarjeta de embarque.

—Gracias, Anne, sabía que podía contar contigo.

Los misiles Sidewinder surgieron de la nada.

—¡Por el flanco derecho! —gritó Dorph, pero las alarmas se habían disparado ya dentro del Chinook. Vio impactar de lleno un misil en el helicóptero que volaba más bajo. El Chinook estalló en una bola de fuego que las feroces oleadas de humo que se elevaban desde los edificios derruidos se tragaron de inmediato. Un segundo helicóptero recibió un impacto en la cola en plena maniobra evasiva. Su parte trasera voló por los aires y el resto del aparato se ladeó y se precipitó hacia las llamaradas.

Dorph se olvidó del otro helicóptero. Tenía que concentrarse en el suyo. Se acercó al piloto en el instante en que el Chinook viraba, ejecutando una primera maniobra evasiva.

—Tengo uno localizado, Skip —comentó el piloto—. Lo tenemos justo detrás. —El Chinook comenzó a hacer virajes, a subir y a bajar en picado mientras el piloto movía el mando de un lado a otro.

—Sigue así —dijo Dorph. Hizo una seña al oficial de artillería—. Necesito que programes una espoleta multiopción para que estalle con un margen de cinco segundos.

El oficial abrió los ojos de par en par.

—Eso es mucho apurar, Skip. Podríamos quedar atrapados en la onda expansiva.

—Eso es lo que quiero —confirmó Dorph—. Más o menos.

Miró por la ventana mientras el oficial se ponía manos a la obra. A menos de cien metros de allí, otro Sidewinder localizó su blanco e impactó en el centro del aparato. El tercer Chinook cayó a plomo. Sólo quedaban ellos.

—Skip, el proyectil se aproxima —dijo el piloto—. No podré esquivarlo mucho más tiempo.

Con un poco de suerte no hará falta, pensó Dorph. Dio una palmada en el hombro al piloto.

—Cuando te avise, vira a la izquierda y baja en picado todo lo que puedas. ¿Entendido?

—Entendido, Skip.

—Agarra con fuerza el mando —le dijo Dorph. Oyó el chillido que emitía el Sidewinder al surcar el aire intentando alcanzarlos. Se les estaba agotando el tiempo.

El oficial de artillería le miró e inclinó la cabeza.

—Todo listo, Skip.

—Suéltalo —dijo Dorph.

Se oyó un chirrido cuando disparó el cohete Hydra 70. Dorph contó:

—Uno, dos... —Dio una palmada al piloto—. ¡Ahora!

De pronto, el helicóptero viró violentamente a la izquierda y descendió en picado. Estaban muy cerca del suelo cuando el Hydra hizo explosión. La onda expansiva los lanzó hacia delante y a la derecha. Dorph sintió el calor a pesar del fuselaje blindado del Chinook. Ése era el cebo: el Sidewinder, un misil aire-aire guiado por un dispositivo de rastreo térmico, se fue derecho hacia él y estalló en pedazos.

El Chinook se estremeció y vaciló un momento mientras el piloto intentaba detener su caída. Después, oscilando como un péndulo, se enderezó.

—¡Estupendo! —Dorph apretó el hombro del piloto—. ¿Estáis todos bien? —Vio de soslayo que sus hombres asentían y levantaban los pulgares—. Muy bien, ahora vamos a por el aparato enemigo que ha derribado a nuestros chicos.

Después de que Soraya se marchara al aeropuerto, Bourne comenzó a hacer planes para encontrar e interrogar a Nesim Hatun, el hombre que había contratado a Yevgeny Feyodovich. Según Yevgeny, Hatun trabajaba en el distrito de Sultanahmet, a cierta distancia del lugar donde se encontraba.

Bourne apenas se tenía en pie. No se había permitido pensar en ello, pero la cuchillada de Fadi había mermado considerablemente sus fuerzas, y la pelea con Matthew Lerner le había dejado maltrecho. Sabía que, hallándose en aquel estado, sería una estupidez (un suicidio, quizás) ir en busca de Nesim Hatun.

Así que trató de encontrar a un *al achab*. Los herboristas tradicionales tenían, en rigor, su centro en Marruecos, pero los muchos microclimas de Turquía daban cabida a más de once mil especies vegetales, de modo que no era de extrañar que entre las muchas tiendas de Estambul hubiera alguna botica regentada por un marroquí experto en fitoquímica.

Cuando llevaba tres cuartos de hora deambulando y preguntando a peatones y tenderos, encontró por fin lo que buscaba. En medio de un bullicioso mercado había una tiendecita con polvorientos ventanucos y cierto aire de abandono.

Dentro, sentado en un taburete, el *achab* molía hierbas en un almirez. Al acercarse Bourne, levantó hacia él sus ojos acuosos y miopes.

El ambiente era denso, casi sofocante. En él se mezclaban los olores intensos y desconocidos de hierbas secas, tallos, pedúnculos, hojas, hongos, esporas, pétalos de flores y muchas otras cosas. Las paredes estaban cubiertas de arriba abajo de cajones de madera y recipientes en los que el herborista guardaba su inmenso caudal de mercancías, y el polvo aromático acumulado por años y años de molienda vencía la poca luz que entraba por las sucias ventanas.

—¿Sí? —dijo el *achab* en turco con acento marroquí—. ¿Qué se le ofrece?

A modo de respuesta, Bourne se desnudó hasta la cintura para mostrarle sus heridas vendadas, sus lívidos moratones, sus cortes bordeados de sangre reseca.

El *achab* torció uno de sus largos dedos. Era un hombre menudo, extremadamente delgado, con la piel oscura y correosa de un morador del desierto.

—Acérquese, por favor.

Bourne obedeció.

Los ojos acuosos del herborista parpadearon lentamente.

—¿Qué es lo que quiere?

—Seguir en marcha —dijo en árabe marroquí.

El *achab* se levantó, se acercó a un cajón y sacó lo que parecía un puñado de pelos de cabra.

—*Huperzia serrata*. Un musgo muy raro que se encuentra en el norte de China. —Se sentó en su taburete, dejó el almirez a un lado y comenzó a partir en trocitos el musgo seco—. Lo crea o no, todo lo que necesita está aquí. El musgo contrarrestará la inflamación que le está dejando sin fuerzas. Y al mismo tiempo aumentará enormemente su agudeza mental.

Se volvió, apartó un cazo de un hornillo y vertió un poco de agua casi hirviendo en una tetera de cobre. Echó luego los trozos de musgo, añadió más agua, tapó la tetera y dejó el cazo junto al almirez.

Bourne volvió a abrocharse la camisa y se sentó en un taburete de madera.

Esperaron en amigable silencio mientras reposaba la infusión. Por acuosos y miopes que fueran, los ojos del *achab* no perdían detalle de la cara de Bourne.

—¿Quién es usted?

—No lo sé —contestó.

—Puede que algún día lo sepa.

La infusión acabó de reposar. El *achab* usó sus largos dedos para servir la cantidad exacta en un vaso. Era un líquido denso, oscuro y opaco que olía a cenagal.

—Bébaselo todo. —Le tendió el vaso—. Enseguida, por favor.

Tenía un sabor indescriptible. Aun así, Bourne se tragó hasta la última gota.

—Dentro de una hora sentirá el cuerpo más fuerte y la mente más activa —dijo el *achab*—. Los efectos durarán un par de días.

Bourne se levantó y le dio las gracias mientras le pagaba. Al salir al mercado, entró primero en una tienda de ropa y compró un traje tradicional turco al completo, incluidas las babuchas de suela fina. El dueño de la tienda le indicó el camino para volver a Istiklal Caddesi cruzando el Cuerno de Oro desde Sultanahmet. Allí entró en una tienda de disfraces en la que compró una barba y un frasquito de pegamento para postizos. Se puso la barba frente al espejo de la tienda.

Rebuscó luego entre las mercancías que ofrecía el establecimiento, compró lo que necesitaba y lo metió todo en un bolsito de cuero de segunda mano muy desgastado. Mientras compraba, se apoderó de él una rabia implacable. No se quitaba de la cabeza lo que le habían hecho Veintrop y Fadi. Su enemigo se había colado en su cabeza y había logrado influir sutilmente en sus procesos mentales y alterar sus decisiones. ¿Cómo se las había arreglado Fadi para introducir a Veintrop en la consulta del verdadero doctor Sunderland?

Sacó su móvil, buscó el número de Sunderland y marcó los prefijos internacionales y a continuación el número de once dígitos. La consulta no estaba abierta a aquella hora, pero una voz grabada le preguntó si quería pedir cita, conocer el horario de consulta del doctor o indicaciones para llegar desde Washington, Maryland o Virginia. Bourne escogió la segunda opción. La voz grabada le dijo que el doctor atendía de diez de la mañana a seis de la tarde, lunes, miércoles, jueves y viernes. La consulta cerraba los martes. Él había estado en el consultorio un martes. ¿Quién le había pedido la cita?

La frente comenzó a sudarle y se le aceleró el corazón. ¿Cómo sabía la gente de Fadi que iba a sacarle de la celda? Soraya había llamado a Tim Hytner, por eso él había sospechado que el topo era Hytner. Pero no lo era. ¿Quién tenía acceso a las llamadas de móvil de la red interna de la CIA? ¿Quién podía estar escuchando, sino el topo? Tenía que ser la misma persona que había fijado su cita con Sunderland el día en que el doctor no pasaba consulta.

¡Anne Held!

Dios mío, pensó. La mano derecha del Viejo. No podía ser. Y sin embargo no había otra explicación. ¿Quién mejor para Fadi, para cualquiera que quisiera conocer lo que pasaba en el centro mismo de la telaraña de la CIA?

Marcó otro número. Tenía que advertir a Soraya antes de que embarcara. Pero su buzón de voz saltó enseguida, lo que significaba que ya había apagado el teléfono. Iba en un avión rumbo a Washington, rumbo al desastre.

Bourne le dejó un mensaje diciéndole que Anne Held tenía que ser el topo dentro de la CIA.

25

—Pasa, Martin. —El director hizo una seña a Karim, que estaba en la puerta de su sanctasantórum—. Me alegro de que Anne te haya encontrado.

Karim recorrió el largo camino hasta la silla situada delante de la enorme mesa del director. Aquel trayecto le recordaba el pasillo que formaban los beduinos para atacar a pedradas a los acusados de traición. Si llegaba vivo al final, el traidor recibía una muerte rápida y misericordiosa. Si no, se le dejaba en el desierto para que fuera pasto de los buitres.

Karim oía ruidos. Una extraña atmósfera de euforia y aflicción había recorrido la sede de la CIA al conocerse la noticia de que la planta nuclear de Duyya en el sur de Yemen había sido destruida, pese a las bajas causadas por el ataque. El director había hablado personalmente con el comandante Dorph, cuyo grupo de Escorpiones y *marines* era el único que había sobrevivido a la ofensiva. Las víctimas mortales eran numerosas: tres Chinook llenos de *marines* y Escorpiones de la CIA. La planta estaba defendida por dos MIG soviéticos armados con misiles Sidewinder. El helicóptero de Dorph los había derribado a ambos tras destruir el objetivo.

Karim tomó asiento. Siempre tenía los nervios de punta cuando se sentaba en aquella silla.

—Señor, sé que hemos pagado un alto precio, pero me extraña verle tan apesadumbrado, teniendo en cuenta el éxito de nuestra ofensiva contra Duyya.

—Lamento mucho la muerte de esos chicos, Martin. —El Viejo gruñó como si sufriera—. No es que no me sienta aliviado, y resarcido, después del vapuleo que recibí en la Sala de Guerra.

—Sus gruesas cejas se juntaron—. Pero, entre tú y yo, hay algo que me da mala espina.

Karim notó que una punzada de angustia recorría su columna vertebral. Sin darse cuenta se situó al borde de la silla.

—No le entiendo, señor. Dorph ha confirmado que las instalaciones sufrieron cuatro impactos directos, todos desde distintos ángulos. No hay duda de que han sido destruidas por completo, al igual que los dos cazas enemigos que las defendían.

—Sí, es cierto. —El director asintió—. Pero aun así...

La mente de Karim funcionaba vertiginosamente, extrapolando posibilidades. Era célebre el instinto del Viejo. No había conservado su puesto tanto tiempo sólo porque hubiera aprendido a ser un buen político, y Karim sabía que cometería un error si se limitaba a intentar tranquilizarle.

—Si fuera más concreto...

El Viejo meneó la cabeza.

—Ojalá pudiera.

—Nuestros datos eran exactos, señor.

El director se recostó en su asiento y se frotó el mentón.

—Lo que me trae de cabeza es por qué esperaron los MIG a lanzar los misiles cuando la planta ya había sido destruida.

—Puede que recibieran tarde el aviso. —Karim pisaba terreno delicado y lo sabía—. Ya oyó usted a Dorph. Había niebla.

—La niebla estaba a ras de suelo. A los MIG no les afectaba. No tenía por qué. ¿Y si esperaron a propósito hasta que la planta estuviera destruida?

Karim intentó ignorar el zumbido que sentía en los oídos.

—Eso no tiene sentido, señor.

—Lo tendría, si la planta fuera un engaño —dijo el Viejo.

Karim no podía permitir que el Viejo (ni nadie de la CIA) siguiera por ese camino.

—Puede que tenga razón, señor, ahora que lo pienso. —Se levantó—. Me pondré enseguida con ello.

Los penetrantes ojos del Viejo le observaban desde debajo de sus pobladas cejas.

—Siéntate, Martin.

El silencio se apoderó del despacho. El leve bullicio de las celebraciones se había disipado al volver el personal de la CIA a su lúgubre tarea.

—¿Y si Duyya quería hacernos creer que habíamos destruido su planta nuclear?

Eso era, desde luego, lo que había pasado. Karim procuró controlar el latido de su corazón.

—Sé que le vendí al secretario Halliday que Tim Hytner era el topo —continuó tenazmente el director—, pero eso no significa que me lo crea. Si mi corazonada es cierta y los mensajes que captamos eran desinformación, mi teoría es que o el verdadero topo lo arregló todo para culpar a Hytner, o teníamos más de una manzana podrida en el barril.

—Eso es mucho aventurar, señor.

—Pues sácame de dudas, Martin. Que esto sea prioritario. Utiliza todos los recursos necesarios.

El Viejo apoyó las manos en la mesa y se levantó. Tenía la cara pálida y macilenta.

—Por todos los santos, Martin, si Duyya nos ha engañado es que no les hemos detenido. Al contrario: están a punto de lanzar su ataque.

Muta ibn Aziz llegó a Estambul poco después de mediodía y se fue derecho a ver a Nesim Hatun, que regentaba el Miraj Hammam, unos baños turcos del distrito de Sultanahmet. Situados en un edificio viejo, grande y destartalado, en una bocacalle a menos de cinco manzanas de Hagia Sophia, la gran iglesia fundada por Justiniano en el año 532, los baños estaban siempre muy concurridos y eran más caros que los de los barrios menos turísticos de la ciudad. Llevaban allí muchos años: desde mucho antes de que naciera Hatun.

Éste se enorgullecía de haber sobornado a quien debía para que su negocio apareciera destacado en las mejores guías turísticas de Estambul. Con el *hammam* se ganaba muy bien la vida (especialmente si se comparaba con la media del país), pero era su trabajo para Fadi lo que le había hecho multimillonario.

Hombre de inmensos apetitos, Hatun era regordete y llevaba pintada en la cara la crueldad de un buitre. Cuando se miraban sus ojos negros, se hacía patente que tenía veneno en el alma: un veneno que Fadi había identificado, extraído y alimentado amorosamente. Hatun había tenido muchas esposas, pero todas habían muerto o vivían exiliadas en el campo. En cambio, sus doce hijos, a los que quería y entregaba su confianza, eran felices regentando el *hammam* en su nombre. Hatun, cuyo corazón era como un puño cerrado, lo prefería así. Y también Fadi.

—*Merhaba, habibi* —dijo Hatun a modo de saludo cuando Muta ibn Aziz cruzó el umbral de su puerta. Besó a su invitado en ambas mejillas y le condujo a través de las salas públicas del *hammam*, repletas de mosaicos, hasta la parte de atrás, que rodeaba un jardincillo en cuyo centro crecía su preciada palmera datilera.

Se sentaron en frescos bancos de piedra, a la luz tamizada del sol, mientras dos de sus hijas les servían té dulce y pastelillos. Después una de las muchachas les llevó un abigarrado narguile, una pipa de agua tradicional, de la que fumaron ambos.

Aquellos rituales y el tiempo que se tardaba en ejecutarlos formaban parte sustancial de la vida de Oriente. Servían para cimentar la amistad demostrando una cortesía y un respeto propios de personas civilizadas. Todavía quedaban hombres como Nesim Hatun, cuyo empeño en observar las viejas costumbres mantenía encendida la lámpara de la tradición, pese al cegador brillo de neón de la era digital.

Hatun apartó por fin el narguile.

—Has hecho un viaje muy largo, amigo mío.

—A veces, como sabes muy bien, las formas más viejas de comunicarse son las menos peligrosas.

—Lo entiendo perfectamente. —Inclinó la cabeza en señal de aprobación—. Yo mismo cambio de móvil todos los días, y cuando hablo por él, sólo digo vaguedades.

—No hemos tenido noticias de Yevgeny Feyodovich.

Hatun arrugó el entrecejo.

—¿Bourne sobrevivió en Odesa?

—No lo sabemos, pero el silencio de Feyodovich nos preocupa. Fadi está muy descontento, como es lógico.

Hatun extendió sus manos. Eran sorprendentemente pequeñas, con las uñas delicadas como las de una niña.

—Yo también lo estoy. Os ruego que dejéis de preocuparos: yo mismo me encargaré de Yevgeny Feyodovich.

Muta ibn Aziz asintió.

—Mientras tanto, hemos de suponer que está fuera de acción.

Nesim Hatun se quedó pensando un momento.

—Ese tal Bourne, dicen que es como un camaleón. Si sigue vivo, si consigue llegar hasta aquí, ¿cómo sabré que es él?

—Fadi le apuñaló en el costado izquierdo. La herida es grave. Tendrá el cuerpo magullado. Si viene, será dentro de poco, quizás esta misma tarde.

Nesim Hatun percibió el nerviosismo del mensajero. *El plan de Fadi debe de estar a punto de dar fruto*, pensó.

Se levantaron y cruzaron las habitaciones privadas, tan apacibles y suntuosas como el jardín de fuera.

—Voy a quedarme el resto del día y esta noche. Si Bourne no aparece entre tanto, ya no vendrá. Y aunque aparezca, será ya demasiado tarde.

Hatun asintió. Así pues, tenía razón. El ataque de Fadi contra Estados Unidos era inminente.

Muta ibn Aziz señaló con el dedo.

—Hay un biombo al fondo del jardín. Esperaré allí. Si viene Bourne, querrá verte. Se lo permitirás, pero cuando estés hablando con él, mandaré a uno de tus hijos a buscarte y tú y yo mantendremos una conversación.

—Para que Bourne nos oiga. Entendido.

Muta ibn Aziz se acercó y dijo en un quebradizo susurro:

—Quiero que Bourne sepa quién soy. Quiero que sepa que voy a volver con Fadi.

Nesim Hatun asintió de nuevo.

—Para que te siga.

—Exacto.

Jon Mueller vio desde el principio en qué había fallado Overton, el hombre enviado por Lerner. Vigilando a Anne Held, descubrió sin dificultad a quien la custodiaba. Vigilar y custodiar a alguien eran cosas distintas: él no pretendía seguir a Held, sino descubrir a quienes la protegían de posibles acosos exteriores. Para ello se situó muy lejos y en altura. Al principio se sirvió sólo de los ojos y prescindió de prismáticos: necesitaba ver el entorno inmediato de Held con la mayor perspectiva posible. Los prismáticos habrían estrechado su campo de visión. Le fueron muy útiles, sin embargo, cuando localizó al hombre que custodiaba a Held.

Eran tres, en realidad, trabajando en turnos de ocho horas. A Mueller no le extrañó que la tuvieran vigilada veinticuatro horas al día. La chapuza que había hecho Overton les habría vuelto más temerosos y precavidos. Mueller había previsto el problema y tenía un plan para solventarlo.

Había observado durante veinticuatro horas al equipo de escoltas de Held. Se había fijado en sus costumbres, en sus manías, sus predilecciones y sus métodos de trabajo, todo lo cual variaba un poco entre uno y otro. El del turno de noche necesitaba una provisión constante de café para mantenerse alerta, mientras que el del turno de mañana usaba el móvil constantemente. El de la tarde fumaba como un carretero. Mueller le eligió porque su nerviosismo innato le convertía en el más vulnerable.

Sabía que sólo podría hacer un disparo, de modo que debía aprovechar al máximo la oportunidad que se presentaría tarde o temprano. Unas horas antes había robado una camioneta en las cocheras que la Potomac Electric Power Company tenía en la avenida Pennsylvania. Iba sentado al volante de la camioneta cuando Anne Held montó en un taxi que esperaba frente al cuartel general de la CIA.

Cuando el taxi se incorporó al tráfico, Mueller esperó, paciente como la muerte. Enseguida oyó encenderse un motor. Un Ford blanco arrancó al otro lado de la calle, y el escolta de la tarde ocupó su posición dos vehículos por detrás del taxi. Mueller les siguió entre el denso tráfico.

Diez minutos después, Held salió del coche y siguió a pie. Mueller conocía bien aquel protocolo. La joven iba camino de una cita. Había tanto tráfico que el escolta de la tarde no podía seguirla en el coche. Mueller lo dedujo antes que él y aparcó la camioneta en la calle Diecisiete Noroeste, en una zona prohibida, consciente de que nadie cuestionaría que un vehículo de servicio público estuviera aparcado allí.

Salió de la camioneta y se acercó rápidamente al lugar donde el escolta había parado su coche junto a la acera. Tocó la ventanilla del lado del conductor. Cuando el escolta bajó el cristal, Mueller dijo:

—Eh, colega —Y le asestó un puñetazo justo debajo de la oreja izquierda.

El golpe en aquel haz de nervios le dejó sin sentido. Mueller le enderezó tras el volante, regresó a la acera y siguió a Held calle arriba, sin perderla de vista.

Anne Held y Karim paseaban por la Corcoran Gallery, en la calle Diecisiete Noroeste. Aquella espléndida colección de arte tenía su sede en un magnífico edificio georgiano de mármol blanco del que Frank Lloyd Wright afirmó una vez que era el mejor diseñado de todo Washington. Karim se detuvo delante de un gran lienzo de Robert Betchel, un pintor fotorrealista de San Francisco cuyo valor artístico no podía calibrar.

—El director sospecha que el objetivo del ataque era un engaño —dijo—, lo que significa que sospecha que los mensajes de Duyya que interceptó y descifró Tifón eran pura desinformación.

Anne estaba atónita.

—¿De dónde proceden esas sospechas?

—Los pilotos de los MIG cometieron un error crucial. Esperaron a que los Chinook arrasaran el complejo abandonado para empezar a disparar sus misiles. Tenían órdenes de permitir el bombardeo para que los americanos creyeran que la incursión había sido un éxito, pero debían llegar al lugar minutos después que ellos. Pensaron que la niebla les ocultaría de los Chinook, pero los americanos se las arreglaron para disiparla con sus rotores. Ahora el Viejo quiere que averigüe si hay una filtración dentro de la CIA.

—Creía que habías convencido a todo el mundo de que Hytner era el topo.

—A todo el mundo menos a él, por lo visto.

—¿Qué vamos a hacer? —preguntó Anne.

—Acelerar el proceso.

Ella miró a su alrededor a hurtadillas, nerviosa.

—No temas —dijo Karim—. Después de incinerar a Overton, te puse vigilancia. —Miró su reloj y se encaminó hacia la salida—. Vamos. Soraya Moore llega dentro de tres horas.

Jon Mueller estaba sentado tras el volante de la camioneta de la Potomac Electric, a escasa distancia de la Corcoran Gallery. Estaba seguro de que Anne Held se había citado allí con alguien. Eso habría preocupado a Lerner, pero a él no: importaría muy poco cuando la quitara de en medio.

Se incorporó al tráfico en cuanto la vio salir por la puerta principal. Tenía delante el semáforo del cruce de la avenida Pennsylvania. Estaba todavía en verde cuando Held bajó las escaleras, pero cambió a ámbar mientras él se acercaba. Había un solo coche delante de él. De pronto, Mueller hizo rugir el motor y arrancó con un chirrido de la caja de cambios, adelantó al vehículo a toda velocidad y, saltándose el semáforo en rojo, atravesó el cruce entre un coro de insultos, gritos airados y bocinazos.

Pisó el acelerador a fondo al acercarse a Anne Held.

La bala que rompió el cristal lateral de la camioneta sonó

como un carillón desafinado. Mueller no tuvo tiempo de pensar en ello: se incrustó a un lado de su cabeza y salió por el contrario, arrancándole la mitad del cráneo.

Un instante antes de que la camioneta de la Potomac Electrics perdiera el control, Karim agarró a Anne del brazo y tiró de ella hacia la acera. Mientras la camioneta se estrellaba contra dos coches, se alejaron a toda prisa del lugar del mortífero accidente.

—¿Qué ha pasado? —preguntó Anne.

—El que conducía la camioneta pretendía atropellarte y darse a la fuga.

—¿Qué?

Karim tuvo que apretarle el brazo para que no mirara hacia atrás.

—Sigue andando —le ordenó—. Tenemos que alejarnos de aquí.

Tres manzanas más allá había un Lincoln Aviator negro con matrícula diplomática aparcado al ralentí junto a la acera. Con un movimiento ágil y fluido, Karim abrió la puerta trasera e instó a Anne a subir al coche. Montó tras ella, cerró la puerta y el Aviator arrancó.

—¿Estás bien? —preguntó.

Ella asintió con una inclinación de cabeza.

—Un poco temblorosa, nada más. ¿Qué ha pasado?

—Ordené que te vigilaran en secreto.

Delante iban el chófer y un escolta. Ambos parecían funcionarios de alguna embajada árabe. Anne supuso que podían serlo. Pero no lo sabía, ni quería saberlo. Como tampoco quería saber adónde iban. En su oficio, el exceso de información, como el exceso de curiosidad mal dirigida, podía ser mortal.

—Tenía vigilado a Lerner, así que en cuanto el Viejo me dijo que le había mandado a Odesa supuse que te asignarían a alguien todavía de mayor rango en la cadena trófica del espionaje. Tenía razón. Un hombre llamado Jon Mueller, de Seguridad Nacional.

Mueller y Lerner eran amigos, iban juntos de putas. Pero lo interesante del caso es que Mueller está al servicio del secretario de Defensa Halliday.

—Lo que significa que probablemente Lerner también lo está.

Karim mostró su acuerdo con un gesto, se inclinó hacia delante y le dijo al chófer que aminorara la marcha mientras el lamento de las sirenas de la policía, los bomberos y las ambulancias crecía y luego se alejaba.

—Halliday parece empeñado en aumentar el poder del Pentágono, en hacerse con el control de la CIA y moldearla a su antojo. Podemos sacar partido del caos que va a generar su guerra intestina.

El Aviator había llegado a los confines septentrionales de la ciudad. Bordeando el lindero noreste del parque Rock Creek, llegaron por fin a la parte de atrás de una gran funeraria dirigida por una familia pakistaní.

La familia era también propietaria del edificio, gracias al capital que les suministraba International Vertical Technologies a través de las empresas independientes que, con sede en las Bahamas y las Caimán, Karim había fundado desde que sustituyera a su padre en la dirección de la multinacional. El edificio había sido destripado por completo y remodelado conforme a las instrucciones del propio Karim.

Entre ellas, la construcción de lo que parecía ser un muelle de carga y descarga en la parte trasera del edificio. Y eso era, de hecho, para los proveedores de la funeraria. Pero cuando el chófer del Aviator entró en él, el muro de cemento del fondo se sumió en un hueco practicado en el suelo y dejó al descubierto una rampa por la que bajó el vehículo. Se detuvieron en un inmenso subsótano y salieron los cuatro del coche.

Junto a la pared más cercana a ellos se alineaban los barriles y cajones que poco antes había albergado el taller de chapa y pintura. A la izquierda de los explosivos había una limusina Lincoln negra cuya matrícula Anne conocía bien.

La mujer se acercó a la limusina y pasó los dedos por su bruñida superficie. Se volvió hacia Yamil.

—¿De dónde has sacado el coche del Viejo?

—Es una réplica exacta. Incluso tiene el mismo blindaje y los mismos cristales a prueba de balas. —Karim abrió la puerta trasera—. Pero hay una diferencia.

La luz de cortesía se había encendido al abrirse la puerta. Al asomarse, Anne vio con asombro que el interior reproducía el original de manera exacta. Tenía incluso la misma gruesa moqueta de color azul rey. Vio que Karim levantaba una esquina de la moqueta que aún no estaba pegada. Sirviéndose de la hoja de una navaja plegable, levantó la plancha del suelo lo justo para que viera lo que había dejado.

El fondo del coche estaba repleto de pulcros rectángulos de una sustancia gris clara parecida a la arcilla.

—Exacto —dijo Karim al ver que Anne contenía bruscamente el aliento—. Aquí hay suficiente C-4 para hacer saltar por los aires los cimientos reforzados de la sede central de la CIA.

26

El barrio en el que Nesim Hatun andaba en tratos de los que Bourne aún no sabía nada recibía su nombre del sultán Ahmet I, quien, durante la primera década del siglo diecisiete, construyó la Mezquita Azul en el corazón de la ciudad que los europeos del diecinueve llamaban Stamboul. Aquél era el centro del antaño inmenso Imperio bizantino, que, en su época de mayor esplendor, se extendía desde el sur de España hasta Bulgaria o Egipto.

El Sultanahmet moderno no había perdido ni su arquitectura espectacular ni su poder de subyugación. Formaba su centro una loma llamada el Hipódromo, con la Mezquita Azul a un lado y Hagia Sophia, construida un siglo antes, al otro. Un parquecillo enlazaba los dos templos. Actualmente, la zona de mayor ajetreo se concentraba en los aledaños de Akbiyik Caddesi, la avenida de la Mezquita Blanca, cuyo extremo norte desembocaba en el palacio de Topkapi. La ancha avenida estaba flanqueada de tiendas, bares, cafés, tiendas de alimentación y restaurantes, y los miércoles por la mañana servía de escenario a un mercado callejero.

Cuando apareció entre el bullicioso gentío que se agolpaba en Akbiyik Caddesi, Bourne apenas parecía el mismo. Llevaba el atuendo tradicional turco y la mandíbula oculta por una barba poblada.

Se detuvo junto a un puesto ambulante, compró *simit* (pan de sésamo) y yogur amarillo claro y fue comiendo mientras miraba atentamente a su alrededor. Los buscones ejercían su turbio oficio, los comerciantes pregonaban los precios de sus mercancías, los vecinos de la ciudad regateaban y los turistas caían sistemáticamente desplumados por la astucia de los turcos. Hombres de negocios provistos de teléfonos móviles, críos fotografiándose con sus teléfonos móviles y adolescentes haciendo sonar la música estridente que acababan de descargar en sus teléfonos móviles. Risas y lágrimas, sonrisas enamoradas, furiosos gritos de reyerta. Aquel hervidero de vida y emociones humanas alumbraba la avenida como un cartel de neón cuyo brillo traspasaba las aromáticas vaharadas de los braseros sobre los que se doraban, chisporroteando, los kebabs de cordero y verdura.

Al acabar de comer, Bourne se fue derecho a una tienda de alfombras y escogió un tapete de rezo por cuyo precio regateó amablemente con el dueño. Cuando se marchó, quedaron ambos satisfechos con el trato que habían hecho.

La Mezquita Azul, a la que Bourne se dirigía con el tapete bajo el brazo, estaba rodeada por seis estilizados minaretes. Ello tenía su origen en un error. El sultán Ahmet I le dijo a su arquitecto que quería que la mezquita tuviera un minarete de oro. En turco, «oro» se dice *altin*, pero el arquitecto entendió mal y construyó *alti* («seis») minaretes. Aun así, a Ahmet I le gustó el resultado, porque en aquella época ningún otro sultán tenía una mezquita con tantos minaretes.

La mezquita, como correspondía a tan espléndido edificio, tenía numerosas puertas. Los visitantes entraban en su mayoría por la fachada norte; los musulmanes, en cambio, entraban por la oeste. Bourne se detuvo nada más cruzar la puerta, se quitó los zapatos y los dejó a un lado, en una bolsa de plástico que le dio un muchacho. Se cubrió la cabeza y a continuación se lavó los pies, la cara, el cuello y los antebrazos en un pilón de piedra. Al entrar en la mezquita propiamente dicha, extendió su tapete sobre el suelo de mármol cubierto de alfombras y se arrodilló sobre él.

El interior del templo, decorado al estilo de Bizancio, estaba repleto de abigarradas cenefas, tallas de filigrana, coronas de lámparas de orfebrería, inmensas columnas pintadas de azul y oro y magníficas vidrieras de cristal emplomado cuyos cuatro pisos se alzaban hasta el firmamento de la bóveda central. El poderío que irradiaba todo ello resultaba tan irrebatible como conmovedor.

Bourne dijo sus oraciones con la frente pegada al tapete que había comprado. Sus plegarias eran absolutamente sinceras: sentía los siglos de historia labrados en aquellas piedras, en aquel mármol, en el pan de oro y el lapislázuli con los que se había construido y adornado con fervor la mezquita. La espiritualidad adoptaba muchas formas, recibía numerosos nombres, pero todos ellos hablaban directamente al corazón en un idioma tan viejo como el mismo tiempo.

Cuando acabó, se levantó y enrolló su tapete. Se quedó un rato en la mezquita, dejándose embargar por el reverbero de su semiquietud. El susurro sibilante de la seda y el algodón, el suave zumbido de las plegarias dichas en voz baja, la corriente soterrada que formaban los murmullos, todos los ruidos y los movimientos humanos iban a parar a la gran cúpula de la mezquita, donde giraban como granos de azúcar en un café denso y delicioso cuyo sabor alteraban sutilmente.

En realidad, mientras parecía absorto en su piadosa contemplación, observaba furtivamente a quienes estaban acabando sus plegarias. Vio que un hombre mayor, de barba entrecana, enrollaba su alfombra y caminaba despacio hacia las filas de zapatos. Bourne llegó a los suyos mientras aquel anciano se calzaba.

El hombre, que tenía un brazo atrofiado, le miró mientras se ponía los zapatos.

—Es usted nuevo aquí, señor —dijo en turco—. No le había visto nunca.

—Acabo de llegar, señor —contestó Bourne con una sonrisa respetuosa.

—¿Y qué le trae por Estambul, hijo mío? Salieron por la puerta oeste.

—Estoy buscando a un pariente —dijo Bourne—. Se llama Nesim Hatun.

—Un nombre bastante corriente —contestó el hombre—. ¿Sabe algo más de él?

—Sólo que tiene un negocio, no sé cuál, aquí, en Sultanahmet —respondió Bourne.

—Ah, entonces quizá pueda ayudarle. —El hombre entornó los ojos al sol—. Hay un Nesim Hatun que lleva junto a sus doce hijos el Miraj Hammam, en Bayramfirini Sokak, una calle no muy lejos de aquí. Es muy fácil llegar.

Bayramfirini Sokak (la calle del Horno de fiesta, a medio camino de Akbiyik Caddesi) era algo más tranquila que las bulliciosas avenidas de Estambul. Con todo, las voces chillonas de los mercaderes, la cantinela de los vendedores de comida ambulantes, la peculiar algarabía propia del regateo, se concentraban en la callejuela como una niebla densa. Tan empinada como la ladera de un monte, Bayramfirini Sokak bajaba hasta el mar de Mármara y daba cobijo a una serie de pequeñas pensiones y al *hammam* de Nesim Hatun, el hombre que, a instancias de Fadi, había contratado a Yevgeny Feyodovich para que condujera a Bourne al matadero en una playa de Odesa.

La puerta del *hammam* era de madera oscura y gruesa, labrada con cenefas bizantinas. Estaba flanqueada por dos vasijas de piedra de tamaño colosal, usadas en un principio para guardar el aceite de las teas. El conjunto formaba una entrada impresionante.

Bourne escondió su bolso de cuero tras la vasija de la izquierda. Abrió luego la puerta y penetró en la penumbra del zaguán. El griterío constante de la ciudad cesó de pronto y el silencio de un bosque nevado le envolvió. Pasó un momento antes de que el pitido que sentía en los oídos se desvaneciera. Se hallaba en un patio hexagonal en cuyo centro había una fuente de mármol que arrojaba agua con grácil elegancia. Por los cuatro costados había delgadas columnas que sostenían arcos labrados, más allá de los cuales se adivinaba una serie de recónditos y frondosos jardines y pasillos silenciosos iluminados por la luz de las lámparas.

Podría haber sido el atrio de una mezquita o de un monasterio del medievo. Como en todos los edificios islámicos de importancia, la arquitectura era primordial. Debido a la prohibición coránica de representar en efigie a Alá o a cualquier ser vivo, los artesanos islámicos encauzaban su afán escultórico hacia el edificio mismo y sus muchos ornamentos.

No por azar el *hammam* recordaba a una mezquita. Ambos eran lugares de culto y reunión. Los baños ocupaban un lugar especial en la vida de los musulmanes, por basarse en gran medida su liturgia religiosa en la purificación del cuerpo.

Un *tellak*, un masajista, recibió a Bourne. Era un joven delgado, con la cara de un lobo.

—Quisiera hablar con Nesim Hatun. Tenemos un socio en común: Yevgeny Feyodovich.

El *tellak* no dio muestras de reconocer el nombre.

—Veré si mi padre puede recibirle.

Soraya se disponía a encender su teléfono móvil mientras cruzaba la zona de seguridad del aeropuerto nacional de Washington cuando vio que Anne Held la saludaba con la mano. Al abrazarla sintió una oleada de alivio.

—Cuánto me alegro de que hayas vuelto —dijo Anne.

Soraya estiró el cuello y miró alrededor.

—¿Te han seguido?

—Claro que no. Lo he comprobado.

Soraya echó a andar junto a ella hacia la salida de la terminal. Notaba un desagradable hormigueo nervioso. Una cosa era actuar contra el enemigo en una misión de campo, y otra muy distinta volver a casa sabiendo que había una víbora en el nido. Comenzó a trabajar sus emociones como haría cualquier buena actriz, pensando en una tragedia ocurrida hacía mucho tiempo: el día en que *Ranger*, su perro, murió atropellado delante de ella. *Ah, aquí llegan las lágrimas*, pensó.

El semblante de Anne se cubrió de preocupación.

—¿Qué te ocurre?

—Jason Bourne ha muerto.

—¿Qué? —Anne estaba tan sorprendida que se detuvo en medio del atestado vestíbulo—. ¿Qué ha pasado?

—El Viejo mandó a Lerner a matarle como si fuera su sicario personal. Lucharon. Acabaron matándose el uno al otro. —Soraya sacudió la cabeza—. Si he vuelto, es porque quiero vigilar de cerca al hombre que se está haciendo pasar por Martin Lindros. Tarde o temprano cometerá algún error.

Anne la mantenía a distancia, estirando el brazo.

—¿Estás segura de eso que dices sobre Lindros? Acaba de dirigir un ataque en toda regla contra la planta nuclear de Duyya en el sur de Yemen. Ha quedado totalmente destruida.

La sangre inundó la cara de Soraya.

—¡Dios mío, yo tenía razón! Por eso se ha tomado Duyya tantas molestias para infiltrarse en la CIA. Si Lindros dirigió el ataque, puedes estar segura de que esa planta era un engaño. La CIA se equivoca si cree que ha desactivado la amenaza.

—En ese caso, cuanto antes volvamos al cuartel general, mejor, ¿no crees? —Anne le pasó un brazo por los hombros y la condujo a toda prisa por las puertas eléctricas, hacia la gélida humedad del invierno de Washington. El resplandor de los monumentos inundados de luz dibujaba majestuosas filigranas en las nubes negras y bajas. Anne llevó a Soraya a un Pontiac de la CIA y se sentó tras el volante.

Se unieron a la larga cola de vehículos que circulaban como peces en torno a un arrecife, camino de la salida. En el trayecto a Washington, Soraya se inclinó un poco hacia delante y miró por el retrovisor lateral. Era una costumbre adquirida hacía mucho tiempo. Miraba por el retrovisor sistemáticamente, aunque no estuviera desempeñando una misión. Vio tras ellas un Ford negro, pero no le dio importancia hasta que miró por segunda vez. El Ford iba un coche por detrás de ellas, pero no se apartaba del carril derecho. No dijo nada aún, pero cuando volvió a mirar y el Ford seguía allí, pensó que, dadas las circunstancias, tenía motivos de sobra para deducir que las estaban siguiendo.

Se volvió hacia Anne para decírselo y la vio mirar por el retrovisor. Sin duda ella también se había fijado en el Ford negro. Pero al ver que no decía nada ni intentaba perderlo, sintió que se le encogía el estómago. Intentó calmarse diciéndose que, a fin de cuentas, Anne era la ayudante del Viejo. Estaba acostumbrada al trabajo de oficina: desconocía los rudimentos del trabajo de campo.

Se aclaró la garganta.

—Creo que nos están siguiendo.

Anne puso el intermitente y se movió al carril de la derecha.

—Será mejor que vaya más despacio.

—¿Qué? No. ¿Qué haces?

—Si frenan, sabremos si...

—No, no, tienes que acelerar —dijo Soraya—. Aléjate de ellos lo más deprisa que puedas.

—Quiero ver quién va en ese coche —contestó Anne, aminorando aún más la marcha al tiempo que viraba hacia el arcén.

—Estás loca.

Soraya echó mano del volante, pero retrocedió bruscamente al ver que Anne tenía en la mano una pistola Smith & Wesson, pequeña y compacta.

—¿Se puede saber qué coño estás haciendo?

Estaban cruzando el arcén hacia el quitamiedos metálico.

—Después de lo que me contaste, no quería salir de la oficina desarmada.

—¿Sabes usar eso?

El Ford negro se apartó de la carretera y se detuvo tras ellas. Dos hombres de tez oscura salieron del coche y echaron a andar hacia ellas.

—Hago prácticas de tiro dos veces al mes —contestó Anne, apoyando el cañón de la pistola contra su sien—. Ahora, sal del coche.

—Anne, ¿qué estás...?

—Haz lo que te digo.

Soraya asintió.

—Está bien. —Apartándose, empujó hacia abajo la manija para abrir. Al ver que Anne miraba hacia la puerta, le asestó un golpe con el brazo izquierdo, levantándole el derecho. La pistola se disparó y el balazo abrió un agujero en el techo del Pontiac.

Golpeó a Anne a un lado de la cara con el codo doblado. Alertados por el disparo, los hombres corrieron hacia el Pontiac. Soraya los vio acercarse e, inclinándose sobre el cuerpo tendido de Anne, abrió la puerta y la empujó fuera.

En el momento en que los hombres llegaban a la parte trasera del Pontiac con las pistolas en alto, se deslizó tras el volante, metió la marcha y pisó el acelerador. Rebotó por el arcén un momento y luego, viendo un hueco en el tráfico, salió a la carretera haciendo chillar y humear las ruedas del Pontiac. Al echar un último vistazo, vio a los hombres correr hacia el Ford negro. Pero lo que hizo que las manos le temblaran sobre el volante fue ver que llevaban a Anne Held entre los dos y que la ayudaban a subir a su coche.

Nesim Hatun estaba reclinado en un banco de madera labrada cubierto por un mullido montón de cojines de seda, bajo las frondas rumorosas de su amada palmera. Iba metiéndose dátiles frescos en la boca, uno a uno, masticaba pensativamente, se tragaba la pulpa dulzona y escupía los huesos, afilados como puntas de lanza, en un plato llano. Junto a su brazo derecho había una mesita octogonal sobre la que descansaba una bandeja de plata con una tetera y un par de vasitos de cristal.

Cuando su hijo llevó a Bourne (que se había quitado la barba antes de entrar en los baños turcos) a la sombra de la palmera, Hatun volvió la cabeza sin que su cara de buitre llegara a alterarse. Sus ojos aceitunados, sin embargo, no ocultaron su curiosidad.

—*Merhaba*, amigo mío.

—*Merhaba*, Nesim Hatun. Me llamo Abu Bakr.

Hatun se rascó la pequeña y afilada barba.

—Tocayo del compañero de Mahoma, nuestro profeta.

—Te pido mil disculpas por turbar la paz de tu espléndido jardín.

Nesim Hatun asintió, complacido por los buenos modales de su invitado.

—Mi jardín no es más que un mísero rincón de tierra. —Despidió a su hijo e hizo una seña al recién llegado—. Por favor, acompáñame, amigo mío.

Bourne extendió el tapete de rezo de modo que los rayos dorados del sol que se colaban entre las palmas hicieran brillar sus hilos de seda.

Hatun se quitó una babucha y apoyó el pie descalzo sobre la alfombra.

—Una bella muestra del arte de la hilatura. Te doy las gracias por este presente inesperado, amigo mío.

—Un obsequio indigno de ti, Nesim Hatun.

—Bueno, Yevgeny Feyodovich nunca me hizo un regalo así. —Levantó los ojos y los clavó en Bourne—. ¿Cómo está nuestro mutuo amigo?

—Cuando le dejé —contestó Bourne—, había liado una buena. La cara de Hatun quedó petrificada.

—No sé de qué me hablas.

—Entonces permíteme explicártelo —dijo con suavidad—. Yevgeny Feyodovich hizo exactamente lo que le pagaste por hacer. ¿Que cómo lo sé? Porque llevé a Bourne a la playa de Otrada. Le conduje a la trampa que Fadi tenía preparada para él. Para eso me contrató Yevgeny Feyodovich, y yo cumplí.

—Tengo un problema, Abu Bakr, y es el siguiente. —Hatun echó el torso hacia delante—. Yevgeny Feyodovich jamás habría contratado a un turco para ese trabajo.

—Claro que no. Bourne habría sospechado enseguida.

Hatun le escudriñó con su cara de buitre.

—Así pues, la cuestión es quién eres tú.

—Me llamo Bogdan Iliyanovich —dijo Bourne, identificándose como el hombre al que había matado en la playa de Otrada. Llevaba puestos los postizos que había comprado en la tienda de disfraces de Beyoglu, y la forma de su mandíbula y sus mejillas había cambiado drásticamente. Sus dientes delanteros sobresalían un poco.

—Hablas un turco excelente, para ser ucraniano —comentó Hatun con cierto desdén—. Y ahora supongo que tu jefe quiere la otra mitad de su salario.

—Yevgeny Feyodovich no está en condiciones de recibir nada. En cuanto a mí, quiero lo que me he ganado.

Una emoción inidentificable pareció apoderarse de Nesim Hatun. Sirvió té dulce y caliente y le pasó un vaso a Bourne.

Después de que bebieran ambos dijo:

—Quizá convendría que alguien viera esa herida que tienes en el costado izquierdo.

Bourne miró las gotas de sangre que manchaban su ropa.

—Un rasguño. No es nada.

Nesim Hatun se disponía a contestar cuando el hijo que había llevado a Bourne hasta allí apareció de nuevo y le hizo una seña sin decir nada.

Se levantó.

—Discúlpame un momento, por favor. Tengo un asunto pendiente que atender. Te aseguro que no tardaré. —Siguió a su hijo a través de un arco y desapareció tras un biombo de celosía.

Pasado un momento, Bourne se levantó y se puso a pasear como si admirara el jardín. Cruzó así el mismo arco y se detuvo junto al biombo, al otro lado del jardín. Oyó a dos hombres hablar en voz baja. Uno era Nesim Hatun. El otro...

—... usar un mensajero, Muta ibn Aziz —dijo Nesim Hatun—. Como tú mismo has dicho, estando tan avanzado el plan no convenía que interceptaran ninguna comunicación por móvil. Y ahora me dices que eso es precisamente lo que ha ocurrido.

—Era una noticia vital para nosotros —contestó Muta ibn Aziz—. Fadi ha contactado con su hermano. Jason Bourne ha muerto. —Muta ibn Aziz dio un paso hacia el otro—. Siendo así, tu papel en este asunto ha terminado.

Muta ibn Aziz abrazó a Hatun y le besó en las mejillas.

—Me marcho esta noche, a las ocho en punto. Voy derecho a ver a Fadi. Muerto Bourne, no habrá más retrasos. La partida está a punto de acabar.

—*La ilaha ill allah* —musitó Hatun—. Vamos, amigo mío, te acompaño a la puerta.

Bourne dio media vuelta, cruzó el jardín sin hacer ruido, recorrió rápidamente el pasillo y salió del *hammam*.

Soraya pisaba a fondo el acelerador, consciente de que estaba en un apuro. Sin perder de vista el espejo retrovisor, sacó su móvil y lo encendió. Se oyó un suave pitido. Tenía un mensaje. Marcó y recibió el mensaje de Bourne sobre Anne.

Sentía un regusto amargo en la boca. Así pues, Anne era el topo, en efecto. *¡La muy zorra! ¿Cómo ha podido?* Golpeó el volante con el puño. *¡Ojalá se vaya al infierno!*

Al dejar el teléfono oyó un estrépito metálico, notó una horrenda sacudida y tuvo que luchar para que el Pontiac no se estrellara con un camión que circulaba por el carril contiguo.

—¡Qué coño...!

Un Lincoln Aviator, grande y amenazador como un tanque Abrams M1, la había embestido de costado. Ahora estaba delante de ella. Frenó sin previo aviso y Soraya chocó contra él. Sus luces de freno no funcionaban, o habían sido desconectadas a propósito.

Dio un bandazo, se cambió de carril y se colocó en paralelo al Aviator. Intentó ver quién conducía, pero los cristales tintados eran tan oscuros que ni siquiera distinguió una silueta.

El Aviator se abalanzó hacia ella y aplastó con el costado las puertas derechas del Pontiac. Soraya pulsó una y otra vez los botones del elevalunas, pero las ventanillas estaban atascadas. Cambió el pie derecho por el izquierdo sobre el pedal del acelerador y golpeó la puerta abollada con el talón del pie derecho. No se movió. También estaba atascada. Llena de angustia, volvió a enderezarse tras el volante. El corazón le latía a toda prisa, el pulso le retumbaba en los oídos.

El Aviator se había adelantado y zigzagueaba entre el tráfico, como había hecho ella, hasta que se perdió de vista. Soraya tenía que salir de la autopista. Empezó a buscar señales que indicaran la salida más próxima. Estaba a tres kilómetros. Sudando copiosamente, se cambió al carril de la derecha para estar preparada cuando llegara al desvío.

De pronto, el Aviator apareció rugiendo por su izquierda y se abalanzó contra ella, abollando las puertas de ese lado. Estaba claro que se había regazado entre el tráfico para poder acercarse a ella por detrás. Soraya pulsó el elevalunas e intentó mover el tirador, pero la ventanilla y la puerta estaban también atascadas. Ya no se abriría ninguna. Estaba atrapada, presa en el interior del Pontiac lanzado a toda velocidad.

27

Bourne sacó su bolso de detrás de la vasija, echó a andar con paso rápido y recorrió sigilosamente el lateral del *hammam*, buscando la calle a la que daba la puerta trasera del establecimiento de Nesim Hatun. La encontró sin dificultad y vio a un hombre alejarse de ella.

El mensajero Muta ibn Aziz, que le llevaría hasta Fadi.

Mientras caminaba, Bourne abrió el bolso, sacó el frasco de pegamento para postizos y volvió a colocarse la barba. Disfrazado de semita nuevamente, salió del callejón siguiendo a Muta ibn Aziz y se adentró en el clamoroso ajetreo de Sultanahmet. Durante cerca de cuarenta minutos siguió a su presa sin que ésta se detuviera ni mirara a su alrededor. Estaba claro que sabía adónde iba. En el atestado corazón del distrito, por el que el flujo de viandantes se movía en todas direcciones, costaba no perder de vista a Muta ibn Aziz. La infatigable muchedumbre, sin embargo, también beneficiaba a Bourne, permitiéndole confundirse entre la gente. Muta ibn Aziz no habría podido localizarle ni aun sirviéndose del reflejo de la chapa de los coches y los escaparates. Cruzaron Sultanahmet y entraron en Eminou.

Por fin, la gran cúpula de la estación de Sirkeci se irguió ante él. ¿Iba a tomar Muta ibn Aziz un tren para llegar hasta Fadi? No: Bourne le vio pasar de largo junto a la entrada principal y avanzar entre el gentío con paso vigoroso.

Sortearon ambos un enorme cúmulo de turistas que habían formado un semicírculo alrededor de tres *mevlevi*, tres derviches giróvagos, con los largos vestidos blancos desplegados mientras giraban absortos en su *sema*, al ritmo de antiguos himnos islámicos. Mientras giraban, los *mevlevi* despedían ráfagas de un sudor con olor a mirra y azafrán. A su alrededor el aire parecía vibrar cargado de la mística de lo desconocido, y otro mundo se vislumbraba un instante y se desvanecía luego, en un abrir y cerrar de ojos.

El muelle de Adalar Iskelesi estaba frente a la estación. Bourne se mezcló discretamente con un grupo de turistas alemanes mientras observaba a Muta ibn Aziz comprar un billete de ida hacia Büyükada. Debía de tener intención de partir desde allí, pensó, posiblemente en barco. Pero ¿con qué destino? No importaba: pensaba subirse a cualquier medio de transporte que eligiera Muta ibn Aziz para llegar hasta Fadi.

De momento, salir del Pontiac abollado era lo que menos preocupaba a Soraya. Lo principal era que el Aviator la seguía de cerca. Pasó velozmente bajo el indicador de la siguiente salida y se preparó. Vio los dos carriles de salida y se situó en el izquierdo. El Aviator la seguía a poca distancia. Había coches delante de ella, en ambos carriles, pero al echar un vistazo por el retrovisor vio el hueco que esperaba entre el tráfico que circulaba por el desvío. Con un poco de suerte la transmisión del Pontiac no fallaría, a pesar del maltrato que se disponía a darle.

Giró con brusquedad el volante. El Pontiac viró hacia el carril de la derecha. Antes de que el conductor del Aviator pudiera reaccionar, puso marcha atrás y pisó a fondo el acelerador.

Pisó a fondo el acelerador cuando pasó junto al Aviator, que acababa de meterse en su carril y cuyo extremo trasero arrancó el faro de su lado. Después aceleró y enfiló el desvío a toda velocidad. Se oyó un estridente clamor de gritos y bocinas, acompañado del chillido de los neumáticos al apartarse los coches de atrás.

El Aviator puso también marcha atrás y, haciendo resonar su claxon con insistencia, la siguió. Cerca de la entrada del desvío, el pánico se apoderó del conductor de un Toyota gris, que chocó con el coche de atrás. Con el plástico y la chapa colgando, el Toyota derrapó y bloqueó ambos carriles, cortando el paso al Aviator.

Soraya retrocedió hasta el carril de emergencia de la autopista, metió primera y, arrancando a toda velocidad, se encaminó hacia Washington.

—Sería fácil quitar el Toyota de en medio —dijo el conductor del Aviator.

—No te molestes —contestó el hombre sentado en el asiento de atrás—. Deja que se vaya.

Aunque eran diplomáticos de la embajada saudí, pertenecían también a la célula durmiente de Karim en Washington. Cuando el Aviator llegó a las calles de la ciudad, el hombre del asiento trasero encendió un GPS. Enseguida apareció en cuadrícula el plano del centro de Washington, y un puntero de luz que se movía por él. El hombre marcó un número en su teléfono móvil.

—El sujeto se nos ha escapado —dijo—. Conduce el Pontiac en el que pusimos el dispositivo de seguimiento. Se dirige hacia ti. A juzgar por su velocidad, yo diría que lo tendrás a tiro dentro de treinta segundos.

Esperó pacientemente hasta que el conductor del Ford negro dijo:

—La tengo. Parece que se dirige hacia el noreste.

—Síguela —ordenó el hombre del asiento de atrás—. Ya sabes qué hacer.

Durante el trayecto en transbordador hacia la isla de Büyükada, Bourne se quedó junto a una familia de turistas chinos con los que trabó conversación. Habló con ellos en mandarín, bromeó con los niños y les contó anécdotas de la historia de la ciudad, indicándoles los edificios importantes mientras se alejaban de Estambul. Entre tanto, no quitaba ojo a Muta ibn Aziz.

El enviado de Fadi viajaba solo. Apoyado en la barandilla del navío, contemplaba la mancha de tierra hacia la que se dirigían. No se movía, ni miraba en derredor.

Cuando por fin entró en la cabina, Bourne se disculpó con la familia china y le siguió. Le vio pedir un té en la cafetería. Se acercó y fingió curiosear en un expositor de postales y mapas. Escogió un mapa de Büküyada y alrededores y se las arregló para llegar a la caja justo delante de Muta ibn Aziz. Se dirigió en árabe al cajero. Éste, un hombre con bigote y una cruz de oro colgada de una cadena alrededor del cuello, sacudió la cabeza y contestó en turco. Bourne hizo señas de que no entendía. Muta ibn Aziz se inclinó y dijo:

—Disculpe, amigo, pero este asqueroso infiel le está pidiendo dinero.

Bourne le enseñó un puñado de monedas y Muta ibn Aziz cogió algunas y se las dio al cajero. El norteamericano esperó a que pagara su té; luego dijo:

—Gracias, amigo. Me temo que el turco me suena como los gruñidos de un cerdo.

Muta ibn Aziz se rió.

—Muy bien dicho. —Hizo una seña y juntos salieron de nuevo a cubierta.

Bourne siguió al enviado de Fadi hasta la barandilla. El fuerte sol contrarrestaba el viento gélido que soplaba del mar de Mármara. Los dedos plumosos de los cirros moteaban el azul profundo del cielo invernal.

—Los cristianos son los cerdos de este mundo —dijo Muta ibn Aziz.

—Y los judíos los monos —contestó Bourne.

—La paz sea contigo, hermano. Veo que leímos los mismos libros en la escuela.

—La *yihad* en la senda de Dios es la cima del islam —dijo Bourne—. Eso no hizo falta que me lo explicara ningún maestro. Me parece que nací sabiéndolo.

—Eres un *uahabí*, como yo. —Muta ibn Aziz le miró de soslayo, pensativamente—. Antaño, cuando nos unimos para expulsar a los cruzados de Palestina, salimos victoriosos. Del mismo modo volveremos a vencer a los cruzados modernos que hoy ocupan nuestras tierras.

Bourne asintió.

—Pensamos igual, hermano.

Muta ibn Aziz bebió un sorbo de su té.

—¿Esas rectas convicciones te mueven a la acción, hermano? ¿O son filosofía de café?

—He derramado sangre de infieles en Gaza y Sharm el Sheij.

—Los esfuerzos individuales son muy loables —dijo Muta ibn Aziz, pensativo—, pero cuanto más grande sea la organización, mayor será el daño que inflijamos a nuestros enemigos.

—Así es. —*Hora de picar el anzuelo*, pensó Bourne—. He pensado muchas veces en unirme a Duyya, pero siempre me ha detenido la misma reflexión.

El vaso de papel del té se detuvo a medio camino de los labios de Muta ibn Aziz.

—¿Y cuál es?

Despacio, despacio, se dijo Bourne.

—No sé si puedo hablar, hermano. A fin de cuentas, acabamos de conocernos. Tus intenciones...

—Son las mismas que las tuyas —dijo Muta ibn Aziz con repentina celeridad—. Te lo aseguro.

Bourne siguió callado, fingiéndose indeciso.

—Hermano, ¿acaso no hemos hablado de una filosofía común? ¿No compartimos una misma perspectiva sobre el mundo y su futuro?

—Sí, en efecto. —Bourne frunció los labios—. Está bien, hermano. Pero te lo advierto: si no has sido sincero respecto a tus intenciones, juro que lo descubriré y que sufrirás el castigo adecuado.

—*La ilaha ill allah.* Todo lo que he dicho es verdad.

—Fui al colegio en Londres con el líder de Duyya —le espetó Bourne.

—No sé...

—Por favor, no tengo intención de mencionar el verdadero nombre de Fadi. Pero conocerlo me permite saber cosas de la familia que otros ignoran.

La curiosidad de Muta ibn Aziz, antes fingida, se tornó real.

—¿Por qué te impide eso ingresar en Duyya?

—Bueno, verás, es por el padre. O, más concretamente, por su segunda esposa. Es inglesa. Y lo que es peor, cristiana. —Bourne sacudió la cabeza. Su fiera expresión recalcó el filo acerado de sus palabras—. Los musulmanes tenemos prohibido trabar amistad sincera con quien no crea en Alá y su Profeta. Y sin embargo ese hombre se casó con una infiel, hizo de ella su compañera. Y Fadi es el vástago de esa unión. Dime, hermano, ¿cómo voy a seguir a ese engendro? ¿Cómo voy a creer en lo que dice, si el diablo acecha en su interior?

Muta ibn Aziz estaba sorprendido.

—Pero Fadi ha hecho mucho por nuestra causa.

—Eso no se puede negar —respondió Bourne—. Pero me parece que, hablando en términos de sangre, y la sangre, como tú y yo sabemos, no puede ignorarse ni repudiarse, Fadi es como el tigre al que se saca de la selva, se lleva a un nuevo entorno y se entrega a una familia de adopción para que lo domestique amorosamente. Sólo es cuestión de tiempo que aflore su verdadera naturaleza y que se vuelva contra quienes lo adoptaron y los destruya. —Sacudió de nuevo la cabeza, esta vez con pesar perfectamente verosímil—. Es un error intentar cambiar la naturaleza del tigre, hermano. De eso no cabe duda.

Muta ibn Aziz volvió la cabeza y miró con melancolía el mar, donde el perfil de Büyükada emergía como la Atlántida o la isla de un califa olvidado, suspendida en el tiempo. Quería decir algo para refutar el argumento del otro, pero no se sintió con ánimos. *Es deprimente por partida doble*, se dijo, *que la verdad venga de boca de este hombre.*

A Soraya le daba vueltas la cabeza, no sólo por la violencia con que había huido del Lincoln Aviator, sino por la traición de Anne Held. La sangre se le había helado en las venas. Dios mío, ¿qué le había dicho ella, qué le habían dicho todos a lo largo de los años? ¿Cuántos secretos había pasado a Duyya?

Conducía maquinalmente su ataúd rodante. Los colores del día parecían sobresaturados, vibraban con un pulso extraño que hacía que los coches que pasaban, que las calles y los edificios, y hasta las nubes turbias, parecieran ajenos, amenazadores, emponzoñados. El horror de aquella verdad espantosa atenazaba todo su ser.

Le dolía la cabeza al pensar en las pavorosas posibilidades que se abrían ante ella, su cuerpo temblaba sacudido por el refluir de la adrenalina.

Tenía que buscar un escondite donde rehacerse y decidir qué pasos debía dar. Necesitaba un aliado allí, en Washington. Pensó en su amiga Kim Lovett, pero enseguida descartó la idea. Para empezar, su situación era demasiado precaria, demasiado peligrosa para involucrarla. Y además había personas dentro de la CIA, incluida Anne Held, que conocían su amistad con Kim.

Tenía que ser alguien del que la CIA no supiera nada. Encendió su teléfono y marcó el número de Deron. Rezó para que hubiera vuelto de Florida de visitar a su padre, pero se le cayó el alma a los pies cuando oyó el mensaje de su buzón de voz.

¿Qué hago ahora?, se preguntó, desesperada. Necesitaba un puerto donde refugiarse de la tormenta inminente, y tenía que ser ya. Entonces, cuando estaba a punto de ceder al pánico, se acordó de Tyrone. Era sólo un adolescente, claro, pero Deron confiaba en él hasta el punto de utilizarle como guardaespaldas. Y además el chico le había dicho que la habían seguido hasta casa de Deron. Pero aunque accediera a ayudarla, aunque ella se arriesgara a confiar en él, ¿cómo demonios iba a encontrarle?

Se acordó entonces de que él le había dicho que solía pasarse por una obra. ¿Dónde era? Se estrujó el cerebro.

«En la avenida Florida están construyendo mazo de rascacielos. Siempre que puedo voy por allí, a ver cómo los levantan, ¿sabes?»

Soraya miró por primera vez dónde estaba. En el distrito noreste, justo donde debía.

Büyükada era la mayor de las islas Príncipe, así llamadas porque en tiempos de los emperadores bizantinos se exiliaba a aquel archipiélago frontero a la costa de Estambul a los príncipes que ofendían o contrariaban a sus soberanos. La isla había acogido durante tres años a León Trotsky, que escribió allí su *Historia de la revolución rusa*.

Debido a lo ingrato de su historia, el archipiélago había permanecido deshabitado durante años y se había convertido en uno de los muchos osarios del sangriento devenir del Imperio otomano. Actualmente, sin embargo, Büyükada era un exuberante patio de recreo para personas adineradas, repleto de macizos de flores, callejuelas arboladas y palacetes de recargado estilo bizantino.

Bourne y Muta ibn Aziz salieron juntos del transbordador. Ya en el muelle, se abrazaron y se desearon mutuamente la gracia y el amparo de Alá.

—*La ilaha ill allah* —dijo Bourne.

—*La ilaha ill allah* —respondió el enviado de Fadi cuando se separaron.

Bourne esperó a ver qué camino tomaba; después abrió su mapa de la isla. Volviendo un poco la cabeza, veía a su objetivo con el rabillo del ojo. Muta ibn Aziz acababa de alquilar una bicicleta. En Büyükada, donde estaban prohibidos los automóviles, había tres medios de locomoción: la bicicleta, los carros tirados por caballos y los propios pies. La isla, sin embargo, era lo bastante grande como para que fuera imposible ir a pie a todas partes.

Cuando supo qué medio de transporte había elegido Muta ibn Aziz, Bourne concentró su atención en el mapa. Sabía que el enviado de Fadi partiría de allí aquella tarde, a las ocho, pero ignoraba de dónde y por qué medio.

Entro en la tienda de alquiler de bicis y escogió un modelo con una cesta delante. No era tan rápido como el de Muta ibn Aziz, pero necesitaba la cesta para llevar el bolso. Tras pagar al dueño por adelantado, siguió al enviado de Fadi por un camino que ascendía hacia el interior de la isla.

Cuando perdió de vista el puerto, se detuvo a la sombra de

una palmera, hurgó en su bolso en busca del transpondedor que acompañaba a la retícula, la pegatina nanoelectrónica que le había colocado Soraya para seguir sus movimientos. Le había puesto la retícula a Muta ibn Aziz al abrazarle en el muelle. En un lugar como aquél, donde no había coches, sería imposible seguirle en una bicicleta sin ser visto.

Encendió el transpondedor, pulsó la tecla de localización y vio aparecer en la pantalla el punto intermitente que simbolizaba su posición exacta. Pulsó otra tecla y un instante después localizó la señal. Volvió a montarse en la bicicleta, comenzó a pedalear haciendo caso omiso del dolor del costado y fue ganando velocidad hasta alcanzar un buen ritmo, a pesar de que el camino se empinaba abruptamente colina arriba.

Soraya circulaba despacio por el borde sur del inmenso solar en obras situado entre la calle Nueve y la avenida de Florida. El proyecto inmobiliario que sustituiría los dientes podridos del vecindario por altísimos implantes de acero y cristal estaba muy adelantado. El esqueleto metálico de dos de las torres se hallaba casi completo. Por todas partes había excavadoras retirando escombros y grúas gigantescas de las que colgaban vigas de acero como palitos de piruletas. Varios camiones estaban descargando junto a una fila de barracones hacia los que corría un puñado de cables eléctricos.

Avanzó lentamente por el perímetro de la obra. Buscaba a Tyrone. En su desesperación, se había acordado de que aquél era uno de sus sitios preferidos. Iba todos los días, le había dicho.

El motor del Pontiac silbó como un asmático en Bangkok y recuperó luego la normalidad. Desde hacía diez minutos, los ruidos que emitía el motor eran cada vez más fuertes y frecuentes. Soraya rezaba para que no se parara antes de que encontrara a Tyrone.

Tras recorrer por completo el lindero sur de la obra, torció hacia el norte, en dirección hacia la avenida de Florida. Buscaba lugares elevados donde el chico pudiera esconderse a la sombra de modo que no le vieran los varios centenares de albañiles que trabajaban en la obra. Encontró un par, pero a aquella hora de la mañana ninguno estaba a la sombra. Tampoco vio a Tyrone. Comprendió que tendría que llegar al lindero norte para encontrarle.

Estaba a quinientos metros de la avenida de Florida cuando oyó un fuerte ruido metálico. El maltrecho Pontiac se sacudió y un instante después se estremeció patéticamente. No había llegado a su fin con un rugido, sino gimiendo. El motor estaba muerto. Soraya soltó un exabrupto y dio un golpe al salpicadero, como si el coche fuera un televisor con interferencias.

Al quitarse el cinturón de seguridad, vio el Ford negro. Había doblado la esquina y avanzaba derecho hacia ella.

—Dios mío, ayúdame —susurró.

Pegó la espalda al asiento, se acurrucó y golpeó la ventanilla lateral con los dos pies. Era una luna de seguridad, cómo no: costaba romperla. Recogió de nuevo las piernas y volvió a descargar un golpe. Las plantas de sus pies chocaron en vano con el cristal.

Cometió el error de mirar por encima del salpicadero. El Ford estaba tan cerca que vio a los dos hombres que iban dentro. Dejando escapar un gemido, volvió a deslizarse en el asiento y comenzó de nuevo. Dos golpes más con los pies y la luna se hizo añicos, pero la lámina central de plástico la mantuvo en su lugar.

De pronto, la ventanilla se resquebrajó con un sonido atronador. Una lluvia de fragmentos de cristal la salpicó. Alguien había roto la luna desde fuera. Un momento después, uno de los hombres del Ford metió el brazo dentro. Soraya se lanzó hacia él, pero nada más agarrarle el otro hombre le asestó una descarga con una pistola eléctrica.

Su cuerpo quedó inerte. Los hombres la sacaron del Pontiac sin contemplaciones. Aunque un horrible zumbido atronaba en su cabeza, Soraya oyó una ráfaga vertiginosa de árabe. Una carcajada. Sus captores manoseaban sin cortapisas su cuerpo paralizado.

Luego uno de ellos acercó un arma a su cabeza.

28

En su celda sin ventanas del complejo subterráneo de Duyya en Miran Shah, Martin Lindros tanteaba las paredes con las manos. Había hecho lo mismo innumerables veces desde que estaba allí y sentía la trama de hierros que reforzaban el áspero cemento como si fueran huesos.

Las cuatro paredes medían cada una exactamente quince pasos; lo único que las interrumpía era un catre atornillado a una de ellas y, en la opuesta, un lavabo y un váter de acero inoxidable. Lindros se paseaba de un lado a otro como un animal enjaulado al que su cautiverio fuera volviendo loco poco a poco. En el techo había empotrados tres juegos de fluorescentes de un azul violáceo. No los cubría una malla metálica: estaban tan altos que Lindros no podía alcanzarlos por más que saltara, de ahí que brillaran despiadadamente dieciséis horas al día.

Cuando se apagaban, en el momento en que Lindros se echaba a dormir, sus secuestradores tenían la perversa costumbre de volver a encenderlos en el instante en que empezaba a sumirse en el sueño, espabilándole con una sacudida, como a un pez enganchado a un anzuelo. Debido a ello, el prisionero llegó muy pronto a la conclusión de que le vigilaban constantemente. Tras algunas labores detectivescas, descubrió un agujerito en el techo, entre dos de los juegos de fluorescentes (otra razón que explicaba su constante resplandor), por el que un objetivo le observaba con la imparcialidad de un dios. Todo ello demostraba un nivel de sofisticación propio de Duyya. Era la constatación, si es que Lindros necesitaba alguna, de que se hallaba en el corazón de la red terrorista.

Le costaba creer que no fuera el propio Fadi quien le vigilaba. Tal vez no siempre estuviera allí en persona, pero no cabía duda de que revisaba periódicamente las cintas de vídeo en las que aparecía el prisionero. ¡Cuánto debía de disfrutar cuando le viera recorrer la celda! ¿Estaría esperando el momento en que Lindros dejaría de ser humano y se convertiría en animal? El cautivo estaba seguro de que sí, y los puños, apretados hasta volverse blancos, le temblaban.

La puerta de la celda se abrió con estrépito y entró Fadi con la cara ensombrecida por la furia. Sin mediar palabra, se acercó a Lindros y le asestó un fuerte golpe a un lado de la cabeza. El prisionero cayó al suelo de cemento, aturdido y mareado. El terrorista le dio una patada.

—Bourne ha muerto. ¿Me oyes, Lindros? ¡Ha muerto! —Su voz tenía un filo aterrador, un leve temblor que dejaba entrever que emocionalmente se hallaba al borde de un abismo—. Ha pasado lo impensable. Me han privado de la venganza que con tanto cuidado había planeado. ¡Todo desbaratado por un imprevisto!

Lindros, que se había recuperado, se incorporó apoyándose en un codo.

—El futuro es siempre un imprevisto —sentenció—. Es imposible conocerlo.

Fadi se agachó. Su cara casi tocaba la de Lindros.

—Infiel, Alá conoce el futuro. Y se lo muestra a los justos.

—Te compadezco, Fadi. No puedes ver la verdad ni cuando te mira a la cara.

Con el rostro contraído por la ira, el terrorista le sujetó y le arrojó contra el suelo de la celda. Le atenazó la garganta, cortándole la respiración.

—Tal vez no pueda matar a Jason Bourne con mis propias manos, pero tú estás aquí. Te mataré a ti en su lugar. —Apretaba el cuello de Lindros con fuerza mortífera. Estaba tan furioso que los ojos casi se le salían de las órbitas. El prisionero pataleaba y se retorcía, pero no tenía fuerzas, ni apoyo para quitarse de encima a Fadi o apartarle las manos.

Empezaba a perder la conciencia cuando Abbud ibn Aziz apareció en la puerta de la celda, que había quedado abierta.

—Fadi...

—¡Fuera de aquí! —gritó el interpelado—. ¡Déjame en paz!

Abbud ibn Aziz dio un paso adelante, pese a todo.

—Fadi, es Veintrop.

El hombre tenía los ojos en blanco. El Viento del Desierto (la rabia asesina) se había apoderado de él.

—Fadi —insistió Abbud—, tienes que venir enseguida.

Soltó a Lindros y, levantándose, se volvió hacia su lugarteniente.

—¿Por qué? ¿Por qué tengo que ir? Dímelo ahora mismo, antes de que te mate a ti también.

—Veintrop ha terminado.

—¿Han acabado los preparativos?

—Sí —respondió Abbud ibn Aziz—. El artefacto nuclear está listo para su uso.

Tyrone estaba comiendo una hamburguesa de cuarto de libra mientras observaba con ojo de ingeniero diletante la ascensión paulatina de una enorme viga de hierro, cuando el Pontiac abollado fue víctima de un ataque. Dos hombres trajeados salieron corriendo de un Ford negro que se había ido derecho hacia el Pontiac. Hablaron entre ellos, pero con el ruido de la obra el chico no pudo distinguir lo que decían.

Se levantó del cajón que le servía de banco y echó a andar hacia ellos. Uno iba armado, pero no llevaba una pistola, ni un cuchillo, sino una Taser.

Vio entonces que el que estaba rompiendo la ventanilla lateral del Pontiac era uno de los guardias que había visto en la puerta del taller de chapa y pintura abandonado. Aquella gente estaba invadiendo su territorio.

Tiró la hamburguesa y apretó el paso hacia el Pontiac, que parecía haber sufrido la embestida de un tráiler. El que había roto la ventanilla metió el brazo dentro. Entonces el que llevaba la Taser pasó el brazo derecho por el hueco y aplicó una descarga a la persona que había dentro. Un momento después, comenzaron a sacar entre los dos al conductor incapacitado.

Tyrone estaba tan cerca que vio que la víctima era una mujer. La pusieron en pie bruscamente y al darle la vuelta pudo verle la cara. Empezó a sudar frío. ¡Era la espía! Pensando a toda prisa, echó a correr.

Con el ruido constante de la obra, los hombres no se dieron cuenta de que se acercaba hasta que casi le tuvieron encima. Uno apartó la pistola de la cabeza de la chica y apuntó a Tyrone. Éste levantó las manos y se detuvo bruscamente, a un paso de ellos. Tuvo que hacer un ímprobo esfuerzo para no mirar a la espía. La cabeza le colgaba sobre el pecho. Sus piernas parecían de goma. La habían zumbado a base de bien.

—Largo de aquí —le ordenó el de la pistola—. Date la vuelta y sigue andando.

Tyrone puso cara de asustado.

—Sí, señor —replicó dócilmente.

Al empezar a volverse, bajó las manos. La navaja automática se deslizó en su mano derecha; la abrió y, al girarse, hundió la hoja hasta la empuñadura entre las costillas del hombre, como había aprendido a hacer luchando cuerpo a cuerpo en la calle, cuando había guerras de pandillas.

El tipo soltó la pistola. Puso los ojos en blanco y le fallaron las piernas. El otro buscó a tiendas su Taser, pero estaba ocupado con la espía. La arrojó contra el lado aplastado del Pontiac un instante antes de que el puño de Tyrone hiciera añicos el cartílago de su nariz. Saltó la sangre, cegándole. El chico le dio un rodillazo en la entrepierna y, agarrándole la cabeza con las dos manos, la estrelló contra un lado del Pontiac.

Cuando cayó al suelo, le asestó una fuerte patada en el costado, hundiéndole unas cuantas costillas. Se inclinó y recogió su navaja. Luego se echó a la espía al hombro, la llevó al Ford aparcado al ralentí y la depositó con suavidad en el asiento de atrás. Al sentarse tras el volante observó de nuevo el solar de la obra. Por suerte, el Pontiac estaba en medio. Los obreros no habían visto el incidente.

Escupió por la ventanilla hacia los dos hombres caídos, puso el todoterreno en marcha y se alejó con cuidado de no sobrepasar el límite de velocidad. No quería que ningún poli le parara por una infracción de tráfico.

Al subir zigzagueando por la falda de la colina, Bourne fue dejando atrás, una tras otra, las grandes casas de madera construidas en el siglo diecinueve por banqueros griegos y armenios. Hoy en día estaban en manos de los millonarios de Estambul, cuyos negocios, al igual que los de sus antepasados otomanos, se extendían por todo el mundo conocido.

Mientras pedaleaba siguiendo el rastro de Muta ibn Aziz, pensaba en Karim, el hermano de Fadi: el hombre que había despojado a Martin Lindros de su identidad, de su rostro y de su ojo derecho. A simple vista, Karim era la última persona de la que podía sospecharse que estuviera implicada de manera directa en el plan de Duyya. A fin de cuentas, era el cabeza de familia, el hombre que había asumido la dirección de Integrated Vertical Technologies cuando el disparo de Bourne dejó a su padre incapacitado. Era el sucesor natural, el hombre de negocios, semejante a los que habían construido aquellos modernos palacios.

Bourne entendía ahora por primera vez lo honda que era la obsesión de ambos hermanos por vengar el asesinato de su hermana. Sarah era la estrella rutilante de la familia, la depositaria del honor de un linaje, el de Hamid ibn Ashef al Uahib, que se remontaba a siglos atrás y se extendía sobre los eriales infinitos del desierto de Arabia y sobre el tiempo mismo. Su honra estaba grabada a fuego en los tres mil años de historia de la península arábiga, del Sinaí y Palestina. Sus antepasados salieron del desierto y, pese a sufrir derrota tras derrota, regresaron una y otra vez para borrar la ignominiosa mancha de su retirada y recuperar la península arábiga arrebatándosela a sus enemigos. Su patriarca, Muhamad ibn Abdaluahab, fue uno de los grandes reformadores del islam. En pleno siglo dieciocho, se unió a las fuerzas de Muhamad ibn Saud para crear una nueva entidad política. Ciento cincuenta años después, las dos familias conquistaron Riad y así nació la Arabia Saudí moderna.

Por difícil que fuera de entender para un occidental, Sarah ibn Ashef encarnaba todo eso. Sus hermanos, naturalmente, moverían cielo y tierra para matar al asesino. Por eso se habían consagrado a urdir la completa destrucción de Bourne: psíquica primero, y física después. Porque no les bastaba con ir en su busca y pegarle un balazo en la nuca. No: su plan era quebrantarle por completo para que, hecho esto, Fadi pudiera matarle con sus propias manos. No se conformarían con menos.

Bourne sabía que la noticia de su muerte pondría fuera de sí a los dos hermanos. En su estado de turbación, era más probable que cometieran un error. Y eso le convenía.

Tenía que decirle a Soraya quién era el hombre que había suplantado a Martin Lindros. Sacó su móvil, marcó los prefijos del país y la ciudad y luego el número. Mientras llamaba se acordó de que no había tenido noticias suyas. Echó un vistazo al reloj. Ya habría llegado a Washington, si su vuelo no se había retrasado mucho.

Soraya no contestó, y Bourne empezó a preocuparse. Por razones de seguridad no dejó otro mensaje. Después de todo, se suponía que estaba muerto. Rezaba para que no hubiera caído en manos del enemigo. Pero si pasaba lo peor, tenía que protegerse de Karim, que sin duda comprobaría las llamadas entrantes y salientes del móvil de Soraya. Tomó nota de que debía volver a llamarla pasada una hora. Serían poco más de las siete y faltaba menos de una hora para que Muta ibn Aziz abandonara Büyükada para reunirse con Fadi.

«La partida está a punto de acabar», le había dicho el enviado a Hatun. Bourne sintió que un escalofrío recorría su espalda. Tenía muy poco tiempo para encontrar a Fadi e impedir que hiciera estallar la bomba nuclear.

Según el mapa que había comprado en el transbordador, componían la isla dos colinas separadas por un valle. Estaba subiendo por la colina sur, el Yule Tepe, sobre cuya cima se alzaba el monasterio de San Jorge, del siglo doce. Mientras ascendía, la carretera se convirtió en sendero y las palmeras dieron paso a umbríos y misteriosos pinares en los que no se veía un alma. Las casas de recreo habían quedado atrás.

Formaban el monasterio una serie de capillas dispuestas en tres niveles y varias dependencias anejas. El punto de luz que representaba la posición de Muta ibn Aziz llevaba unos minutos sin moverse. El camino se volvió demasiado abrupto y pedregoso para seguir usando la bicicleta. Bourne cogió su bolso de la cesta, dejó la bicicleta a un lado y continuó a pie.

No vio turistas, ni guardeses. Allí no parecía haber nadie. Pero se estaba haciendo tarde. Había caído la oscuridad. Bordeando el desvencijado edificio principal, siguió colina arriba. Según el transpondedor, Muta ibn Aziz se hallaba en el interior de un pequeño edificio situado justo enfrente. En sus ventanas brillaba la luz de una lámpara.

Mientras se acercaba, el punto de luz comenzó a moverse. Se agachó al amparo de un altísimo pino y vio que el enviado de Fadi salía del edificio sosteniendo una anticuada lámpara de aceite y que, pasando por entre dos colosales peñascos, se adentraba en la espesura del pinar.

Hizo una rápida inspección de la zona para asegurarse de que nadie vigilaba el edificio. Pasó luego entre las hojas de madera rayada de la puerta y penetró en el fresco interior del edificio. Varias lámparas de aceite encendidas ahuyentaban la oscuridad. De acuerdo con su mapa, aquel edificio se había usado en tiempos como asilo de locos peligrosos. Sus paredes estaban prácticamente desnudas. Saltaba a la vista que ya no se usaba. Los vestigios de su horrendo pasado, sin embargo, seguían allí. El suelo de piedra estaba tachonado de argollas de hierro que posiblemente habían servido para amarrar a los reclusos cuando se ponían violentos. A la izquierda, una puerta abierta conducía a un cuartito en el que sólo había unas cuantas lonas y algunas herramientas.

Bourne regresó a la sala principal. Pegada a una hilera de ventanas que daba al norte, hacia los bosques, había una larga mesa de refectorio de madera oscura. Sobre la mesa, dentro del generoso óvalo de luz de una lámpara, yacía desplegada una gran hoja de papel grueso. Al acercarse, vio que era un mapa sobre el que se había trazado un plan de vuelo. Lo estudió, fascinado. La ruta aérea conducía hacia el sudeste, cruzando casi por entero Turquía y el extremo septentrional de Armenia y Azerbaiyán, sobrevolaba luego el mar Caspio y, tras atravesar parte de Irán, cruzaba Afganistán a lo ancho y en diagonal para acabar en la región montañosa situada justo al otro lado de la frontera, en el oeste de Pakistán, una zona plagada de terroristas.

Así pues, Muta ibn Aziz no iba a abandonar Büyükada en barco, sino en un avión privado con permiso para penetrar en el espacio aéreo iraní y autonomía suficiente para hacer el viaje de tres mil quinientos kilómetros sin repostar.

Bourne miró por la ventana, hacia el denso pinar en el que había desaparecido Muta ibn Aziz. Se estaba preguntando dónde podía esconderse en aquella espesura una pista de aterrizaje adecuada para un reactor cuando oyó un ruido. Antes de que pudiera volverse sintió un estallido de dolor detrás de la cabeza. Tuvo la sensación de caer. Luego todo se volvió negro.

29

Anne nunca había visto a Yamil tan enfadado. Estaba enfadado con la CIA. Y con ella. No le pegó, ni le gritó. Hizo algo mucho peor: ignorarla.

Mientras trabajaba, Anne sentía una congoja que creía tener superada. Para ser la amante de alguien había que asumir ciertas cosas; había que acostumbrarse a ello, como se acostumbraba una al dolor sordo de una muela picada. Había que aprender a pasar sin tu amante los cumpleaños, el día de San Valentín, las Navidades, el aniversario de vuestro primer encuentro, de la primera vez que te acostaste con él, de la primera vez que se quedó a dormir, del primer desayuno, tomado con la desnuda alegría de los niños. Todas esas cosas le estaban vedadas a una amante.

Al principio, aquella extraña soledad le pareció insoportable. Intentaba llamar a Yamil cuando no podían verse los días (y las noches) que más le añoraba. Hasta que él le explicó con delicadeza, pero con firmeza, que no podía hacerlo. Cuando no estuvieran juntos físicamente, Anne tenía que olvidarse de su existencia. *¿Cómo voy a hacer eso?*, se lamentaba ella para sus adentros mientras sonreía y asentía. Sabía que era vital que él creyera que lo entendía. El instinto le decía que, si no, la abandonaría. Y ella se moriría, no había duda.

Así pues, fingió por él y por su propia supervivencia. Y poco a poco fue acostumbrándose. No se olvidaba de que existía, claro está. Eso era imposible. Pero llegó a considerar los momentos que pasaba con él como una película que iba a ver de vez en cuando. Entre tanto, podía rememorarla, como hace cualquiera con su película preferida, con esa que siempre le apetece ver. Ello le permitía llevar una vida más o menos normal. Porque, muy en el fondo, allí donde rara vez se atrevía a mirar, sabía que, sin él a su lado, sólo vivía a medias.

Y ahora había dejado escapar a Soraya y él no le hablaba. Pasaba junto a su mesa al ir y venir de sus reuniones con el Viejo como si ella no existiera, ignorando la hinchazón de su pómulo izquierdo, allí donde Soraya la había golpeado con el codo. Había ocurrido lo peor, lo que más la asustaba desde el momento en que se enamoró perdida e irremediablemente de él: le había fallado.

Se preguntaba si había conseguido pruebas que inculparan al secretario de Defensa Halliday. Por un momento le pareció que sí, pero luego el Viejo le pidió que fijara una cita con Luther LaValle, el zar de espionaje del Pentágono, no con el secretario Halliday. ¿Qué estaba tramando?

También estaba a oscuras respecto a la suerte que había corrido Soraya. ¿La habían capturado? ¿Estaba muerta? No lo sabía porque Yamil la había dejado al margen. Ya no contaba con su confianza. No podía ya acurrucarse en su cuerpo, ardiente como el viento del desierto. Sospechaba, en el fondo, que Soraya seguía con vida. Si la célula de Yamil la hubiera apresado, seguramente él le habría perdonado por permitir que se escapara. Se sentía helada. Lo que sabía Soraya era como una guillotina suspendida sobre su cuello. Su vida entera quedaría al descubierto, convertida en una mentira. Sería juzgada por traición.

Una parte de su cabeza ejecutaba maquinalmente los gestos de su rutina diaria. Escuchó al Viejo cuando la llamó a su despacho; mecanografió sus informes y los imprimió para que los firmara; hizo llamadas y organizó la larga jornada del director con la precisión de una campaña militar. Defendía sus líneas telefónicas con la misma ferocidad de siempre, pero otra parte de su cabeza ansiaba descubrir cómo podía remediar el terrible error que había cometido.

Tenía que ganarse de nuevo a Yamil. Y tenía que hacerle suyo, lo sabía. Había muchas formas de redimirse, pero no para él. Él era un beduino: su mentalidad se hallaba encerrada en las viejas tradiciones del desierto. Exilio o muerte, ésas eran las únicas alternativas. Tendría que encontrar a Soraya. Sólo si se manchaba las manos de sangre podría recuperarle. Tendría que ser ella misma quien la matara.

Bourne se despertó. Intentó moverse, pero se descubrió amarrado por cuerdas atadas a dos de las argollas de hierro fijadas al suelo del manicomio. Junto a él había un hombre agachado, un caucásico de cara chupada y ojos descoloridos como el hielo. Llevaba una cazadora de piel y una gorra con un alfiler de plata en forma de alas.

El piloto del avión. Por su aspecto, comprendió que era uno de esos aviadores que se las daban de *cowboys* del cielo.

Sonrió a Bourne.

—¿Qué hacías aquí? —Le habló, engañado por su disfraz, en un pésimo árabe—. Mirando mi plan de vuelo. Espiándome. —Sacudió la cabeza con exageración premeditada, como una niñera regañando a su pupilo—. Eso está prohibido. ¿Entiendes? Prohi-bi-do. —Frunció los labios—. ¿Te enteras de lo que te digo? —añadió en inglés.

Luego le enseñó lo que tenía entre las manos: el transpondedor de la retícula.

—¿Qué coño es esto, cabrón? ¿Eh? ¿Quién cojones eres tú? ¿Quién te manda? —Sacó un cuchillo y acercó su larga hoja a su cara—. Contesta, joder, o te rajo como a un pavo de Navidad. ¿Sabes lo que es la Navidad? ¿Eh?

Bourne le miraba inexpresivamente. Abrió la boca, pronunció una frase en voz muy baja.

—¿Qué? —El piloto se inclinó hacia él—. ¿Qué has dicho?

Sirviéndose de la fuerza de su bajo vientre, Bourne levantó las piernas y ejecutó un movimiento de tijera, de modo que sus tobillos se cruzaron tras el cuello del piloto. Trabó las piernas y le volteó. El tipo recibió un golpe tan violento en la cabeza contra el suelo de mármol que su pómulo se hizo añicos. Se desvaneció en el acto.

Girando el cuello, Bourne vio el cuchillo en el suelo, detrás de su cabeza. Estaba al otro lado de las argollas. Levantó las piernas, encogió el cuerpo hasta formar una bola y se meció adelante y atrás para cobrar impulso. Cuando le pareció que era suficiente, se echó hacia atrás con todas sus fuerzas. Aunque sujeto por las argollas a las que tenía atadas las muñecas, dio una voltereta hacia atrás, pasó por encima de las argollas y cayó de rodillas al otro lado.

Estiró una pierna, levantó el cuchillo con la punta del zapato y lo hizo volar de una patada. La empuñadura chocó ruidosamente con la argolla a la que tenía sujeta la mano derecha. Bajando la argolla hasta que estuvo casi paralela al suelo, consiguió agarrar el cuchillo. Apoyó la hoja en la cuerda y comenzó a serrarla.

Era un trabajo duro e incómodo. No podía apretar con la fuerza que hubiera querido, de modo que avanzaba con terrible lentitud. Desde donde estaba arrodillado no veía la pantalla del transpondedor; ignoraba dónde estaba Muta ibn Aziz. El enviado de Fadi podía aparecer en cualquier momento.

Por fin logró seccionar la cuerda. Cortó rápidamente la que ataba su mano izquierda y estuvo libre. Abalanzándose hacia el transpondedor, miró la pantalla. El punto de luz que indicaba la posición de Muta ibn Aziz seguía estando a cierta distancia.

Bourne dio la vuelta al piloto y le quitó metódicamente la ropa, que se puso prenda a prenda, a pesar de que la camisa le quedaba pequeña y los pantalones grandes. Tras colocarse la vestimenta lo mejor que pudo, cogió su bolso y sacó las cosas que había comprado en la tienda de disfraces de Estambul. Colocó un espejito cuadrado sobre el suelo, donde pudiera ver con facilidad el reflejo de su cara, y se quitó las prótesis de la boca. Luego comenzó a transformarse en el piloto.

Se recortó el pelo y se lo peinó, cambió el color de su tez y se puso un par de postizos para que su mandíbula pareciera más larga. No tenía lentillas de colores, pero la oscuridad de la noche y aquel disfraz serían sus aliados. Con un poco de suerte, podría dejarse la gorra del piloto bien calada sobre la frente.

Echó otra ojeada al transpondedor y miró luego la cartera y los papeles del piloto. Se llamaba Walter B. Darwin. Un expatriado norteamericano cuyos pasaportes le identificaban como ciudadano de tres países distintos. Bourne se identificó con él. Darwin tenía un tatuaje militar en un hombro, y en el otro las palabras «Jódete tú también». Era imposible adivinar qué hacía trasladando a terroristas por el mundo. Pero poco importaba ya. La carrera de aviador de Walter Darwin se había acabado. Bourne arrastró su cuerpo desnudo hasta una habitación trasera y lo cubrió con una lona polvorienta.

Volvió luego a la habitación principal, se acercó a la mesa y recogió el plan de vuelo. Faltaban veinte minutos para las ocho. Sin perder de vista la pantalla del transpondedor, guardó el mapa en su bolso, cogió una de las lámparas y se fue en busca de la pista de despegue.

Anne sabía que Soraya no cometería la estupidez de acercarse a su apartamento. Fingiendo ser Kim Lovett, la amiga de Soraya que trabajaba en la Unidad de Investigación de Incendios del Departamento de Bomberos de Washington, telefoneó a la madre y a la hermana de Tim Hytner. Ninguna de las dos había tenido noticias de Soraya desde que fue a verlas para decirles que Tim había muerto. De haber ido por allí, Soraya las habría puesto sobre aviso contra una tal Anne Held. Pero sin duda querría hablar con su mejor amiga. Anne estuvo a punto de llamar a Kim Lovett, pero se lo pensó mejor. Esa tarde, al salir de la oficina, cogió un taxi y se fue derecha a los laboratorios que la UII tenía entre la avenida Vermont y la calle Once.

Buscó el laboratorio de Kim y entró.

—Soy Anne Held —dijo—. Trabajo con Soraya.

Kim dejó su trabajo: dos bandejas metálicas llenas de ceniza, trozos de huesos carbonizados y tela medio quemada. Se estiró como un gato, se quitó los guantes de látex y le tendió la mano para darle un enérgico apretón.

—Bueno —dijo—, ¿qué te trae por este siniestro lugar?

—Pues, si quieres que te diga la verdad, se trata de Soraya.

Kim se alarmó enseguida.

—¿Le ha pasado algo?

—Eso es lo que intento averiguar. Quería preguntarte si habías tenido noticias suyas.

Kim negó con la cabeza.

—Pero eso no es raro. —Se quedó pensando un momento—. Puede que no sea nada, pero hace una o dos semanas un detective de la policía vino preguntando por ella. Se reunieron aquí, en el laboratorio. El detective quería acompañarla en no sé qué investigación y Soraya se negó. Me dio la sensación de que su interés no era sólo profesional.

—¿Recuerdas la fecha y el nombre del detective?

Kim le dio la fecha.

—En cuanto al nombre, lo anoté en alguna parte. —Rebuscó entre varios montones de carpetas que había sobre la encimera—. Ah, aquí está —dijo sacando un trozo de papel arrancado—. Detective William Overton.

Qué pequeño es el mundo, pensó Anne al salir del edificio de la UII. *Y cuántas coincidencias.* El policía que la había estado siguiendo andaba también detrás de Soraya. Estaba muerto, claro, pero quizá todavía pudiera decirle dónde encontrar a Soraya.

Mediante el teléfono móvil, averiguó rápidamente cuál era la comisaría del detective William Overton, su dirección y el nombre de su superior. Al llegar sacó su acreditación y le dijo al sargento de recepción que tenía que ver al capitán Morrell a propósito de un asunto de cierta urgencia. Cuando el sargento intentó darle largas, como ella esperaba, sacó a relucir el nombre del Viejo. El sargento levantó el teléfono. Cinco minutos después, un joven de uniforme la acompañó hasta el despacho esquinero del capitán Morrell.

El capitán despidió al agente, ofreció asiento a Anne y cerró la puerta.

—¿Qué puedo hacer por usted, señorita Held? —Era un hombre bajo, de pelo ralo y tieso bigote, cuyos ojos habían visto demasiadas muertes y demasiadas componendas—. El sargento me ha dicho que era un asunto de cierta urgencia.

Anne fue directa al grano.

—La CIA está investigando la desaparición del detective Overton.

—¿De Bill Overton? ¿De mi Bill Overton? —El capitán Morrell parecía asombrado—. ¿Por qué...?

—Es un asunto de seguridad nacional —contestó Anne, recurriendo a la muletilla infalible que hoy en día nadie podía refutar—. Necesito ver todas sus notas del último mes, todos sus efectos personales.

—Claro. Desde luego. —Se levantó—. La investigación sigue en marcha, así que lo tenemos todo aquí.

—Le mantendremos informado paso a paso, capitán —le aseguró ella.

—Se lo agradecería. —Abrió la puerta y gritó hacia el pasillo—: ¡Ritchie! —El mismo joven de uniforme se acercó obedientemente—. Ritchie, enséñale a la señorita Held las cosas de Overton.

—Sí, señor —dijo. Luego se volvió hacia Anne—. Si me acompaña, señora.

«Señora.» Dios, qué vieja se sentía.

Ritchie la condujo por el pasillo y bajó por unas escaleras metálicas, hasta una sala del sótano protegida por una valla que llegaba hasta el techo y cuya puerta estaba cerrada con llave. Abrió la puerta y llevó a Anne por otro pasillo que flanqueaban a ambos lados estanterías metálicas repletas de cajas de cartón colocadas en orden alfabético y marcadas con etiquetas escritas a máquina.

Bajó dos cajas y las llevó a una mesa apoyada contra la pared del fondo.

—Aquí está lo del trabajo —dijo, señalando la caja de la izquierda—. Y aquí sus cosas personales.

La miró, expectante como un cachorro.

—¿Puedo ayudarla en algo?

—No, está bien así, agente Ritchie —dijo Anne con una sonrisa—. Ya puedo arreglármelas sola.

—Ya. Bueno, entonces la dejo. Estoy en la sala de al lado, si me necesita.

Cuando estuvo sola, se volvió hacia la caja de la izquierda y lo fue poniendo todo en una bandeja de rejilla. Las carpetas con los informes de Overton las dejó a un lado. En cuanto se aseguró de que no había nada de valor en la rejilla, se concentró en los informes. Los examinó uno por uno, cuidadosamente, prestando especial atención a las anotaciones hechas a partir de la fecha que le había dado Kim Lovett, cuando Overton se vio con Soraya en la UII. No había nada.

—Menuda birria —masculló, y fijó su atención en la caja de la derecha, llena con los efectos personales de Overton. Resultaron ser aún más patéticos de lo que esperaba: un peine barato y un cepillo provisto de una fina mata de pelos, dos paquetes de pastillas antiacidez, uno de ellos abierto; una camisa de vestir azul con la pechera manchada de algo que parecía una especie de salsa; una horrenda corbata de poliéster de rayas azules y rojas; una foto de un chico con uniforme de fútbol y una sonrisa bobalicona, seguramente su hijo; una bolsa de pasas recubiertas de chocolate y otra de golosinas, ambas sin abrir. Eso era todo.

—*Merde.*

Con gesto convulso, barrió de la mesa los despojos del detective Overton. Estaba a punto de marcharse cuando vio que algo blanco asomaba por el bolsillo de la camisa azul. Se inclinó y lo sacó con los dedos estirados. Era un cuadrado de papel rayado, doblado en cuatro. Al desdoblarlo vio garabateado con bolígrafo azul:

S. Moore: 8 y 12 NE (ok)

Se le aceleró el corazón. Aquello era lo que estaba buscando. No había duda de que «S. Moore» era Soraya. Y «ok» sólo podía significar «comprobado». La calle Ocho, naturalmente, no se cruzaba con la Doce en el noreste, ni en ningún otro barrio del distrito federal. Aun así, estaba claro que Overton había seguido a Soraya hasta allí. ¿Qué demonios había ido a hacer en aquella zona? Fuera lo que fuese, se lo había ocultado a la CIA.

Anne se quedó mirando la anotación de Overton, intentando entenderla. Entonces se le ocurrió una idea y se echó a reír. La duodécima letra del alfabeto era la ele. La Ocho y la L Noreste.

Si Soraya estaba viva, era más que probable que hubiera ido a esconderse allí.

Cuando Bourne pasó entre los dos peñascos, la luz de la lámpara le mostró el camino que había tomado Muta ibn Aziz. Discurría hacia el este por espacio aproximado de un kilómetro y viraba luego bruscamente hacia el noreste. Subió un pequeño promontorio, pasado el cual, el camino se dirigía casi en línea recta hacia el norte por una cañada poco profunda que ascendía paulatinamente hasta el arranque de lo que parecía ser una meseta de tamaño considerable.

Mientras tanto había ido acercándose a Muta ibn Aziz, que desde hacía más o menos un minuto no se había movido. El pinar seguía siendo tupido, y el balsámico lecho de pinochas marrones que cubría el suelo amortiguaba el sonido de sus pisadas.

Cinco minutos después, sin embargo, el bosque acabó de pronto. Era evidente que lo habían talado para hacer sitio a una pista de aterrizaje lo bastante larga para que sirviera al reactor que vio aparcado en un extremo de la franja de tierra prensada.

Y allí estaba Muta ibn Aziz, al pie de la escalerilla plegable. Bourne salió del camino por entre los árboles y se fue derecho hacia el avión, un Citation Sovereign. En el cielo negrísimo, las estrellas despedían un brillo frío, como diamantes sobre el tapete de terciopelo de un joyero. Una brisa salobre retozaba en la cima despejada de la colina.

—Hora de irse —dijo Muta ibn Aziz—. ¿Todo en orden?

Bourne asintió con una inclinación de cabeza. Muta ibn Aziz apretó el botón de un objeto pequeño y negro que llevaba en la mano, y las luces de la pista se encendieron. Bourne subió tras él la escalerilla y la retiró en cuanto estuvo dentro. Cruzó el avión hacia la cabina de mando. Conocía bien los Citation. El modelo Sovereign tenía una autonomía de más de 4.500 kilómetros y una velocidad máxima de 826 kilómetros por hora.

Se acomodó en el asiento del piloto y fue pulsando interruptores y girando ruedas de diales a medida que repasaba la complicada lista de control de despegue. Todo estaba en orden.

Soltó los frenos y empujó la palanca hacia delante. El Sovereign respondió de inmediato. Avanzaron por la pista ganando velocidad. Luego levantaron el vuelo hacia un cielo negro y estrellado y ascendieron paulatinamente, dejando atrás el Cuerno de Oro, la puerta de Asia.

30

—¿Por qué lo hacen? —preguntó Martin Lindros en excelente ruso.

Tendido boca arriba en la enfermería de Miran Shah, miraba la cara magullada de Katya Spenanova Vdova, la bellísima y joven esposa del doctor Veintrop.

—¿Por qué hacen qué? —dijo ella cansinamente mientras limpiaba con bastante torpeza los arañazos de su garganta. Después de que Veintrop le hiciera dejar su carrera de modelo de revista masculina, se había formado para ser enfermera.

—Los científicos que hay aquí: tu marido, Senarz, Andursky... ¿Por qué prestan sus servicios a Fadi?

Hablando de Andursky, el cirujano plástico que había rehecho la cara de Karim usando su ojo, Lindros se preguntó: *¿Por qué no me atiende él, en vez de esta aficionada tan torpe?* Apenas se había hecho la pregunta cuando supo la respuesta: ya no era de ninguna utilidad para Fadi, ni para su hermano.

—Son humanos —respondió Katya—. Lo que significa que son débiles. Fadi encuentra sus debilidades y las utiliza en su contra. En el caso de Senarz, era el dinero. En el de Andursky, los chicos.

—¿Y Veintrop?

Ella hizo una mueca.

—Ay, mi marido... Se cree que lo hace por nobleza, que le han forzado a trabajar para Duyya porque Fadi le amenaza con hacerme daño. Pero se engaña, claro. La verdad es que lo hace por recuperar su orgullo. El hermano de Fadi le despidió de IVT con acusaciones falsas. Mi marido necesita trabajar. Ésa es su debilidad.

Se echó hacia atrás, las manos sobre el regazo.

—¿Cree que no sé lo mal que se me da esto? Pero Costin se empeña, ¿sabe? Así que ¿tengo elección?

—Claro que la tienes, Katya. Todo el mundo la tiene. Sólo tienes que verla. —Miró a los dos guardias apostados junto a la puerta de la enfermería. Estaban hablando en voz baja—. ¿No quieres salir de aquí?

—¿Y Costin?

—Veintrop ha acabado el trabajo que estaba haciendo para Fadi. Una chica lista como tú debería saber que ahora es un lastre.

—¡Eso no es cierto! —exclamó ella.

—Katya, todos tenemos la capacidad de engañarnos. Por eso nos metemos en líos. Fíjate en tu marido, sin ir más lejos.

Se quedó muy quieta, observándole con una mirada extraña.

—También tenemos la capacidad de cambiar, Katya. Sólo hace falta descubrir qué tenemos que hacer para seguir adelante, para sobrevivir.

Ella desvió la mirada un momento, como hace la gente cuando tiene miedo, cuando ha tomado una decisión, pero necesita aliento.

—¿Quién te ha hecho eso, Katya? —preguntó él en voz baja.

Volvió a mirarlo de pronto, y Lindros vio acechar en sus ojos la sombra de su miedo.

—Fadi. Fadi y el otro. Para convencer a Costin de que completara la bomba nuclear.

—Eso no tiene sentido —dijo Lindros—. Si Veintrop sabía que Fadi te tenía en su poder, debería haberle bastado con eso.

Katya se mordió el labio, mantuvo los ojos fijos en su tarea. Acabó y se levantó.

—¿Por qué no me contestas, Katya?

No miró hacia atrás al salir de la enfermería.

Parada bajo la gélida lluvia, en la esquina de la calle Ocho con la L Noreste, Anne Held notaba la Smith & Wesson compacta que llevaba en el bolsillo derecho de la gabardina como si fuera una horrible deformidad que acabaran de diagnosticarle.

Sabía que sería capaz de arriesgarlo todo, de hacer lo que fuese para librarse de la sensación de que ya no había lugar para ella en ninguna parte, de que estaba vacía por dentro. Lo único que podía hacer era demostrar de nuevo su valía. Si mataba a Soraya, Yamil volvería a recibirla con los brazos abiertos. Y ella recuperaría su lugar en el mundo.

Se subió el cuello de la gabardina para defenderse del viento cargado de lluvia y empezó a caminar. Debería haberle dado miedo aquel barrio (a la policía se lo daba), pero curiosamente no era así. Claro que tal vez no fuera tan extraño. No le quedaba nada que perder.

Dobló la esquina de la calle Siete. ¿Qué estaba buscando? ¿De qué pistas podía deducir que había acertado, que era allí donde Soraya había ido a esconderse? Pasó un coche, y luego otro. Caras negras, hispanas, hostiles, desconocidas la miraban fijamente al paso de los vehículos. Un conductor sonrió, le sacó la lengua en un gesto obsceno. Ella metió la mano en el bolsillo de la gabardina y agarró la Smith & Wesson.

Mientras caminaba iba observando las casas: ruinosas, desvencijadas, achicharradas por la pobreza, por el abandono y las llamas. En sus jardincillos delanteros se amontonaban basuras y escombros, como si la calle estuviera habitada por traperos que hubieran sacado a la venta sus lastimosas mercancías. Un hedor a basura podrida y orines, a derrota y desesperación, emponzoñaba el aire. De cuando en cuando, algún perro famélico le enseñaba al pasar sus dientes amarillos.

Era como una persona en trance de ahogarse que se agarra a lo único que puede impedir que se hunda. Notaba la palma sudorosa de la mano pegada al mango de la pistola. Pensó vagamente que por fin iban a servirle para algo las muchas horas que había pasado en la galería de tiro de la CIA. Oía la voz grave y enérgica del instructor de tiro corrigiendo su postura o su agarre mientras volvía a cargar la Smith & Wesson reglamentaria.

Pensó de nuevo en su hermana Joyce y recordó el dolor de su niñez compartida. Pero sin duda también había habido alegría, ¿no?, las noches que compartían la cama y se contaban historias de fantasmas, a ver cuál de las dos gritaba antes de miedo. Se sentía ahora como un fantasma, vagando a la deriva por un mundo en el que sólo podía aparecerse en espectro. Cruzó la calle, dejó atrás un descampado lleno de hierbajos que le llegaban a la cintura, tenaces incluso en invierno. Neumáticos gastados como la tez de un viejo, botellas de plástico vacías, jeringuillas, condones y teléfonos móviles usados, un calcetín rojo sin puntera. Y un brazo cortado.

Se sobresaltó. El corazón le golpeaba con violencia las costillas. Era sólo el brazo de un maniquí. Pero el latido de su corazón no aflojó. Se quedó mirando con morbosa fascinación aquel brazo amputado. Era como el futuro malogrado de Joyce, tirado en una escombrera repleta de maleza muerta. ¿Qué distinguía el futuro de su hermana de su propio presente?, se preguntó. Hacía mucho tiempo que no lloraba. Ahora le parecía que ya no sabía hacerlo.

El día se había sumido en la tumba de la noche, la lluvia helada se había convertido en niebla pegajosa. La humedad parecía condensarse en su pelo, en el dorso de sus manos. De vez en cuando, una sirena alzaba su lamento sólo para sumirse de nuevo en un inquieto silencio.

Oyó refunfuñar tras ella un motor. Se detuvo con el corazón acelerado, esperando a que pasara el coche. Al ver que no pasaba, echó a andar de nuevo, más aprisa. El vehículo salió de entre la niebla y se mantuvo tras ella.

De pronto, Anne dio media vuelta y, sin apartar la mano de la Smith & Wesson, caminó hacia el coche. Éste se detuvo. Por la ventanilla bajada del conductor apareció una cara larga y marchita, del color de un zapato de cuero viejo, peluda y gris en su mitad inferior.

—Pareces perdida —dijo el hombre con la voz enronquecida por una vida entera de nicotina y alquitrán—. Taxi pirata. —Se tocó la gorra de béisbol—. Me ha parecido que necesitas que te lleven. Hay una pandilla al final de la calle que se está relamiendo de verte.

—Sé arreglármelas sola. —El miedo súbito hacía que pareciera estar a la defensiva.

El taxista la miró con cara de pena.

—De acuerdo.

Cuando se disponía a arrancar, Anne dijo:

—¡Espera! —Se pasó la mano por la frente húmeda. Se sentía como si de pronto le hubiera subido la fiebre. ¿A quién pretendía engañar? No tenía fuerzas para disparar a Soraya, y menos aún para matarla.

Agarró el tirador de la puerta trasera, montó en el taxi furtivo y dio su dirección al conductor. No quería volver a la sede de la CIA. No podía enfrentarse a Yamil, ni al Viejo. Se preguntaba si podría volver a mirarlos a la cara alguna vez.

Notó entonces que el taxista se había vuelto y estaba observando su cara.

—¿Qué pasa? —preguntó con excesiva suspicacia.

El taxista refunfuñó:

—Eres un bombón.

Anne optó por mantener la templanza, sacó un puñado de billetes y los agitó delante de su cara.

—¿Vas a llevarme o no?

El hombre se chupó los labios, puso el coche en marcha.

Cuando por fin arrancó, Anne se inclinó hacia delante.

—Sólo para que lo sepas —le advirtió—, tengo un arma.

—Yo también, hermana. —El canoso taxista la miró con malicia—. Yo también.

El director se encontró con Luther LaValle en el Thistle, un restaurante de moda entre las calle Diecinueve y la Q Noroeste. Le había pedido a Anne que le reservara una mesa porque, cuando hablara con LaValle, prefería que fuera rodeado de bulliciosos comensales.

El zar de espionaje del Pentágono ya estaba sentado a la mesa cuando el Viejo salió de la densa niebla invernal y penetró en el estruendo del restaurante. Vestido con traje azul marino, tiesa camisa blanca y corbata de corte marcial a rayas azules y rojas, sujeta por un alfiler de esmalte con la bandera americana, LaValle parecía fuera de lugar rodeado de hombres y mujeres de una generación posterior.

Su torso de boxeador inflaba el traje como el de un forzudo. Parecía Bruce Banner a punto de convertirse en Hulk. Esbozando una fina sonrisa, dejó su *whisky* con soda para estrechar mecánicamente la mano que le ofrecía el director.

El Viejo ocupó una silla frente a él.

—Te agradezco que hayas accedido a verme con tantas prisas, Luther.

LaValle extendió sus manos brutales, de dedos chatos.

—¿Qué tomas?

—Un Oban —le dijo el director al camarero que había aparecido junto a él—. Que sea doble, con un cubito de hielo, pero sólo si es grande.

El camarero asintió levemente con la cabeza y desapareció entre la gente.

—Para los licores fuertes, conviene que los cubitos de hielo sean grandes —le explicó el director a su compañero—. Tardan más en derretirse.

LaValle no dijo nada, aunque le miraba con expectación. Cuando llegó el *whisky* escocés, ambos levantaron sus copas y bebieron.

—Esta noche el tráfico está imposible —comentó el director.

—Es por la niebla —respondió su interlocutor vagamente.

—¿Cuándo fue la última vez que nos vimos así?

—¿Sabes qué?, no me acuerdo.

Ambos parecían estar hablando con la joven pareja sentada en la mesa de al lado. Sus palabras neutras se alzaban entre ellos como peones, sacrificados ya sobre el campo de batalla. El camarero volvió con las cartas. Las abrieron, pidieron y volvieron a quedarse solos.

El director sacó un dosier de su delgado maletín y lo puso sobre la mesa sin abrirlo. Apoyó pesadamente las palmas de las manos sobre él.

—Supongo que te habrás enterado de lo de esa camioneta que perdió el control frente al museo Corcoran.

—¿Un accidente de tráfico? —LaValle se encogió de hombros—. ¿Sabes cuántos hay en Washington cada hora?

—Éste es distinto —contestó el Viejo—. Esa camioneta intentaba atropellar a uno de los míos.

LaValle bebió un sorbito de su *whisky* con soda. El Viejo pensó que bebía como una señora.

—¿A quién?

—A Anne Held, mi ayudante. Martin Lindros estaba con ella. Fue él quien la salvó.

LaValle se inclinó, sacó otro dosier. Tenía en la tapa el sello del Pentágono. Lo abrió y, sin decir palabra, le dio la vuelta y lo deslizó sobre la mesa.

Mientras el Viejo empezaba a leer, dijo:

—Hay alguien dentro de tu cuartel general que manda y recibe mensajes periódicos.

El Viejo estaba asombrado en más de un sentido.

—¿Desde cuándo controla el Pentágono las comunicaciones de la CIA? Eso es violar gravemente el protocolo entre agencias, maldita sea.

—Lo ordené yo, con el visto bueno del presidente. Lo creímos necesario. Cuando el secretario Halliday se enteró de que había un topo dentro de la CIA...

—A través de su esbirro, Matthew Lerner —dijo el director con vehemencia—. Halliday no es quién para meterse en mis asuntos. Y el presidente está recibiendo informes erróneos a mis espaldas.

—Fue por el bien de la agencia.

Un nubarrón de indignación cruzó la cara del director.

—¿Insinúas que ya no sé qué le conviene a la CIA?

LaValle estiró un dedo.

—Escúchame. Esa señal electrónica aprovecha las ondas portadoras de la CIA. Está codificada. No hemos podido descifrarla. Además, no sabemos de quién proceden esos mensajes, pero por las fechas está claro que no pudo ser Hytner, el agente al que identificaste como el topo. Hytner ya estaba muerto.

El Viejo apartó el dosier del Pentágono y abrió el suyo.

—Me ocuparé de esa filtración, si es que es eso —dijo. Lo más probable era que aquellos idiotas hubieran captado las comunicaciones clandestinas de Tifón con algún agente encubierto del extranjero. Como era lógico, el departamento de operaciones secretas de Martin no se servía de los canales normales de la CIA—. Y tú te ocuparás del secretario de Defensa.

—¿Cómo dices? —LaValle pareció desconcertado por primera vez desde que se habían sentado.

—Esa camioneta de la que te he hablado, la que intentó atropellar a Anne Held...

—Para serte sincero, el secretario Halliday me dijo que sospechaba que Anne Held era el topo de...

Les llevaron los aperitivos: enormes gambas rosas bañadas en salsa de cóctel de color rojo sangre.

Antes de que LaValle pudiera empuñar su pequeño tenedor, el director le tendió una hoja de papel que había arrancado del informe de Martin Lindros.

—La camioneta que estuvo a punto de matar a Anne la conducía el difunto Jon Mueller. —Esperó un segundo—. Conoces a Mueller, Luther, no finjas lo contrario. Estaba en Seguridad Nacional, pero le entrenó la Agencia Nacional de Seguridad. Conocía a Matthew Lerner. De hecho, salían juntos a beber y se iban por ahí de putas. Eran ambos esbirros de Halliday.

—¿Tienes pruebas materiales? —preguntó LaValle suavemente.

El Viejo estaba esperando la pregunta.

—Ya sabes la respuesta. Pero tengo suficiente para abrir una investigación. Ingresos inexplicables en la cuenta bancaria de Mueller, un Lamborghini que Lerner no podía permitirse, viajes a

Las Vegas en los que ambos gastaban dinero a mansalva... La arrogancia engendra estupidez. Es un axioma que se pierde en la noche de los tiempos. —Recogió la hoja de papel—. Te aseguro que, cuando la investigación llegue al Senado, no sólo caerá Halliday; caerán también todos los que le rodean.

Cruzó los brazos.

—Francamente, no me apetece que se desencadene un escándalo de esas proporciones. Sólo ayudaría a nuestros enemigos exteriores. —Cogió una gamba—. Pero esta vez el secretario se ha pasado de la raya. Se cree que puede hacer lo que se le antoje, incluso sancionar un asesinato sirviéndose de hombres que trabajan para nuestro Gobierno.

Se detuvo un momento para dejar que sus palabras calaran. Cuando el zar de espionaje del Pentágono le miró a los ojos, añadió:

—Se acabó. No puedo pasar por alto un acto tan desleal y tan temerario. Y creo que tú tampoco.

Muta ibn Aziz contemplaba, absorto en sus cavilaciones, el fulgor negro azulado del cielo más allá de la ventanilla de plexiglás del avión. Allá abajo se extendía la piel tersa del mar Caspio, tapada de vez en cuando por jirones de nubes del color de las alas de una gaviota.

Él habitaba un oscuro rincón de Duyya y cumplía la humillante tarea de correveidile mientras su hermano disfrutaba del favor de Fadi y se solazaba en su luz. Y todo por culpa de lo ocurrido en Odesa, de la mentira que habían contado a Fadi y a Karim y a la que Abbud le había prohibido poner remedio. Decía que debía guardar silencio por el bien de Fadi, pero al contemplar la situación con distancia Muta ibn Aziz se daba cuenta de que aquello no era más que otra mentira tejida por su hermano. Si Abbud se empeñaba en ocultar la verdad sobre la muerte de Sarah ibn Ashef, era únicamente por su propio bien, para consolidar su poder dentro de Duyya.

Muta se irguió y vio aparecer una oscura mancha de tierra. Miró su reloj. Justo a tiempo. Poniéndose en pie, se estiró y vaciló un momento. Pensó en el hombre que pilotaba el avión. Sabía que no era el verdadero piloto: no le había hecho la señal convenida al salir del bosque. ¿Quién era entonces? Un agente de la CIA, desde luego. Jason Bourne, probablemente. Sin embargo, tres horas antes había recibido en el móvil un mensaje de texto informándole de que Bourne había muerto, según un testigo presencial y el rastreador electrónico, que ahora su cuerpo yacía en el fondo del mar Negro.

Pero ¿y si el testigo presencial mentía? ¿Y si Bourne había descubierto el dispositivo de seguimiento y lo había arrojado al mar? ¿Quién podía ser el piloto sino Jason Bourne, el Camaleón?

Avanzó por el pasillo central, hasta la cabina de mando. El piloto mantuvo la mirada fija en las rectas filas de instrumentos que tenía delante.

—Estamos llegando al espacio aéreo de Irán —anunció Muta—. Éste es el código que tienes que enviar por radio.

Bourne asintió.

Muta se quedó allí, con las piernas ligeramente separadas, mirándole la nuca. Sacó su Korovin TK.

—Transmite el código —ordenó.

Bourne no le hizo caso. Siguió pilotando el avión hacia el espacio aéreo de Irán.

Muta ibn Aziz dio un paso adelante, le puso el cañón de la Korovin en la base del cráneo.

—Transmite el código inmediatamente.

—¿O qué? —preguntó Bourne—. ¿Me pegarás un tiro? ¿Sabes pilotar un Sovereign?

Muta no sabía, claro: por eso había subido a bordo con el impostor. Justo en ese instante la radio emitió un chirrido.

Una voz atenuada por la transmisión electrónica dijo en farsi:

—*Salām aleikom. Esmetān chī st?*

Bourne cogió el micro.

—*Salām aleikom* —respondió.

—*Esmetān chī st?* —preguntó la voz. ¿Su nombre?

—¿Estás loco? —preguntó Muta—. Dale el código de una vez.

—*Esmetān chī st!* —repitió la voz de la radio. Ya no era una pregunta—. *Esmetān chī st!* —Era una orden.

Muta temblaba de rabia y terror.

—¡Dales el código, maldita sea, o nos borran del mapa!

31

Bourne hizo virar el Sovereign tan bruscamente hacia la izquierda que Muta ibn Aziz salió despedido y chocó contra el mamparo de estribor. Mientras luchaba por ponerse en pie, Bourne lanzó el avión en picado al tiempo que viraba hacia la derecha. El terrorista cayó hacia atrás y se golpeó la cabeza con el borde de la puerta.

Bourne miró hacia atrás. El enviado de Fadi estaba inconsciente.

El radar mostraba dos cazas que se acercaban velozmente por debajo de él. El Gobierno iraní era de gatillo fácil y no había dudado ni un instante en sacar su defensa aérea. Puso el Sovereign panza arriba para echarles un vistazo. Los iraníes habían mandado a interceptarle un par de J-6 de fabricación china, réplicas obtenidas mediante ingeniería inversa de los viejos MIG-19 que se usaban a mediados de la década de 1950. Estaban tan desfasados que la planta de Chengdú había dejado de fabricarlos hacía más de una década. Aun así, iban armados, y el Sovereign no. Tenía que hacer algo para contrarrestar esa enorme desventaja.

Los cazas esperaban que diera media vuelta y huyera. Bourne, sin embargo, bajó el morro del avión y aceleró, dirigiéndose directamente hacia ellos. Sorprendidos, los pilotos iraníes no hicieron nada hasta el último momento, cuando ambos se apartaron de la trayectoria del Sovereign.

Sin perder un instante, Bourne tiró de la palanca y, poniendo el morro del aparato en vertical, hizo un bucle que le colocó detrás de ellos. Los cazas dieron media vuelta, dejando estelas en forma de trébol, y se abalanzaron sobre él desde ambos lados.

Empezaron a disparar. Bourne se situó por debajo de su fuego cruzado, y éste cesó de inmediato. Eligiendo el J-6 de la derecha porque estaba algo más cerca, viró bruscamente hacia él. Dejó que se situara por debajo del Sovereign y que el piloto pensara que había cometido un error táctico. Mientras ejecutaba maniobras evasivas y las ametralladoras dejaban oír de nuevo su parloteo, esperó hasta que el J-6 se colocó a su cola y volvió a levantar el morro del Sovereign. El piloto iraní conocía la maniobra y estaba listo: ascendió abruptamente detrás de él. Sabía lo que haría Bourne a continuación: lanzar el avión en picado. Y eso hizo en efecto, sólo que también viró de pronto hacia la derecha. El J-6 le siguió, a pesar de que el Sovereign volaba ahora a su velocidad máxima. El aparato comenzó a traquetear, sometido a la presión del esfuerzo cortante. Bourne forzó aún más el viraje y el picado del avión.

Tras él, el viejo J-6 se sacudía y se estremecía. Un puñado de remaches se desprendió de pronto de su ala izquierda. El ala se arrugó como golpeada por un puño invisible. Un momento después se desprendió del fuselaje. Las dos partes del J-6 se separaron entre un tumulto de jirones de chapa arrancados que, uno tras otro, fueron cayendo a tierra.

Las balas atravesaron el revestimiento del Sovereign: el otro J-6 se había lanzado en su persecución. Bourne se dirigió a toda velocidad hacia la frontera con Afganistán, que cruzó unos segundos después. El J-6 iraní le siguió, impertérrito, entre el chirrido de sus motores y el tableteo de sus ametralladoras.

Justo al sur de la posición en la que había penetrado en el espacio aéreo afgano, había una cadena montañosa que arrancaba en el norte de Irán. Las montañas, sin embargo, no alcanzaban alturas significativas hasta llegar a la posición que ocupaba Bourne en ese momento, justo al noroeste del Koh-i-Marjura. Poniendo rumbo este-sudeste, Bourne lanzó el Sovereign hacia los picos más altos.

El J-6 se estremeció y chilló al aplanar la curva de su descenso. El piloto, que había visto lo que le había sucedido hacía un momento a su compañero, no tenía intención de acercarse tanto al Sovereign. Lo seguía, sin embargo, acosándole desde detrás y un poco por encima de él y disparando de cuando en cuando cortas ráfagas a sus motores.

Bourne comprendió que intentaba llevarle hacia un estrecho valle entre dos montes de bordes afilados que se erguían un poco más allá. Quería encajonarle para reducir al mínimo la maniobrabilidad del Sovereign, darle alcance en el desfiladero y derribarlo.

Los montes se alzaban tapando la luz a ambos lados. Sus enormes farallones pasaban como una exhalación. Ambos aviones se habían adentrado en el desfiladero. El piloto iraní tenía al Sovereign justo donde quería. Empezó a disparar de firme, consciente de que su presa apenas podía maniobrar para esquivarle.

Bourne sintió que un par de proyectiles más atravesaban el Sovereign. Si el J-6 daba a un motor, estaba acabado. Se estrellaría sin tener tiempo de reaccionar. Accionando el alerón derecho, viró ligeramente para apartarse de la línea de tiro. Pero era sólo una solución temporal. A menos que encontrara una salida, el J-6 acabaría por derribarle.

Vio a su izquierda una hendidura de bordes desiguales en la pared cortada a pico de la montaña, e inmediatamente se dirigió hacia ella. Casi enseguida divisó el peligro: una aguja de roca partía la abertura en dos.

El desfiladero se había vuelto tan estrecho que, tras él, el J-6 tuvo que ponerse de lado. Bourne maniobró muy suavemente para mantener la silueta de su avión entre el J-6 y la aguja de roca de forma que ésta no se viera.

El piloto iraní creyó que iban a cruzar ambos la hendidura. Estaba tan empeñado en derribar al Sovereign que cuando en el último momento su presa viró levemente a la derecha para pasar por la grieta, no tuvo tiempo de reaccionar. La aguja se le echó encima, su cercanía le dejó paralizado de espanto y un instante después su avión se estrelló contra la roca, levantando una bola de fuego. Una columna de humo negro se elevó hacia el árido cielo. El J-6 y su piloto, convertidos en una lluvia de fragmentos incandescentes, se desvanecieron como por arte de magia.

Soraya se despertó oyendo llorar a un bebé. Intentó moverse, pero sus nervios traumatizados se resistieron y gimió de dolor. Como si su gemido le contrariara, el bebé comenzó a chillar. Soraya miró a su alrededor. Estaba en una habitación sucia, llena de una luz sucia. Un olor a comida y a humanidad hacinada saturaba el aire. Frente a ella, en la pared mugrienta, colgaba torcida una lámina barata de Cristo crucificado. ¿Dónde estaba?

—¡Hola! —gritó.

Un momento después apareció Tyrone. Llevaba a una niña muy pequeña en el hueco del brazo izquierdo. La niña tenía la cara tan contraída por la rabia que todas sus facciones parecían haberse sumido en su centro arrugado. Parecía un puño cerrado.

—Eh, ¿qué tal te encuentras?

—Como si acabara de disputar quince asaltos con Lennox Lewis. —Soraya intentó sentarse de nuevo, con más firmeza esta vez. Mientras se esforzaba dijo—: Te debo una, tío.

—Ya te tomaré la palabra alguna vez. —Sonrió al entrar en la habitación.

—¿Qué les pasó a los tíos del Ford negro? ¿No te siguieron...?

—Están muertos, no debes preocuparte. Ésos no volverán a molestarte, te lo garantizo.

La niña volvió la cabeza sin dejar de llorar y miró a Soraya a los ojos con esa vulnerabilidad absoluta exclusiva de los niños muy pequeños. Sus chillidos se convirtieron en sollozos boqueantes.

—Trae. —Soraya tendió los brazos. El chico le pasó al bebé. La pequeña apoyó enseguida la cabeza sobre su pecho y dejó escapar un suave gemido—. Tiene hambre, Tyrone.

Él salió de la habitación y volvió un momento después con un biberón lleno de leche. Dándole la vuelta, comprobó la temperatura en el envés de la muñeca.

—Así está bien —dijo al pasarle el biberón.

Soraya le miró un momento.

—¿Qué pasa?

Acercó la tetina del biberón a la boca de la niña.

—No creía que estuvieras domesticado.

—¿No se te había ocurrido que podía tener una hija?

—¿La niña es tuya?

—Qué va. Ésta es de mi hermana. —Se volvió a medias y gritó—: ¡Aisha!

Pasó un rato sin que apareciera nadie en la puerta, pero Tyrone pareció detectar movimiento porque dijo:

—Entra.

Soraya vio moverse una sombra y un instante después una niñita delgada, con grandes ojos de color chocolate, se dejó ver en la puerta.

—No seas tímida, niña. —La voz de Tyrone se había suavizado—. Es la espía.

Aisha contrajo la cara.

—¡La espía! ¿Y no tienes miedo?

Su padre se rió alegremente.

—Qué va. Mira cómo coge a Darlonna. ¿No muerdes, a que no, señorita espía?

—No, si me llamas Soraya, Aisha. —Sonrió a la niña, que era bastante bonita—. ¿Crees que podrás?

Aisha se quedó mirándola mientras hacía girar su trenza alrededor de su pequeño dedo índice. Tyrone estuvo a punto de regañarla otra vez, pero Soraya se adelantó:

—Tienes un nombre precioso. ¿Cuántos años tienes, Aisha?

—Seis —contestó la niña en voz baja—. ¿Qué significa tu nombre? El mío significa «vivita y coleando».

Soraya se rió.

—Lo sé, es árabe. Soraya es una palabra farsi. Significa «princesa».

Aisha abrió mucho los ojos y dio varios pasos hacia el centro de la habitación.

—¿Eres una princesa de verdad?

Soraya, que intentaba sofocar la risa, contestó a su exagerada solemnidad:

—No, una princesa de verdad, no.

—Es una especie de princesa. —Tyrone logró ignorar la mirada curiosa de Soraya—. Sólo que tiene prohibido decirlo.

—¿Por qué? —La niña, completamente absorta, se acercó a ellos trastabillando.

—Porque hay algunas personas malas que van detrás de ella —dijo Tyrone.

La niña levantó la mirada hacia él.

—¿Como esas personas a las que disparaste, papá?

En medio del silencio que siguió, Soraya oyó ruidos estridentes en la calle: el súbito y bronco rugido de unas motocicletas, la estruendosa vibración del *hip-hop*, el bullicio de acaloradas conversaciones.

—Vete a jugar con la tía Libby —dijo Tyrone, no sin ternura.

Aisha lanzó una última mirada a Soraya, luego dio media vuelta y salió de la habitación.

Tyrone se volvió hacia Soraya, pero antes de decir nada se quitó un zapato y lo arrojó con todas sus fuerzas contra un rincón. Al girarse, ella vio una rata de buen tamaño en el suelo, de lado. El tacón del zapato casi la había decapitado. Tyrone la envolvió en una hoja de periódico vieja, se limpió el zapato y sacó la rata de la habitación.

—Lo de la madre de Aisha fue hace mucho tiempo —comentó cuando volvió—. Le pegaron un tiro desde un coche. Estaba con dos primos suyos que le tocaron las narices a un capo sisándole mercancía o no sé qué rollo en una transacción. —Su semblante se ensombreció—. No podía dejarlo pasar.

—No —dijo Soraya—. Imagino que no.

El bebé se había dormido mientras chupaba del biberón. Descansaba en brazos de Soraya, la respiración profunda y rítmica.

Tyrone se quedó callado, tímido de pronto. Soraya ladeó la cabeza.

—¿Qué ocurre?

—Verás, tengo que decirte una cosa importante, o por lo menos yo creo que es importante. —Se sentó al borde de la cama—. Es una larga historia, pero intentaré resumírtela.

Le habló del taller de chapa y pintura M&N y de cómo había estado vigilándolo con DJ Tank, para usarlo como madriguera para la pandilla. Le dijo que una noche vio hombres armados en el taller y que DJ Tank y él se colaron cuando aquellos tipos se fueron, y le contó lo que encontraron, «explosivos plásticos y cosas así». Le dijo que había visto a una pareja, un hombre y una mujer, despedazando el cadáver de un tipo.

—Dios mío. —Soraya le detuvo al llegar a ese punto—. ¿Puedes describirlos?

Tyrone comenzó a pintar para ella un retrato aterradoramente exacto de Anne Held y el falso Martin Lindros. *Qué poco conocemos a la gente*, pensó ella con amargura. *Con cuánta facilidad nos engañan*.

—Está bien —dijo al fin—, ¿qué pasó luego?

—Que prendieron fuego al edificio. Lo quemaron hasta los putos cimientos.

Soraya se quedó pensando.

—Entonces, ya habían trasladado los explosivos.

—Seguro. —Tyrone asintió—. Hay otra cosa, además. ¿Esos dos matones de los que te libré entre la Nueve y Florida? A uno lo reconocí. Era uno de los que estaban montando guardia esa noche en el taller.

32

Muta ibn Aziz había empezado a recobrar el conocimiento durante la última parte de la persecución aérea. Bourne se dio cuenta de pronto de que se había puesto en pie. No podía soltar los controles para reducir al terrorista: tenía que encontrar otra forma de ocuparse de él.

El Sovereign se estaba acercando al final del desfiladero. Cuando Muta ibn Aziz apoyó el cañón de su pistola contra su oreja derecha, Bourne dirigió el avión hacia el pico que se alzaba en un extremo del paso montañoso.

—¿Qué haces? —preguntó Muta.

—Aparta la pistola —contestó, concentrado en el pico que se erguía ante ellos.

Muta miró por el parabrisas, hipnotizado.

—Sácanos de aquí.

Bourne mantuvo el morro del Sovereign enfilado hacia el pico.

—Nos vamos a matar los dos. —Muta se lamió los labios con nerviosismo. De pronto apartó la pistola—. ¡De acuerdo, de acuerdo! Pero...

Estaban muy cerca de la montaña.

—Tira la pistola al otro lado de la cabina —ordenó Bourne.

—¡Es demasiado tarde! —gritó Muta ibn Aziz—. ¡No vamos a conseguirlo!

Bourne agarraba con firmeza la palanca de mando. Con un grito de rabia, Muta arrojó la pistola al suelo.

Bourne tiró de la palanca. El Sovereign ascendió como una exhalación. El pico se acercaba vertiginosamente. Iban a pasar rozándolo. En el último instante, vio una brecha en el lado derecho, como si Dios hubiera alargado la mano para partir la montaña en dos. Viró lo justo; un poco más, y el risco les partiría la punta del ala derecha. Pasaron justo por encima de la cima de la montaña y luego, ascendiendo aún, dejaron atrás el desfiladero y salieron a cielo abierto.

Muta gateó en busca de la pistola. Bourne se lo esperaba. Ya había puesto el piloto automático. Se quitó el cinturón, saltó sobre la espalda del terrorista y le asestó un brutal puñetazo en los riñones. Muta dejó escapar un grito sofocado y se desplomó sobre el suelo de la cabina.

Bourne se apoderó rápidamente del arma y ató al terrorista con una bobina de cable que encontró en la taquilla del mecánico. Arrastró a Muta hasta el otro lado de la cabina, volvió a sentarse, desactivó el piloto automático y ajustó el rumbo un poco hacia el sur. Estaban en medio de Afganistán, camino de Miran Shah, el lugar que, situado nada más cruzar la frontera este de Pakistán, aparecía rodeado por un círculo en el mapa del piloto.

Muta ibn Aziz profirió una larga ristra de maldiciones beduinas.

—Bourne —añadió—, yo tenía razón. Esa historia de que habías muerto, fuiste tú quien la inventó.

Bourne le sonrió.

—¿Qué te parece si llamamos a todos por su nombre? Empecemos por Abu Gazi Nadir al Yamuh ibn Hamid ibn Ashef al Uahib. Claro que «Fadi» es mucho más corto y conciso.

—¿Cómo sabes...?

—También sé que su hermano Karim ha suplantado a Martin Lindros.

Los ojos oscuros de Muta reflejaron su sorpresa.

—Y luego está la hermana, Sarah ibn Ashef. —Bourne observaba la expresión del enviado de Fadi con amarga satisfacción—. Sí, eso también lo sé.

Muta se puso pálido.

—¿Te dijo su nombre?

Bourne comprendió enseguida.

—Tú estabas en Odesa esa noche, cuando nos encontramos con nuestro contacto. Disparé a Sarah ibn Ashef cuando apareció corriendo en la plaza. Conseguimos escapar a duras penas de aquella ratonera.

—Tú te la llevaste —dijo Muta ibn Aziz—. Te llevaste a Sarah ibn Ashef.

—Todavía estaba viva —contestó.

—¿Dijo algo?

Muta había hablado con excesiva rapidez, y Bourne comprendió que estaba ansioso por conocer la respuesta. ¿Por qué? Allí pasaba algo más. Pero ¿qué era lo que se estaba perdiendo?

No sabía casi nada más, pero era esencial que el otro siguiera creyendo lo contrario. Decidió que lo mejor era no decir nada.

El silencio hizo mella en Muta, que se puso extremadamente nervioso.

—Dijo mi nombre, ¿verdad?

Bourne mantuvo una voz neutra.

—¿Por qué iba a decirlo?

—Lo dijo, ¿verdad? —Muta estaba fuera de sí, se retorcía de un lado para otro en un vano intento de desatarse—. ¿Qué más dijo?

—No me acuerdo.

—Tienes que acordarte.

Muta ibn Aziz había picado el anzuelo. Ahora, Bourne sólo tenía que recoger sedal.

—Un médico me dijo una vez que las descripciones de cosas que había olvidado, aunque fueran sólo fragmentarias, podían destrabar mi memoria.

Se estaba acercando a la frontera. Bourne comenzó a descender gradualmente hacia los escarpados riscos de la cadena montañosa que servía de escondrijo a muchos de los grupos terroristas más peligrosos del mundo.

Muta le miraba con incredulidad.

—A ver si me aclaro. Quieres que te ayude. —Soltó una risa sin ganas—. Ni lo sueñes.

—Muy bien. —Bourne fijó su atención en los accidentes del terreno, que empezaban a mostrarse a grandes rasgos—. Has sido tú quien ha preguntado. A mí, en realidad, me da igual.

La cara de Muta se contrajo primero hacia un lado y luego hacia el otro. Se hallaba sometido a una enorme presión, y Bourne se preguntó por qué. Aparentaba indiferencia, pero tenía la impresión de que debía subir la apuesta, así que anunció:

—Quedan seis minutos para aterrizar, un poco menos, quizá. Más vale que te sujetes lo mejor que puedas. —Le miró y se echó a reír—. Aunque ya estás bien atado.

—No fue un accidente —confesó entonces Muta.

—Lamentablemente —dijo Karim—, LaValle tenía razón.

El director dio un respingo. Estaba claro que no quería seguir oyendo malas noticias.

—Tifón suele aprovechar las transmisiones de la CIA para mandar mensajes codificados.

—Así es, señor. Pero después de muchas indagaciones, he descubierto tres comunicaciones clandestinas para las que no encuentro explicación.

Estaban sentados el uno junto al otro en el sexto banco del lado derecho del arco de la iglesia metodista de la calle Dieciséis Noroeste. Tras ellos, fijada al respaldo, había una placa que decía: «En este banco se sentaron codo con codo el presidente Franklin D. Roosevelt y el primer ministro Winston Churchill durante la celebración de la misa de Navidad de 1941». Lo que significaba que el oficio religioso tuvo lugar apenas tres semanas después de que los japoneses atacaran Pearl Harbor. Corrían entonces tiempos difíciles para Estados Unidos. En cuanto a Gran Bretaña, gracias a aquella dolorosa catástrofe consiguió un aliado de vital importancia. Para el Viejo, aquél era un lugar cargado de significado. Era allí adonde iba a rezar, a meditar, a armarse de fuerza moral para afrontar las siniestras y complicadas tareas que a menudo tenía que asumir.

Mientras miraba el dosier que le había pasado su lugarteniente, comprendió sin asomo de duda que le aguardaba otra de aquellas tareas.

Soltó un largo suspiro, abrió la carpeta. Y allí estaba, negro sobre blanco, la pavorosa verdad. Aun así levantó la cabeza y dijo con voz temblorosa:

—¿Anne?

—Me temo que sí, señor. —Karim procuraba mantener las manos con las palmas hacia arriba, sobre el regazo. Tenía que parecer tan abatido como el Viejo. La noticia había sacudido al director hasta la médula de los huesos—. Los tres mensajes procedían de una PDA de su propiedad. Una PDA no autorizada por la CIA, de la que no teníamos conocimiento hasta ahora. Parece que también pudo introducir datos falsos para implicar a Tim Hytner.

El director guardó silencio un rato. Habían estado hablando en voz baja, debido a la excelente acústica de la iglesia, pero cuando volvió a hablar Karim tuvo que inclinarse para oírle.

—¿De qué índole eran esos mensajes?

—Se enviaron a través de una frecuencia codificada —contestó Karim—. He puesto a trabajar a mis mejores agentes para descifrarla.

El Viejo asintió distraídamente.

—Buen trabajo, Martin. No sé qué haría sin ti.

En ese instante aparentaba su edad y algunos años más. Con la traición de su querida Anne, una chispa vital se había apagado dentro de él. Estaba encorvado, con los hombros alzados, como si presintiera un nuevo mazazo.

—Señor —sugirió Karim suavemente—, tenemos que tomar medidas inmediatas.

El director asintió, pero tenía la mirada perdida, fija en ideas y recuerdos que su compañero no podía adivinar.

—Creo que deberíamos solucionar esto discretamente —prosiguió Karim—. Solos usted y yo. ¿Qué me dice?

Los ojos acuosos del Viejo se posaron en la cara de su lugarteniente.

—Sí, una solución discreta, desde luego. —Hablaba en un susurro. Se le quebró la voz al decir «solución».

Karim se puso de pie.

—¿Vamos?

El director levantó la mirada hacia él. Un negro pavor flotaba detrás de sus ojos.

—¿Ahora?

—Sería lo mejor, señor. Para todos. —Ayudó al Viejo a levantarse—. No está en la oficina. Supongo que estará en casa.

Acto seguido, entregó una pistola al director.

Katya regresó a la enfermería pasadas un par de horas para ver cómo evolucionaba la inflamación del cuello de Lindros. Se arrodilló junto al catre bajo en el que yacía el prisionero y comenzó a manipular tan desmañadamente el vendaje que a ella misma se le saltaron las lágrimas.

—No se me da bien—musitó, como para sí—. No se me da nada bien.

Mientras la observaba, Lindros recordó cómo había acabado su conversación. Se preguntaba si debía decir algo, o si sólo conseguiría ahuyentarla si abría la boca.

—He estado pensando en lo que me dijo antes —manifestó Katya tras un largo y tenso silencio.

Le miró por fin a los ojos. Los suyos eran de un asombroso tono gris azulado, como el cielo justo antes de que estalle una tormenta.

—Y ahora creo que Costin quería que Fadi me hiciera daño. ¿Por qué? ¿Por qué quería que me pegaran? ¿Porque temía que le dejara? ¿Porque quería que viera lo peligroso que es el mundo sin él? No lo sé. Pero no tenía que... —Se llevó una mano al pómulo y el contacto de las delicadas yemas de sus dedos le hizo dar un respingo—. No tenía por qué dejar que Fadi me hiciera daño.

—No —contestó Lindros—. No debió permitírselo. Tú lo sabes.

Ella se mostró de acuerdo.

—Entonces ayúdame —prosiguió Lindros—. Si no, ninguno de los dos saldrá vivo de aquí.

—No sé... no sé si puedo.

—Entonces yo te ayudaré. —El cautivo se incorporó—. Si me ayudas, te ayudaré a cambiar. Pero tienes que querer. Tienes que estar dispuesta a arriesgarlo todo.

—Todo... —Le lanzó una sonrisa tan llena de remordimientos que casi le rompió el corazón—. Nací sin nada. Crecí sin nada. Y luego, por un encuentro casual, lo tuve todo. Por lo menos eso fue lo que me dijeron, y durante un tiempo lo creí. Pero en cierto modo esa vida era peor que no tener nada. Al menos, la nada era real. Entonces apareció Costin. Prometió sacarme de esa ficción. Así que me casé con él. Pero su mundo era igual de falso que el mío, y pensé: *¿Dónde está mi sitio? En ninguna parte.*

Conmovido, Lindros tocó fugazmente el dorso de su mano.

—Los dos somos unos inadaptados.

Katya volvió un poco la cabeza para mirar a los guardias.

—¿Conoce un modo de salir de aquí?

—Sí —respondió Lindros—, pero tendremos que hacerlo juntos. —Vio miedo en sus ojos, pero también un destello de esperanza.

—¿Qué tengo que hacer? —preguntó ella por fin.

Anne estaba haciendo las maletas cuando oyó en la calle, frente a su casa, el motor de un coche potente. El ruido cesó en el instante en que levantaba la cabeza. Estuvo a punto de seguir con su tarea, pero su sexto sentido, o su paranoia, la empujó a cruzar el dormitorio de la segunda planta y a asomarse a la ventana.

Vio el negro coche blindado del director. El Viejo salió de él seguido por Yamil. El corazón le dio un vuelco. ¿Qué estaba ocurriendo? ¿A qué habían ido a su casa? ¿Había conseguido Soraya hablar con el Viejo, contarle su traición? Pero no, Yamil estaba con él. Él no permitiría que Soraya se acercara a la sede de la CIA, y mucho menos que tuviera acceso al Viejo.

Pero ¿y si...?

Dejándose llevar por su instinto, corrió a la cómoda, abrió el segundo cajón y hurgó en él hasta que encontró la Smith & Wesson que había guardado en su escondite habitual al volver del distrito noreste.

Se sobresaltó al oír sonar el timbre en la planta de abajo, a pesar de que estaba sobre aviso. Escondió la pistola en la cinturilla, a la espalda, salió de su dormitorio y bajó las escaleras de madera bruñida, camino de la puerta principal. A través de los rombos de cristal amarillo traslúcido vio las siluetas de aquellos dos hombres que tanto peso habían tenido en su vida adulta.

Exhaló lentamente, agarró el pomo metálico, compuso una sonrisa y abrió la puerta.

—Hola, Anne. —El Viejo pareció devolverle como un reflejo su sonrisa forzada—. Siento mucho venir a molestarte, pero ha surgido algo urgente... —De pronto comenzó a titubear.

—No es molestia —contestó ella—. Me vendrá bien tener compañía.

Retrocedió y entraron en el pequeño vestíbulo de suelo de mármol. Sobre una mesita oval, de delicadas patas torneadas, había un esbelto jarrón de esmalte lleno de lirios de invernadero. Anne les condujo al cuarto de estar, con sus sofás de seda colocados el uno frente al otro, a ambos lados de una chimenea de piedra blanca con vetas rojas y repisa de madera. Les ofreció asiento, pero todos parecían preferir quedarse en pie. Los visitantes no se quitaron el abrigo.

Anne no se atrevía a mirar a la cara a Yamil por miedo a lo que podía ver en ella. La cara del Viejo, por otra parte, tampoco era mucho mejor. Estaba lívida, y la piel le colgaba floja de los huesos. ¿Desde cuándo estaba tan viejo?, se preguntó Anne. ¿Cómo había pasado el tiempo? Parecía ayer cuando aún era una estudiante alocada en una facultad de Londres y ante ella se extendía un futuro radiante e infinito.

—Imagino que le apetecerá un té —dijo dirigiéndose a la cara momificada del Viejo—. Y tengo una lata de sus galletas de jengibre favoritas en la despensa. —Sin embargo, su intento de aparentar normalidad no dio resultado.

—No, nada, gracias, Anne —replicó el director—. No queremos nada ninguno de los dos. —Parecía sufrir, como si intentara contrarrestar los efectos de un cálculo en el riñón o de un tumor. Sacó de su abrigo una carpeta enrollada. Mientras la alisaba sobre el respaldo de uno de los sofás, dijo—: Me temo que acabamos de descubrir algo terrible. —Su dedo índice se movió sobre la hoja impresa como sobre el tablero de una güija—. Lo sabemos, Anne.

La mujer sintió que le asestaban un golpe mortal. Apenas podía respirar. Aun así, preguntó con voz perfectamente normal:

—¿Qué es lo que saben?

—Todo lo tuyo. —El director no se atrevía a mirarla a los ojos—. Sabemos que has estado comunicándote con el enemigo.

—¿Qué? Yo no...

El director levantó por fin la mirada y la traspasó con sus ojos implacables. Anne conocía aquella expresión aterradora; la había visto dirigida hacia otros a quienes el Viejo había tachado de su lista. Personas a las que no había vuelto a ver, de las que nunca más había tenido noticia.

—Sabemos que eres el enemigo. —Su voz estaba llena de rabia y repulsión. Anne sabía que no había nada que le mereciera más desprecio que un traidor.

Sus ojos se dirigieron automáticamente hacia Yamil. ¿Qué estaba pensando? ¿Por qué no salía en su defensa? Y entonces, al ver su cara inexpresiva, lo comprendió todo: comprendió cómo la había seducido con su presencia física y sus soflamas filosóficas. Comprendió cómo la había utilizado. Era carne de cañón, tan prescindible como cualquier otro miembro de su red.

Lo que más le dolió fue que debería haberlo sabido. Debería haber adivinado sus intenciones desde el principio. Pero estaba tan segura de sí misma, tan deseosa de rebelarse contra la rancia y relamida aristocracia de la que procedía... Él se había dado cuenta de lo ansiosa que estaba por arrojar un saco de mierda a la cara de sus padres. Se había aprovechado de su resentimiento, lo mismo que de su cuerpo. Ella había cometido traición por él. Iba a ser cómplice del asesinato de un sinfín de personas. Dios mío, Dios mío...

Se volvió hacia Yamil y dijo:

—Follar conmigo era lo de menos, ¿verdad?

Eso fue lo último que dijo, y no llegó a oír su respuesta, en caso de que Yamil tuviera intención de darle alguna, porque el director sacó su pistola y le disparó tres veces a la cabeza. Seguía teniendo una puntería excelente, a pesar de los años.

Los ojos ciegos de Anne seguían fijos en Yamil cuando se desplomó.

—Maldita sea. —El Viejo se volvió. Su voz estaba llena de veneno—. Maldita sea.

—Yo me encargaré del cadáver —propuso Karim—. Emitiré una nota de prensa con una historia conveniente. Y llamaré a sus padres.

—No —dijo el director cansinamente—. Eso es responsabilidad mía.

Karim se acercó a su ex amante, que yacía acurrucada en medio de un charco de sangre. La miró. ¿En qué pensaba? En que tenía que subir al piso de arriba y abrir el segundo cajón de la cómoda. Entonces, al dar la vuelta al cadáver con la puntera del pie, vio que había tenido suerte. No tendría que entrar en su habitación, después de todo. Dio gracias a Alá para sus adentros.

Se puso unos guantes de látex y sacó la Smith & Wesson de la cinturilla de Anne. Pensó que no había tenido presencia de ánimo para defenderse. Y al mirarla a la cara un momento, intentó sentir un ápice de emoción por aquella infiel. Pero no sintió nada. Su corazón latía al mismo ritmo que siempre. No podía decir que la echaría de menos. Anne Held había cumplido con su papel, incluso le había ayudado a descuartizar a Overton. Lo cual significaba, sencillamente, que él había elegido bien. Anne era una herramienta que él había afinado para usarla contra sus enemigos. Nada más.

Se levantó, irguiéndose a horcajadas sobre el cuerpo desmadejado de Anne. El director seguía de espaldas a él.

—Señor —dijo—, creo que debería ver esto.

El Viejo respiró hondo. Se enjugó los ojos humedecidos por las lágrimas.

—¿Qué, Martin? —preguntó al volverse.

Y empuñando la Smith & Wesson de Anne Held, Karim le atravesó limpiamente el corazón con una bala.

«No fue un accidente.»

Bourne se las arregló para ignorar aquella revelación fingiéndose concentrado en la rutina previa al aterrizaje. Estaban sobrevolando Zhauar Kili, un conocido foco de Al Qaeda hasta que el ejército estadounidense lo bombardeó en noviembre de 2001. Por fin preguntó:

—¿Qué no fue un accidente?

—La muerte de Sarah ibn Ashef. No fue un accidente. —Muta ibn Ashef jadeaba, aterrorizado y aliviado a un tiempo. ¡Cuánto había deseado confesarle a alguien aquel secreto abominable, que había crecido en torno a su corazón como la concha que una ostra excreta capa a capa, convertido con el tiempo en algo feo!

—Claro que fue un accidente —aseveró Bourne. Tenía que insistir: era el único modo de mantener el hechizo, de hacer que Muta ibn Aziz siguiera hablando—. Lo sé mejor que nadie. Fui yo quien le disparó.

—No, no fuiste tú. —Muta ibn Aziz comenzó a morderse el labio inferior con los dientes de arriba—. Tu compañera y tú estabais demasiado lejos para dar en el blanco. Fuimos mi hermano y yo quienes disparamos.

Bourne se volvió hacia él con una mirada cargada de escepticismo.

—Te lo estás inventando.

Muta ibn Aziz pareció ofendido.

—¿Por qué iba a inventármelo?

—¿Quieres que te haga una lista? Estás intentando engañarme otra vez. Lo hicisteis para que Fadi y su hermano fueran ⅄ por mí. —Frunció el ceño—. ¿Acaso nos habíamos visto antes? ¿Te conozco? ¿Tu hermano y tú tenéis algo contra mí?

—No, no, no. —Estaba enfadado, como quería Bourne—. La verdad es... Casi no puedo decirlo...

Se volvió un momento y aguzó los sentidos. Se estaban acercando a Miran Shah, el lugar señalado por el piloto. Estaba en el centro de un valle estrecho (un desfiladero, mejor dicho, ahora que lo veía) entre dos montañas, justo al otro lado de la agreste y boscosa frontera oeste de Pakistán.

El cielo, de un azul profundo y penetrante, estaba despejado, y a aquella hora del día el resplandor del sol era mínimo. Las montañas de roca volcánica, de color marrón grisáceo, de la cuenca del río Kurram (caliza, calcedonia oscura y esquisto verde) parecían desnudas, áridas, despojadas de vida. Bourne estudió los alrededores. Escudriñó las laderas rugosas de las montañas del sur y el oeste en busca de cuevas, la cara este del desfiladero al acecho de casamatas, y también la norte, entre las faldas encrespadas de las colinas, quebradas por un barranco pedregoso y umbrío. Pero no había ni rastro del complejo nuclear de Duyya, nada que pareciera fabricado por la mano del hombre, ni siquiera una choza o un campamento.

Estaba descendiendo demasiado deprisa. Redujo la velocidad del Sovereign, vio la pista delante de él. A diferencia de la que le había servido para despegar, aquélla era de asfalto. Seguía sin haber indicios de presencia humana, y menos aún de un moderno laboratorio de investigación. ¿Se había equivocado de sitio? ¿Era aquélla otra de las innumerables estratagemas de Fadi? ¿Era, de hecho, una trampa?

Era ya demasiado tarde para preocuparse por eso. Había bajado el tren de aterrizaje y los alerones. Había reducido la velocidad al mínimo.

—Estás bajando demasiado —dijo Muta ibn Aziz con repentino nerviosismo—. Vas a tocar tierra demasiado pronto. ¡Sube! ¡Por el amor de Dios, sube!

Bourne sobrevoló el extremo de la pista haciendo descender el Sovereign hasta que las ruedas tocaron el asfalto. Habían tomado tierra y rodaban por la pista de aterrizaje. Apagó los motores, dejó el interior prácticamente sin energía. Vio entonces unas sombras que se acercaban a toda velocidad por su derecha.

Sólo tuvo tiempo de pensar que Muta ibn Aziz debía de haber advertido a la gente de Miran Shah sirviéndose de su móvil; un instante después, el mamparo de estribor estalló hacia dentro con un horrible estruendo. El Sovereign se estremeció y cayó de rodillas como un elefante herido. Las ruedas delanteras y los puntales del tren de aterrizaje habían saltado por los aires.

Los fragmentos levantados por la explosión hicieron picadillo el instrumental de la cabina de mando. Se rompieron los mandos, las palancas fueron arrancadas de cuajo. De las planchas destrozadas del techo colgaban manojos de cables. Muta ibn Aziz, que estaba en el lado del avión que se había combado hacia dentro, yacía en el suelo, atado, bajo un enorme trozo del fuselaje. Sujeto por el cinturón de seguridad al otro lado de la cabina, Bourne había escapado con un sinfín de cortes y contusiones. Pese a estar aturdido, le pareció que sufría también una leve conmoción cerebral.

El instinto le obligó a despejar la oscuridad que acechaba los márgenes de su visión y, levantando los brazos, se quitó el cinturón. Se acercó tambaleándose a Muta ibn Aziz. Una tundra helada de cristales rotos crujía bajo sus pies. Respiraba un aire saturado de agujas de metal rotas, fibra de vidrio y plástico recalentado.

Al ver que Muta respiraba aún, apartó el trozo de fuselaje achicharrado, todavía caliente. Cuando se arrodilló, sin embargo, vio que tenía alojado en las entrañas un fragmento de metal del tamaño y la forma aproximados de la hoja de una espada.

Miró a Muta y le abofeteó con fuerza. Abrió los ojos parpadeando, fijó la mirada con dificultad.

—No me lo he inventado —dijo con voz débil y aguda. La sangre le salía por la boca y le corría por la barbilla hasta encharcarse en el hueco de su garganta, oscura y con olor a cobre.

—Te estás muriendo —dijo Bourne—. Dime qué pasó con Sarah ibn Ashef.

Una lenta sonrisa se extendió por la cara de Muta.

—Así que quieres saberlo. —Su aliento sonaba como el chillido de una bestia prehistórica al entrar y salir de sus pulmones perforados—. Te importa la verdad, al fin y al cabo.

—¡Dímelo! —le gritó Bourne.

Agarró a Muta ibn Aziz y le tiró de la pechera de su camisa, intentando sacarle la respuesta por la fuerza. Pero en ese momento un grupo de terroristas atravesó la grieta abierta en el fuselaje. Le apartaron del enviado de Fadi, que tosía, agonizante.

Entonces se desató el caos: un agolpamiento de cuerpos, un tumulto de voces en árabe, órdenes cortantes y secas respuestas. Le arrastraron medio inconsciente por el suelo ensangrentado y le sacaron a los yermos desolados de Miran Shah.

LIBRO CUARTO

33

Soraya Moore llamó a la sede de la CIA no desde su móvil, sino desde una cabina de la esquina de la calle Siete Noreste, mientras Tyrone, armado hasta los dientes, montaba guardia a su lado.

Al oír que era ella, Peter Marks bajó la voz.

—Dios mío —dijo en un susurro—, ¿qué coño has hecho?

—Yo no he hecho nada, Peter —contestó ella con vehemencia.

—Entonces, ¿por qué han mandado una circular a todos los departamentos ordenando que, si llamas, apareces por aquí o te pones en contacto con alguno de nosotros, informemos inmediatamente a Martin Lindros en persona?

—Porque Lindros no es Lindros.

—Ya, es un impostor, ¿no?

Soraya se animó de pronto.

—Lo sabes, entonces.

—Lo que sé es que el subdirector Lindros convocó una reunión y nos dijo que habías perdido completamente la cabeza. Es por la muerte de Bourne, ¿no? Además, dijo que estabas acusándole de cosas absurdas.

Dios mío, pensó Soraya. *Ha puesto a toda la CIA en mi contra.*

Advirtió una evidente nota de sospecha en la voz de Marks, pero siguió adelante, decidida.

—Te ha mentido, Peter. Ahora no puedo explicarte la verdad, es demasiado compleja, pero tienes que escucharme. Los terroristas han puesto en marcha un plan para volar nuestro cuartel general. —Sabía que parecía desesperada, incluso, quizás un poco trastornada—. Por favor, te lo suplico, ve a ver al Viejo, dile que van a hacerlo en las próximas veinticuatro horas.

—El Viejo y Anne están en la Casa Blanca, reunidos con el presidente. El subdirector Lindros ha dicho que estarán allí un buen rato.

—Entonces contacta con alguno de los jefes de departamento. O, mejor, con todos. Con cualquiera, menos con Lindros.

—Escucha, ven aquí, entrégate. Nosotros podemos ayudarte.

—No estoy loca —dijo Soraya, aunque se sentía cada vez más como si lo estuviera.

—Entonces doy por terminada esta conversación.

Al volverse hacia los dos guardias apostados en la puerta de la enfermería, los delicados dedos de Katya desabrocharon los dos botones de arriba de su blusa. Nunca se ponía sujetador. Tenía unos pechos muy bellos, y lo sabía.

Los guardias estaban jugando a lo de siempre. Ella jamás había podido adivinar las reglas del juego. No había transacción monetaria, desde luego: eso habría sido apostar, y la ley islámica prohibía el juego de envite. El objetivo de la partida parecía ser agudizar el tiempo de reacción de los contendientes.

Para olvidarse de la situación en la que se hallaba, Katya recordó el ajetreo de su antiguo ritmo de vida, que había abandonado por insistencia de Costin. Cuando los guardias repararon en ella, se mantuvo de perfil, como habría hecho en una sesión de fotos, con la espalda ligeramente arqueada y los pechos hacia fuera.

Luego, muy despacio y seductoramente, se volvió hacia ellos. Los guardias tenían la mirada clavada en su cuerpo.

Notaba el dolor en el esternón, donde le había dicho a Lindros que la golpeara. Se abrió la blusa lo justo para que vieran el hematoma, tan reciente que la piel, que apenas empezaba a hincharse, estaba aún de un rojo brillante.

—Mirad —dijo innecesariamente—, mirad lo que me ha hecho ese cabrón.

Al oírla, los guardias se levantaron y entraron precipitadamente en la enfermería. Vieron a Lindros tumbado de espaldas, con los ojos cerrados. Tenía sangre en la cara. Apenas parecía respirar.

El más alto de los dos se volvió hacia Katya, que estaba de pie, tras ellos.

—¿Qué le has hecho?

En ese instante, Lindros echó hacia atrás la pierna derecha, abrió los ojos y con el talón golpeó con todas sus fuerzas al más bajo de los guardias en la entrepierna. El guardia profirió un leve gruñido de asombro al doblarse sobre sí mismo.

El más alto tardó en volverse y Lindros le asestó un golpe en la garganta con los nudillos bien apretados. El guardia tosió, abrió los ojos de par en par y buscó a tientas la pistola que llevaba en el costado. Siguiendo las instrucciones de Lindros, Katya le dio una patada en la corva de la pierna izquierda. Cuando se dobló, Lindros descargó un violento puñetazo a un lado de su cabeza.

Invirtieron cinco minutos en desnudar a los guardias, atarlos y amordazarlos. Lindros arrastró primero a uno y luego al otro hasta el armario de los trastos de limpieza y los encerró allí como a sendos sacos de basura. Katya y él se pusieron sus ropas, ella la del guardia más bajo y él la del más alto.

Mientras se vestían, Lindros le sonrió. Ella alargó el brazo y le quitó de la mejilla la sangre procedente de un pinchazo que se había hecho en el dedo.

—¿Qué tal? —preguntó él.

—Todavía nos queda mucho para escapar.

—Tienes razón. —Lindros recogió las armas de los guardias: pistolas y ametralladoras semiautomáticas—. ¿Sabes usarlas?

—Sé apretar el gatillo —dijo ella.

—Tendrá que valer con eso.

La cogió de la mano y juntos huyeron de la enfermería.

Los terroristas no le trataron tan mal como esperaba. De hecho, después de sacarle a rastras de los restos del Sovereign, no le maltrataron en absoluto. Los de aquella célula eran todos saudíes.

Bourne lo dedujo no sólo por su aspecto, sino por el dialecto árabe que hablaban.

En cuanto pisaron el suelo abrasado de la pista de aterrizaje, le irguieron y le condujeron agarrado por los brazos hacia las rocas, donde esperaban dos vehículos militares blindados camuflados a la perfección. No era de extrañar que no los hubiera visto desde el aire.

Le llevaron al más grande de los dos, que, visto de cerca, resultó ser una especie de centro de mando itinerante. Los portones traseros se abrieron, dos brazos fornidos se estiraron y Bourne se vio alzado e introducido en el vehículo. Los portones metálicos volvieron a cerrarse inmediatamente.

—Hola, Jason —le saludó en la oscuridad una voz familiar con un impecable acento británico.

Se encendieron parpadeando unas luces rojas. Bourne entornó los ojos mientras la vista se acostumbraba. La extraña iluminación le permitió ver consolas electrónicas que emitían misteriosas señales, como si se comunicaran con otro planeta. A un lado, encorvado sobre un tablero de mandos, había un joven saudí con barba. Llevaba puestos unos auriculares de aspecto profesional. De vez en cuando, mientras escuchaba, anotaba una o dos frases.

A su izquierda, cerca de donde él estaba, se hallaba el musculoso gigante que le había montado en el centro de mando móvil. Miraba a Jason Bourne sin ninguna emoción. Con la cabeza afeitada y los rocosos brazos cruzados sobre un pecho igual de musculoso, podría haber sido un eunuco guardando el harén de un sultán.

A quien guardaba, sin embargo, era al tercer ocupante del camión, que se hallaba sentado frente a la consola de mandos. Debía de haber girado la silla nada más subir Bourne a bordo. Sonreía de oreja a oreja, en una mueca que desvirtuaba su regia apariencia.

—Tenemos que dejar de vernos así, Jason. —Frunció los labios rojos como rubíes—. O no. Quizá sea nuestro sino encontrarnos en los momentos más propicios.

—Maldita sea —masculló Bourne al reconocer a aquel hombre enjuto y de ojos oscuros, con la nariz como un pico—. ¡Feyd al Saud!

El jefe de la policía secreta saudí se levantó casi de un salto de su silla, corrió a abrazar a Bourne y le plantó alegremente dos húmedos besos en las mejillas.

—Amigo mío, amigo mío... ¡Gracias a Dios que aún estás vivo! No sabíamos que estabas dentro. ¿Cómo íbamos a saberlo? ¡Era el avión de Fadi! —Meneando el índice con aire de reproche, añadió con enfado fingido—: Y, además, no me has dicho qué te proponías.

Bourne y Feyd al Saud se conocían desde hacía tiempo. Habían trabajado juntos una vez, en Islandia.

—Había oído rumores de que andabais detrás de Fadi, aunque lo negarais tajantemente.

Feyd al Saud se puso serio de pronto.

—Fadi es saudí —contestó—. Es problema de los saudíes.

—Querrás decir que es una vergüenza para los saudíes —dijo Bourne—. Me temo que se ha vuelto un problema para todo el mundo.

Procedió a poner al corriente a su amigo de la identidad de Fadi, así como de lo que planeaban él y su hermano Karim al Yamil, incluida su infiltración en la CIA.

—Quizá creas que has encontrado el campamento principal de Duyya —dijo para acabar—, pero te aseguro que no está aquí. Lo que tienen aquí es la planta nuclear en la que están enriqueciendo uranio y fabricando una artefacto atómico que piensan hacer estallar en algún punto de Estados Unidos.

Feyd al Saud mostró su asentimiento.

—Ahora empiezo a entender. —Se giró y sacó un mapa táctico de la zona para que Bourne se orientara. Luego hizo aparecer una serie de imágenes de primeros planos tomadas por el satélite IKONOS.

—Son de la semana pasada, tomadas a intervalos de dos minutos —explicó—. Como podrás comprobar, en la primera imagen se aprecia Miran Shah como está ahora: desierto y abandonado. Pero aquí, en la imagen número dos, vemos dos vehículos que parecen todoterrenos. Se dirigen más o menos hacia el noroeste. ¿Y qué vemos en la tercera fotografía? Miran Shah vuelve a estar desolado. No hay gente, ni vehículos. ¿Dónde pudieron ir en dos minutos? No pudieron salir del alcance de la cámara del satélite. —Se echó hacia atrás en la silla—. Teniendo en cuenta los datos que tenemos, ¿qué podemos concluir?

—Que la planta nuclear de Duyya está bajo tierra —respondió Bourne.

—En efecto. Hemos estado interceptando sus comunicaciones. Ignorábamos de dónde procedían... hasta ahora. Provienen de debajo de las rocas y la arena. Del interior de la planta, lo cual resulta muy interesante. Llevamos aquí tres horas, y en todo ese tiempo no han tenido comunicación con el mundo exterior.

—¿Cuántos hombres has traído? —preguntó Bourne.

—Doce, contándome a mí. Como has visto, nos hemos hecho pasar por miembros de Duyya. Estamos en Uaziristán del Norte, la provincia más apegada a sus tradiciones de todo el oeste de Pakistán. Las tribus pahstunes de la región tienen profundos lazos éticos y religiosos con los talibanes, por eso acogen por igual a Al Qaeda y a Duyya. No podía permitirme traer más hombres sin suscitar preguntas incómodas.

En ese momento, el joven de los auriculares arrancó la hoja de papel en la que había estado escribiendo frenéticamente. Se la pasó a su jefe.

—Hay algo en la roca que nos impide captar con claridad sus mensajes, o puede que sea el blindaje de la planta. —Feyd al Saud echó un rápido vistazo a la hoja y se la alcanzó a Bourne—. Creo que conviene que veas esto.

Bourne leyó la transcripción en árabe:

—[?] desaparecidos los dos. Hemos encontrado a los guardias [?] armario.
—¿Cuánto hace?
—[?] veinte minutos. [?] no lo sé con seguridad.

—*Moviliza [?] que puedas prescindir. Manda [?] a la entrada.
Encuéntralos.*
—*¿Y luego?*
—*Mátalos.*

Lindros y Katya corrían por la moderna catacumba excavada bajo
Miran Shah. La alarma resonaba en los altavoces colocados a tre-
chos en las paredes de la planta. Tenían la entrada a la vista cuando había empezado a sonar la alarma, y Lindros había dado media
vuelta inmediatamente. Se estaban adentrando de nuevo en los
túneles.

Por los retazos de conversación que había captado, y por sus
propias observaciones, había deducido que la planta de Duyya tenía dos niveles. El superior albergaba las habitaciones, las cocinas,
las salas de comunicaciones y cosas parecidas. La enfermería estaba
en aquel piso. Pero el quirófano donde el doctor Andursky le había
extirpado el ojo derecho y había rehecho la cara de Karim estaba en
el nivel inferior, junto a los laboratorios: la sala de centrifugado
abovedada en la que se reconcentraba el uranio enriquecido y el
laboratorio de fusión, protegido por paredes dobles.

—Saben que hemos escapado —constató Katya—. ¿Qué hacemos ahora?

—Recurrir al plan B —contestó Lindros—. Tenemos que llegar a la sala de comunicaciones.

—Pero está aún más lejos de la entrada —dijo Katya—. No
conseguiremos salir.

Doblaron corriendo una esquina y se encontraron en un largo
pasillo que discurría por el eje central de la planta. Todo allí (las
habitaciones, los corredores, las escaleras, los ascensores) era descomunal. Uno se sentía insignificante allá donde se pusiera. Había algo intrínsecamente aterrador en aquellas instalaciones, como
si no estuvieran diseñadas para que las habitaran humanos, sino
un ejército de máquinas. La humanidad había quedado excluida
de sus salas.

—Primero tenemos que pensar en sobrevivir y, luego, en escapar —comentó Lindros—. Y para eso tenemos que avisar a los míos de dónde estamos.

Aunque estaba nervioso, aflojó el paso. No le gustaba el largo y ancho pasillo que se extendía ante ellos. Si les atrapaban allí, no tendrían dónde esconderse, ni dónde huir.

Como si adivinaran sus temores, dos hombres aparecieron al fondo del corredor. Al ver a sus presas sacaron sus armas. Uno de ellos avanzó por el pasillo mientras el otro se quedaba atrás. Levantó su ametralladora y les apuntó con ella.

—Tengo que encontrar un modo de avisar a la gente que está en el cuartel general —dijo Soraya.

—Pero ya lo has oído: van a por ti —contestó Tyrone—. No te van a creer, hagas lo que hagas.

—Pero tengo que intentarlo, ¿no?

El chico estuvo de acuerdo.

—Eso es verdad.

Por eso se habían camuflado, como diría Tyrone, en un estanco en el que un viejo salvadoreño de pelo canoso liaba hojas de tabaco cubano que cultivaba él mismo y con las que fabricaba Partagás, Montecristos y Coronas que vendía por Internet a buen precio, para entusiasmo de su clientela. Daba la casualidad de que Tyrone era el dueño del local y quien se llevaba, por tanto, la parte más suculenta del pastel en forma de beneficios. La tienda era en realidad un cuchitril en la calle Nueve Noreste, pero al menos era un negocio legal.

Su grasiento escaparate les permitía ver más o menos con claridad el Ford negro que Tyrone había robado a los dos árabes a los que liquidó junto al solar de la obra. Lo había aparcado justo enfrente del estanco, donde seguía esperándolos.

La idea se les había ocurrido a ambos. Como Soraya no podía cruzar tranquilamente la puerta del cuartel general de la CIA, ni llamar sin correr el riesgo de que la localizaran, necesitaba otro modo de entrar.

—Yo entiendo de coches, tía —le había dicho Tyrone—, y ése está trucado. Esos cabrones ya sabrán que sus dos colegas no van a volver. ¿Crees que se van a quedar tan tranquilos? Qué va, joder. Estarán buscando el coche y buscándote a ti. No van a dejar que te escapes así, por las buenas. Así que seguro que vienen por el barrio, porque saben que andabas por aquí. —Puso una sonrisa grande y bonita—. Y cuando aparezcan, nos echaremos encima de ellos.

Era un plan peligroso, pero práctico, Soraya tenía que admitirlo. Además, no se le ocurría otra alternativa si no quería acabar en una celda de la CIA o, más probablemente, muerta.

—Fadi ha tomado prisioneros —dijo Feyd al Saud.

—Puede que uno de ellos sea mi amigo Martin Lindros —repuso Bourne.

—Ah, sí. —El jefe de seguridad asintió con un gesto—. El hombre al que ha suplantado el hermano de Fadi. Entonces, puede que aún esté vivo. ¿Y el otro?

—No tengo ni idea —contestó Bourne.

—En cualquier caso, debemos darnos prisa si queremos tener alguna oportunidad de salvarlos. —Arrugó el entrecejo—. Pero aún no sabemos cómo entrar.

—Esos vehículos de las fotos del IKONOS —dijo Bourne— estarán en alguna parte, dentro de un radio de unos mil metros partiendo de este punto. —Señaló la pantalla—. ¿Puedes imprimir esto?

—Claro. —Feyd al Saud manipuló un teclado de ordenador. Se oyó un suave chirrido. Luego la rendija de la impresora escupió una hoja. El jefe de seguridad se la pasó.

Bourne salió del puesto de mando, seguido por Feyd al Saud y su gigantesco guardaespaldas, que, según le había dicho Feyd, se llamaba Abdulá.

Se detuvo en el borde sureste de la pista de aterrizaje y comenzó a comparar la topografía con la fotografía del satélite.

—El problema es que aquí no hay nada. —Feyd al Saud tenía los brazos en jarras—. En cuanto llegamos mandé a tres de mis hombres a inspeccionar el terreno. Volvieron pasada una hora, sin resultados.

—Aun así —dijo Bourne—, esos vehículos tuvieron que ir a algún lado.

Echó a andar en línea recta por la pista. A su derecha quedaban los restos del Sovereign, que ya no volvería a volar. A su izquierda, el arranque de la pista. Visualizó mentalmente el descenso precipitado del avión.

De pronto pensó en Muta ibn Aziz.

«Estás bajando demasiado —le había dicho—. Vas a tocar tierra demasiado pronto.»

¿Por qué se había puesto tan nervioso? Lo peor que podía pasar era que el tren de aterrizaje del Sovereign tocara tierra casi al principio de la pista. Pero ¿por qué le preocupaba eso a Muta ibn Aziz? ¿Qué le importaba a él?

Bourne se encaminó hacia su izquierda, siguiendo el asfalto hacia el arranque de la pista. Mantenía los ojos fijos en el suelo. Había llegado casi a su extremo, el lugar que Muta ibn Aziz parecía empeñado en que evitara. ¿Qué era lo que temía? El aterrizaje de un avión producía altísimos niveles de fricción, calor y presión. ¿Cuál de esas cosas preocupaba a Muta?

Bourne se agachó, puso los dedos sobre la pista. Parecía asfalto; tenía el mismo tacto, salvo por un detalle capital.

—Toca aquí —le dijo a Feyd al Saud—. Con lo que aprieta el sol, el asfalto debería estar ardiendo.

—No lo está. —El saudí deslizó la mano por el suelo—. No está nada caliente.

—Lo que significa que no es asfalto.

—¿Qué crees que han usado?

Bourne se levantó.

—No olvides que tienen acceso a la tecnología de IVT.

Siguió caminando por la pista. Al llegar a las marcas que había dejado el Sovereign al aterrizar, se arrodilló de nuevo y apoyó la mano en el asfalto. Y la apartó rápidamente.

—¿Está caliente? —preguntó Feyd al Saud.

—Esto sí es asfalto.

—Entonces, ¿qué es lo de ahí atrás?

—No lo sé, pero el hombre con el que iba, el enviado de Fadi, no quería que aterrizara ahí.

Volvió al extremo de la pista y la cruzó a lo ancho. Entre tanto su mente se esforzaba, frenética, por idear un plan. Tenían que entrar en la planta subterránea y llegar hasta Fadi antes de que sus hombres encontraran a los prisioneros. Si cabía la posibilidad de que uno de ellos fuera Lindros...

Estudió de nuevo la imagen del satélite, comparándola con el reconocimiento visual que había hecho mientras aterrizaba. Una planta en la que se enriquecía uranio necesitaba agua en grandes cantidades. Y ése era el papel que cumplía el riachuelo que, hundido en un barranco repleto de sombras, había visto desde el aire y que se había grabado en su mente como una baliza.

Lo que estaba pensando podía dar resultado, aunque sabía que a Feyd al Saud no iba a gustarle. Y si no lograba convencer a su amigo, el plan no funcionaría. Tal vez ni siquiera funcionara con ayuda del jefe de seguridad, pero Bourne no veía otra alternativa viable.

Al llegar al lindero de la pista, se arrodilló de nuevo y examinó el borde. Luego le dijo a Abdulá:

—¿Puedes echarme una mano?

Metieron los dedos debajo del borde y empujaron hacia arriba. Con un esfuerzo titánico, comenzaron a levantar la superficie.

—Lo que tenemos aquí —dijo Bourne— es una capa de un material semejante al asfalto.

Feyd al Saud se acercó y dobló el cuerpo por la cintura. Miraba atentamente el material, que tenía unos seis centímetros de espesor y era de color y textura idénticos a los del asfalto. Saltaba a la vista, sin embargo, que no lo era. Resultaba imposible saber qué material era en realidad, pero poco importaba en ese momento. Lo que les interesaba de veras, lo que todos ellos observaban con una feroz concentración de euforia y alegría, era lo que había dejado a la vista la capa que habían retirado: una trampilla metálica, tan grande como una puerta de garaje doble, empotrada a ras de suelo.

34

—¿Qué hacéis aquí? —gritó el terrorista que iba delante. Saltaba a la vista que estaba nervioso, lo que significaba que tenía orden de disparar a la menor provocación.

—Nos han mandado a...

—¡Acercaos a la luz! ¡No sois de los nuestros! ¡Soltad las armas!

Lindros levantó las manos. Convenía tomarse en serio la amenaza: les apuntaban con fusiles semiautomáticos.

—¡No disparéis! —dijo en árabe—. ¡No disparéis! —Dirigiéndose a Katya masculló—: Camina delante de mí. Haz exactamente lo que te diga. Y por Dios, pase lo que pase, no bajes las manos.

Echaron a andar hacia el terrorista, que se había agazapado. Sin perderle de vista, Lindros vigilaba también al otro, que se había quedado rezagado en el pasillo: en ese momento, era el verdadero problema.

—¡Alto! —gritó el terrorista cuando estaban a unos pasos de él—. ¡Daos la vuelta!

Katya obedeció. Mientras se volvía, Lindros sacó un bote de alcohol que había cogido de la enfermería, abrió el tapón y arrojó su contenido a la cara del terrorista.

—¡Al suelo! —gritó.

Katya se tiró al suelo y él pasó de un salto por encima de ella. Se abalanzó sobre el terrorista acuclillado, agarró su fusil y, apretando el gatillo, acribilló el pasillo. Varias balas dieron en el brazo y la pierna del otro hombre, lanzándole contra la pared. Devolvió el fuego, pero disparaba a ciegas. Lindros se deshizo de él con disparos breves y precisos.

—¡Vamos!

El otro terrorista, que seguía manoteándose la cara, recibió un golpe con la culata del fusil en la base del cráneo. Lindros registró rápidamente su ropa en busca de armas. Encontró una pistola y un cuchillo de hoja gruesa. Corrió por el pasillo con Katya tras él, recogió el fusil del otro hombre y se lo pasó a ella.

Se encaminaron hacia la sala de comunicaciones, que según Katya estaba doblando la esquina del pasillo, a la izquierda.

Dentro había dos hombres atareados con las máquinas. Lindros se acercó por la espalda al de la derecha, le puso la mano bajo la barbilla y, al sentir que se tensaba, le echó rápidamente la cabeza hacia arriba y hacia atrás, rompiéndole el cuello. El otro se giró y se levantó del asiento, pero Lindros le arrojó el cuchillo al pecho. Emitiendo un suave gorgoteo, se arqueó hacia atrás. Sus pulmones ya habían empezado a llenarse de sangre. Cuando todavía se deslizaba hacia el suelo, inerme, Lindros ocupó su asiento y empezó a manejar el sistema de comunicaciones.

—No te quedes ahí lloriqueando —ordenó a Katya—. Vigila la puerta. Dispara a todo lo que se mueva y sigue disparando hasta que se te acaben las balas.

El auricular de Feyd al Saud emitió un chasquido. Acercó la mano a él para apretárselo contra el oído. Luego hizo un gesto afirmativo con la cabeza.

—Entendido. —Dirigiéndose a Bourne añadió—: Debemos regresar al puesto de mando. Enseguida.

Recorrieron los doscientos metros que les separaban del vehículo en muy poco tiempo. Dentro, el oficial de comunicaciones gesticulaba frenético. Al verlos, se arrancó los cascos y se acercó uno solo a la oreja izquierda para poder oírles y oír también lo que salía por los auriculares.

—Estamos recibiendo una señal procedente del interior de la planta —dijo atropelladamente en árabe—. Dice que se llama Martin Lindros y que...

Bourne se abalanzó hacia él, le quitó los cascos y se los puso.

—¿Martin? —dijo al micrófono—. Martin, soy Bourne.

—Jason... ¿vivo?

—Ya lo creo que sí.

—Fadi cree... muerto.

—Eso quiero que crea.

—¿... estás ahora?

—Aquí mismo, encima de ti.

—Dios. Estoy aquí con una mujer llamada Katya.

—¿Katya Veintrop?

Se oyó un breve rugido que podía ser una carcajada, durante la cual Fadi, que escuchaba la conversación a través del sistema auxiliar de comunicaciones, hizo una seña a Abbud ibn Aziz. Siguió escuchando. Su corazón latía como un martillo neumático. ¡Bourne estaba vivo! ¡Estaba vivo y estaba allí! ¡Oh, dulce venganza! ¿Acaso había algo mejor?

—Debí imaginarlo.

—Martin, ¿cuál es... situación?

—... derribado a varios elementos hostiles. Estamos bien armados. De momento, todo va bien.

Fadi vio que Abbud ibn Aziz empezaba a ordenar a sus hombres que se dirigieran hacia la sala de comunicaciones.

—Martin, escucha... entrar por ti.

—Ahora mismo tenemos que buscar un lugar más seguro.

—... acuerdo, pero... aguantad hasta que entre.

—Entendido.

—Martin, la central no está... sin ti. Maddy sigue preguntando... Te acuerdas de ella, ¿no?

—¿De Maddy? Cómo no.

—Bien. Aguantad. Corto.

Fadi tocó el receptor inalámbrico que llevaba en la oreja derecha y que le conectaba con los jefes de sus equipos.

—Ya sabemos qué ha sido del Sovereign —le dijo a Abbud

ibn Aziz—. La presencia de Bourne explica el mensaje que he recibido de nuestra gente en Riad. Dos cazas despegaron al norte de Irán cuando un avión que respondía a las señas del Sovereign se negó a dar la contraseña de paso. No se ha sabido nada de ellos desde entonces.

Fadi salió al pasillo.

—Todo lo cual significa que Bourne logró de algún modo hacerse con el avión. Hemos de suponer que mató a Muta ibn Aziz y al piloto. —Abrazó a su compañero—. Valor, amigo mío. Tu hermano murió como un mártir, como todos ansiamos morir. Es un héroe.

Abbud ibn Aziz asintió solemne.

—Le echaré de menos. —Besó a Fadi en ambas mejillas—. El plan de contingencias ha sido activado —dijo—. Al ver que no llegaba el avión, yo mismo cargué la bomba en el helicóptero. El otro avión espera en Mazar-i-Sharif. He avisado a tu hermano. No puedes volar desde aquí y es preciso que te pongas en camino de inmediato. El plazo se cumple dentro de doce horas exactamente, cuando Karim al Yamil detone las cargas de C-4.

—Lo que dices es muy cierto, pero no puedo ignorar que Bourne sigue vivo. Y está aquí.

—Márchate. Yo me ocuparé de Bourne. Tú tienes una tarea mucho más importante...

Una ira ciega se apoderó de Fadi.

—¿Crees que puedo permitir que el hombre que asesinó a mi hermana a sangre fría escape sin venganza? He de matar a Bourne con mis propias manos. Con mis propias manos, ¿entiendes?

—Sí, por supuesto.

Abbud ibn Aziz sentía un violento chisporroteo en el cerebro. Intuía que sus peores miedos acababan de confirmarse: que, para Fadi, la misión de Duyya y su venganza personal y la de su hermano eran cosas distintas, desvinculadas entre sí. Hacía tiempo que le angustiaba el hecho de hallarse en el centro de aquella retorcida trama. Culpaba de ello a Muta ibn Aziz, cuya voz oía aún reprochándole la mentira que había levantado en torno a la muerte de Sarah ibn Ashef.

No tenía conciencia de que dentro de sí había también una brecha. Su indiferencia hacia la muerte probable de su hermano se debía a la crisis que estaban afrontando. Era responsabilidad suya, se decía como un mantra, que Fadi se centrara en el final de la partida, en la carta nuclear que Duyya (y sólo Duyya entre todas las organizaciones terroristas) podía poner sobre el tapete. Era incalculable la cantidad de tiempo, energías, dinero y contactos que habían invertido en aquel único objetivo. Que la obsesión de Fadi por vengarse lo pusiera en peligro resultaba intolerable.

Una súbita ráfaga de disparos en el interior de la planta los detuvo en seco.

—¡Lindros! —Fadi escuchó los chasquidos eléctricos de su auricular—. Seis bajas más. —Apretó los dientes, furioso—. Ocúpate de él y de la mujer de Veintrop.

Pero en lugar de dar marcha atrás, Abbud ibn Aziz corrió hacia la rampa de entrada. Si no podía convencer a Fadi con argumentos, tendría que eliminar la causa de su locura. Debía encontrar a Jason Bourne y matarle.

—Ahí están —dijo Tyrone.

Soraya y él vieron pasar por segunda vez un Chevy blanco junto al Ford. El coche se detuvo cerca de la esquina de la manzana y aparcó en doble fila. Salieron dos hombres. A Tyrone le parecieron idénticos de cara y físico a los árabes a los que había liquidado. Pero éstos eran más jóvenes. Iban vestidos de raperos.

Uno se quedó atrás, hurgándose los dientes con un palillo, y el otro se acercó sin prisa al Ford. Sacó del bolsillo una lámina metálica, fina y plana. Pegándose al coche negro, introdujo la lámina entre la ventanilla del conductor y el marco exterior. Con dos o tres movimientos rápidos forzó la cerradura de la puerta. La abrió y se deslizó ágilmente tras el volante.

—Las ocho —dijo Tyrone—. Hora de ponerse manos a la obra.

—Viene alguien —dijo Katya.

Lindros se acercó, la cogió de la mano y salió corriendo de la sala de comunicaciones. Oyó gritos tras ellos.

—Sigue tú —la conminó—. Espérame al otro lado de la esquina.

—¿Qué vas a hacer? ¿Por qué te paras?

—Jason me dio un mensaje cifrado. Eso significa dos cosas. Una, que sabía que estaban oyendo nuestra conversación. Y dos, que tiene un plan. Tengo que facilitarle la entrada —dijo—. Debo distraerles; es lo que más necesita Jason.

Ella manifestó su asentimiento; en su mirada se percibía el miedo. Cuando desapareció, Lindros se dio la vuelta y vio aparecer a los primeros terroristas. Sofocó su deseo de disparar y esperó, quieto como un muerto. Sólo cuando el grupo entero apareció en el pasillo y comenzó a avanzar despacio hacia la sala de comunicaciones abrió fuego, eliminándolos a todos con una ráfaga fulminante.

Luego, antes de que llegaran otros, se giró y corrió tras Katya. Al verlo, una expresión de palpable alegría se reflejó en la cara de ella.

—¿Adónde vamos ahora? —preguntó mientras corrían hacia un tramo de toscas escaleras de cemento.

—Lejos de donde nos buscan —contestó Lindros.

Habían llegado al nivel inferior, donde los laboratorios y el quirófano se sucedían formando una pulcra cuadrícula. Lindros notó que todos los laboratorios tenían muros de doble grosor y que había dos gruesas puertas de separación entre el quirófano y las salas donde se procesaba material nuclear.

—Tenemos que encontrar un sitio donde escondernos.

La puerta estaba tan bien escondida que no necesitaba cerradura.

Bourne se hallaba de pie junto a su borde, solo. Feyd al Saud había protestado con vehemencia, como era de esperar, pero al final había entrado en razón. Bourne, francamente, no creía que tuviera elección. Un ataque frontal con sus hombres equivaldría a un suicidio. En cambio, siguiendo su plan, tendrían alguna oportunidad.

La puerta era perfectamente lisa. No tenía asas, ni ningún otro medio visible para abrirla. Tenía, por tanto, que abrirse electrónicamente para que entraran y salieran los vehículos, mediante un mando a distancia que pudiera activarse desde el interior de los vehículos mismos. Y eso significaba que había un receptor situado en la puerta o cerca de ella.

Tardó unos instantes en encontrar el cajetín que albergaba el receptor. Le quitó la tapa, siguió los circuitos e hizo un puente al que le interesaba. El mecanismo era hidráulico. La trampilla se abrió suavemente hacia arriba, sin hacer ruido, dejando al descubierto una rampa de hormigón manchado de aceite: la misma rampa, Bourne estaba seguro, por la que habían desaparecido los vehículos captados por el satélite IKONOS. Descolgó de su hombro el fusil semiautomático, lo asió, listo para disparar, y comenzó a descender.

La luz refleja del sol se extinguió muy pronto, dejándole en penumbra. Sabía que no había modo bueno de encarar aquello. Suponía que Fadi había escuchado su conversación con Martin y que, por tanto, habría alguien esperándole al final de la rampa.

Entonces oyó disparos y comprendió que Lindros había conseguido distraer al enemigo. Se arrojó al suelo de cemento y, aovillándose, bajó el resto de la rampa rodando.

Se incorporó pegado a una pared, levantó el fusil y escudriñó el pasillo tenuemente iluminado que se abría ante él. No vio a nadie, ni distinguió movimiento alguno. Aquello no le sorprendió: le hizo recelar más que nunca.

Avanzó agazapado contra la pared. Allí delante, las bombillas de baja potencia empotradas a intervalos regulares a ambos lados de la pared daban luz suficiente para que distinguiera la disposición de aquella parte de la planta.

Inmediatamente a su derecha se abría la entrada al aparcamiento subterráneo. Distinguió de forma vaga la silueta de numerosos vehículos todoterreno aparcados en filas, a la manera del ejército. Justo delante de él se extendía un pasillo más estrecho que parecía bajar hacia el centro de la planta.

Al seguir avanzando vio algo con el rabillo del ojo. Un leve destello metálico, como de un arma. Viró hacia la derecha y se lanzó hacia el aparcamiento.

Al instante, una ráfaga de balazos levantó esquirlas de cemento del suelo que se le clavaron en la mejilla. Los disparos procedían del interior del aparcamiento. Se encendieron unos faros y su fulgor le dejó inmóvil. Al mismo tiempo, un motor emitió un tosido profundo y gutural y, con un chirrido de neumáticos, uno de los todoterrenos se abalanzó hacia él a toda velocidad.

35

Bourne corrió en línea recta hacia el vehículo, dio un salto y aterrizó sobre el capó. Sirviéndose de la inercia del coche y de su propia fuerza, bajó el hombro al tiempo que su cuerpo se estrellaba contra el parabrisas.

El cristal se hizo añicos por el impacto y Bourne usó el codo y el antebrazo para apartar los fragmentos de cristal. Pasó por el hueco y se halló sentado junto a un hombre que, dado su parecido con Muta ibn Aziz, sólo podía ser su hermano Abbud.

Abbud ibn Aziz empuñaba una pistola, pero Bourne se lanzó hacia el volante y lo giró bruscamente hacia la derecha. La fuerza centrífuga le hizo chocar con el terrorista. La pistola se disparó, ensordeciéndolos a ambos, pero la bala se incrustó en la puerta. El terrorista disparó otras dos veces antes de que el vehículo se estrellara contra el muro de cemento.

Bourne, que se había preparado para el impacto aflojando por completo su cuerpo, salió despedido hacia delante y, rebotando, volvió a chocar contra el asiento. A su lado, Abbud ibn Aziz se estrelló contra el volante; se fracturó el arco ciliar derecho y una gran brecha comenzó a sangrar en su frente.

Jason le quitó la pistola de los dedos inermes y le asestó una fuerte bofetada. Sabía que tenía poco tiempo, pero estaba decidido a llegar al fondo del misterio que rodeaba la muerte de Sarah ibn Ashef.

—¿Qué pasó esa noche en Odesa, Abbud?

Omitió premeditadamente el patronímico del terrorista para evidenciar su desprecio.

Abbud ibn Aziz apoyó flojamente la cabeza contra el respaldo del asiento. La sangre le manaba de diversos sitios.

—¿Qué quieres decir?

—Matasteis a Sarah ibn Ashef.

—Estás loco.

—Me lo dijo Muta. Me lo dijo él, Abbud. Fuisteis vosotros quienes matasteis a la hermana de Fadi, no yo. Toda esta venganza podría haberse evitado si hubierais dicho la verdad.

—¿La verdad? —Abbud escupió sangre—. En el desierto no existe la verdad. La arena cambia constantemente, igual que la verdad.

—¿Por qué mentisteis?

Abbud comenzó a toser, vomitando sangre.

—Dime por qué mentisteis sobre la muerte de Sarah ibn Ashef.

Abbud ibn Aziz escupió de nuevo, se atragantó con su propia sangre. Cuando se recobró lo suficiente, masculló:

—¿Por qué iba a contártelo a ti?

—Porque esto se ha acabado, Abbud. Te estás muriendo. Pero eso ya lo sabes, ¿verdad? Y no irás al cielo por morir en un accidente de coche. Pero si te mato serás un mártir, te cubrirás de gloria.

Abbud apartó la mirada como si de ese modo pudiera eludir el destino que le aguardaba.

—Mentí a Fadi porque tuve que hacerlo. La verdad le habría destrozado.

—Se te acaba el tiempo. —Bourne acercó un cuchillo a su garganta—. Ahora yo soy el único que puede ayudarte. Dentro de un momento será demasiado tarde. No habrá *shahada* para ti.

—¿Qué sabes tú, un infiel, de la *shahada*?

—Sé que sin *yihad* no puede haber martirio. Sé que la guerra santa es la lucha total por alcanzar la verdad. Si no confiesas la verdad, no puede haber *yihad*, no puede haber *shahada* para ti. Sin mi ayuda, no podrás testimoniar la verdad de Alá. Y por tanto tu guerra santa por Su causa, toda tu existencia, carecerá de sentido.

Abbud ibn Aziz sintió en los ojos el escozor de unas lágrimas completamente espontáneas. Su enemigo tenía razón. Le necesitaba. Alá le había situado entre aquella última y terrible disyuntiva:

dar testimonio de la verdad o verse arrojado a la condenación y el fuego eternos. Comprendió así, en aquel momento, que Muta ibn Aziz tenía razón: eran las arenas cambiantes de la verdad las que le habían sepultado. Si hubiera confesado enseguida... Porque ahora, para morir como un hombre justo, para purificarse ante los ojos de Alá y hacerse digno de cuanto creía sagrado, tendría que traicionar a Fadi.

Cerró los ojos un momento; había perdido por completo su arrogancia. Miró luego a la cara a su enemigo.

—Fui yo quien disparó a Sarah ibn Ashef, no Muta ibn Aziz. Tuve que dispararle. Seis días antes de su muerte, descubrí que tenía un amante. Me la llevé aparte y me enfrenté a ella. No se molestó en negarlo. Le dije que la ley del desierto dictaba que se suicidara. Se rió de mí. Le dije que, si se suicidaba, sus hermanos no tendrían que sufrir la presión de tener que matarla. Me dijo que me quitara de su vista.

Abbud hizo una pausa. Estaba claro que revivir aquel traumático enfrentamiento le había privado de sus últimas fuerzas. Al final, sin embargo, se rehizo.

—Esa noche llegaba tarde, cruzó la ciudad a toda prisa para encontrarse con su amante. No me hizo caso. Prefirió seguir traicionando a su propia familia. Yo estaba horrorizado, pero nada de aquello me sorprendía. Había perdido la cuenta de las veces que me había dicho que nosotros tergiversábamos el islam, que retorcíamos el testimonio sagrado de Alá para promover nuestra causa, para justificar nuestro... ¿Cómo lo llamaba ella? Ah, sí, nuestros tratos con la muerte. Había dado la espalda al desierto, a la tradición beduina. Ya sólo podía traer vergüenza y deshonor a su familia. La maté. Y estoy orgulloso de ello. Fue una muerte por honor.

Bourne estaba asqueado; había oído suficiente. Sin decir nada más, degolló al terrorista y salió del vehículo mientras un borbotón de sangre inundaba el asiento delantero.

Al ver que Abbud ibn Aziz incumplía sus órdenes, Fadi sacó su pistola y le apuntó a la espalda. De no ser por la ráfaga de disparos, habría matado por segunda vez. A su modo de ver, la insubordinación no tenía excusa. Había que obedecer las órdenes sin una sola duda, sin una pregunta. Aquello no era la ONU; había muchos que no tenían tiempo de sopesar sus opciones.

Mientras corría hacia la sala de comunicaciones, aquella última idea giró por su cabeza despertando ecos que no deseaba oír. En su opinión, hacía tiempo que los hermanos Aziz se comportaban de forma extraña. Sus batallas verbales eran legendarias desde hacía mucho: hasta tal punto que se habían vuelto previsibles y ya nunca suscitaban comentarios. Últimamente, sin embargo, sus peleas siempre tenían lugar de puertas para adentro. Después no hablaban del tema, pero Fadi había notado que sus crecientes fricciones empezaban a interferir en su trabajo. Por eso en aquel momento crucial había enviado a Muta ibn Aziz a Estambul. Tenía que separar a los hermanos, darles tiempo para solventar su enemistad. Ahora, Muta ibn Aziz estaba muerto y Abbud había desobedecido sus órdenes. Por una razón o por otra, ya no podía apoyarse en ellos.

Vio la carnicería nada más doblar la esquina de la sala de comunicaciones. Furioso, reconcentrado, fue sorteando cuerpos con el nervio de un caballo árabe. Miró cada cadáver, inspeccionó el interior de la sala. Ocho caídos en total, todos ellos muertos. Lindros debía de haberse apoderado de más armas.

Masculló una maldición y estaba a punto de regresar a la rampa de entrada cuando su auricular emitió un chasquido.

—Hemos divisado a los fugitivos —dijo uno de sus hombres.

Fadi se tensó.

—¿Dónde?

—En el nivel inferior —contestó el hombre—. Se dirigen a los laboratorios de uranio.

La bomba, pensó Fadi.

—¿Debemos acercarnos?

—No los perdáis de vista, pero no los ataquéis bajo ningún concepto, ¿está claro?

—Sí, señor.

Aquella conversación disipó de golpe sus ansias de venganza. Si Lindros encontraba la bomba nuclear y el helicóptero, lo tendría todo. Después de tanto tiempo, de tantos sacrificios, de tanto esfuerzo y tanta sangre derramada, Fadi se quedaría sin nada.

Corrió por el pasillo, torció a la izquierda una vez y luego otra. Delante de él se abría la boca de un montacargas. Entró sin detenerse, apretó el botón inferior del panel. Las puertas se cerraron y Fadi comenzó a descender.

En algún momento, mientras avanzaban por el laberinto de laboratorios del piso inferior, Lindros cobró conciencia de que les estaban vigilando. Aquello le descentró, naturalmente, y también le asustó. ¿Por qué no les cercaban sus perseguidores, como habían hecho los anteriores?

Mientras corrían, notó que Katya lloraba. La violencia y la muerte a la que se había visto expuesta habrían perturbado a cualquiera, y más aún a una civil que nunca había estado presa ni había tenido tratos con la violencia. Pero pese a todo no se quedaba atrás, lo cual decía mucho en su favor.

De pronto, Katya se apartó, se lanzó hacia una puerta abierta e, inclinándose, vomitó todo lo que tenía en el estómago. Lindros la rodeó con el brazo para intentar sostenerla y apoyó la culata del fusil sobre la cadera del lado opuesto. Miró entonces hacia el interior de la sala en la que habían entrado. Era el quirófano en el que el doctor Andursky le había extirpado el ojo, donde había transformado a Karim en un sosias aterrador. Cuando acabó su horrenda tarea, Andursky le llevó a ver su obra para que el impostor pudiera hacerle preguntas con las que poblar su mente de recuerdos del auténtico Lindros: los suficientes, al menos, para engañar a los interrogadores de la CIA y a Jason Bourne. Fue entonces cuando ideó una clave que esperaba pudiera llegar hasta su amigo.

Al principio, el quirófano le pareció desierto. Luego, sin embargo, vio escondida tras una de las dos mesas de operaciones la fina cara de comadreja del doctor Andursky.

Soraya iba sentada detrás de Tyrone en su Kawasaki Ninja ZX-12R de color rojo pasión. Se abrazaba con fuerza a su cintura, dura como una roca. La motocicleta circulaba por la calle Cinco Noreste, siguiendo al Ford negro y al Chevy blanco. Iban a torcer al noroeste, hacia la avenida de Florida.

Tyrone era un conductor experto que, según pudo observar Soraya, conocía bien Washington, y no sólo su barrio. Zigzagueaba entre el tráfico, cambiando continuamente de posición. Tan pronto estaba a tres coches de su presa como a cinco. Soraya, sin embargo, no tenía en ningún momento la sensación de que pudieran perder a su objetivo.

Cruzaron la avenida de Florida para adentrarse en el cuadrante noroeste, torcieron a la derecha en la avenida Sherman Noroeste y se dirigieron hacia el norte. En el cruce de Park Road Noroeste se desviaron un poco a la derecha, hacia el arranque de New Hampshire y luego, casi enseguida, doblaron hacia la izquierda y enfilaron Spring Road, que a su vez les condujo a la calle Dieciséis Noroeste, donde torcieron a la derecha.

Pusieron otra vez rumbo al norte, más o menos en paralelo al borde este del parque Rock Creek. Los coches bordearon el parque por el noroeste y entraron en el muelle de carga de un gran tanatorio. Tyrone apagó el motor de la Ninja y desmontaron. Mientras observaban, la pared interior del lado derecho del muelle de carga comenzó a descender.

Al cruzar la calle vieron el circuito cerrado de televisión que vigilaba el lugar. La cámara estaba en un soporte fijado a la pared que se movía lentamente, adelante y atrás, para abarcar toda la zona.

Los dos coches entraron por la abertura y bajaron despacio por una rampa de cemento. Sin quitar ojo a la cámara, Soraya calculó que, si seguían a los coches, el sistema de vigilancia captaría de inmediato su presencia. La cámara iba girando muy despacio. La pared de cemento se alzaba desde la hendidura practicada en el suelo.

Fueron acercándose lentamente. Luego, cuando la pared se había levantado a medias, Soraya dio a Tyrone una palmada en la espalda. Corrieron hacia el hueco y pasaron por él en el último instante. Cayeron sobre el suelo de cemento y se levantaron.

Tras ellos, la pared terminó de encajar en su sitio, envolviéndolos en una humosa oscuridad.

Feyd al Saud esperaba en el extremo noroeste del desfiladero rocoso. Sus hombres habían ocupado por fin posiciones; las cargas estaban colocadas. Por increíble que pareciera, Duyya disponía de la tecnología necesaria para canalizar las aguas subterráneas. Sus hombres habían descubierto tres enormes cañerías que conducían claramente al interior de la planta, provistas de válvulas para regular el paso del agua. Eran aquellas válvulas las que debían destruir.

Retrocedió varios centenares de metros y vio que sus hombres, espléndidamente disciplinados, habían cercado por completo el desfiladero. Levantó el brazo para llamar la atención de sus dos artificieros.

En el calor del momento, en medio de aquella quietud, se retrotrajo de pronto al momento en que Jason Bourne le explicó su plan. Al principio había reaccionado con incredulidad. Le había dicho que aquello era una locura.

Entraremos a la vieja usanza. Con un ataque frontal —le dijo al norteamericano.

—Entonces estarás condenando a tus hombres a una muerte segura —le había replicado Bourne—. Estoy casi seguro de que Fadi escuchó mi conversación con Lindros, de lo cual se deduce que también escuchó las conversaciones que habías mantenido antes con tu equipo de reconocimiento.

—Pero ¿y tú? —le espetó Feyd al Saud—. Si entras solo, sus hombres te matarán en cuanto asomes la cara.

—Ahí es donde te equivocas —había contestado Bourne—. Fadi necesita matarme con sus propias manos. Cualquier otra cosa le parecerá inaceptable. Tiene, además, una debilidad: cree haberse introducido en mi cabeza. Está esperando una maniobra de diversión. Lindros se la proporcionará, le hará sentirse satisfecho creyendo que ha dado en el clavo. Se convencerá de que ha adivinado mi táctica, de que tiene la situación bajo control.

—Y ahí es donde entramos nosotros. —concedió Feyd al Saud—. Tienes razón. El plan es tan heterodoxo que puede que funcione.

Miró su reloj. Ahora que estaba convencido, ardía en deseos de empezar. Pero Bourne había insistido en que se ciñeran al plan.

—Tienes que darme quince minutos para hacer lo necesario.

Faltaban noventa segundos.

Feyd al Saud fijó la mirada en el enmarañado fondo del desfiladero, que en realidad no era tal desfiladero. Bourne tenía razón: era el lecho seco de un río cuyo fondo iba sumiéndose lentamente en el canal subterráneo cuyas aguas discurrían antaño por la superficie. Era del río subterráneo de donde la planta de Duyya se surtía del agua corriente necesaria para la manipulación del material atómico. Sus hombres habían colocado las cargas explosivas en el extremo del lecho más cercano a la planta. El ataque serviría para dos cosas: ahogaría o haría salir a todos los efectivos de Duyya y protegería los bidones de uranio hasta que un equipo completo de expertos de la CIA y Arabia Saudí se hiciera definitivamente cargo de la planta.

Faltaban quince segundos. Feyd al Saud recorrió a sus hombres con la mirada. Estaban al tanto de la situación; sabían lo que había en juego. Sabían qué hacer.

Bajó el brazo. Se activaron los detonadores. Las cargas estallaron con varios segundos de diferencia, pero para Feyd al Saud y sus hombres sonaron como un único y prolongado redoble; se oyó un viento desgarrador, una lluvia de cascotes y luego el estruendo que todos ellos estaban esperando: el rugido hondo y retumbante del agua corriendo por el lecho que había excavado en la roca.

Abajo, en la planta de Duyya, las explosiones se sintieron como el temblor de un terremoto. Todo lo que había en los estantes del quirófano cayó al suelo. Los armarios se abrieron de golpe y su contenido salió despedido y se esparció por el suelo, que quedó cubierto de charcos del líquido, fragmentos de cristal, tiras de plástico retorcido y útiles quirúrgicos amontonados sin orden ni concierto, como un mikado.

Katya se agarró a Lindros y al marco de la puerta y, limpiándose la boca, dijo:

—¡Vamos! ¡Tenemos que salir de aquí!

Lindros sabía que tenía razón. Disponían de muy poco tiempo para encontrar un lugar seguro donde pudieran esconderse hasta que pasara lo peor.

Y sin embargo no podía moverse. Tenía los ojos clavados en la cara del doctor Andursky. Cuántas veces, mientras se recuperaba de la violación quirúrgica a la que le había sometido Andursky, había soñado con matar al doctor. Y no sólo con matarle. ¡Dios mío, los métodos que había imaginado para acabar con la vida de ese tipo! Algunos días, aquellas fantasías cada vez más intrincadas eran lo único que le impedía volverse loco. Se despertaba una y otra vez habiendo soñado que los cuervos picoteaban su cuerpo, que le arrancaba la carne y dejaban al aire los huesos de su esqueleto para que la arena que arrastraba el viento limpiara hasta el último vestigio de vida que quedara en ellos. Aquel sueño era tan vívido, tan detallado, tan intenso, que a veces, sin poder remediarlo, sentía que había caído en la locura.

Incluso en ese momento, siendo consciente de que debían ponerse a salvo, sabía que no podría descansar mientras Andursky siguiera vivo. Así pues, le dijo a Katya:

—Vete tú. Acércate todo lo que puedas al laboratorio nuclear, súbete al primer respiradero que veas y quédate allí.

—Pero tienes que venir conmigo. —Ella le tiró del brazo—. Vamos a ir juntos.

—No, Katya. Tengo algo que hacer aquí.

—Pero me lo prometiste. Dijiste que me ayudarías.

Lindros se volvió. Fijó en ella su único ojo.

—Te he ayudado, Katya. Pero tienes que entenderlo: si no me quedo y lo hago, seré como un muerto en vida.

Ella se estremeció.

—Entonces me quedo contigo.

La planta se estremeció por completo en un fuerte temblor y gimió como si un terrible dolor la sacudiera. En algún punto, no muy lejos de allí, Lindros oyó el crujido de una pared al resquebrajarse.

—No —dijo con firmeza, volviendo a concentrarse en ella—. Eso no es posible.

Ella levantó el fusil.

—Y yo digo que sí.

Lindros contemporizó. ¿Qué otra cosa podía hacer? Se les había agotado el tiempo. Oía un rugido distante que cada vez se hacía más fuerte, más bronco, que se acercaba con cada latido de su corazón. *Agua*, pensó. Dios mío, Jason está inundando la planta.

Sin decir nada más, entró en el quirófano seguido por Katya, con el fusil listo para disparar. Durante los minutos transcurridos desde que habían abandonado la sala de comunicaciones, Katya había estado observando a Lindros, creía saber a grandes rasgos cómo se usaba aquel instrumento mortífero.

Él avanzó hacia el doctor Andursky, que durante todo ese tiempo había permanecido en la misma posición, agazapado detrás de la mesa en la que le había extirpado el ojo. Con la mirada fija en Martin, parecía un conejo que, pasmado y encogido, esperara a que el búho descendiera sigilosamente en la oscuridad para atraparlo con sus fuertes garras.

Mientras atravesaba el quirófano, Lindros tuvo que hacer un esfuerzo por controlar las náuseas, por impedir que el olor repugnante y dulzón del anestésico saturara sus fosas nasales. Tuvo que luchar de nuevo contra el terror de la indefensión y la rabia que le habían paralizado al despertar y descubrir lo que le habían robado.

Y allí, delante de él, estaba el doctor Andursky, al alcance de sus garras, capaces de descarnarle el pecho.

—Hola, doctor —dijo Lindros.

—No, no, por favor. Yo no quería. Ellos me obligaron.

—Acláreme una cosa, por favor, doctor. Después de todos esos chicos que pusieron a su disposición, ¿le obligaron a sacarme el ojo? ¿Se empeñaron en ello? ¿Fue eso? ¿Se negaron a seguir proporcionándole lo que quería?

—¡Martin! —gritó Katya con los ojos dilatados por el miedo—. No queda tiempo. ¡Vamos! ¡Por favor, por Dios te lo pido!

—Sí, sí, escúchela. Tenga piedad. —Andursky había empezado a llorar; su cuerpo se sacudía, como se sacudían las paredes que los rodeaban—. Usted no lo entiende. Soy débil.

—Y yo —repuso Lindros— cobro fuerzas cada vez que respiro. —Atrajo al doctor Andursky hacia él hasta que quedaron unidos como dos amantes. Todo había cambiado. El final no sería el mismo.

Con un súbito brote de fuerza, Lindros hundió los pulgares en los ojos de Andursky.

El médico gritó y comenzó a retorcerse, frenético, intentando apartarse de él. Pero Lindros le asía con mortífera firmeza. Había dirigido cada fibra de su ser hacia un único fin. Poseído por una especie de trance extático, sentía bajo las yemas de los dedos el suave y elástico tejido de los globos oculares. Respiró hondo, exhaló y, lenta e inexorablemente, siguió hundiendo los pulgares en las cuencas de los ojos de Andursky.

El cirujano chilló de nuevo, pero aquel sonido, agudo e inhumano, se cortó bruscamente al introducir Lindros los dedos hasta el fondo. Andursky se retorció aún durante un rato: su sistema nervioso autónomo se estremecía, alimentado por la energía galvánica que quedaba en su organismo. Luego aquella energía también se disipó y, libre ya de las garras de Lindros, el doctor resbaló hacia el suelo como si todos sus huesos se hubieran disuelto.

36

Fadi oyó los gritos de dolor de la planta que había diseñado y ayudado a construir, vio abrirse grietas en el hormigón armado como si un rayo la atravesara. Luego un rugido gutural retumbó en los pasillos y comprendió que el agua se acercaba en cantidad inmensa, inundando a toneladas los laboratorios, y sólo pudo pensar en el artefacto nuclear.

Corrió por los pasillos de más allá del ascensor. Apartó a empujones a los guardias que merodeaban por allí y que le miraban sin saber qué hacer. Les ordenó que se dirigieran hacia la entrada principal y encontraran a Bourne, y luego se olvidó de ellos. Al fin y al cabo, eran carne de cañón. ¿Qué importaba si morían todos ellos? Había más en el lugar del que procedían: un plantel infinito de jóvenes que anhelaban seguirle, ansiosos por morir por él, por convertirse en mártires de la causa, soñando con vivir algún día en un mundo justo y desprovisto de infieles.

Aquella visión de franqueza brutal se la habían inculcado por la fuerza sus enemigos, eso era un hecho, pero se había convertido en la consigna que había guiado toda su vida adulta. Se la repetía varias veces al día, aunque jamás se le ocurría pensar que tuviera que justificar sus actos o sus decisiones. Era Alá quien guiaba su mente, su corazón y su mano; de eso no le cabía ninguna duda. Nunca se le había pasado por la cabeza que su plan pudiera fracasar. Ahora, sin embargo, esa idea se había impuesto a todas las demás, incluso a su obsesivo afán de vengar la invalidez de su padre o la muerte de su hermana.

Al bajar corriendo las escaleras, descubrió que en el nivel inferior el agua alcanzaba ya hasta las rodillas. Sacó su Glock 36 del calibre 45 y comprobó que el cargador estaba lleno. El agua lamía sus piernas, levantándose con cada paso que daba. Tenía la impresión de estar caminando contra la marea, y recordó de pronto su encuentro con Bourne bajo el muelle de Odesa. ¡Ojalá hubiera acabado con él allí! De no ser por aquel maldito perro, estaba seguro de que podría haberle matado.

Pero aquél no era momento para recriminaciones, y él no era hombre dado a pensar en lo que podría haber sido. Era un pragmático; debía, por tanto, llegar al helicóptero que contenía la bomba, eso era lo esencial. Era una lástima que la salida secreta al helipuerto camuflado estuviera al fondo del nivel inferior. La había ubicado allí a propósito, de modo que estuviera lo más cerca posible de los laboratorios nucleares, adonde tendría que dirigirse, suponía Fadi, si sus enemigos llegaban a descubrir y a atacar la planta.

No contaba, sin embargo, con que descubrieran el río subterráneo. La zona de la planta hacia la que se dirigía era también la que se estaba inundando más aprisa, pero una vez llegara a su destino estaría a salvo, porque el helipuerto tenía amplios aliviaderos de drenaje distribuidos alrededor de su perímetro. Iba pensando en ello cuando cruzó la puerta abierta del quirófano y vio a Katya. Estaba ridícula, sosteniendo con ambas manos uno de sus fusiles semiautomáticos. Pero no fue la esposa de Veintrop quien le hizo pararse en seco, sino ver a Martin Lindros con las manos ensangrentadas, de pie junto al cadáver del doctor Andursky, el hombre que le había mutilado.

Una cantinela en árabe serpenteaba en la oscuridad, bajo el tanatorio. Los hombres de Karim rezaban, inclinados hacia la Meca. Desde el final de la rampa, la luz se extendía hacia arriba como los dedos de una mano. Tyrone llevaba zapatillas de deporte, pero Soraya se había quitado los zapatos para silenciar sus pasos.

Avanzaron con cautela hacia el final de la rampa y se asomaron al sótano. Lo primero que vio Soraya fueron los dos vehículos a los que habían seguido: el Chevy blanco y el Ford negro. Tras ellos parecía haber una reluciente limusina negra. A la izquierda del Ford había cuatro hombres arrodillados en fila sobre esterillas de rezo, con la frente pegada al suelo. A la derecha había una puerta de cristal. Soraya estiró el cuello, pero no consiguió ver qué había más allá del cristal.

Esperaron. La oración acabó por fin. Los hombres se levantaron, enrollaron sus esteras y las guardaron. Luego el grupo se disgregó. Dos de los hombres desaparecieron por una escalera de caracol, fabricada en acero, que subía hacia el tanatorio. Los demás se pusieron unos guantes de látex, abrieron las puertas del Ford y comenzaron a inspeccionarlo con la minuciosidad y el esmero de un equipo de técnicos forenses.

Soraya, curiosa por ver qué había tras la puerta de cristal, le hizo una seña a Tyrone para que se quedara allí y la cubriera, si hacía falta. Él asintió con la cabeza, sacó una pistola con las cachas envueltas en cinta adhesiva negra y retrocedió hacia las sombras. Como le había sucedido otras veces durante esas últimas horas, Soraya se alegró de tenerle a su lado. Tyrone se había bregado en las calles, conocía la ciudad mucho mejor que ella.

Observó cómo examinaban el Ford los dos hombres y esperó a que estuvieran de espaldas a la boca de la rampa; luego corrió hacia la puerta sin hacer ruido. Giró el pomo, lo abrió y se deslizó por ella.

Al instante se apoderó de ella el frío intenso que emanaba de las salas refrigeradas donde se guardaban los cadáveres. Tenía delante un pasillo corto y ancho, con seis puertas abiertas. Al asomarse a la primera, se encontró con los cuerpos de los dos hombres que la habían asaltado junto a la obra. Conforme a la austera tradición islámica, habían sido colocados sobre planchas de madera desnuda y ataviados con hábitos de extrema sencillez. No serían embalsamados.

El corazón le dio un vuelco. Aquellos cadáveres eran la primera prueba tangible que tenía de que Karim estaba operando dentro del distrito federal con una célula de terroristas de Duyya. ¿Cómo era posible que hubieran pasado por alto aquella célula durmiente de Duyya teniéndola delante de sus narices? Los dispositivos de vigilancia de última generación estaban muy bien, pero ni siquiera la mejor red electrónica podía atrapar a todos aquellos que se colaban dentro de las fronteras estadounidenses.

La segunda habitación y la tercera estaban vacías, pero en la cuarta un hombre de tez oscura se hallaba inclinado sobre una mesa de embalsamar, de espaldas a ella. Llevaba guantes de látex y estaba usando una máquina para introducir en el cuerpo tendido sobre la mesa el líquido de embalsamar, de un repugnante color rosa. De vez en cuando se detenía, dejaba a un lado la sonda y empleaba las manos para masajear la carne blanca como la del pescado, a fin de que el suero circulara uniformemente por las arterias y las venas del cadáver.

Cuando pasó del lado derecho del cadáver al izquierdo, Soraya pudo ver la cabeza y, a continuación, la cara del muerto. En cuanto su cerebro se recuperó de la impresión y fue capaz de procesar lo que estaba viendo, sintió el impulso de morderse el labio para no gritar.

No, pensó. Dentro de ella, el miedo y el pánico se disputaban la hegemonía sobre sus emociones. *No puede ser.*

Y sin embargo así era.

Allí, en aquel tanatorio controlado por Duyya, estaba el cadáver del director de la CIA. El Viejo había muerto: una bala le había perforado el corazón.

Nada más memorizar el plano de la planta fijado a la pared, Bourne salió corriendo del aparcamiento. Al instante vio a un grupo de terroristas armados corriendo hacia él. Retrocedió para esquivar sus balas y, agachándose, montó en el vehículo más pequeño que encontró. Por suerte tenía, como todos los demás, la llave puesta; no tuvo que perder el tiempo haciendo un puente.

Salió al pasillo haciendo rugir el motor, pisó a fondo el acelerador y lanzó el vehículo hacia delante como el dardo de una ballesta. Se arrojó hacia los terroristas, arrollándolos o lanzándolos hacia los lados del vehículo. Voló por el corredor central de la planta hasta llegar al montacargas.

Entró al abrirse las puertas y aplastó a otros cuatro hombres armados. Desmontó y pulsó el botón del nivel inferior. Cogió un fusil mientras el enorme ascensor comenzaba a descender.

El montacargas se detuvo al llegar a su destino, pero las puertas no se abrieron. El agua entraba desde el pasillo. Bourne abrió el panel de la pared y accionó el cierre manual. Tampoco funcionaba.

Se encaramó al techo del coche. Apoyándose en él, golpeó repetidamente con la culata del fusil la trampilla cuadrada del techo del montacargas. Cedió por fin. La apartó de un empujón, se colgó las armas a la espalda y se impulsó hacia arriba. Al salir al techo del montacargas, se arrodilló junto al cajetín oblongo de un panel de mandos y lo abrió. Dentro encontró el circuito que accionaba las puertas. Sacó los cables y los derivó a la toma principal de electricidad del mecanismo del ascensor. Al abrirse las puertas, el agua entró en tromba en el montacargas.

Bourne volvió a sentarse tras el volante, puso el vehículo en marcha y salió al nivel inferior haciendo chirriar los neumáticos entre el agua que inundaba el piso. Se dirigió hacia los laboratorios nucleares, forzando el motor a medida que crecía el nivel del agua. Faltaba poco tiempo para que se anegara el motor. Si no lograba mantenerlo en marcha, se griparía y él perdería su ventaja.

Un momento después, sin embargo, el vehículo se detuvo de todos modos. Delante de él, en el centro del pasillo, Bourne vio a Fadi cortándole el paso. Con su fornido brazo izquierdo sujetaba frente a sí a Martin Lindros. En la mano derecha llevaba una Glock 36 con el cañón pegado a su sien.

—¡Aquí acaba la persecución, Bourne! —gritó Fadi para hacerse oír por encima del estruendo del agua y el ruido del motor—. ¡Apaga el motor! ¡Sal del coche! ¡Deprisa!

Bourne acató las órdenes. Al hallarse más cerca vio que tenía algo en la oreja derecha. Un auricular inalámbrico. En efecto, había estado controlando las comunicaciones.

—¡Tira el fusil! ¡Tira todas las armas! Mantén las manos donde pueda verlas y acércate muy despacio.

Bourne avanzó entre el agua con los ojos fijos en la cara desfigurada de Martin, cuyo único ojo le miraba con feroz orgullo. Intuyó que se disponía a hacer algo y quiso advertirle que no lo hiciera. Él ya tenía un plan para enfrentarse a Fadi. Pero Lindros siempre había querido ser un héroe.

Efectivamente, un bisturí apareció de pronto en su mano izquierda. Cuando lo clavó en el muslo de Fadi, éste apretó el gatillo de la Glock. Apuntaba a la cabeza de Lindros, pero la puñalada le causó un espasmo de dolor involuntario, y la bala pasó rozándole la mandíbula. Aun así, era un calibre 45. Martin salió despedido hacia atrás y, atravesando la puerta, cayó en el quirófano.

Bourne dio un salto. Golpeó a Fadi en el plexo solar mientras el terrorista luchaba por extraer el bisturí de su muslo. Cayeron ambos hacia atrás, en el agua, que les llegaba a las rodillas. Bourne asió la Glock y la levantó para que disparara al aire. Al mismo tiempo, Fadi se sacó el bisturí del muslo e, intentando acabar lo que había empezado, trató de hundirlo en el costado izquierdo de su atacante.

Bourne se lo esperaba. Levantó la Glock y con ella la mano derecha de Fadi. La hoja rozó el grueso cañón de la pistola. El terrorista se dio cuenta de que la pistola no servía de nada mojada y, soltándola, asió a Bourne por la pechera de la camisa y le lanzó hacia atrás. Con el codo derecho le hundió la cabeza bajo el agua al tiempo que descargaba una y otra vez el bisturí.

El norteamericano intentó esquivar la hoja afilada retorciéndose hacia uno y otro lado. Al mismo tiempo sacó las manos y los brazos del agua. Concentrando por completo la fuerza de sus hombros, golpeó los oídos de Fadi con las palmas de las manos. El terrorista se arqueó hacia atrás, llevándose la mano a la oreja derecha. El golpe le había incrustado el auricular en el oído y le había perforado el tímpano.

Fadi soltó el bisturí y perdió el equilibrio. Al notarlo, Bourne movió las piernas en tijera y al mismo tiempo giró la cadera. La maniobra lanzó despedido al terrorista lo justo para que él pudiera levantarse por encima del agua.

Alargó los brazos hacia el líder de Duyya. Oyó entonces un rugido feroz procedente del fondo del pasillo. Fadi parecía estar intentando sacudirse los efectos de la rotura de su tímpano. Su oreja derecha sangraba. Al intentar agarrarle, Bourne sintió la mordedura de su cuchillo de hoja curva. El dorso de su mano comenzó a sangrar.

Se arrancó entonces el cinturón, se envolvió los nudillos con él hasta formar varias capas con el cuero y de ese modo se defendió de las acometidas de Fadi. Pero el cuero, como era de esperar, comenzó a romperse. Un momento más y se hallaría indefenso.

El rugido se convirtió en aullido. ¿Qué ocurría? Viendo que tenía ventaja, Fadi le embestía con estocadas precisas. La desesperación parecía prestarle una fuerza sobrenatural. Bourne se vio obligado a retroceder hacia el quirófano.

Vio entonces, con el rabillo del ojo, un movimiento borroso. Alguien había salido velozmente por la puerta del quirófano. Una mujer: Katya. Las lágrimas le corrían por la cara. Tenía las manos rojas de sangre. Sangre de Martin. Era con ella con quien había intentado escapar Lindros. Pero Fadi había dado con ellos. ¿Por qué Martin no la había llevado a un lugar seguro, como le había dicho Bourne? Ahora era ya demasiado tarde.

—¡Mira lo que le han hecho! —gimió Katya.

Bourne vio en su mano un brillo metálico.

Katya se acercó a él chapoteando por el pasillo. En ese momento, el estruendo se volvió ensordecedor. La joven volvió la cabeza hacia el fondo del pasillo. Al seguir su mirada, Bourne vio que un muro de agua llenaba el corredor desde el suelo hasta el techo y avanzaba hacia ellos.

El cuchillo de Fadi cortó su escudo improvisado una última vez. El cinturón se rompió y sus nudillos ensangrentados quedaron al descubierto.

—¡Atrás! —le gritó Bourne a Katya—. ¡Busca refugio!

Ella, sin embargo, siguió avanzando hacia él. Pero el embate del agua, que le llegaba ya a la cintura, era tan poderoso que no podía caminar en línea recta. Fadi intentó asestar una cuchillada mortal, pero Bourne le lanzó una patada entre el agua y logró desequilibrarle. La hoja del cuchillo se giró y golpeó de canto el antebrazo magullado que había levantado para defenderse. El cuchillo salió disparado.

Al comprender que no podía seguir avanzando, Katya le lanzó el objeto metálico que llevaba en las manos. Bourne alargó los brazos y asió el utensilio metálico por el medio. Era un cuchillo de amputación Collins de veintidós centímetros. Lo giró suavemente, hundió su mortífera hoja en la blanda carne de la base de la garganta de Fadi y empujó hacia abajo, atravesándole la clavícula hasta alcanzar el pecho.

El terrorista le miraba boquiabierto. En el momento de morir, se halló petrificado, indefenso, desprovisto de todo pensamiento. Paralizado en el tiempo. Sus ojos, que empezaban a volverse vidriosos, dejaron entrever que intentaba entender algo. Pero también en eso fracasó.

Tenían casi encima el muro de agua. Bourne no podía hacer nada más, excepto trepar por el torso partido en dos de Fadi. Metió los dedos en los agujeros de la rejilla de ventilación del techo y se encaramó. Luego estiró el brazo para agarrar a Katya. No supo después si ella podría haberle alcanzado. Se quedó allí parada, con la mirada perdida, mientras él le gritaba.

Estaba a punto de ir a buscarla cuando el agua le golpeó con la furia de un puño gigantesco. Se quedó sin respiración. Aullando como el demonio que moraba en las cumbres del Ras Dashén, el agua arrancó el cadáver de Fadi de debajo de él y arrastró a Katya hacia su corazón furioso. Atravesó la planta de Duyya rugiendo y levantando espuma y, como el diluvio de Noé, lo anegó todo a su paso y lo dejó todo limpio.

37

El valeroso corazón de Feyd al Saud abrigaba la convicción, cada vez más firme, de que algún día (no enseguida; tal vez ni siquiera mientras él viviera) ganarían la guerra contra los beduinos empeñados en prenderle fuego al mundo a fin de destruir su país. Serían precisos grandes sacrificios, una determinación inquebrantable, una voluntad de hierro, así como alianzas poco convencionales con infieles como Jason Bourne, que había visto un atisbo de la mentalidad árabe y comprendía lo que había presenciado. Harían falta, sobre todo, paciencia y perseverancia durante los reveses que sufrirían inevitablemente. Días como aquél serían su recompensa.

Tras hacer estallar otra serie de cargas de C-4 para desviar el curso del río subterráneo, sus hombres penetraron en la planta de Duyya por el agujero abierto por la explosión. Feyd al Saud aguardaba al borde del helipuerto camuflado, que parecía el lecho de un pozo de fondo plano. Por encima de él, el agujero practicado en las rocas se ensanchaba al acercarse a su boca, cubierta con material de camuflaje diseñado expresamente para hacerla indiscernible de los peñascos que la rodeaban.

El agua había remitido: los enormes desagües abiertos en el nivel inferior de la planta se la habían tragado al fin.

Justo delante de Feyd al Saud, en una plataforma elevada que la inundación había dejado intacta, aguardaba el helicóptero que, estaba seguro de ello, debía llevar a Fadi el líder terrorista y al artefacto nuclear a su cita con la muerte. Uno de sus hombres vigilaba al piloto.

Aunque ansiaba saber qué había sido de Bourne, se resistía, como era lógico, a dejar el artefacto al cuidado de otros. Además, el hecho de que él estuviera allí, en lugar de estar viendo cómo despegaba el helicóptero y cómo Fadi escapaba en él, hablaba con elocuencia de la victoria de Bourne. Aun así, había mandado a sus hombres en busca de su amigo. Deseaba compartir aquel momento con él.

El sujeto que le llevaron, sin embargo, era un hombre mayor que Bourne, con la frente amplia y despejada, la nariz prominente y gafas de montura metálica con un cristal roto.

—Os pido a Jason Bourne y me traéis esto. —El enfado de Feyd al Saud disimuló su alarma. ¿Dónde estaba Jason? ¿Yacía herido en alguna parte, en las entrañas anegadas de aquel horrible agujero? ¿Seguía con vida?

—Este hombre dice que se llama Costin Veintrop —señaló el jefe de equipo.

Al oír su nombre entre aquella atropellada andanada de árabe, el recién llegado se presentó:

—Doctor Veintrop. —Y añadió algo en un árabe tan malo que no se entendió.

—Hable inglés, por favor —le instó Feyd al Saud con su impecable acento británico.

Veintrop pareció visiblemente aliviado.

—Menos mal que han venido. Mi mujer y yo estábamos prisioneros.

Feyd al Saud le miraba, mudo como la Esfinge.

Veintrop carraspeó.

—Por favor, déjeme marchar. Tengo que encontrar a mi esposa.

—Dice usted que es el doctor Costin Veintrop. Afirma que estaba retenido aquí junto a su esposa. —La creciente preocupación de Feyd al Saud por la suerte de su amigo le volvía aún más puntilloso—. Sé quién estaba prisionero aquí, y no era usted.

Acobardado, Veintrop se volvió hacia el hombre que le había llevado hasta allí.

—Katya, mi mujer, está en la planta. ¿Puede decirme si la han encontrado?

El jefe del grupo imitó a su jefe y se limitó a mirar a Veintrop en pétreo silencio.

—Dios mío —gimió el científico, volviendo sin darse cuenta, empujado por la angustia, a su lengua materna, el rumano—. Dios de los cielos.

Impertérrito, Feyd al Saud le lanzó una mirada de desprecio antes de volverse al oír movimiento tras él.

—¡Jason!

Al ver a su amigo, corrió hacia la entrada del helipuerto. Bourne iba acompañado de otro grupo de hombres de Feyd al Saud. Entre varios sostenían a un hombre alto y fornido cuya cabeza parecía haber pasado por una picadora de carne.

—¡Alá! —gritó Feyd al Saud—. ¿Fadi está vivo o muerto?

—Muerto —contestó Bourne.

—Jason, ¿quién es este hombre?

—Mi amigo Martin Lindros.

—¡Increíble! —El jefe de seguridad llamó de inmediato al médico de su grupo—. Jason, el artefacto nuclear está en el helicóptero. Parece increíble, pero está dentro de un maletín negro muy fino. ¿Cómo se las arregló Fadi para hacer algo así?

Bourne miró torvamente a Veintrop un momento.

—Hola, doctor Sunderland. ¿O debería decir Costin Veintrop?

Éste dio un respingo.

Feyd al Saud levantó las cejas.

—¿Conoces a este hombre?

—Nos hemos visto una vez —respondió Bourne—. El doctor es un científico de gran talento, experto en diversas disciplinas. Entre ellas, la miniaturización.

—Entonces fue él quien fabricó los circuitos que hicieron posible que la bomba cupiera en un maletín. —Feyd al Saud tenía una expresión sumamente sombría—. Dice que su mujer y él estaban prisioneros.

—Estaba prisionero —insistió Veintrop—. Usted no lo entiende, yo...

—Ahora ya sabes quién es —dijo Bourne, cortando su respuesta—. En cuanto a su esposa...

—¿Dónde está? —gimió Veintrop—. ¿Lo sabe? ¡Quiero a mi Katya!

—Katya está muerta —contestó Bourne sin rodeos, casi brutalmente. No sentía lástima por el hombre que había conspirado con Fadi y Karim para destruirle de dentro afuera—. Me salvó la vida. Intenté salvarla, pero la riada se la llevó.

—¡Eso es mentira! —dijo Veintrop, muy pálido, casi gritando—. ¡La tiene usted! ¡La tiene usted!

Bourne le sujetó un brazo y le llevó a la sala de la que había salido. Tras la inundación, el equipo saudí estaba colocando en fila los cadáveres que encontraban. Katya estaba junto a Fadi. Tenía la cabeza torcida en un ángulo extraño.

Veintrop dejó escapar un gemido que sonó casi inhumano. Al ver que caía de rodillas, Bourne sintió una punzada de dolor por la bella joven que se había sacrificado para que él pudiera matar a Fadi. Al parecer, ansiaba tanto como él la muerte de su secuestrador.

La mirada de Bourne se deslizó sobre el cadáver del líder terrorista. Sus ojos, todavía abiertos, parecían mirarle con furia cargada de odio. Sacó su móvil. Se agachó y tomó varias fotografías del rostro de Fadi. Cuando acabó, se levantó y llevó a Veintrop a rastras al helipuerto.

Se dirigió a Feyd al Saud:

—¿El piloto está dentro del helicóptero?

El jefe de seguridad saudí asintió con la cabeza.

—Lo tenemos vigilado. —Señaló con la mano—. Y ése es el maletín.

—¿Está seguro de que ésa es la bomba? —preguntó Veintrop.

Feyd al Saud miró a su artificiero, que asintió con un gesto.

—La he abierto. Es una bomba nuclear, sí.

—Bien, entonces —dijo Veintrop con una extraña vibración en la voz—, si estuviera en su lugar, yo volvería a mirar. Puede que no hayan visto todo lo que hay dentro.

Feyd al Saud miró a Bourne, que inclinó la cabeza.

—Ábrela —le ordenó el jefe de seguridad a su hombre.

El artificiero puso el maletín con cuidado sobre el suelo de cemento y abrió la tapa.

—Mire en el lado izquierdo —insistió Veintrop—. No, más cerca del fondo.

El saudí estiró el cuello y luego retrocedió involuntariamente.

—Hay un temporizador activado.

—Se activó cuando abrió el maletín sin usar el código.

Bourne identificó aquella vibración en la voz de Veintrop: era una nota de triunfo.

—¿Cuánto queda? —preguntó Feyd al Saud.

—Cuatro minutos y treinta y siete segundos.

—Yo creé el circuito —comentó Veintrop—. Puedo desactivarlo. —Los miró a ambos—. A cambio, quiero mi libertad. Nada de juicios, ni de negociaciones. Una nueva vida con todos los gastos pagados.

—¿Eso es todo? —Bourne le golpeó tan fuerte que Veintrop rebotó contra la pared. Volvió a agarrarle al rebotar—. Dadme un cuchillo.

Feyd al Saud sabía lo que era preciso hacer. Le pasó lo que había pedido.

Nada más cogerlo, Bourne hundió la hoja justo por encima de la rodilla de Veintrop.

El científico chilló.

—¿Qué ha hecho? —Comenzó a llorar incontrolablemente.

—No, doctor, es usted quien lo ha hecho. —Bourne se agachó junto a él, sin perder de vista el cuchillo ensangrentado—. Tiene menos de cuatro minutos para desactivar el temporizador.

Tumbado de espaldas, Veintrop se sujetaba la rodilla herida y se mecía adelante y atrás.

—¿Qué hay... qué hay de mis condiciones?

—Éstas son las mías. —Bourne movió la hoja y Veintrop gritó de nuevo.

—¡De acuerdo, de acuerdo!

Bourne levantó la vista.

—Ponle el maletín delante.

Cuando su orden fue acatada, añadió:

—Todo suyo, doctor. Pero le aseguro que voy a observar cada movimiento que haga.

Se levantó y vio que Feyd al Saud le miraba fijamente, con los gruesos labios proyectados hacia fuera en un silencioso silbido de alivio.

Bourne observó cómo Veintrop manipulaba el temporizador. Tardó algo más de dos minutos, según su reloj. Al acabar, se echó hacia atrás, abrazándose la rodilla.

Feyd al Saud indicó con una seña al artificiero que echara un vistazo.

—Los cables están cortados —observó el saudí—. El temporizador está inactivo. No hay riesgo de detonación.

Veintrop había vuelto a mecerse mecánicamente.

—Necesito un calmante —dijo con voz apagada.

Feyd al Saud mandó llamar a su médico y se dispuso a tomar posesión del artefacto nuclear. Bourne llegó antes que él.

—Voy a necesitarlo para llegar hasta Karim.

El jefe de seguridad frunció el ceño.

—No entiendo.

—Voy a tomar la ruta que habría tomado Fadi para llegar a Washington —precisó Bourne en un tono que no admitía discusión.

Aun así, Feyd al Saud no dio su brazo a torcer.

—¿Lo crees sensato, Jason?

—Me temo que en este momento no hay sitio para la sensatez —contestó Bourne—. Karim se ha colocado en una situación de tal poder dentro de la CIA que es prácticamente intocable. Tengo que acercarme a él por otra vía.

—Entonces espero que tengas un plan.

—Yo siempre tengo un plan.

—Está bien. Mi médico se ocupará de tu amigo.

—No —respondió Bourne—. Martin viene conmigo.

Feyd al Saud reconoció de nuevo el tono acerado de su voz.

—Entonces diré a mi médico que os acompañe.

—Gracias —dijo Bourne.

Feyd al Saud y Jason ayudaron a Martin Lindros a subir al helicóptero. Mientras Bourne daba órdenes al piloto de Fadi, el jefe de seguridad saudí ordenó salir a su guardia del helicóptero y se arrodilló para ayudar al médico a acomodar a Lindros lo mejor posible.

—¿Cuánto tiempo le queda? —dijo Feyd al Saud en voz baja. Estaba claro que Lindros agonizaba.

El médico alzó los hombros.

—Una hora, más o menos.

Bourne había acabado de hablar con el piloto y éste ocupó su asiento.

—Necesito que hagas algo por mí.

Feyd al Saud se levantó.

—Tú dirás, amigo mío.

—Primero, necesito un teléfono. El mío está muerto.

Uno de los saudíes pasó un teléfono al jefe de seguridad. Bourne insertó en él el chip que contenía todos los números de su agenda.

—Gracias. Ahora quiero que llames a tus contactos en el Gobierno de Estados Unidos y les digas que el avión que voy a tomar es saudí y va en misión diplomática. En cuanto hable con el piloto te mandaré el plan de vuelo. No quiero problemas con Aduanas e Inmigración.

—Considéralo hecho.

—Luego quiero que llames a la CIA y les digas lo mismo, pero dales una hora estimada de llegada cuarenta minutos posterior a la que te dé cuando el piloto haya comprobado las condiciones meteorológicas.

—Pero si llamo a la CIA alertaré al impostor...

—Sí —dijo Bourne—. Eso es.

Feyd al Saud contrajo la cara, preocupado.

—Estás jugando a un juego muy peligroso, Jason. —Tras advertir a su amigo, le abrazó calurosamente—. Alá te ha dado alas. Que Él te proteja en tu misión.

Besó a Bourne en ambas mejillas y después, inclinándose, salió del helicóptero. El piloto pulsó un interruptor que retiró la cubierta de camuflaje del helipuerto. Cuando estuvo seguro de que el personal de tierra se había retirado del rotor, encendió el motor.

Bourne se arrodilló junto a Lindros y tomó su mano. Martin abrió su ojo, parpadeando. Le miró, sonrió con lo que le quedaba de boca y apretó con fuerza su mano.

Bourne sintió que se le saltaban las lágrimas. Haciendo un esfuerzo, las refrenó.

—Fadi ha muerto, Martin —dijo, haciéndose oír por encima del estruendo cada vez más fuerte—. Has cumplido tu deseo. Eres un héroe.

38

Karim llegó premeditadamente tarde a la reunión administrativa de dirección. Quería que los siete jefes de departamento estuvieran ya sentados en torno a la mesa cuando entrara. La sala de reuniones estaba situada a propósito junto a las oficinas de dirección. Había, de hecho, una puerta que la comunicaba con su despacho. Fue por esa puerta por la que, con toda intención, Karim hizo su aparición. Quería reiterar ante los Siete, sin necesidad de proferir una sola palabra, cuál era su posición dentro del escalafón de la CIA.

—El director les manda sus disculpas —dijo enérgicamente al sentarse en el sillón del Viejo—. Anne, que está con él, me ha dicho que sigue encerrado con el presidente y los jefes de Estado Mayor.

Abrió un grueso dosier, del cual sólo las primeras cinco páginas eran auténticas (en caso de que pudiera considerarse auténtica la desinformación que llevaba desde hacía meses dentro de la cabeza).

—Ahora que hemos eliminado la amenaza inminente que suponía Duyya, ahora que la propia Duyya es una sombra de sí misma, es hora de pasar a otros asuntos.

—Un momento, Martin —le interrumpió la voz acerada de Rob Batt, el jefe de operaciones—. Si me permites, antes de que demos carpetazo a este tema, debemos pensar qué hacemos con Fadi.

Karim se recostó en la silla, dando vueltas a un bolígrafo entre los dedos. Sabía que lo peor que podía hacer era atajar cualquier interrogante sobre aquella cuestión. La reunión que habían mantenido días antes le había demostrado que Batt le vigilaba de cerca. No quería hacer nada que aumentara sus recelos.

—Desde luego, hablemos de cómo vamos a atrapar a Fadi.

—Estoy de acuerdo con Rob —intervino Dick Symes, el jefe del departamento de inteligencia—. Me inclino por asignar un porcentaje importante de nuestro personal a su captura.

Varios de los jefes de departamento sentados a la mesa hicieron gestos de asentimiento.

Frente a aquella oleada creciente, Karim dijo:

—En ausencia del Viejo, se hará, naturalmente, lo que la mayoría juzgue más conveniente. Sin embargo, me gustaría poner de manifiesto varias cosas. Primero, aunque hemos eliminado la principal base de operaciones de Duyya, ignoramos si Fadi está vivo o muerto. Si estaba en la base del sur del Yemen o en sus inmediaciones, no cabe duda de que murió calcinado, como todos los demás. Segundo, si no estaba allí en el momento del ataque, no tenemos ni idea de dónde puede estar. Es indudable que se habrá escondido. Opino que debemos dejar pasar algún tiempo y ver qué informaciones captamos de la red de Duyya. Que los terroristas crean que ahora nos interesan otros asuntos. Si está vivo, Fadi hará algún movimiento. Entonces le atraparemos.

Karim miró a los siete uno por uno. No vio que ninguno frunciera el ceño, negara con la cabeza o mirara de soslayo a sus compañeros.

—En tercer lugar, tenemos que poner orden en nuestra propia casa; puede que eso sea lo prioritario —continuó—. Puedo confirmaros que, tal y como se rumorea, el Viejo ha sufrido el ataque del secretario de Defensa Halliday y de Luther LaValle, su lacayo en el Pentágono. Halliday sabía que teníamos un topo y sabía también lo del virus informático. Resulta que el difunto Matthew Lerner estaba también a sus órdenes.

Aquello causó cierto revuelo en torno a la mesa. Karim levantó las manos con las palmas hacia fuera.

—Lo sé, lo sé, todos hemos acusado el tumulto que provocaron los intentos de Lerner de remodelar la CIA. Ahora sabemos por qué sus reformas nos parecían tan fuera de lugar: procedían de Halliday y de sus esbirros de la Agencia Nacional de Seguridad. Pero, en fin, Lerner está muerto. La influencia clandestina que pudiera estar ejerciendo el secretario de Defensa sobre la CIA ha desaparecido. Y ahora que nos hemos desembarazado del topo, somos libres para hacer lo que debería haberse hecho hace años. Tenemos que rehacer la CIA hasta convertirla en la agencia mejor equipada para librar la guerra contra el terrorismo global.

»Por eso propongo en primer lugar que contratemos a los expertos árabes y musulmanes a los que se despidió de las distintas agencias después de los atentados del once de septiembre. Si queremos tener alguna oportunidad de ganar esta nueva guerra, debemos entender la mentalidad de los terroristas que componen el mosaico de nuestros enemigos. Tenemos que dejar de confundir árabe con musulmán, saudí con sirio, azerbaiyano con afgano, suní con chií.

—Eso es indiscutible —observó Symes.

—Todavía podemos votar la propuesta de Rob —sugirió Karim suavemente.

Todos miraron al jefe de operaciones.

—No es necesario —dijo Batt—. Retiro mi propuesta en favor de la de Martin.

Bourne se había sentado en el suelo del helicóptero, frente al médico saudí y su enorme maletín negro. Entre ellos yacía el cuerpo ensangrentado de Martin Lindros. El médico estaba administrándole un calmante intravenoso.

—Lo máximo que puedo hacer —había dicho mientras se alejaban de Miran Shah— es que esté lo más cómodo posible.

Mientras miraba la cara destrozada de Lindros, Bourne trató de rememorar a su amigo tal y como era antes. No lo consiguió por completo. La bala de calibre 45 que le había disparado Fadi le había volado la parte derecha de la cara, destrozando la cuenca del ojo y la mitad del arco ciliar. El médico había logrado atajar la hemorragia, pero el disparo, hecho a bocajarro, había ocasionado graves lesiones que, a su vez, habían provocado el colapso de diversos órganos vitales. Según el médico, el efecto dominó había llegado a tal extremo que cualquier intento por salvar la vida de Martin sería inútil.

Se había sumido en un sueño intranquilo. Al mirarle, Bourne sintió una mezcla de rabia y desesperación. ¿Por qué le había ocurrido aquello? ¿Por qué no había podido salvarle la vida? Sabía que su angustia procedía de la impotencia. Había sentido lo mismo al ver a Marie por última vez. La impotencia era la única emoción que no podía soportar. Se le metía bajo la piel, se enterraba en su psique como un picor que no podía rascar, como una voz burlona que no lograba acallar.

Se volvió con un gemido gutural. Se habían elevado por encima de las montañas. Sacó su móvil e intentó de nuevo contactar con Soraya. El teléfono sonó, lo cual era buena señal. Pero Soraya no respondió, y eso no era tan bueno. Esta vez dejó en el buzón de voz un breve mensaje hablándole de Odesa. Nadie lo entendería, salvo ella.

Llamó a continuación al móvil de Deron. Seguía en Florida.

—Tengo un problema que sólo tú puedes resolver —dijo sin preámbulos.

—Dispara.

Entre ellos eran típicas las conversaciones tan sucintas como aquélla.

—Necesito un equipo completo.

—No hay problema. ¿Dónde estás?

—A unas diez horas de Washington.

—Vale. Tyrone tiene las llaves de mi casa. Él se ocupará de reunirlo todo. ¿Aeropuerto de Dulles o de Reagan?

—Ninguno de los dos. Está previsto que aterricemos a dieciocho kilómetros al sur del Annandale —respondió Bourne, y le dio las coordenadas de Virginia que había obtenido del piloto—. Está en el extremo este de una finca propiedad de Sistain Labs. —Sistain era una filial de IVT—. Gracias, Deron.

—No hay de qué, hombre. Ojalá estuviera allí.

Al desconectar Bourne, Martin se removió.

—Jason...

Martin había hablado en un agudo susurro, y Bourne acercó la cabeza a la suya. El olor de la carne destrozada, de la muerte inminente, era nauseabundo.

—Estoy aquí, Martin.

—El hombre que me suplantó...

—Lo sé. Es Karim, el hermano de Fadi. Lo sé todo, Martin. Empezó con esa misión en Odesa que me encargó Conklin. Yo estaba con Soraya cuando nos reunimos con su contacto. Una joven vino corriendo hacia nosotros. Era Sarah ibn Ashef, la hermana de Karim y Fadi. Le disparé, pero no le di, como creía. Fue un hombre de Fadi. La mató porque ella tenía una aventura.

El único ojo de Martin, enrojecido y, animado aún por el fuego de la vida, se clavó en Bourne.

—Tienes que... atrapar... a Karim, Jason. —Respiraba en silbidos entrecortados, en espasmos saturados de sangre y flemas rosadas—. Karim es el cerebro, es... el ajedrecista..., la araña sentada en el..., Dios mío..., en el centro de la... trama.

Abrió el ojo de par en par, sacudido por las convulsiones de dolor que recorrían su cuerpo.

—Fadi... Fadi era sólo... la fachada, el punto de... encuentro. El verdaderamente peligroso es... Karim.

—Martin, he oído todo lo que has dicho. Ahora tienes que descansar —dijo Bourne.

—No, no... —Un extraño frenesí parecía haberse apoderado de Lindros. Irradiaba la energía de un pequeño astro que bañaba a Bourne con su fulgor—. Ya tendré tiempo de descansar... cuando esté... muerto.

Había empezado a sangrar de nuevo. El médico se inclinó y limpió la sangre con una gasa que se empapó enseguida.

—Para Karim no se trata sólo de... Estados Unidos, Jason. Se trata de la CIA. Nos odia... Nos odia a todos con... con cada fibra de su ser. Por eso... por eso estaba dispuesto a... a arriesgarlo todo, su vida entera... y su alma... para entrar.

—¿Qué pretende, Martin? ¿Qué es lo que se propone?

—Destruir la CIA. —Martin le miró—. Ojalá supiera más. Dios mío, Jason, cómo la he cagado.

—No fue culpa tuya. —Bourne tenía una expresión severa—. Si te culpas de esto, me pondré hecho una furia contigo.

Lindros trató de reírse, pero la sangre se lo impidió.

—Eso no podemos consentirlo, ¿verdad?

Bourne le limpió la boca.

Un destello parpadeante apareció en la cara de Lindros. Fue como si una red eléctrica sufriera una momentánea bajada de energía. Como si se asomara a una ventana más allá de la cual se extendía un lugar frío y lúgubre. Comenzó a temblar.

—Jason, escucha, cuando... cuando todo esto... acabe, quiero que mandes una docena de rosas rojas a Moira. Encontrarás su dirección en... en mi móvil, en casa. Incinerad mi cuerpo. Llevad mis cenizas a los Cloisters de Nueva York.

Bourne sintió una quemazón detrás de los ojos.

—Claro. Haré lo que quieras.

—Me alegro de que... estés aquí.

—Eres mi mejor amigo, Martin. Mi único amigo.

—Entonces es triste para... los dos. —Lindros intentó sonreír de nuevo y se dio por vencido, exhausto—. ¿Sabes qué es lo que nos pasa, Jason? ¿Qué es... lo que nos une? Tú no recuerdas... tu pasado, y yo... yo no soporto recordar... el mío.

Llegó el momento y Bourne lo sintió llegar. Un instante antes, el ojo de Martin le miraba con profunda inteligencia; ahora parecía fijo en un lugar situado a media distancia: miraba algo que él había presentido muchas veces y que pese a todo nunca había visto.

Horrorizada no sólo por lo que veía, sino por sus consecuencias, Soraya miraba absorta el cuerpo a medio embalsamar del Viejo. Era como ver muerto a un padre, pensó. Uno sabía que tenía que pasar algún día, pero cuando ese día llegaba no lograba hacerse a la idea. A ella, como a todos los miembros de la CIA, el director le parecía invencible. Indestructible. Era desde hacía tanto tiempo su brújula moral, la fuente de su poder planetario, y ahora que estaba muerto Soraya experimentaba una espantosa sensación de desnudez y vulnerabilidad.

Pasada la primera impresión, sintió que un pánico gélido se apoderaba de ella. Si el Viejo había muerto, ¿quién dirigía la CIA? Estaban, desde luego, los jefes de departamento, pero todo el mundo (de principio a fin del escalafón) sabía que Martin Lindros era su delfín.

Lo que significaba que el falso Lindros regía ahora la agencia. *Santo cielo*, pensó. *Va a destruir la CIA. Ése era el plan desde el principio.* ¡Qué golpe de efecto para Fadi y Duyya: destruir la agencia de espionaje más eficaz de Estados Unidos justo antes de hacer estallar una bomba nuclear en suelo americano!

En un abrir y cerrar de ojos lo vio todo claro. Los barriles de C-4 que había visto Tyrone tenían por destino la sede central de la CIA. Pero ¿cómo demonios iba a conseguir Duyya burlar los controles de seguridad para introducir los explosivos? Sabía que Fadi había ideado algún método para lograrlo. Quizá fuera fácil, ahora que el falso Lindros se había hecho con el poder.

Soraya regresó súbitamente al presente. Puesto que el Viejo había sido asesinado, era preciso que se introdujera en la sede de la CIA. Tenía que informar a los siete jefes de departamento de lo que estaba ocurriendo, y al diablo con su propia seguridad. Pero ¿cómo? El impostor la haría detener en cuanto enseñara su identificación al servicio de seguridad. Y no había forma de entrar en el cuartel general sin que su presencia fuera detectada.

Mientras el helicóptero descendía entre las nubes, hacia el aeródromo privado de Mazar-i-Sharif, Bourne seguía sentado junto a Martin Lindros, con la cabeza agachada. Su mente estaba llena de vínculos con personas y cosas: unos conducían a recuerdos; otros, en cambio, no llevaban a ninguna parte porque había perdido los recuerdos. En ese sentido, sus contactos eran de extrema importancia para él. De pronto le faltaba uno vital. Sólo ahora, tras el desastre, comprendía lo importante que había sido Martin para él. La amnesia podía engendrar muchas cosas, incluida la locura. O al menos un remedo de ella, lo cual equivalía más o menos a lo mismo.

Trabar amistad con Martin tras el asesinato de Conklin había sido un salvavidas. Ahora, Martin estaba muerto. Y Marie ya no le esperaba en casa. Cuando el nivel de estrés se hiciera demasiado intenso, ¿qué le impediría deslizarse en la locura surgida del bosque de vínculos rotos que poblaba su cerebro?

Se aferró al maletín cuando el piloto hizo que el helicóptero se posara sobre la pista.

—Vienes con nosotros —le dijo Bourne—. Necesito tu ayuda un poco más.

El piloto se levantó y le ayudó a levantar el cuerpo de Lindros. Les costó algún trabajo sacarlo del helicóptero. En la pista esperaba un avión a reacción cargado de combustible y listo para despegar. Se trasladaron a él y Bourne habló con el piloto. Luego ordenó al piloto del helicóptero que llevara al médico de vuelta a Miran Shah. Le advirtió que el equipo de Feyd al Saud estaría vigilando su itinerario de vuelo y sus comunicaciones.

Diez minutos después, el avión rodó por la pista con los dos hombres y el cadáver a bordo. Ganó velocidad y se elevó hacia las nubes de color gris pizarra de una tormenta inminente.

Desde que había recibido la llamada de Soraya, a Peter Marks le resultaba imposible concentrarse en su trabajo. Los mensajes cifrados de Duyya le parecían de Marte. Alegando una jaqueca, se los pasó por fin a un compañero.

Estuvo un rato sentado a su mesa, reflexionando. Sin poder evitarlo, analizaba cada aspecto de aquella llamada y su propia reacción. Al principio, había tenido que sobreponerse a la indignación. ¿Cómo se atrevía Soraya a intentar involucrarle en el lío en el que se había metido? Fue entonces cuando estuvo a punto de levantar el teléfono y marcar el número de la extensión de Lindros para informarle de la llamada.

Pero cuando ya había tendido la mano hacia el teléfono, algo le detuvo. ¿Qué era? La historia de Soraya era, en apariencia, tan rocambolesca que ni siquiera merecía consideración. En primer lugar, todos sabían que la amenaza nuclear de Duyya había sido eliminada. En segundo lugar, el propio Lindros les había advertido de que la muerte de Jason Bourne había perturbado a Soraya. Y por teléfono parecía chiflada, desde luego.

Pero luego estaba su advertencia sobre el peligro que corría el edificio de la CIA. Con sus años de experiencia, sería una estupidez ignorar aquella parte de la historia. Una vez más estuvo a punto de marcar la extensión de Lindros. Le detuvo una falla en su argumento. A saber: ¿por qué iba a ser cierta una parte de la historia de Soraya y no la otra? No podía creer que nadie (y menos aún Soraya) estuviera tan trastornado.

Lo cual significaba que estaba como al principio. ¿Cómo debía tomarse su llamada? Tamborileó con los dedos sobre la mesa. Podía no hacer nada, claro. Podía sencillamente olvidarse de que aquella conversación había tenido lugar. Pero si ocurría algo en la sede central, jamás podría perdonárselo. Suponiendo, claro, que estuviera vivo para sentir aquella culpa intolerable.

Antes de que sus dudas le condenaran a la inacción, cogió el teléfono y marcó el número de su contacto en la Casa Blanca.

—Hola, Ken, soy Peter —dijo cuando el otro contestó—. Tengo un mensaje urgente para el director. ¿Podrías ir a buscarle? Está con el presidente.

—No, aquí no está, Peter. El presidente está reunido con la junta de jefes de Estado Mayor.

A Peter le dio un levísimo vuelco el corazón.

—¿Cuándo se ha ido?

—Espera, voy a comprobarlo. —Un momento después, Ken añadió—: ¿Seguro que tus datos son correctos? El director no ha venido hoy, y no aparece en la agenda del presidente, ni en la de nadie.

—Gracias, Peter —contestó Ken con voz estrangulada—. Me habré equivocado.

Dios mío, pensó. *Soraya está tan cuerda como yo.* Miró por la puerta abierta de su habitáculo. Veía apenas una esquina del despacho de Lindros. *Si ése no es Lindros, ¿quién demonios dirige Tifón?*

Se lanzó hacia su móvil. En cuanto logró dominar sus dedos, marcó el número de Soraya.

39

Tyrone la estaba esperando pacientemente cuando Soraya asomó la cabeza por la puerta de cristal. Al asomarse, sintió vibrar su móvil. El chico le hizo una seña y ella corrió sin hacer ruido hasta alcanzar las sombras del inicio de la rampa.

—Esos dos cabrones han acabado —dijo él en voz baja—. Se han ido arriba, con sus colegas.

—Será mejor que nos vayamos —contestó ella.

Pero antes de que pudiera echar a andar rampa arriba, Tyrone la agarró del brazo.

—Todavía no hemos acabado aquí, nena. —Señaló con el dedo—. ¿Ves el coche de detrás del Ford?

—¿Cuál? —Ella estiró el cuello—. ¿La limusina?

—No es una limusina cualquiera. Lleva matrícula oficial.

—¿Matrícula oficial?

—Y de la CIA, además. —Al ver que le miraba con interés, añadió—: Deron me enseñó a reconocerlas. —Señaló con la cabeza—. Anda, ve a comprobarlo.

Soraya rodeó el flanco del Ford. Enseguida vio la carrocería reluciente de la limusina y su matrícula. Estuvo a punto de dejar escapar un grito. La matrícula no era sólo de la CIA: era la del coche del Viejo. De pronto comprendió por qué se habían tomado la molestia de embalsamar al director. Necesitaban el cadáver, lo cual suponía dos cosas: que debía ser maleable y que no debía oler.

Su teléfono vibró de nuevo. Lo sacó, miró la pantalla. Era Peter Marks. ¿Qué coño quería? Mientras retrocedía hacia Tyrone dijo:

—Han matado al director de la CIA. Ése es su coche.

—Sí, pero ¿qué van a hacer con él?

—Puede que le hayan matado ahí.

—Puede. —Tyrone se rascó la barbilla—. Pero les he visto hurgar dentro.

Su móvil vibró por tercera vez. Ahora era Bourne. Tenía que decirle lo que estaba pasando, pero en ese momento no podía arriesgarse a mantener una conversación prolongada.

—Tenemos que salir de aquí enseguida, Tyrone.

—Tú sí, a lo mejor —contestó él sin quitar ojo a la limusina—. Yo voy a quedarme un rato más.

—Es muy peligroso —dijo Soraya—. Nos vamos los dos.

Tyrone levantó la pistola.

—No me des órdenes. Yo a ti no te digo lo que tienes que hacer. Puedes hacer lo que quieras.

Ella sacudió la cabeza.

—No pienso dejarte aquí. No quiero que te impliques más en esto.

—Maté a dos hombres por ti, nena. ¿Crees que puedo implicarme todavía más?

A Soraya no le quedó más remedio que admitir que tenía razón.

—Lo que no entiendo es por qué te metiste en esto.

Él comprendió que se había dado por vencida y le lanzó una sonrisa.

—¿Que qué gano yo con esto, quieres decir? En el barrio donde crecimos Deron y yo, los tíos sólo hacen las cosas por dos motivos: para ganar dinero o para tirarse a alguien. Con suerte, para las dos cosas al mismo tiempo. Llevo mucho tiempo fijándome en Deron. Él salió de esa mierda. Llegó a algo. Yo le admiro, pero siempre he pensado que eso era para él, no para mí. Y ahora, con este lío, me he dado cuenta de que a lo mejor yo también tengo futuro.

—También cabe la posibilidad de que te maten.

Tyrone se encogió de hombros.

—Como cada día en mi barrio, tú.

En ese momento sacó una PDA.

—Creía que sólo usabas móviles de prepago —dijo ella, refiriéndose a los teléfonos de usar y tirar que le había visto llevar.

—Lo de este teléfono sólo lo sabe una persona. La que me lo regaló.

Echó un vistazo a la PDA. Saltaba a la vista que estaba leyendo un e-mail.

—Joder. —Levantó la vista—. ¿A qué esperamos? Vámonos de aquí cagando leches.

Subieron por la rampa, hacia el panel que controlaba las luces y el sistema de apertura de la puerta automática.

—¿Has cambiado de idea?

Tyrone puso cara de fastidio.

—Deron dice que tengo que salir pitando ahora mismo. Por lo visto tu Bourne ha vuelto.

Peter Marks remoloneaba por el pasillo, cerca del ascensor, cuando los Siete salieron de la sala de reuniones. Intentó llamar la atención de Rob Batt. Había trabajado para él antes de que Martin Lindros le eligiera para Tifón. De hecho, la metodología de Batt había sido para él como la Biblia, metafóricamente hablando; todavía consideraba al jefe de operaciones su mentor dentro de la CIA.

De modo que no fue de extrañar que, al mirarle Batt, Marks captara de inmediato su atención. El jefe de operaciones se apartó de los demás y dobló la esquina del pasillo en el que esperaba su antiguo colaborador.

—¿Qué haces aquí, Peter?

—La verdad es que estaba esperándole. —Miró con nerviosismo a su alrededor—. Tenemos que hablar.

—¿No puedes esperar?

—No, señor, no puede esperar.

Batt frunció el ceño.

—Muy bien. Vamos a mi despacho.

—Sería mejor fuera, señor.

El jefe de operaciones le miró con curiosidad; luego alzó los hombros.

Bajaron juntos en el ascensor, cruzaron el vestíbulo y salieron por la puerta principal. Marks se encaminó hacia la rosaleda que había en la parte este del jardín. Cuando estuvieron a cierta distancia del edificio, le contó palabra por palabra lo que le había dicho Soraya Moore.

—Yo tampoco me lo creía, señor —dijo al ver su cara—. Pero luego llamé a un amigo mío que trabaja en la Casa Blanca. El Viejo no está allí. No ha ido en todo el día.

Batt se frotó la papada con una mano.

—¿Dónde coño está, entonces?

—Eso es lo extraño, señor. —Marks, que ya estaba inquieto, iba poniéndose más nervioso por momentos—. Me he pasado cuarenta minutos al teléfono. No sé dónde está. Nadie lo sabe.

—¿Y Anne?

—También ha desaparecido.

—Santo cielo.

Marks volvió a echar un vistazo a su alrededor.

—Señor, por increíble que pueda parecer, creo que debemos tomarnos en serio la historia de Soraya.

—Es increíble, desde luego, Peter. Además de una locura. No me digas que crees a esa... —Batt sacudió la cabeza, sin saber qué decir—. ¿Dónde diablos está?

—Eso no lo sé —reconoció Marks—. He llamado un par de veces a su móvil, pero no contesta. Le aterroriza que Lindros pueda encontrarla.

—No me extraña. Tenemos que traerla aquí cuanto antes y quitarle esa idea de la cabeza antes de que haga cundir el pánico en la agencia.

—Pero, si se equivoca, ¿dónde están el Viejo y Anne?

Batt se dirigió hacia la salida de la rosaleda.

—Eso es lo que voy a averiguar —dijo por encima del hombro.

—¿Y Soraya...?

—Si te llama, hazle creer que estás de su lado. Tráela aquí lo antes posible.

Mientras el jefe de operaciones desaparecía dentro de la sede central de la CIA, el teléfono de Marks comenzó a sonar. Comprobó la llamada. Apretó un botón y baló.

—Hola, Soraya. Oye, he estado pensando en lo que me dijiste y he llamado a la Casa Blanca. El Viejo y Anne han desaparecido.

—Claro que han desaparecido —la oyó decir Marks—. Acabo de ver al Viejo. Está en la mesa de un tanatorio, con un orificio de bala en el pecho.

Karim se hallaba sentado en la sala de reuniones contigua al despacho del Viejo, junto a los Siete. Estaban escuchando un mensaje de los servicios secretos saudíes informando de la toma de la planta nuclear de Duyya en Miran Shah. A diferencia de los otros, sin embargo, Karim recibió el comunicado con desconcierto y turbación a partes iguales. ¿Era una treta de su hermano debida al nivel de alerta declarado por la CIA, o se habían torcido por completo las cosas?

Sabía que sólo había un modo de averiguarlo. Salió de la sala de reuniones, pero de camino al ascensor divisó a Peter Marks con el rabillo del ojo. Era la segunda vez que lo veía allí, donde no debía estar. Una campana de alerta resonó en su cabeza y, en lugar de entrar en el ascensor con algunos de los demás jefes, torció a la izquierda. Se detuvo detrás de una esquina desde la que veía la puerta de la sala de reuniones. Cuando salió Rob Batt, Marks se acercó a él. Hablaron un momento. Batt, que al principio se mostró tranquilo, asintió. Entraron juntos en la sala de reuniones y cerraron la puerta.

Karim se apresuró a entrar en las oficinas del director. Pasó ante la mesa en la que un joven de comunicaciones estaba sustituyendo a Anne. El chico le saludó inclinando la cabeza cuando entró en el despacho del Viejo.

Una vez sentado tras la mesa, pulsó un interruptor. Se oyeron dos voces procedentes de la sala de reuniones.

—... de Soraya —estaba diciendo Marks—. Asegura que ha visto al director muerto en un depósito de cadáveres, con un orificio de bala en el pecho.

—¿Qué está tramando esa mujer? He hablado con Martin. Ha tenido noticias del Viejo.

—¿Dónde está?

—Ocupándose de un asunto personal, con Anne —contestó Batt en un tono que sonó a bostezo.

—Soraya también ha tenido noticias de Bourne.

—Bourne está muerto.

—No. Ha encontrado la planta nuclear auténtica. Está en Miran Shah, en la frontera de...

—Sé dónde está Miran Shah, Peter —le espetó Batt—. ¿Qué es todo este embrollo?

—Soraya me dijo que Feyd al Saud podía verificarlo todo.

—Justo lo que me hace falta: recurrir al jefe de seguridad saudí para comprobar nuestros informes.

—También dijo que Bourne ha matado a Fadi. Y que viene para acá en el avión privado de Fadi.

Siguieron hablando, pero Karim ya había oído suficiente. Tenía la sensación de que le corrían hormigas por todo el cuerpo. Quería gritar, hacerse pedazos, miembro a miembro.

Salió precipitadamente del despacho y tomó el ascensor. Pero en lugar de bajarse en el aparcamiento del sótano y coger un coche por el cual tendría que firmar, cruzó a toda prisa la puerta principal, atravesó el jardín y salió a la calle.

La noche había caído hacía tiempo sobre Washington. El cielo bajo, lleno de ceñudas nubes, parecía absorber el brillo de las luces de la ciudad. Las sombras se alzaban hasta alturas monumentales.

Se detuvo en la esquina de la Veintiuna con Constitution y pidió un taxi por teléfono. Tras siete minutos de angustiosa espera, llegó el taxi y montó en él.

Trece minutos después, se apeó delante de una oficina de Avis y echó a andar en dirección contraria. Cuando el taxi se perdió de vista, dio media vuelta, entró en la oficina de Avis y alquiló un coche usando documentación falsa. Pagó en metálico, tomó posesión del GM, pidió indicaciones para llegar al aeropuerto de Dulles y arrancó.

En realidad, no tenía intención de ir a Dulles. Su destino era la pista de aterrizaje de Sistain Labs, al sur de Annandale.

El avión sobrevoló la bahía de Occoquan, viró hacia el norte y se dirigió hacia la pista de aterrizaje situada en una península en forma de puño que se adentraba en el agua. Siguiendo el camino que marcaban las luces, el piloto aterrizó con la suavidad de un susurro. Mientras recorrían la pista perdiendo velocidad metro a metro, Bourne vio a Tyrone montado en su Ninja, con un maletín duro de cuero negro sujeto a la espalda. Comprobó su reloj. Llegaban justo a tiempo, lo que significaba que disponía de unos treinta y cinco minutos para prepararse.

Durante el vuelo había hablado varias veces con Soraya. Las noticias que se dieron el uno al otro eran a un tiempo gratificantes y pavorosas. Fadi había muerto y la amenaza nuclear de Duyya había sido erradicada, pero Karim había matado al Viejo y consolidado su poder dentro de la CIA. Ahora planeaba destruir la sede central de la agencia y a todo el que estuviera dentro, haciendo coincidir el devastador atentado con el estallido del artefacto nuclear. Soraya tenía un aliado dentro de la CIA: un agente de Tifón llamado Peter Marks. Pero éste no era de carácter rebelde. Soraya ignoraba hasta qué punto estaría dispuesto a arriesgarse por ella.

Respecto a la muerte del Viejo, Bourne tenía sentimientos encontrados. Le habían hecho sentirse como el nieto pródigo: como un descarriado que, al volver a casa, debía someterse a la desdeñosa ira de su abuelo. El director de la CIA había ordenado matarle más de una vez. Claro que nunca le había entendido: por eso le tenía tanto miedo. Bourne podía reprocharle muchas cosas, pero no ésa. Él nunca había encajado en los esquemas de la CIA: le habían metido por la fuerza en una organización que despreciaba el individualismo. Él no había buscado aquel vínculo, y sin embargo existía. O había existido, mejor dicho.

Ahora, Bourne fijó su atención en Karim.

El avión se había detenido sobre la pista de asfalto; los motores se habían apagado. Bourne se llevó al piloto, recorrió el pasillo, abrió la puerta y bajó la escalerilla para que subiera Tyrone, que se había acercado en moto al reactor.

El chico subió por la escalerilla y depositó el maletín de cuero negro a sus pies.

—Hola, Tyrone. Gracias.

—Aquí falta luz, tío. No se ve nada.

—De eso se trata.

El joven le miraba fijamente.

—Pareces un puto árabe.

Bourne se rió. Levantó el maletín, se acercó a unos asientos y lo abrió. Tyrone se fijó en el piloto árabe, un hombre de barba y piel oscura que le miraba ceñudo, entre desafiante y temeroso.

—¿Quién coño es éste?

—Un terrorista —contestó Bourne con sencillez. Se detuvo un momento mientras vaciaba el maletín para calibrar la situación—. ¿Te apetece cargártelo?

Tyrone se echó a reír.

—Maté a dos para hacerle un favor a la espía. Ya he tenido suficiente.

—¿A qué espía?

Los ojos del chico brillaron.

—Ya sé que Deron y tú sois muy amigos, pero a mí no me jodas.

—No intento joderte, Tyrone. Perdona, pero tengo poco tiempo. —Bourne encendió una de las luces de encima de los asientos, abrió su móvil y buscó las fotos que había hecho de la cara de Fadi. Luego empezó a abrir frascos, botellas, tubos y a sacar postizos de extrañas formas—. ¿Te importaría decirme de qué estás hablando?

Tyrone titubeó un momento mientras lo observaba, intentando averiguar si le estaba tomando el pelo. Al parecer, llegó a la conclusión de que se había equivocado.

—Hablaba de la espía. De Soraya.

Sin dejar de mirar las fotos de Fadi, Bourne se colocó varias prótesis en la boca y probó a mover la mandíbula.

—Entonces debo darte las gracias.

—Joder, ¿qué le ha pasado a tu voz?

—Como puedes ver, me estoy convirtiendo en un hombre nuevo —contestó Bourne.

Siguió transformándose: sacó una gruesa barba del montón que había en el maletín y le dio forma con unas tijeras para que fuera una réplica exacta de la de Fadi. Se pegó la barba y se miró en el espejo de aumento que sacó del maletín.

Le pasó su móvil a Tyrone.

—Hazme un favor, ¿quieres? Dime hasta qué punto me parezco al tipo de esas fotos.

Tyrone parpadeó como si no pudiera creer lo que le había pedido Bourne. Miró luego las fotos una por una. Antes de pasar a la siguiente, estudiaba la cara de Bourne.

—Joder —dijo por fin—. ¿Cómo lo haces, tío?

—Es un don —contestó él en serio—. Bueno, escucha. Necesito que me hagas otro favor. —Miró su reloj—. Dentro de unos once minutos, ese cabrón al que Soraya anda persiguiendo estará aquí. Quiero que te quites de en medio. Necesito que te ocupes de una cosa. Es importante. En la cabina de al lado está mi amigo, Martin Lindros. Está muerto. Quiero que contactes con una funeraria. Hay que incinerar sus restos. ¿De acuerdo? ¿Harás eso por mí?

—Tengo la moto, así que puedo llevarlo delante, ¿te parece?

Bourne asintió con la cabeza.

—Trátalo con respeto, Tyrone, ¿de acuerdo? Ahora, lárgate. Y no uses la entrada principal.

—Nunca lo hago.

Bourne se rió.

—Nos vemos al otro lado.

Tyrone le miró.

—¿Al otro lado de qué?

40

Mientras se adentraba en Virginia, Karim llamó a Abd al-Malik al tanatorio.

—Necesito tres hombres en Sistain Labs ahora mismo.

—Entonces nos quedaremos sin nadie.

—Haz lo que te digo —contestó Karim secamente.

—Un momento, señor. —Tras una breve pausa, añadió—: Van para allá.

—¿El cadáver del director está listo?

—Faltan cuarenta minutos, quizás un poco más, señor. No es un embalsamamiento normal.

—¿Qué aspecto tiene? Eso es lo que importa.

—Desde luego, señor. Tiene las mejillas sonrosadas. —Abd al-Malik emitió un sonido gutural cargado de delectación—. Los guardias de seguridad creerán que sigue vivo, se lo aseguro.

—Bien. En cuanto hayáis acabado, metedlo en el coche. El plan de actuación se ha acelerado. Fadi quiere que volemos el edificio de la CIA en cuanto sea humanamente posible. Llámame cuando estéis en posición.

—Así se hará.

Karim sabía que así sería. Abd al-Malik, el miembro más capaz de su célula durmiente en Washington, de la que era también el cabecilla, jamás le había fallado.

Había poco tráfico. Tardó treinta y ocho minutos en llegar a la entrada principal, en el lado oeste de la finca propiedad de Sistain Labs. El lugar estaba desierto. Había tenido que refrenarse dos veces de camino allí: una cuando un chico que conducía lo que los americanos llamaban un «coche con músculo» le adelantó bruscamente, cortándole el paso; y otra cuando un camionero se puso tras él y comenzó a tocar el claxon. En ambas ocasiones había sacado su Glock y se había sorprendido a punto de apretar el gatillo.

Era a Bourne, y no a aquellos pobres idiotas, a quien quería matar. Su ira (el viento del desierto que había heredado de su padre) se había desbocado, y reaccionaba violentamente a la menor provocación. Pero aquello no era el desierto; no se encontraba entre beduinos conscientes de que no convenía hacerle enfadar.

Era Bourne, siempre Bourne. Él había matado a la ingenua Sarah, el orgullo de la familia. Karim había perdonado a su hermana sus opiniones impías, sus ausencias inexplicables, sus ansias de independencia, y las había atribuido a la misma sangre inglesa que corría por sus venas. Él había domeñado su sangre occidental, por eso se había embarcado en un plan para reeducarla en las tradiciones del desierto, en la mentalidad saudí, que constituía su verdadera herencia.

Ahora, Bourne había matado a Fadi, su mascarón de proa. A Fadi, que tanto dependía de los planes y los fondos que le suministraba su hermano mayor, y en cuya protección tanto confiaba él. Había perdonado a Fadi su mal genio y sus excesos porque eran rasgos esenciales en un líder de masas que atraía a los fieles con su retórica feroz y sus hazañas incendiarias.

Ambos habían muerto: la muchacha inocente y el comandante; sus bastiones de fortaleza moral y física, respectivamente. De los hijos de Abu Sarif Hamid ibn Ashef al Uahhib, sólo quedaba él. Estaba vivo, pero solo. Lo único que le quedaba eran sus recuerdos íntimos de Fadi y Sarah ibn Ashef. Los mismos recuerdos que tenía su padre, aquel hombre lisiado, paralizado y atado a una cama, que necesitaba un arnés especial para sentarse en la silla de ruedas que despreciaba.

Karim se juró que a Bourne le había llegado su fin. Aquél sería el fin de todos los infieles.

Recorrió las largas y sinuosas calles que bordeaban los edificios bajos y elegantes, de cristal verde y ladrillo negro, de los laboratorios. Al doblar un último recodo a la izquierda, el aeródromo se hizo visible. Más allá del avión aparcado se extendía el ancho semicírculo de agua gris azulada contiguo a la bahía de Occoquan.

Aminoró la marcha al acercarse a la pista de aterrizaje y observó atentamente la zona. El avión estaba cerca del extremo de la pista. No se veía ningún vehículo. No había ningún barco surcando las aguas invernales de la bahía de Belmont, ni un solo helicóptero sobrevolando la zona. Y ahora Fadi estaba muerto y Bourne había ocupado su puesto y aguardaba dentro del avión.

No había nadie, desde luego. A diferencia de él, Bourne no contaba con refuerzos. Karim detuvo el coche donde no pudiera verse desde el avión, encendió un cigarrillo y esperó. Poco después, el Ford negro que trasladaba a sus hombres se detuvo junto a él.

Salió del coche para darles instrucciones; les dijo lo que podían esperar y lo que debían hacer. Luego se apoyó en el capó del vehículo y volvió a fumar mientras el Ford se dirigía a la pista de aterrizaje.

Al acercarse el coche, la puerta del avión se abrió desde dentro y se desplegó la escalerilla. Dos de los tres hombres salieron y subieron corriendo los escalones.

Karim escupió la colilla, la aplastó con el talón. Montó en el coche alquilado y regresó por el camino que llevaba a un edificio aislado e inquietante, agazapado en el extremo norte de la finca, junto a los contenedores de basura.

—Puedo ayudarte, Soraya —dijo Peter Marks con el teléfono pegado a la oreja—, pero creo que deberíamos vernos.

—¿Por qué? Tienes que ser mis ojos y mis oídos en el cuartel general. Necesito que vigiles al impostor.

—No sé dónde está Lindros —contestó Peter—. No está en su despacho. No está en el edificio, de hecho. No le ha dicho a su ayudante adónde iba. ¿Esto es una epidemia o qué? —Oyó que Soraya contenía bruscamente la respiración—. ¿Qué pasa?

—Está bien —concedió ella—. Vamos a vernos, pero yo decido dónde.

—Como quieras.

Le dio la dirección del tanatorio del lindero noreste del parque Rock Creek.

—Ve lo antes que puedas —le instó.

Marks cogió un vehículo de la CIA y llegó en tiempo récord. Aparcó enfrente, calle abajo, en la parte de atrás del tanatorio, y se quedó sentado en el coche como le había indicado Soraya. Antes de salir del cuartel general había barajado la posibilidad de contactar con Rob Batt y pedirle permiso para llevarse a varios agentes, pero la urgencia de la cita le impedía perder el tiempo intentando persuadir al jefe de operaciones de que prescindiera de parte de su personal.

Se sobresaltó cuando Soraya tocó en la ventanilla del copiloto. Estaba tan absorto que no la había visto acercarse. Aquello le puso doblemente nervioso, porque allí estaba en la calle, donde Soraya le sacaba clara ventaja. Él siempre había estado encerrado en la oficina; por eso, suponía, no había querido llevarse a nadie. Tenía algo que demostrarle a su mentor.

Quitó el cierre de la puertas y ella se deslizó en el asiento del copiloto. No tenía aspecto de estar loca.

—Quería que vinieras aquí —dijo, algo jadeante—, porque el Viejo está en ese tanatorio.

Marks escuchaba sus palabras como si formaran parte de un sueño. Había asido la pistola mientras ella abría la puerta, cuando no le veía. Ahora, como si él también estuviera dentro de un sueño, le acercó la pistola a la cabeza y dijo:

—Lo siento, Soraya, pero vas a volver conmigo al cuartel general.

Los dos terroristas que subieron al avión parpadearon en la penumbra. Parecieron perplejos al reconocerle.

—Fadi —dijo el más alto—. ¿Dónde está Jason Bourne?

—Bourne está muerto —contestó él—. Le maté en Miran Shah.

—Pero Karim al Yamil ha dicho que estaría a bordo.

Bourne levantó el maletín que contenía el artefacto nuclear.

—Como veis, se equivoca. Ha habido un cambio de planes. Tengo que ver a mi hermano.

—Enseguida, Fadi.

No registraron el avión, ni vieron al piloto al que Bourne había atado y amordazado.

Mientras le conducían al Ford negro, el alto dijo:

—Tu hermano está aquí cerca.

Subieron al Ford, Bourne en el asiento trasero, con uno de ellos. Procuraba apartar la cara del resplandor de los focos de la pista, la única fuente de luz. Mientras mantuviera la cara en penumbra, todo iría bien. Aquellos hombres respondían a una voz conocida, a una forma de gesticular que les resultaba familiar. Las armas más poderosas de un imitador. Había que engañar a la mente, no a la vista.

El conductor dejó atrás el aeródromo, viró hacia el norte y detuvo el coche junto a un edificio de ladrillo negro que se alzaba a cierta distancia de los otros. Bourne vio la escombrera cuando abrieron una gran puerta de chapa y le hicieron entrar en el edificio.

El interior era enorme y diáfano. No había tabiques interiores. Las manchas de aceite del suelo indicaban que era, en realidad, un hangar. La luz entraba por la puerta y las ventanas cuadradas situadas en lo alto de las paredes, pero se disipaba enseguida, engullida por el espacio vacío y las grandes franjas de sombras.

—Karim al Yamil —anunció el alto alzando la voz—, era tu hermano quien estaba en el avión, no Jason Bourne. Está con nosotros y tiene la bomba.

Una silueta surgió de las sombras.

—Mi hermano está muerto —replicó Karim.

Los escoltas de Bourne se tensaron.

—No voy a ir a ninguna parte contigo —dijo Soraya.

Marks estaba a punto de contestar cuando la pared de detrás del muelle de carga del tanatorio comenzó a bajar.

—¿Qué coño...? —preguntó.

Ella aprovechó su sorpresa para salir del coche de un salto. Marks hizo amago de ir tras ella, pero entonces vio salir el coche del director y enfilar la calle en sentido contrario. Se olvidó de la chica. Puso el coche en marcha y salió detrás de la limusina. Se suponía que el Viejo estaba fuera, ocupándose de un asunto privado. ¿Qué estaba haciendo allí?

Oyó a Soraya gritándole que volviera. No hizo caso. Era lógico que ella reaccionara así: estaba convencida de que el Viejo había muerto.

Delante de él, la limusina se detuvo ante un semáforo en rojo. Marks paró a su lado y bajó la ventanilla.

—¡Eh! —gritó—. ¡Peter Marks, de la CIA! ¡Abra!

La ventanilla del conductor no se movió. Marks puso el coche en punto muerto, salió y llamó a la ventanilla.

Sacó sus credenciales.

—¡Abra, maldita sea! ¡Abra!

La ventanilla se deslizó hacia abajo. Marks vislumbró un momento al Viejo sentado, muy erguido, en el asiento trasero. Luego, el chófer le apuntó a la cara con una Luger P-08 y apretó el gatillo.

La detonación le perforó los tímpanos. Salió despedido hacia atrás, con los brazos estirados. Murió antes de caer al pavimento.

La ventanilla de la limusina volvió a subir. Cuando el semáforo se puso en verde, el coche enfiló velozmente la calle.

Karim miraba fijamente a Bourne.

—No puede ser. Hermano, me habían dicho que habías muerto.

Bourne levantó el maletín.

—Y sin embargo —dijo con la voz de Fadi— traigo conmigo la destrucción.

—¡Que el infiel se ande con cuidado!

—Así es. —Aunque sabía que estaba viendo a Karim, resultaba inquietante ver a aquel hombre convertido en el doble de su mejor amigo—. Estamos juntos otra vez, hermano.

Martin le había advertido que Karim era el verdadero peligro. «Es el ajedrecista —le había dicho—, la araña sentada en el centro de la trama.»

Bourne no se engañaba. En cuanto Karim le hiciera una pregunta íntima, una cuya respuesta sólo conociera su hermano, se acabaría la farsa.

No hizo falta tanto tiempo.

Karim le hizo señas de que se acercara.

—Ven a la luz, hermano, para que vea de nuevo tu cara después de tantos meses.

Bourne dio un paso adelante. La luz inundó su rostro.

Karim se quedó muy quieto. Su cabeza se meció suavemente, como si temblara de pronto.

—Eres tan camaleónico como lo era Fadi.

—Hermano, he traído la bomba. ¿Cómo puedes confundirme con otro?

—Oí decir a un agente de la CIA...

—No será Peter Marks. —Bourne se arriesgó: era su única oportunidad. Marks era la única persona con la que había contactado Soraya.

Karim frunció el ceño, confuso de nuevo.

—¿Qué pasa con Marks?

—Es el contacto de Soraya Moore. Está repitiendo la desinformación que le dimos a ella.

Karim esbozó una sonrisa taimada; la duda abandonó sus ojos.

—Respuesta equivocada. La CIA cree que mi hermano murió

en el ataque a la falsa planta de Duyya en el sur de Yemen. Pero tú eso no lo sabías, ¿verdad, Bourne?

Hizo una seña y los tres hombres se abalanzaron sobre Bourne, sujetándole los brazos contra los costados. Sin apartar los ojos de Jason, Karim dio un paso adelante y se apoderó del maletín.

Soraya corría hacia el lugar donde Peter Marks yacía muerto, con los brazos extendidos sobre la acera, cuando oyó el rugido de una motocicleta acercándose desde atrás. Sacó su pistola y al girarse vio a Tyrone montado en su Ninja. Acababa de dejar el cuerpo de Lindros en el tanatorio.

Frenó, dejó montar a Soraya y arrancó a toda velocidad.

—Ya has visto lo que ha pasado. Han matado a Peter.

—Tenemos que detenerles. —El chico se saltó un semáforo en rojo—. Has juntado todas las piezas del puzle: el explosivo, una réplica del coche de tu jefe, tu jefe tumbado en una mesa de embalsamar... ¿Qué más?

—¡Así es como van a burlar los controles! —exclamó Soraya—. Los de seguridad verán al Viejo en el asiento de atrás y dejaran entrar a la limusina en el aparcamiento subterráneo.

—Los cimientos del edificio se vendrán abajo.

Inclinándose sobre el manillar de la moto, Tyrone aceleró.

—No podemos disparar a la limusina —señaló Soraya— sin correr el riesgo de que estallen los explosivos y mueran sabe Dios cuántos transeúntes.

—Y tampoco podemos permitir que entre en la sede de la CIA —replicó Tyrone—. Así que ¿qué hacemos?

La respuesta no se hizo esperar: las ventanillas traseras de la limusina bajaron y alguien comenzó a dispararles.

Bourne no trató de moverse. Intentó olvidar la imagen de la cara destrozada de Martin Lindros, pero descubrió que no quería.

Martin estaba con él, le hablaba, exigía venganza por lo que le habían hecho. Bourne le sentía. Le oía.

Paciencia, se dijo a sí mismo.

Concentrándose, ubicó a cada uno de los hombres respecto al lugar que ocupaba. Luego dijo:

—Lo único que lamento es no haber acabado lo que empecé en Odesa. Tu padre sigue vivo.

—Sólo tú llamarías vida a esa forma de existencia —replicó Karim—. Cada vez que estoy en su presencia, juro de nuevo que te haré pagar por lo que le hiciste.

—Lástima que no pueda verte ahora. Sacaría una pistola y te pegaría un tiro él mismo. Si pudiera.

—Te entiendo mejor de lo que crees, Bourne. —Karim estaba apenas a un paso de él—. Mírate. Para todo el mundo, excepto para nosotros dos, tú eres Fadi y yo soy Lindros. Vivimos en nuestro propio mundo, encerrados en nuestro círculo de venganza. ¿No es en eso en lo que estás pensando? ¿No es lo que tenías planeado? ¿No es por eso por lo que te has hecho pasar por mi hermano?

Se pasó el maletín de una mano a la otra.

—Por eso, también, intentas provocarme. Es fácil derrotar a un hombre furioso, ¿no es eso lo que dice tu Tao? —Se rió—. Pero, en realidad, con esta última metamorfosis me has hecho un inmenso favor. Crees que voy a matarte aquí mismo. ¡Qué equivocado estás! Porque, después de hacer estallar la bomba nuclear, después de destruir el cuartel general de la CIA, voy a llevarte a lo que quede de él. Allí te mataré. Y así, tras matar a Fadi, el terrorista más famoso del mundo, Martin Lindros se convertirá en un héroe nacional. Y ahora que he matado al director, ¿a quién crees que nombrará vuestro agradecido presidente para ocupar su puesto?

Se rió de nuevo.

—Yo dirigiré la CIA, Bourne. Podré rehacerla como se me antoje. ¿No es irónico?

Al oírle mencionar la suerte que correría el cuartel general de la CIA, Bourne sintió que la voz de Martin se agitaba dentro de él. *Todavía no*, pensó. *Todavía no*.

—Lo que resulta irónico —contestó— es lo que le pasó a Sarah ibn Ashef.

Los ojos de Karim ardieron de pronto. Abofeteó a Bourne.

—Tú, que la mataste, no tienes derecho a nombrar a mi hermana.

—Yo no la maté —dijo él lentamente, con claridad.

Karim le escupió a la cara.

—No pude matarla. Soraya y yo estábamos demasiado lejos. Íbamos armados con pistolas Glock. Sarah ibn Ashef estaba al otro lado de la plaza cuando la mataron. Como bien sabes, la Glock pierde precisión a partir de veinticinco metros. Tu hermana estaba al menos a cincuenta metros de nosotros cuando murió. En aquel momento no me di cuenta; todo ocurrió muy deprisa.

Karim volvió a golpearle. Su cara se había convertido en una máscara tensa.

Bourne, que esperaba el golpe, se lo sacudió.

—Muta ibn Aziz me refrescó la memoria. Esa noche, su hermano y él se hallaban en el lugar idóneo. Estaban a la distancia adecuada.

Karim le atenazó el cuello.

—¿Te atreves a burlarte de la muerte de mi hermana? —Casi temblaba de rabia—. Los hermanos Ibn Aziz eran como de la familia. Insinuar siquiera que...

—Precisamente por esto, porque eran de la familia, Abbud ibn Aziz mató a tu hermana.

—¡Te mataré por eso! —gritó Karim mientras empezaba a estrangularle—. ¡Haré que desees no haber nacido!

Tyrone zigzagueaba por las calles en la Ninja, siguiendo a la limusina. Oía el silbido de las balas al pasar a su lado. Sabía lo que se sentía cuando te pegaban un tiro; conocía el dolor de perder a un ser querido en un tiroteo callejero. Su única defensa era el estudio. Sabía de munición como sus amigos sabían de raperos famosos o de estrellas del porno. Conocía las características de cada

calibre, de cada Parabellum, de cada bala de punta hueca. Su Walter PPK iba cargada con balas de cavidad hueca: como las de punta hueca, pero a lo bestia. Cuando se incrustaban en un blanco
blando (en carne humana, por ejemplo), se expandían hasta el
punto de desintegrarse. La víctima se sentía como si la hubiera
arrollado un tanque. Ni que decir tiene que causaban lesiones in-
ternas de extrema gravedad.

El hombre de la limusina disparaba balas del cuarenta y cinco,
pero tenía un ángulo de tiro limitado y escasa precisión. Tyrone
sabía, sin embargo, que tenía que encontrar un modo de detener
el tiroteo.

—Mira adelante —le dijo rápidamente Soraya al oído—. ¿Ves
ese edificio de cristal negro, a seis manzanas de aquí? Es la sede de
la CIA.

Acelerando de nuevo, Tyrone se acercó al flanco izquierdo de
la limusina. Allí estaban al alcance de la Luger, pero la distancia
también los beneficiaba a ellos.

Soraya sacó su pistola, apuntó y disparó en un solo movimiento. La bala impactó en la cara del terrorista. Por la ventanilla abierta salió un borbotón de sangre y esquirlas de huesos.

—Mataron a Sarah ibn Ashef y lo ocultaron —logró decir Bourne—.
Lo hicieron para protegeros a Fadi y a ti. Porque la dulce e ingenua
Sarah ibn Ashef estaba teniendo una tórrida aventura amorosa.

—¡Eso es mentira!

A Bourne le costaba respirar, pero tenía que seguir hablando.
Sabía desde el principio que, frente a un hombre como Karim, la
psicología era su mejor arma: la única que podía brindarle la victoria.

—Ella odiaba en lo que os habíais convertido Fadi y tú. Tomó
una decisión. Dio la espalda a su herencia beduina.

El rostro de Karim se convulsionó.

—¡Cállate! —gritó—. ¡Eso es una mentira repugnante! ¡Una
mentira repugnante!

Pero Bourne sintió que intentaba sin éxito convencerse a sí mismo. Por fin había aclarado el misterio de la muerte de su hermana, y ello le estaba matando.

—¡En mi hermana residía el honor de mi familia! ¡Y tú lo destruiste! Su muerte nos lanzó a mi hermano y a mí por este camino. ¡Toda esta muerte, toda esta destrucción, es culpa tuya!

Bourne supo que era ahora o nunca. Dando un paso atrás, clavó el talón con todas sus fuerzas en el empeine del hombre situado justo a su espalda. Al mismo tiempo giró el torso y se desasió del de su derecha. Clavó el codo en el plexo solar del de la izquierda, lanzó un golpe hacia fuera con el canto de la otra mano, que impactó en el cuello del tercer hombre.

Oyó el crujido de las vértebras al romperse. El hombre se desplomó. Pero el de detrás ya le había rodeado con los brazos y le sujetaba con fuerza. Bourne se dobló hacia delante y le lanzó hacia Karim.

El de su izquierda seguía doblado, intentando recuperar el aliento. Bourne cogió una Luger que había caído al suelo y le golpeó con la culata en la coronilla. El hombre al que había lanzado hacia Karim había sacado su arma. Bourne le disparó y el terrorista cayó al suelo convertido en un guiñapo.

Sólo quedaba el líder de la organización. Estaba de rodillas, con el maletín delante. Bourne sintió un escalofrío al ver sus ojos enrojecidos por la locura. Había visto una o dos veces a un hombre a punto de perder la razón, y sabía que Karim era capaz de cualquier cosa.

Mientras pensaba en esto, el terrorista sacó una pequeña pieza cuadrada de acero. Bourne comprendió enseguida que era un detonador a distancia.

Karim lo levantó, con el pulgar apoyado sobre un botón negro.

—Te conozco, Bourne. Por eso me perteneces. No vas a dispararme sabiendo que puedo hacer estallar veinte kilos de explosivos en el aparcamiento subterráneo de la CIA.

No había tiempo para pensar, ni para hacerse preguntas. Bourne oía dentro de su cabeza el murmullo fantasmal de la voz de Martin. Apuntó con la Luger y disparó al cuello de Karim. La bala atravesó el tejido blando y seccionó la médula espinal. El hombre cayó al suelo sentado. Miraba a Bourne con incredulidad. Intentó mover los dedos, pero no le respondían.

Sus ojos, cuya luz iba apagándose, vieron los nudillos de uno de sus hombres. Comprendiendo lo que iba a ocurrir, Bourne se lanzó hacia él, pero con un último esfuerzo Karim logró dejarse caer.

El detonador golpeó los nudillos desnudos del terrorista muerto.

Al fin podía librarse de Karim. Al fin, la voz de Martin se había acallado. Bourne miraba el ojo derecho del líder terrorista (el ojo de Martin) y pensaba en su amigo muerto. Pronto mandaría una docena de rosas rojas a Moira, pronto llevaría sus cenizas a los Cloisters de Nueva York.

Algo se agitaba en su mente, como el anzuelo cebado de un pescador. ¿Por qué Karim no había hecho estallar el artefacto nuclear cuando había tenido ocasión? ¿Por qué la limusina, cuyos efectos serían mucho más limitados?

Se volvió, vio el maletín tirado sobre el suelo de cemento. Los cierres estaban abiertos. ¿Los había abierto Karim en un vano intento de conectar el temporizador? Se agachó. Estaba a punto de cerrarlos cuando le recorrió un escalofrío cuya fuerza le obligó a rechinar los dientes.

Abrió el maletín. Miró dentro, buscó el temporizador y comprobó que estaba desactivado. El piloto estaba apagado, los cables desconectados. Entonces, ¿qué...?

Palpó debajo del racimo de cables y, al mirar más de cerca, vio algo que le heló hasta la médula de los huesos. Karim había activado un segundo temporizador al abrir el maletín. Un segundo temporizador instalado por Veintrop y del que no les había hablado.

Se sentó en cuclillas. El sudor le corría por la espalda en gruesas gotas. Al parecer, Duyya y el doctor Veintrop iban a cobrarse venganza, a fin de cuentas.

41

Cuatro minutos y un segundo. Ése era el tiempo que le quedaba, según la cuenta del temporizador auxiliar.

Cerró los ojos, intentó recordar las manos de Veintrop moviéndose sobre el temporizador. Veía cada uno de los gestos que había hecho el doctor, cada giro de la muñeca, cada flexión de los dedos. No había necesitado herramientas. Había seis cables: rojo, blanco, negro, amarillo, azul y verde.

Recordó dónde estaban conectados en el temporizador principal y en qué orden los había desconectado Veintrop. El cable negro lo había empalmado dos veces: primero a la terminal en la que estaba conectado el extremo del cable blanco, y luego a la del rojo.

Recordar lo que había hecho el científico no era problema. Bourne vio, sin embargo, que aunque el temporizador auxiliar tenía, como el primero, seis cables de distintos colores, los dos temporizadores eran físicamente distintos. Como consecuencia de ello, las terminales a las que estaban conectados los cables se hallaban en distinto sitio.

Sacó su móvil y llamó a Feyd al Saud con la esperanza de que consiguiera que Veintrop le dijera cómo desactivar el segundo temporizador. No hubo respuesta. A Bourne no le sorprendió. En las montañas de Miran Shah la cobertura era un desastre. Aun así, valía la pena intentarlo.

3:01.

Veintrop había empezado con el cable azul y había seguido con el verde. Bourne cogió con las puntas de los dedos el cable azul, pero vaciló cuando se disponía a desconectarlo de su terminal. ¿Por qué, se dijo, iba a desactivarse de la misma forma el se-

gundo temporizador? Aquella ingeniosa trampa era obra de Veintrop. El temporizador auxiliar entraría en juego sólo si se desactivaba
el principal. Así pues, no tenía sentido diseñarlo de modo que
pudiera desactivarse de la misma manera.

Apartó las manos del dispositivo.

2:01.

La cuestión no era cómo desactivar el temporizador, sino
cómo funcionaba la retorcida mente de Veintrop. Si el principal
había dejado de funcionar, ello presuponía que quien lo había
desactivado conocía el orden preciso en el que debían desconec-
tarse los cables. En el temporizador auxiliar, el orden podía ser el
inverso, o incluso podía ser tan aleatorio que sería casi imposible
dar con la combinación adecuada sin detonar inadvertidamente el
artefacto nuclear.

1:19.

La hora de las conjeturas había pasado. Tenía que tomar una
decisión, y debía ser la correcta. Decidió invertir el orden. Cogió
el cable rojo y estaba a punto de desconectarlo cuando distinguió
algo. Inclinándose, observó el segundo temporizador desde otro
ángulo. Al apartar los cables de colores, descubrió que estaba conectado al cuerpo principal del artefacto de manera completamente distinta a la del temporizador principal.

0:49.

Sacó el temporizador principal de donde estaba encastrado
para ver mejor lo que había debajo. Lo desconectó del detonador,
al que lo unía un solo cable. Ahora veía claramente el segundo
temporizador. Estaba colocado directamente sobre el detonador.
El problema era que no veía por dónde estaban unidos.

0:27.

Apartó los cables con cuidado de no desconectar ninguno. Sirviéndose de una uña, levantó el borde derecho del temporizador
auxiliar y lo separó del detonador. Nada.

0:18.

Introdujo la uña bajo el borde izquierdo. No se movió. Tiró
con más fuerza y lo levantó lentamente. Allí debajo vio el cable

enroscado como una minúscula serpiente. Lo tocó con el dedo, lo movió ligeramente y, como una serpiente, se desenroscó. Bourne no daba crédito.

¡El cable no estaba conectado al detonador!

0:10.

Oyó la voz del doctor Veintrop.

«Estaba prisionero —había dicho—. Usted no lo entiende, yo...»

Bourne no le había dejado acabar. El problema era, de nuevo, cómo resolver el acertijo que planteaba la mente de Veintrop. El doctor disfrutaba con los juegos mentales: sus investigaciones lo demostraban. Si Fadi le había retenido contra su voluntad, si había utilizado a Katya en su contra, el científico habría intentado vengarse de él.

Bourne cogió el temporizador principal y observó el cable que colgaba de él. El aislante estaba intacto, pero los hilos de cobre de su extremo parecían sueltos. Bourne los desprendió sin esfuerzo: sólo tenían un par de centímetros de largo. El cable era un engaño. Apartó las manos del dispositivo, se echó hacia atrás y miró cómo la pantalla del temporizador descontaba los últimos segundos. El corazón le latía dolorosamente en el pecho. Si se equivocaba...

0:00.

Pero no se había equivocado. No ocurrió nada. No hubo explosión, ni holocausto nuclear. Sólo silencio. Veintrop había logrado vengarse de sus captores. Había desactivado en secreto la bomba delante de las narices de Fadi.

Bourne se echó a reír. Veintrop se había visto obligado a instalar correctamente el temporizador principal, pero en el caso del auxiliar se las había ingeniado para engañar a Fadi y a los demás científicos de Duyya. Cerró el maletín y se levantó con él en la mano. Aún se reía cuando salió del edificio.

42

En medio del caos que siguió a la explosión, Soraya invocó el poder de sus credenciales como agente de la CIA. Los edificios cercanos (imponentes edificios ministeriales) habían sufrido daños superficiales y su estructura no corría peligro. La calle, en cambio, era un desastre. Un enorme agujero se había abierto en el suelo. A él habían caído, como un meteoro en llamas, los restos carbonizados de la limusina. Por suerte a aquella hora de la noche no había transeúntes en los alrededores.

La zona había sido acordonada. Docenas de coches de policía, camiones de bomberos, ambulancias y diversos efectivos de emergencias se habían desplazado a sus inmediaciones. La electricidad se había cortado en un radio de dos kilómetros y medio cuadrados, y las calles vecinas estaban sin agua: las cañerías se habían roto.

Después de que Tyrone y ella declararan ante la policía, Soraya vio llegar a Rob Batt y a Bill Hunter, jefe del departamento de seguridad, para hacerse cargo de la situación. Al verla, Batt le indicó con la cabeza que se quedara allí mientras hablaba con el capitán de policía que se hallaba nominalmente a cargo de la situación.

—Todo este rollo oficial me pone más nervioso que a un cura una gonorrea —dijo Tyrone.

Soraya se rió.

—No te preocupes. Yo estoy aquí para defenderte.

El chico soltó un bufido desdeñoso, pero ella notó que procuraba no alejarse de su lado.

Las cuadrillas de obras públicas trasladaban sus equipos de un lado a otro y se hablaban a voces; los vehículos se detenían, y ellos parecían envueltos en una densa red de sonidos.

Un helicóptero de la televisión sobrevolaba el lugar donde ellos estaban. Poco después, se le unió otro. Varios aviones de la Fuerza Aérea pasaron rugiendo, con las armas cargadas. Giraron sus alerones y desaparecieron en medio del límpido azul del cielo.

Había niebla en Nueva York la mañana en que Bourne llegó a las puertas de los Cloisters. Las cruzó sosteniendo junto al pecho la urna de bronce que contenía los restos de Martin Lindros. Había mandado una docena de rosas rojas a Moira y, al llamarle ella poco después, descubrió que era así como Martin había querido despedirse de ella.

Bourne nunca había visto a Moira. Martin sólo le había hablado de ella una vez, estando muy, muy borrachos.

Veía ahora su delgada y esbelta silueta recortada en la niebla, con el cabello oscuro revuelto alrededor de la cara. Estaba donde le había dicho que estaría, delante de un árbol que extendía sus ramas por los sillares de piedra del muro de un edificio. Había estado en el extranjero, en viaje de negocios. Había llegado a casa, le dijo, apenas unas horas antes de recibir su llamada. Al parecer, ya había llorado en privado.

Tenía los ojos secos cuando le saludó con una inclinación de cabeza y echó a andar junto a él hacia el parapeto sur. Había árboles bajo ellos. Bourne vio a su derecha la lisa superficie del río Hudson. Parecía inerme y descolorido, como la piel de una serpiente a punto de mudar.

—Cada uno de nosotros le conocía de distinta manera —dijo Moira cautelosamente, como si temiera desvelar en exceso su relación con Martin.

—Si es que puede conocerse a una persona —contestó Bourne.

Ella tenía hinchados los párpados inferiores. Sin duda llevaba varios días llorando. Su rostro era fuerte, de rasgos afilados, y los ojos eran de color marrón oscuro, bien separados y denotaban inteligencia. Poseía una rara serenidad, como si viviera en paz consigo misma. Habría sido buena para Martin, pensó Bourne.

Quitó la tapa de la urna. Dentro había una bolsa de plástico llena de polvo carbónico: la materia de la vida. Moira se sirvió de sus largos y finos dedos para abrir la bolsa. Juntos levantaron la urna por encima del parapeto, la volcaron y vieron flotar el polvo gris hasta fundirse con la niebla.

Moira contempló las formas indistintas de la naturaleza que se alzaban bajo ellos.

—Lo que importa es que los dos le queríamos.

Bourne supuso que aquélla era la elegía perfecta: la única que podía brindarles una suerte de paz a los tres.

Visite nuestra web en:

www.umbrieleditores.com